NIEKO GERIAU UŽ NAMUS
Mary Higgins Clark

Romanas

Iš anglų kalbos vertė
Inga Dievulytė

Alma littera

VILNIUS / 2016

UDK 821.111(73)-31
    Cl-21

Versta iš:
Mary Higgins Clark
NO PLACE LIKE HOME
Simon & Schuster, Inc.,
New York, 2005

ISSN 2424-3485
ISBN 978-609-01-2124-5

*Skaitytojų
pamėgtos*

PADĖKA

Praėjusiais metais mano draugė, nekilnojamojo turto agentė Dorothea Krusky paklausė, ar esu girdėjusi apie Naujojo Džersio valstijoje galiojantį įstatymą, įpareigojantį nekilnojamojo turto agentus informuoti klientus, jei namas, kuriuo jie domisi, yra priskiriamas prie vadinamojo kliaudingojo nekilnojamojo turto, galinčio pirkėjui sukelti psichologinį diskomfortą. „Galbūt tai tave įkvėps parašyti knygą", – tąkart užsiminė ji.

Taip gimė knyga „Nieko geriau už namus". Dorothea, ačiū tau.

Esu be galo dėkinga tiems nuostabiems žmonėms, kurie lydi mane nuo pat tos akimirkos, kai pradedu rašyti naują istoriją.

Michaelas Korda mano draugas ir redaktorius *par excellence* yra jau tris dešimtmečius. Pastaruosius dešimt metų drauge su mumis dirba ir vyresnysis redaktorius Chuckas Adamsas. Jie abu nusipelnė padėkos žodžių už tai, kad kas kartą pagelbėja šios knygos autorei jos kelyje.

Mano literatūros agentai Eugene'as Winickas ir Samas Pinkus yra tikri draugai ir puikūs kritikai, kurie visada šalia. Aš juos myliu.

Daktarė Ina Winick jau ne pirmą kartą mielai sutiko pasidalyti su manimi psichologijos žiniomis, kai rengiau šios knygos rankraštį.

Daktaras Jamesas Cassidy atsakė į daugybę mano klausimų apie psichologinę traumą patyrusių vaikų gydymą ir jų jausmų raiškos formas.

Mano reklamos agentė ir amžina draugė Lisl Cade buvo visada pasiruošusi suteikti bet kokią pagalbą. Ne pirmą ir tikrai ne paskutinį kartą aš žemai lenkiu galvą ir prieš Gypsy da Silvą, vieną iš vyriausiųjų redaktorių. Daugybę padėkos žodžių skiriu ir redaktoriui Anthony Newfieldui.

Nekilnojamojo turto agentūros „Turpin" atstovė Barbara A. Barisonek skyrė daugybę laiko ir pastangų supažindindama mane su Mendamo istorija bei nekilnojamojo turto prekybos subtilybėmis.

Nuolatinės mano literatūrinių kelionių palydovės yra Agnes Newton, Nadine Petry ir Irene Clark. Ypatingą padėką skiriu ir Jennifer Roberts, Floridos valstijoje, Palm Bičo mieste, įsikūrusio verslo centro „Beakers" partnerei.

Ieškant išsamesnės informacijos apie Mendamo istoriją ir šio miesto namus man itin pravertė dvi knygos: Johno W. Rae „Amerikos nuotraukos: Mendamas" (*Images of America: The Mendhams*) bei Johno K. Turpino ir W. Barry Thomson „Somerseto kalvos, Naujojo Džersio vasarvietės" (*The Somerset Hills, New Jersey Country Homes*), kurios įžangą parašė Markas Allenas Hewitas.

Turiu neįkainojamą galimybę kiekviena papasakota istorija džiaugtis drauge su visais savo vaikais, anūkais ir, be abejo, Juo – iš tiesų nepakartojamu savo vyru Johnu Conheeney. Šios džiaugsmo akimirkos man yra labai brangios.

Mielieji mano skaitytojai, viliuosi, kad ši knyga jus sudomins ir ją perskaitę jūs pritarsite gerai žinomam sparnuotam posakiui – visur gerai, bet namie geriausia.

Annie Tryon Adams,
negęstančiai sielai ir
brangiai draugei, atminti

Lizė Borden – nepėsčia,
Griebė kirvį ji nakčia.
Mamai kirto tris kartus,
O tėvukui – du šimtus!

PROLOGAS

Dešimtmetė Liza sapnavo patį mėgstamiausią savo sapną. Sapnavo tą dieną, kurią ji, šešiametė mergaitė, su tėčiu praleido Spring Leiko paplūdimyje, Naujajame Džersyje. Susikibę rankomis, juodu drauge šokinėjo per dūžtančias bangas. Netikėtai ėmė artintis gerokai didesnė banga. Kai ji buvo belūžtanti virš jų galvų, tėtis Lizą stipriai apkabino. „Laikykis, Liza!" – riktelėjo jis. Netrukus juodu, parblokšti galingos bangos, jau muistėsi po vandeniu. Liza buvo labai išsigandusi.

Prisimindama tai, ji dar ir dabar retkarčiais pajunta, kaip, bangai išmetus juos į krantą, kakta trinkteli į smėlį. Tąkart Liza ėmė kosėti – buvo prigėrusi vandens. Jai smarkiai gėlė akis ir ji nesiliovė verkusi. Tada tėtis užsikėlė Lizą ant kelių. „Čia tai bent banga! – prabilo valydamas smėlį nuo jos veido. – Ir mes drauge ją pažabojome. Tiesa, Liza?"

Tai buvo pati geriausia sapno dalis – taip saugiai jaustis tėčio glėbyje.

Dar neprasidėjus kitai vasarai, tėtis mirė. Ir ji niekada nebesijautė saugi. Dabar Liza visą laiką bijojo, nes mama privertė Tedą, jos patėvį, išsikraustyti iš namo. Tedas nenorėjo skirtis – jis vis įkalbinėjo mamą priimti jį atgal. Liza puikiai suprato, kad išsigandusi ne tik ji. Mama taip pat bijojo.

Liza stengėsi nieko negirdėti. Ji norėjo grįžti į sapną, vėl būti tė-
čio glėbyje, tačiau balsai neleido jai užmigti.

Kažkas verkė ir šaukė. Ar tai mama išrėkė tėvelio vardą? Ką ji
pasakė? Liza atsisėdo ir išsmuko iš lovos.

Mama visada palikdavo Lizos miegamojo duris šiek tiek pra-
viras, kad ji galėtų matyti šviesą koridoriaus gale. Ji vis kartodavo
Lizai: jei netikėtai pabudus pasidarytų liūdna, ji visada galinti ateiti
į jos kambarį ir atsigulti drauge. Kartodavo, kol pernai ištekėjo už
Tedo. Kai Tedas įsikraustė gyventi čia, Liza daugiau niekada nebe-
nakvojo su mama vienoje lovoje.

Balsas, kurį ji išgirdo šįkart, buvo Tedo. Jis rėkė ant mamos, o ši
klykė. „Paleisk mane!" – pasigirdo dar vienas jos riksmas.

Liza žinojo, kad mama neapsakomai bijo Tedo. Taip pat žino-
jo, kad nuo tada, kai jis išsikraustė, naktinio stalelio stalčiuje mama
laiko tėčio pistoletą. Liza pasileido bėgti kilimu išklotu koridoriu-
mi. Svetainės durys buvo praviros, tad ji pamatė, kaip Tedas purto
mamą prispaudęs prie sienos. Liza prabėgo pro svetainę ir puolė į
mamos miegamąjį. Paskubomis apibėgusi lovą, ištiesė ranką ir trūk-
telėjo naktinio stalelio stalčiaus rankeną. Tada drebėdama griebė
pistoletą ir nudūmė atgal į svetainę.

Stovėdama tarpduryje, ji nukreipė šautuvą į Tedą. „Paleisk
mano mamą!" – suriko.

Tedas atsigręžė, netraukdamas rankų nuo mamos. Jo akys buvo
išsprogusios ir piktos. Venos, vagojančios Tedo kaktą, buvo pritvi-
nusios kraujo. Mamos skruostais riedėjo ašaros.

„Kodėl gi ne!" – šūktelėjo jis ir įsiutęs bloškė mamą Lizos link.
Kai ji trenkėsi į dukterį, pistoletas iššovė. Pasigirdo tylus juokingas
kliunktelėjimas ir mama suknibo ant grindų. Liza žvilgtelėjo že-
myn, į savo mamą, tada pakėlė akis ir pažvelgė į Tedą. Kai šis ėmė
artintis, Liza nukreipė į jį ginklą ir spustelėjo gaiduką. Ji vis spaudė
ir spaudė gaiduką, kol Tedas pargriuvo ant grindų ir ėmė ropoti po
kambarį, vis dar vildamasis iš jos atimti pistoletą. Kai apkaba paga-
liau ištuštėjo, Liza metė ginklą į šalį, atsisėdo ant grindų ir apkabino

mamą. Įsivyravo spengianti tyla – tą akimirką Liza suprato, kad jos mama mirusi.

Ji sunkiai beprisimena, kas vyko vėliau. Pamena telefonu kalbančio Tedo balsą, atvažiuojančių policijos automobilių sirenas, kaip kažkas atplėšė jos rankas nuo mamos kaklo...

Liza buvo išvežta. Ir daugiau niekada nebepamatė savo mamos.

1
PO DVIDEŠIMT KETVERIŲ METŲ

Negaliu patikėti – stoviu toje pačioje vietoje, kur stovėjau tada, kai nužudžiau savo motiną. Klausiu savęs, ar tai tik blogas sapnas, ar taip yra iš tiesų. Kurį laiką po tos siaubingos nakties vis sapnuodavau košmarus. Pusę vaikystės praleidau piešdama juos daktarui Moranui, psichologui iš Kalifornijos, – ten persikrausčiau gyventi po teismo proceso. Kambarį, kuriame esu, piešiau daugybę kartų.

Virš židinio kabantis veidrodis – tas pats, kurį mano tėvas išsirinko rekonstruodamas šį namą. Jis įtaisytas sienoje iškirstoje ir įrėmintoje nišoje. Matau jame savo atvaizdą. Mano veidas gerokai išblyškęs. Akys jau nebe tamsiai mėlynos, o juodos – jose atsispindi visi siaubingi reginiai, šiuo metu šmėkščiojantys mano galvoje.

Akių spalvą paveldėjau iš tėvo. Mano motinos akys buvo šviesesnės, safyro mėlio. Jos puikiai derėjo prie auksinių plaukų. Jei nebūčiau dažiusi savųjų, jie būtų tamsiai gelsvi. Prieš šešiolika metų grįžau į Rytų pakrantę studijuoti Manhatano taikomųjų menų institute. Nuo to laiko plaukus tamsinu. Už motiną esu penkiais coliais aukštesnė. Vis dėlto man atrodo, kad, laikui bėgant, aš vis labiau į ją panašėju. Kaip išmanydama stengiuosi šio panašumo vengti. Visą laiką gyvenu baimindamasi, kad kas nors man pasakys: „Atrodai matyta..." Tomis dienomis mano motinos atvaizdas nuolatos šmėžavo žiniasklaidoje. Pasirodo ir dabar – šalia straipsnių, kuriuose ir vėl nagrinėjamos jos mirties aplinkybės. Todėl kai kas nors užsimena, kad atrodau matyta, žinau, jog mintyje turima ji. Nedidelė tikimybė, kad kas nors atpažins, jog aš, Selija Foster Nolan, kurios vardas anksčiau buvo Liza Barton, esu ta mažytė putlaus veido mergaitė auksiniais garbanotais plaukais – vaikas, kurį bulvariniai laikraščiai pakrikštijo Mažąja Lize Borden, kad aš ta mergaitė, kuri buvo išteisinta dėl tyčinės motinos žmogžudystės ir pasikėsinimo į patėvio gyvybę. Mergaitė, kuri, nors ir buvo išteisinta, bausmės neišvengė.

Su antruoju vyru, Aleksu Nolanu, šešis mėnesius gyvename susituokę. Maniau, šiandien vešime Džeką, mano keturmetį sūnų, į žirgų parodą Pypake, prašmatniame miestelyje Naujojo Džersio šiaurėje. Bet Aleksas netikėtai pasuko netoliese įsikūrusio Mendamo link. Tik tada prasitarė, kad mano gimtadienio proga yra parengęs nuostabią staigmeną, ir atvežė mus tiesiai prie šio namo. Aleksas pastatė automobilį ir mes įėjome vidun.

Džekas trūkčioja mano ranką, bet stoviu suakmenėjusi. Kaip ir dauguma keturmečių, jis yra guvus ir nori ištirti naują aplinką. Leidžiu jam bėgti, ir jis akimirksniu dingsta iš kambario, nuskuodžia koridoriumi.

Aleksas stovi greta. Ir labai nekantrauja – suprantu nė nežvilgtelėjusi į jį. Aleksas įsitikinęs, kad rado mums gražius namus. Jo dosnumas neišmatuojamas – namo pirkimo aktas sudarytas tik mano vardu. Tai jo gimtadienio dovana man.

– Mieloji, aš pasivysiu Džeką, – nuramina mane. – Apsižvalgyk ir imk mąstyti, kaip įrengsi šiuos namus.

Išgirstu, kaip jis, išėjęs iš kambario, rikteli:

– Džekai, nelipk žemyn! Dar neaprodėme mamytei viso jos naujojo namo.

– Jūsų vyras minėjo, kad esate interjero dizainerė, – prabilo nekilnojamojo turto agentas Henris Palis. – Šis pastatas buvo labai gerai prižiūrimas, tačiau, be abejo, kiekviena moteris, tuo labiau jūsų profesijos atstovė, norės šį tą pakeisti, sukurti namus būtent sau.

Vis dar abejodama, ar sugebėsiu prabilti, pažvelgiu į jį. Henris Palis yra maždaug šešiasdešimties metų, žemo ūgio vyras retėjančiais žilais plaukais. Jis tvarkingai apsirengęs – vilki tamsiai mėlyną dryžuotą kostiumą. Puikiai suprantu, kad šis agentas laukia, kada gi išreikšiu susižavėjimą nuostabia gimtadienio dovana, kurią man vyras ką tik įteikė.

– Turbūt jūsų vyras jau sakė, kad nesu tas pats agentas, kuris jums pardavė šį namą, – toliau kalbėjo jis. – Mano viršininkė, Žoržeta Grouv, jūsų vyrui rodė įvairius pastatus šiose apylinkėse, tuo metu jis ir pastebėjo į pievelę įsmeigtą ženklą „Parduodama". Matyt, iškart pamilo šį namą. Argi galėjo būti kitaip – juk tai tikras architektūros lobis. Dešimties akrų žemės sklypas labai geroje miesto vietoje, o ir pats miestas – vienas iš labiausiai vertinamų.

Žinau, kad tai lobis. Mano tėvas ir buvo tas architektas, kuris rekonstravo byrančius aštuonioliktojo amžiaus rūmus ir pavertė juos nuostabiais erdviais namais. Nukreipiu žvilgsnį nuo Henrio Palio ir imu tyrinėti židinį. Mama ir tėtis rado šią židinio atbrailą Prancūzijoje, pilyje, kurią buvo ruošiamasi nugriauti. Tėtis man išaiškino visų šios židinio atbrailos raižinių reikšmę – ir angelėlių, ir ananasų, ir vynuogių...

Tedas prispaudžia mamą prie sienos...

Mama kūkčioja...

Aš nukreipiu į jį pistoletą. Tėčio pistoletą...

Paleisk mano mamą...

Kodėl gi ne...

Tedas bloškia mamą į mane...

Spėju pamatyti siaubo kupinas jos akis...

Ginklas iššauna...

Lizė Borden nepėsčia, griebė kirvį ji nakčia...

– Ponia Nolan, ar gerai jaučiatės? – išgirstu sunerimusį Henrio Palio balsą.

– Taip, žinoma, – vos ne vos išlemenu.

Aš negaliu kalbėti – mano liežuvis per sunkus. Laris, pirmasis mano vyras, privertė prisiekti, kad tiesos apie save aš niekam nesakysiu. Net ir tam žmogui, už kurio ištekėsiu. Niekaip negaliu atsikratyti minties, kad turėjau nesutikti. Dabar siuntu ant Lario dėl to, kad išpešė iš manęs šį pažadą. Kai prieš mūsų vestuves viską pa-pasakojau, Laris buvo išties supratingas, tačiau galiausiai jis mane vis dėlto nuvylė, nes gėdijosi mano praeities. Baiminosi, kad ji gali pakenkti mūsų sūnaus ateičiai. Dėl tos jo baimės taip ir nutiko, kad dabar stoviu štai čia.

Melas jau pavirto našta, slegiančia ir mane, ir Aleksą. Abu ją jaučiame. Aleksas vis užsimena norįs kuo greičiau susilaukti vaikų. O aš svarstau, kaipgi jis jaustųsi sužinojęs, kad jų motina būtų Mažoji Lizė Borden.

Praėjo net dvidešimt ketveri metai, tačiau tokie prisiminimai negreitai blanksta. Svarstau, ar šiame mieste mane kas nors atpažins. Turbūt ne. Nors ir pritariau sumanymui apsigyventi šiose apylinkėse, aš juk nesutikau gyventi šiame mieste, tuo labiau šiame name. Negaliu čia gyventi. Tiesiog negaliu.

Norėdama išvengti smalsių Palio akių, priėjau prie židinio ir apsimečiau apžiūrinėjanti jo atbrailą.

– Daili, ar ne? – pasiteiravo jis. Spigus Palio balsas kupinas nekilnojamojo turto agentams būdingo entuziazmo.

– Taip, iš tiesų.

– Didysis miegamasis yra itin erdvus, su dviem puikiai įrengtais vonios kambariais.

Jis atveria miegamojo duris ir viltingai pažvelgia į mane. Nenoriai seku jam iš paskos.

Mano mintis užtvindė prisiminimai. Savaitgalio rytai šiame kambaryje... Buvau įpratusi įsmukti į tėvų lovą. Mamai tėtis atneš-davo kavos, o man – karšto šokolado.

Žinoma, jų milžiniškos lovos su minkšta dygsniuota galvūgalio lenta jau nebėra. Rausvai oranžinės sienos nudažytos tamsiai žalia spalva. Žvilgteliu pro langus į vidinį kiemą. Japoninis klevas, kurį kadaise pasodino tėtis, dabar toks išsikerojęs. Ir toks gražus.

Akyse tvenkiasi ašaros. Noriu iš čia bėgti. Jei reikės, aš nesilaikysiu Lariui duoto pažado ir pasakysiu Aleksui apie save tiesą. Aš ne Selija Foster, mergautine pavarde Kelog. Nesu Kalifornijoje, Santa Barbaroje, gyvenančių Ketlinos ir Martino Kelogų dukra. Aš – šiame mieste gimusi Liza Barton, vaikystėje, nors ir apgailestaujant teisėjui, vis dėlto išteisinta dėl žmogžudystės ir pasikėsinimo nužudyti.

– Mama, mama! – išgirstu savo sūnaus balsą ir jo žingsnių aidą. Jis atbėga kilimu nepadengtomis grindimis. Įlekia į kambarį – nedidelis, tačiau nepaprastai guvus ir linksmas mažylis. Dailus berniukas, visiškai pavergęs mano širdį. Naktimis aš sėlinu į Džeko kambarį pasiklausyti tolygaus jo kvėpavimo. Jam nerūpi, kas įvyko prieš daugelį metų. Jis laimingas, jei atsiliepiu, kai esu šaukiama.

Kai Džekas priartėja, pasilenkiu ir čiumpu jį į glėbį. Jis paveldėjo rusvus tėvo plaukus ir kaktą. Kerinčio mėlio akys – lyg mano motinos, nors, tiesa, Laris irgi buvo mėlynakis. Kai jau buvo beprarandantis sąmonę, Laris ėmė kuždėti nenorįs, kad lankant lopšelį Džekui kada nors tektų susidurti su geltonąja spauda, besikapstančia po senąsias mano istorijas. Dar kartą pajuntu kartėlį, prisiminusi, kad Džeko tėvas manęs gėdijosi.

Tedas Kartraitas dievagojasi, kad žmona, su kuria jis buvo nutraukęs visus ryšius, norėjo susitaikyti...

Valstijos psichiatras patvirtina, kad dešimtmetė Liza Barton yra veiksni ir galėjo įvykdyti sąmoningą žmogžudystę...

Ar prisaikdindamas mane tylėti Laris buvo teisus? Šią akimirką abejoju viskuo.

Pabučiavau Džeko viršugalvį.

– Man labai labai labai čia patinka, – susijaudinęs ėmė aiškinti jis.

Į miegamąjį įėjo Aleksas. Jis taip rūpestingai planavo staigmeną. Kelias namo link buvo papuoštas gimtadienio balionais ir šią vėjuotą rugpjūčio dieną jie žaismingai sūpavosi. Ant visų jų buvo užrašytas mano vardas ir sveikinimas gimimo dienos proga. Bet džiugesys, kuris Aleksą buvo apėmęs tada, kai įdavė man raktą ir namo pirkimo aktą, jau dingo. Jis per daug gerai mane pažįsta. Mato, kad nesidžiaugiu. Jis yra nusivylęs, įskaudintas ir turi teisę toks būti.

– Kontoroje papasakojau žmonėms, ką padariau. Kelios moterys prasitarė: kad ir koks gražus būtų namas, jos norėtų turėti galimybę nuspręsti, ar jis bus perkamas, – pasakė Aleksas viltį praradusio žmogaus balsu.

„Jos buvo teisios", – pagalvojau žvelgdama į jį, į jo rausvai rudus plaukus. Aleksas yra aukštas, plačiapetis. Jis daro stipraus žmogaus įspūdį ir dėl to yra beprotiškai patrauklus. Džekas jį tiesiog dievina. Dabar jis išslysta iš mano rankų ir apkabina Alekso koją.

Mano vyras ir mano sūnus.

Mano namuose.

2

Grouv nekilnojamojo turto agentūra buvo įsikūrusi pagrindinėje Mendamo, vieno iš labiausiai viliojančių Naujojo Džersio miestų, Rytų gatvėje. Žoržeta Grouv išlipo iš pastatyto priešais agentūrą automobilio. Ši rugpjūčio diena buvo neįprastai vėsi. Danguje besikaupiantys debesys grasino lietumi. Lininis kostiumėlis trumpomis rankovėmis, kurį Žoržeta vilkėjo, ne itin tiko tokiu oru kaip šis, tad takeliu savo biuro durų link ji žingsniavo sparčiai.

Žoržeta buvo daili, liekna šešiasdešimt dvejų metų moteris trumpais banguotais plieno spalvos plaukais, šviesiai rudomis akimis, turinti griežtos formos smakrą. Šiuo metu ji buvo gerokai sutrikusi. Žoržeta džiūgavo dėl to, kaip lengvai jai pavyko parduoti tą namą. Tai buvo vienas iš mažesniųjų šio miesto namų. Parduotas už sumą, vos siekiančią septynženklį skaičių. Gautą pelną Žoržetai teks pasidalyti su kitu nekilnojamojo turto agentu, tačiau čekis, kurį ji dabar spaudė delne, vis tiek prilygo manai iš dangaus. Jame įrašytos sumos užteks keliems mėnesiams – kol bus pasirašyta dar viena pardavimo sutartis.

Šie metai, bent jau kol kas, buvo pragaištingi. Bet parduodama namą Senojo Malūno take Aleksui Nolanui Žoržeta išgelbėjo agentūrą nuo pražūties. Dabar ji galės atsikratyti visų laiku neapmokėtų sąskaitų. Žoržeta labai norėjo būti šalia tą rytą, kai Aleksas Nolanas padovanos savo žmonai namą. „Tikiuosi, jai patinka staigmenos", – šimtąjį kartą susimąstė ji. Žoržeta nerimavo dėl tokio rizikingo sumanymo. Ji mėgino įspėti Nolaną dėl namo, papasakoti jo istoriją, tačiau jam tai nerūpėjo. Žoržetai buvo neramu ir dėl to, kad namo pirkimo sutartis buvo sudaryta tik žmonos vardu. Jei namas žmonai nepatiks, ją, Žoržetą, gali paduoti į teismą dėl reikšmingų faktų nuslėpimo.

Naujojo Džersio valstijos nekilnojamojo turto įstatymuose nurodyta, kad potencialus pirkėjas turi būti informuojamas, jei pastatas, kuriuo jis domisi, yra priskiriamas prie vadinamojo kliaudingojo nekilnojamojo turto. Kitaip tariant, jei yra galimybė, kad pastatas sukels asmeniui psichologinį diskomfortą. Kai kurie žmonės nenori gyventi name, kuriame buvo įvykdytas nusikaltimas ar kas nors nusižudė, tad nekilnojamojo turto agentas galimą klientą privalo perspėti apie tokius faktus. Įstatymuose nurodyta, kad agentas turėtų paminėti net ir tai, jei namas yra pagarsėjęs kaip vaidenimosi vieta.

Mėginau įspėti Aleksą Nolaną, kad Senojo Malūno tako name įvyko tragedija, mintyse teisinosi Žoržeta praverdama biuro duris ir žengdama į priimamąjį. Jis tiesiog neleido baigti sakinio – nutildė, tvirtindamas, kad jo šeima kurį laiką nuomojosi dviejų šimtų metų namą Keipkodo gatvėje, o kai kurių jame gyvenusių žmonių istorija mane pačią gerokai nugąsdintų. Bet juk tai visai kas kita. Turėjau jam pasakyti, kad namas, kurį ruošiasi įsigyti, šiose apylinkėse žinomas kaip Mažosios Lizės namas.

Žoržeta vis svarstė, ar galiausiai Nolanas ėmė nerimauti dėl tokios staigmenos. Paskutinę minutę jis kreipėsi į Žoržetą prašydamas atvykti prie namo, tačiau atšaukti sandorio laiko ji jau nebegalėjo. Vietoj savęs pasitikti Alekso Nolano su žmona ir atsakyti į visus ponios Nolan klausimus ji nusiuntė Henrį Palį. Henris gana nenoriai sutiko ją pavaduoti, tad Žoržeta buvo priversta griežtokai priminti, jog jis turės ne tik ten pasisukioti, bet ir paminėti visus namo bei žemės sklypo pranašumus.

Kaip Nolanas ir prašė, iki namo vedantis kelias buvo papuoštas balionais su užrašu „Su gimimo diena, Selija". Prieangyje kabojo šventinės girliandos. Šampanas, gimtadienio tortas, taurės, lėkštės, sidabriniai stalo įrankiai ir servetėlės – visa, ko jis pageidavo, – laukė atvykstančiųjų namo viduje.

Name baldų nebuvo. Kai Žoržeta atkreipė į tai Alekso dėmesį ir pasisiūlė atnešti sulankstomą stalą ir kėdes, jis gerokai nusiminė. Netrukus Aleksas jau skubėjo į šalia įsikūrusią baldų parduotuvę ir užsakė joje prabangų stiklinį vidiniam kiemui skirtą stalą ir kėdes. Jis taip pat įpareigojo pardavėją šiuos pirkinius atvežti ir pastatyti jo naujųjų namų valgomajame.

„Kai įsikursime, šiuos baldus perkelsime į vidinį kiemą, o jei Selijai jie nepatiks, paaukosime labdarai ir susigrąžinsime valstybei sumokėtus mokesčius", – pasakė jis.

Šis namo kiemui skirtų baldų komplektas kainavo penkis tūkstančius dolerių, o jis sako ketinąs jį kažkam tiesiog atiduoti, pagalvojo Žoržeta, nors ir žinojo, kad jis tikrai taip padarytų. Vakar popiet Aleksas skambino ir prašė dar kartą patikrinti, ar į visus pirmo aukšto kambarius bei didįjį miegamąjį bus atnešta po tuziną rožių.

„Rožės yra mėgstamiausios Selijos gėlės, – paaiškino tąkart. – Kai mes susituokėme, pažadėjau, kad jų jai niekada netrūks."

Jis turtingas. Jis dailus. Jis žavingas. Ir visiškai atsidavęs žmonai, mąstė Žoržeta. Įėjusi į priimamąjį, ji nesąmoningai apsižvalgė – juk jos jau galėjo laukti kokie nors būsimi klientai. „Prisimindama visas sutuoktinių poras, kurias esu mačiusi, turėčiau padaryti išvadą, kad Selijai Nolan beprotiškai pasisekė", – netrukus mintyse konstatavo Žoržeta.

Bet kaipgi ji reaguos, kai ją pasieks apie šį namą sklandančios kalbos?

Žoržeta stengėsi nuvyti šią mintį šalin. Ji turėjo įgimtą gebėjimą parduoti ir dėl to greitai kopė karjeros laiptais – iš sekretorės, pusę dienos dirbančios nekilnojamojo turto agentė, tapo, įmonės savininke. Jai priklausančios nekilnojamojo turto agentūros priimamasis ir jos savigarba buvo du neatskiriami dalykai. Robina Kapenter – Žoržetos sekretorė ir priimamojo darbuotoja – sėdėjo prie senovinio raudonmedžio stalo tiesiai priešais įėjimą. Kairėje stovėjo kavos staliukas, aplink jį buvo išrikiuotos kelios kėdės. Buvo ir šviesiu audiniu aptraukta sofa.

Šioje vietoje pavakarėmis Žoržeta ir Henris klientams, siurb-čiojantiems kavą, gaiviuosius gėrimus ar besimėgaujantiems taure vyno, rodydavo vaizdo įrašus apie parduodamą nekilnojamąjį turtą. Įrašuose būdavo pateikiama itin skrupulingai atrinkta informacija apie kiekvieną namo interjero ir eksterjero smulkmeną, apylinkes.

„Gerokai užtrunkame, kol šie vaizdo įrašai tampa tokie, kokių mums reikia, – patenkinta klientams aiškindavo Žoržeta. – Tačiau jie sutaupo daug jūsų laiko. O mes, sužinoję, kas jums patinka ir kas ne, galime geriau įsivaizduoti, ko gi jūs iš tikrųjų ieškote."

Priversk juos norėti namo dar prieš įkeliant į jį koją – tokia buvo Žoržetos strategija. Ji buvo sėkmingai naudojama beveik dvidešimt metų. Vis dėlto pastaruosius penkerius taikyti šį principą darėsi vis sunkiau. Kaimynystėje duris atvėrė kelios gerokai didesnės agentū-ros, jų jauni ir energingi darbuotojai būdavo pasiruošę persiplėšti pusiau dėl kiekvieno į nuomojamo ir parduodamo nekilnojamojo turto sąrašą įtraukto namo.

Robina buvo vienintelis žmogus priimamajame.

– Kaip sekėsi sudaryti sandorį? – paklausė ji Žoržetos.

– Dėkui Dievui, reikalai susiklostė sklandžiai. Ar Henris jau grįžo?

– Ne. Gal tebegeria šampaną su Nolanais. Vis dar negaliu tuo patikėti. Žavus vyrukas žmonai trisdešimt penktojo gimtadienio proga nuperka dailų namą. Jai lygiai tiek pat metų, kiek ir man. Ką gi, pasisekė. Gal sužinojai, ar Aleksas Nolanas turi brolį? – sunkiai atsidususi pasiteiravo Robina. – Kita vertus, dviejų tokių vyrų būti tiesiog negali.

– Tikėkimės, kad atsipeikėjusi po tokios staigmenos ir išgirdusi visas apie namą pasakojamas istorijas Selija Nolan vis dar manys, jog jai pasisekė, – atšovė Žoržeta. – Kitaip turėsime didelių rūpesčių.

Robina puikiai suprato, apie ką kalbama. Ji buvo tikrai graži, ne-didelio ūgio, liekna. Robinos širdies formos veidas ir jos polinkis rengtis itin puošniais drabužiais darydavo įspūdį, kad ji – tuščiagalvė blondinė. Tokia mintis šmėkštelėjo ir Žoržetai, kai prieš metus Ro-bina kreipėsi į ją dėl darbo. Vis dėlto po penkių pirmųjų pokalbio minučių ji ne tik pakeitė nuomonę, bet ir iškart įdarbino Robiną, net pasiūlė gerokai didesnę algą, nei ketino. Praėjo metai ir Robina jau tuoj gaus nekilnojamojo turto agentės licenciją – Žoržeta nekantriai laukė tos dienos, kai ji pradės dirbti agente. Henrio šlovės dienos, deja, jau buvo likusios praeityje.

– Žoržeta, aš galiu paliudyti, kad tu tikrai bandei perspėti vyrą dėl namo praeities.

– Na, bent jau tiek, – tarstelėjo Žoržeta, žingsniuodama koridoriumi link savo kabineto pačiame gale. Staiga ji atsisuko ir įdėmiai pažvelgė į Robiną. – Robina, apie namo istoriją su Aleksu Nolanu aš mėginau pakalbėti tik vieną kartą, – ryžtingai ištarė, – tada, kai mes važiavome apžiūrėti Murėjų namo Moselio gatvėje. Mašinoje buvome dviese ir tu negalėjai girdėti mūsų pokalbio.

– Esu tikra, kad girdėjau jus apie tai kalbantis vieną iš tų kartų, kai Aleksas Nolanas lankėsi mūsų biure, – paprieštaravo Robina.

– Apie tai aš jam užsiminiau vieną kartą, kai mes drauge važiavome mašina. Čia apie tai su juo niekada nekalbėjau. Robina, meluodama klientui tu nedarytum paslaugos nei man, nei, turint galvoje tavo ateitį, sau, – atkirto Žoržeta. – Prašau šito nepamiršti.

Atsidarė laukujės durys. Abi moterys įsmeigė akis į Henrį Palį, žengiantį į priimamąjį.

– Kaip sekėsi? – nerimo persmelktu balsu paklausė Žoržeta.

– Ponia Nolan puikiai suvaidino, kad vyro staigmena gimtadienio proga ją pradžiugino, – atsakė Henris. – Savo vyrą ji tikrai įtikino. Bet manęs apgauti jai nepavyko.

– Kodėl taip sakai? – paklausė Robina, Žoržetai vis dar ieškant tinkamų žodžių.

Henris žvelgė kaip žmogus, kuris iki galo įvykdė jam paskirtą užduotį, nors suprato esąs pasmerktas nesėkmei.

– Tikrai norėčiau žinoti atsakymą į šį klausimą, – pratarė jis. – Gal visko buvo tiesiog per daug. – Tada pažvelgė į Žoržetą, baimindamasis, kad jo atsakymas galėjo sudaryti įspūdį, jog jis nepateisino viršininkės lūkesčių. – Žoržeta, – prašneko prasikaltusio žmogaus balsu, – galiu prisiekti, jog rodydamas poniai Nolan pagrindinį miegamąjį aš niekaip negalėjau atsikratyti minties, kaip kadaise tame pačiame kambaryje tas vaikas šaudė į savo motiną ir patėvį. Argi ne keista?

– Henri, per pastaruosius dvidešimt ketverius metus mūsų agentūra šį namą pardavė tris kartus. Tu dalyvavai sudarant bent jau du sandorius. Nė karto nesu girdėjusi tavęs apie tai kalbant, – piktai atkirto Žoržeta.

– Niekada anksčiau ir nebuvau taip pasijutęs. Galbūt kaltos tos prakeiktos vyro užsakytos gėlės. Nuo jų kvapas buvo kaip laidotuvių namuose. Aš jų gerokai prisiuosčiau Mažosios Lizės namo miegamajame. Tikriausiai ir Selijos Nolan reakcija kažkaip su tuo susijusi. – Staiga Henris susigriebė, kad kalbėdamas apie Senojo Malūno tako namą netyčia ištarė uždraustus žodžius. – Atsiprašau, Žoržeta, – sumurmėjo eidamas pro ją.

– Yra už ką, – su karteliu tarstelėjo ji. – Net nenoriu galvoti, kokią įtaką poniai Nolan padarė tokia tavo nuotaika.

– Žoržeta, gal tu vis dėlto pritarsi mano pasiūlymui paliudyti, kad esu girdėjusi tave ir Aleksą Nolaną kalbant apie namą, – sarkastiškai šyptelėjusi įsiterpė Robina.

3

– Selija, bet juk mes ir *ketinome* taip pasielgti. Tik savo planus įgyvendiname šiek tiek greičiau. Džekas kuo puikiausiai gali lankyti darželį ir Mendame. Tavo bute mes susispaudę gyvenome net šešis mėnesius, o tu nenorėjai kraustytis į mano namus miesto centre.

Šis pokalbis vyko kitą dieną po mano gimtadienio. Kitą dieną po didžiosios staigmenos. Pusryčiavome mano bute – tame pačiame, kuris priklausė Lariui, mano pirmajam vyrui, ir kurį įrengti buvau pasamdyta prieš šešerius metus. Džekas, paskubomis suvalgęs dubenėlį dribsnių ir išgėręs stiklinę sulčių, ruošėsi – bent jau aš norėjau tikėti, kad iš tiesų ruošėsi, – dienos stovyklai.

Visą naktį praleidau nesumerkusi akių. Užuot miegojusi, gulėjau lovoje šalia Alekso spoksodama į tamsą ir vis mąsčiau apie praeitį. Dabar, susisupusi į melsvos ir baltos spalvų lininį chalatą ir susirišusi plaukus į kuodelį, aš gurkšnojau kavą, stengdamasi apsimesti esanti rami ir nė kiek nesutrikusi. Kitapus stalo sėdėjo Aleksas. Jis, kaip paprastai, vilkėjo nepriekaištingą tamsiai mėlyną kostiumą ir paskubomis pusryčiavo – valgė skrebutį ir gėrė kavą.

Aleksas nepritarė mano pasiūlymui, kad į gražųjį namą turėtume kraustytis tik kai aš būsiu jį visiškai įrengusi.

– Selija, aš suprantu, kad sprendimas įsigyti šį namą nepasitarus su tavimi prilygo beprotybei, tačiau mes abu svajojome būtent apie tokius namus. Tu jau buvai pritarusi sumanymui persikelti gyventi į tas apylinkes – mes svarstėme galimybę apsigyventi Pypake arba Baskinridže. Atstumą tarp Mendamo ir šių dviejų miestų galima įveikti per kelias minutes. Mendamas yra prabangus miestas visai šalia Niujorko. Yra ir dar viena priežastis – mane perkelia dirbti į Naująjį Džersį. Gyvendamas Mendame, aš turėsiu pakankamai laiko jodinėti rytais. Centrinis parkas tam tiesiog netinka. Be to, aš noriu ir tave išmokyti jodinėti. Juk sakei, kad jojimo pamokos tau visai patiktų.

Atidžiai stebėjau savo vyrą. Jo veido išraiška liudijo tiek atgailą, tiek prašymo nuoširdumą. Jis buvo teisus. Šis butas iš tiesų buvo per mažas trims žmonėms. Aleksas dėl mūsų santuokos tiek daug paaukojo. Savo erdviame bute Soho rajone jis turėjo didelį darbo kambarį. Jame užteko vietos ir prabangiai garso sistemai, ir milžiniškam pianinui. Dabar pianiną laikome sandėlyje. Aleksas turi įgimtų muzikinių gabumų ir nepaprastai mėgo juo groti. Žinau, kad jis ilgisi šio malonumo. Visa, ką turi, jis pasiekė sunkiai dirbdamas. Mano pirmasis vyras buvo iš turtingos šeimos, o Aleksas yra tolimas jo giminaitis, bet turtų jis neturėjo ir dėl to gana dažnai buvo giminių pašiepiamas. Puikiai supratau, kaip jis didžiuojasi dabar galėdamas sau leisti įsigyti naują namą.

– Ne kartą sakei, kad norėtum vėl dirbti interjero dizaino srityje, – toliau įkalbinėjo Aleksas. – Įsikūrusi Mendame, turėtum ne vieną progą tai padaryti. Tai turtingų žmonių miestas, jame nuolat statomi nauji namai. Selija, prašau, sutik ten persikelti bent jau dėl manęs. Tavo kaimynai yra pasiruošę įsigyti šį butą bet kuriuo metu, o kaina, kurią jie tau siūlo, yra iš tiesų gera. Tu juk ir pati žinai. – Pakilęs jis priėjo ir apkabino mane. – Prašau.

Nė nepastebėjau, kaip Džekas įsėlino į valgomąjį.

– Mamyte, man irgi patinka tas namas, – prabilo meiliu balseliu. – Kai mes persikelsime ten gyventi, Aleksas man nupirks ponį.

Pažvelgiau į savo vyrą ir sūnų.

– Ką gi, atrodo, mes turime naujus namus, – atsakiau stengdamasi kuo nuoširdžiau šypsotis.

Aleksas žūtbūt nori persikelti į erdvesnius namus. Jį nepaprastai džiugina mintis, kad galės gyventi šalia jojimo klubo. Galų gale po kurio laiko man gali pavykti rasti namą viename iš tų kitų dviejų miestų – jei taip nutiks, įkalbėti Aleksą persikelti gyventi kitur aš sugebėsiu. Juk jis *pripažino*, kad pirkdamas namą nė nepasitaręs su manimi padarė klaidą.

Praėjus mėnesiui iš 895-ojo Penktojo aveniu namo kiemo Linkolno tunelio link pajudėjo perkraustymo įmonei priklausantys sunkvežimiai. Galutinis jų kelionės tikslas – Naujasis Džersis, Mendamas, pirmasis namas Senojo Malūno take.

4

Penkiasdešimt ketverių Marsela Viljams pro jos namą važiuojančių sunkvežimių virtinę stebėjo smalsumu degančiomis akimis, prigludusi prie pat svetainės lango krašto. Prieš dvidešimt minučių ji matė, kaip kalva pakilo Žoržetai Grouv priklausantis sidabro spalvos BMV automobilis. Žoržeta yra agentė, kuri pardavė tą namą. Marsela neabejojo, kad netrukus po jos pro šalį pravažiavęs sedano tipo mersedesas priklauso naujiesiems jos kaimynams. Ji jau buvo girdėjusi, kad jie nori kuo greičiau čia įsikurti, nes jų ketverių metų vaikas lankys darželį. Marsela nekantravo sužinoti, kokie gi tie jos naujieji kaimynai bus.

Žmonės šiame name ilgai negyvena, mąstė ji. Ir nenuostabu. Kam gi patiktų gyventi Mažosios Lizės name? Džeinė Salsman buvo pirmoji jo savininkė. Kai tik po tų šaudymų buvo nuspręsta parduoti pastatą, Džeinė jį ir nusipirko. Už neregėtai mažą kainą. Bet ji vis kartodavo, kad šis namas jai kelia šiurpą. Kita vertus, Džeinė itin domėjosi parapsichologija, o tai, Marselos įsitikinimu, gryni niekai. Vis dėlto tikra tiesa, kad laikui bėgant visi namo savininkai netekdavo kantrybės dėl to, jog šis namas pirma buvo Mažosios Lizės namas. Per praėjusių metų Heloviną iškrėsta išdaiga perpildė paskutinių namo gyventojų – Marko ir Luizos Harimanų – kantrybės taurę. Luizai pakirto kojas, kai ji pamatė išterliotą pievelę prie namo ir prieangyje numestą žmogaus dydžio lėlę su pistoletu rankoje. Juodu su Marku ir taip ketino kitais metais persikelti į Floridą, tad nusprendė įgyvendinti savo planus šiek tiek anksčiau ir iš Mažosios Lizės namo išsikraustė vasario mėnesį. Nuo to laiko šis namas stovėjo tuščias.

Taip bemąstydama, Marsela nejučia ėmė svarstyti, kurgi Liza Barton yra dabar. Marsela čia gyveno ir tada, kai įvyko ta baisi nelaimė. Ji puikiai pamena, kaip atrodė dešimtmetė Mažoji Liza – jos šviesius banguotus plaukus, jos dailų ir putlų it lėlės veidą, kurio grožis buvo keistai šiurpus, jos tylų būdą ir nepaprastą brandumą. Liza buvo iš tiesų protingas vaikas, galvojo Marsela, tačiau žiūrėdavo keistu vertinančiu žvilgsniu. Net į suaugusius žmones ji stebeilydavosi taip, tarsi bandytų apie juos susidaryti nuomonę. Man patinka, kai vaikai elgiasi kaip vaikai. Kai mirė Vilas Bartonas, aš stengiausi kuo galėdama pagelbėti Odrei ir Lizai. Nuoširdžiai džiaugiausi, kai Odrė ištekėjo už Tedo Kartraito. O Liza? Niekada nepamiršiu, kaip ta maža akiplėša į mane pažiūrėjo, kai užsiminiau, jog ji greičiausiai itin džiaugiasi turėdama naują tėtį. „Mano mama turi naują vyrą. Aš naujo tėčio neturiu", – tada rėžė ji.

Apie tai aš ir teisme papasakojau, patenkinta prisiminė Marsela. Ir dar pasakiau, kad buvau jų name tą dieną, kai Tedas krovė į dėžes visus Vilui Bartonui priklausiusius daiktus, kuriuos buvo radės darbo kambaryje, ketindamas nešti juos į garažą. Papasakojau, kaip Liza ant jo šaukė ir vis tempė dėžes atgal į kambarį. Ji nesuteikė Tedui jokios galimybės tapti šeimos nariu. Odrei dėl to buvo labai sunku – juk dėl Tedo ji kraustėsi iš proto.

Na, bent jau *pačioje pradžioje*, mintyse ištaisė savo klaidą Marsela, stebėdama, kaip vienas paskui kitą į kalvą kyla sunkvežimiai. Niekas nežino, kas atsitiko vėliau. Akivaizdu, kad Odrė pernelyg nesistengė išgelbėti santuokos. O tas teismo sprendimas, draudžiantis Tedui prisiartinti prie jų namų... Jo tai jau tikrai nereikėjo. Nė akimirką neabejojau, jog Tedas nemelavo, tvirtindamas, kad tą naktį Odrė pati jam paskambino ir paprašė ateiti.

Tedas buvo iš tiesų dėkingas už palaikymą, prisiminė Marsela. Mano liudijimas gerokai pagelbėjo, kai jis padavė Lizą į teismą. Ką gi, tam vargšeliui tikrai turėjo būti atlyginta. Gyventi sutrupintu keliu nelengva. Tikras stebuklas, kad tą naktį jo nenužudė.

Po tos kraupios nakties Tedas atsidūrė ligoninėje. Iš jos išėjęs, persikėlė gyventi į netoliese esantį Bernardsvilį. Dabar jis yra Naujajame Džersyje gerai žinomas nekilnojamojo turto supirkėjas. Jam priklausančios statybos įmonės logotipą gana dažnai galima pamatyti ant statybos tvorų prie prekybos centrų ir greitkelių. Vienas iš naujausių Tedo sumanymų – pasinaudojant žmones apėmusia sveikatingumo karštlige visoje valstijoje įrengti kuo daugiau sporto klubų. Jis taip pat ketina tęsti kotedžų statybas Madisone.

Marsela su Tedu retsykiais vis dar susitikdavo – progų pasitaikydavo įvairių. Paskutinį kartą juodu matėsi vos prieš mėnesį. Tedas antrą kartą nevedė, tačiau turėjo gana ilgą buvusių mylimųjų sąrašą. Pasak gandų, neseniai jis vėl išsiskyrė. Tedas visada tvirtino, kad Odrė buvo jo gyvenimo meilė ir kad jos pamiršti jam taip ir nepavyko. Nepaisant to, anąkart Tedas atrodė puikiai ir net užsiminė, kad netrukus jie vėl galėtų pasimatyti. Jam tikriausiai būtų įdomu išgirsti, kas ir kada atsikrausto į tą namą.

Marsela nė nemėgino nuo savęs slėpti, kad po paskutinio susitikimo su Tedu ji ieško priežasties jam paskambinti. Pernai per Helovіną kažkokie vaikigaliai baltais dažais ant to namo pievelės buvo užrašę: „Mažosios Lizės namas. Saugokitės!" Tąkart žurnalistai susisiekė ir su Tedu – norėjo išgirsti, ką jis apie tai mano.

Įdomu, ar naujiesiems namo savininkams vaikai taip pat iškrės išdaigą. Jei tokie kvailiojimai pasikartos ir šiemet, žurnalistai tikrai ieškos Tedo. Gal vertėtų jam pranešti, kad namas ir vėl turi naujus šeimininkus.

Nudžiugusi, kad pagaliau rado dingstį paskambinti Tedui, Marsela nuskubėjo prie telefono. Žingsniuodama erdvia svetaine, žvilgtelėjo į savo atvaizdą veidrodyje. Tada drąsindama save nusišypsojo. Puiki Marselos figūra liudijo – ji mankštinasi kasdien. Ji turėjo ilgus šviesius, tik vos vos žilstelėjusius plaukus ir neįtikėtinai lygią, keliomis botokso injekcijomis patobulintą veido odą. Marsela nė kiek neabejojo, kad naujasis akių pieštukas ir tušas jos šviesiai rudas akis labai pagražina.

Viktoras Viljamsas, vyras, su kuriuo Marsela išsiskyrė prieš dešimt metų, dar ir dabar prie pietų stalo retsykiais pasišaipydavo iš savo buvusios žmonos. Jis juokaudavo, jog, baimindamasi, kad gali ir nesužinoti pačių naujausių paskalų, Marsela miegodavo atsimerkusi ir į abi ausis įsikišusi po signalų priėmimo įtaisą.

Tedo Kartraito biuro telefoną Marsela sužinojo paskambinusi informacijos telefonu. Išklausiusi visas instrukcijas „spausk vienetą, jei nori to, ir dvejetą, jei nori ano", ji galiausiai paliko Tedui balso pašto žinutę. Jo balsas toks švelnus, pagalvojo klausydamasi Tedo balso pašto pasisveikinimo įrašo.

– Tedai, čia Marsela Viljams, – koketiškai prabilo ji. – Pamaniau, tau būtų įdomu sužinoti, kad senieji tavo namai vėl turi naujus šeimininkus. Netrukus jie ten ir įsikurs. Ką tik pro mano namus pravažiavo du perkraustymo įmonei priklausantys sunkvežimiai.

Išgirdusi sirenas, Marsela nutilo. Netrukus ji pamatė priešais langus praskriejančią policijos mašiną. „Ten jau kilo problemų", – kone virpėdama iš malonumo pagalvojo.

– Tedai, aš tau dar paskambinsiu, – dusdama sušvokštė į ragelį. – Į tavo senuosius namus važiuoja policija. Būtinai pranešiu, kas čia vyksta.

5

– Ponia Nolan, man iš tiesų labai gaila, – mikčiodama atsiprašinėjo Žoržeta. – Aš pati ką tik čia atvažiavau. Policijai jau paskambinau.

Pasižiūrėjau į Žoržetą. Ji vilko vandens žarną asfaltuotu namo taku tikėdamasi nuplauti bent dalį pievelę ir namą darkančių užrašų. Namas nuo pagrindinio kelio stovėjo per šimtą pėdų. Ant pievelės, kuri driekėsi tarp jų, milžiniškomis raudonomis raidėmis buvo parašyta:

MAŽOSIOS LIZĖS NAMAS.
SAUGOKITĖS!

Raudonais dažais buvo aptaškytos ir apatinės namo stogo čerpės bei dekoratyviniai namo pamatus puošiantys akmenys. Įsižiūrėjusi pamačiau ant laukujų raudonmedžio durų paliktus raižinius – kaukolę ir du sukryžiuotus kaulus. Į tas pačias duris buvo atremta ir šiaudinė lėlė su žaisliniu pistoletu rankose. Supratau, kad ten neva aš.

– Ką tai reiškia? – piktai paklausė Aleksas.

– Matyt, vaikų darbas. Man tikrai labai gaila, – susijaudinusi aiškino Žoržeta. – Aš netrukus iškviesiu valytojų brigadą, o paskui iš karto susisieksiu su aplinkos tvarkytoju, pasirūpinsiu, kad jis pas jus atvyktų dar šiandien – nupjaus žolę ir išklos pievelę nauja velėna. Negaliu tuo patikėti...

Pažvelgusi į mus, Žoržeta nutilo. Buvo karšta ir tvanku. Mes abu vilkėjome kasdienius drabužius – marškinėlius trumpomis rankovėmis ir ilgas plačias kelnes. Mano plaukai laisvai krito ant pečių. Dėkui Dievui, buvau užsidėjusi akinius nuo saulės. Laikiausi įsikibusi į mersedeso dureles. Greta manęs stovėjo ir Aleksas – supykęs ir nusiminęs. Pasiūlymo panaikinti šią netvarką jam buvo per maža – jis norėjo sužinoti, kodėl taip įvyko.

Pagalvojau, kad tikrai galėčiau paaiškinti Aleksui, kas čia dedasi. Laikykis, sukaupusi paskutines jėgas, vis drąsinau save. Žinojau, kad paleidusi mašinos dureles tuojau pat nualpčiau. Apšviesti skaisčios rugpjūčio saulės, raudoni dažai žėravo.

Kraujas. Tai buvo kraujas, o ne dažai. Mamos kraujas. Dar ir dabar pamenu, kokios lipnios nuo jos kraujo pasidarė mano rankos, kaklas, veidas...

– Selija, ar tu gerai jautiesi? – palietęs mano petį paklausė Aleksas. – Mieloji, man taip gaila. Negaliu suprasti, kodėl kažkas užsimanė taip padaryti.

Iš mašinos išsiropštė Džekas.

– Mamyte, kas tau? Tu juk nesergi?

Istorija kartojasi. Nors Džekas jau sunkiai bepamena savo tėvą, jį nuolat kausto instinktyvi baimė, kad gali prarasti ir mane.

Prisiverčiau sutelkti dėmesį į Džeką – reikėjo jį nuraminti ir įtikinti, kad man nieko blogo. Tada pažvelgiau į nerimaujančio Alekso veidą. Staiga man šmėkštelėjo baisi mintis. Jis žino? Gal tai kraupus, itin žiaurus pokštas? Nieko nelaukdama išmečiau šią mintį iš galvos. Jokių abejonių, Aleksas nė neįtaria, kad aš čia kadaise gyvenau. Henris Palis, tas nekilnojamojo turto agentas, kalbėjo apie ženklą „Parduodama", kurį Aleksas atsitiktinai pastebėjo, kai jie važiavo apžiūrėti kito namo už kelių kvartalų nuo čia. Vienas iš kraupių atsitiktinumų, kokių retsykiais pasitaiko. Dieve mano, bet ką gi man dabar daryti?

– Man viskas bus gerai, – pasakiau Džekui, šiaip ne taip judindama nutirpusias lūpas.

Džekas nuskuodė tolyn ir, atsistojęs pačiame pievelės viduryje, išdidžiai pareiškė:

– Aš galiu perskaityti! Ma-žo-sios Li-zės...

– Džekai, gana! – subarė Aleksas. – Ar turite kokį nors paaiškinimą, kas gi čia vyksta? – paklausė žvelgdamas į Žoržetą.

– Apie tai bandžiau pasikalbėti tada, kai pirmą kartą lankėmės šiame name, – prabilo Žoržeta. – Tačiau jums tai nerūpėjo. Beveik prieš dvidešimt penkerius metus šiame name įvyko didelė nelaimė. Dešimtmetė mergaitė, Liza Barton, atsitiktinai nušovė savo motiną ir sužeidė patėvį. Kadangi jos vardas ir pavardė buvo labai panašūs į liūdnai pagarsėjusios Lizės Borden vardą ir pavardę, žiniasklaida ją praminė Mažąja Lize Borden. Nuo to laiko prie šio namo retsykiais įvyksta incidentų, tačiau nieko panašaus dar nebuvo. – Buvo nesunku pastebėti, kad Žoržeta vos ne vos tramdo ašaras. – Turėjau priversti jus mane išklausyti, – verksmingai ištarė ji.

Iš pagrindinio kelio į namo kiemą įsuko pirmasis sunkvežimis. Netrukus iš jo iššoko du vyrai. Atidarę priekabos duris, jie nieko nelaukdami ėmė krauti daiktus.

– Aleksai, pasakyk jiems sustoti, – pareikalavau ir nustėrau suvokusi, kad kone klykiu. – Pasakyk jiems, kad tuojau pat apsisuktų ir grįžtų į Niujorką. Aš negaliu gyventi po šiuo stogu. – Per vėlu. Aleksas ir nekilnojamojo turto agentė jau spoksojo į mane praradę žadą.

– Ponia Nolan, kažin ar verta taip nusiminti, – sukluso Žoržeta. – Aš iš tiesų apgailestauju, kad taip įvyko. Net nežinau, kaipgi dar galėčiau jūsų atsiprašyti. Patikėkite manimi, tai tėra niekam tikęs pokštas, kurį iškrėtė kažkokie vaikigaliai. Pabendravę su policija, jie iškart supras, kad taip juokauti negalima.

– Mieloji, tu per jautriai reaguoji, – paantrino Aleksas. – Tai labai gražūs namai. Aš gailiuosi, kad sutrukdžiau Žoržetai perspėti mane dėl to, kas čia įvyko. Bet šį namą aš būčiau nupirkęs net ir žinodamas visus faktus. Neleisk kvailiems vaikiščiams sugadinti tau nuotaikos. – Aleksas suėmė rankomis mano galvą. – Pažiūrėk į mane. Pažadu, kad dar šiandien šis nemalonumas bus pamirštas. Eime į vidinį kiemą – aš noriu parodyti Džekui staigmeną.

Vienas iš krovėjų jau ėjo namo link. Džekas šokavo jam iš paskos.

– Džekai, grįžk! Mes einame į arklides! – šūktelėjo Aleksas. – Selija, eime, – paragino ir mane. – Prašau.

Norėjau jam paprieštarauti, tačiau tada pamačiau žybsinčius keliu atskubančio policijos automobilio švyturėlius.

Atplėšę mano rankas nuo mamos kūno, jie įsodino mane į policijos automobilį. Aš tevilkėjau naktinius marškinius, todėl kažkas apgobė mane antklode. Tada atvažiavo greitosios pagalbos mašina. Neštuvuose gulintis Tedas buvo į ją įkeltas ir išvežtas į ligoninę.

– Nagi, mieloji, – įkalbinėjo mane Aleksas. – Parodykime Džekui staigmeną.

– Ponia Nolan, pasikalbėsiu su policininkais, – pasisiūlė Žoržeta.

Bendrauti su policija aš nebūčiau sugebėjusi. Norėdama išvengti šio nepakeliamo susitikimo, aš vis dėlto nuskubėjau taku kartu su Aleksu. Mes atėjome prie erdvaus vidinio kiemo. Melsvų hortenzijų, kurių mama buvo prisodinusi palei namo pamatus, jau nebebuvo. Apstulbau pamačiusi, kad praėjus vos mėnesiui nuo mano apsilankymo čia kieme jau išdygusios arklidės ir jodinėti skirtas aptvaras.

Aleksas pažadėjo Džekui ponį. Nejaugi jis jau čia? Matyt, tokia pat mintis dingtelėjo ir Džekui – jis jau skuodė pievele arklidžių link. Pravėręs duris, Džekas spygtelėjo iš džiaugsmo.

– Mama, čia ponis! – suriko. – Aleksas man nupirko ponį!

Po penkių minučių, abi kojas tvirtai įspraudęs į balno kilpas, lydimas Alekso, Džekas jau jodinėjo po aptvarą. Jo akys spindėjo iš pasitenkinimo. Aš stovėjau už tvoros ir atidžiai juos stebėjau. Džiaugiausi dėl palaimingos Džeko veido išraiškos ir savimi patenkinto Alekso šypsenos. Puikiai supratau, kad dovanodamas namą Aleksas iš manęs tikėjosi tokio atsako, kokio sulaukė padovanojęs Džekui ponį.

– Mieloji, tai dar viena priežastis, dėl kurios buvau įsitikinęs, kad šis namas mums tinka, – vesdamas ponį pro mane prabilo Aleksas. – Džekas turi gabumų, galėtų tapti puikiu jojiku. Dabar jis galės jodinėti kasdien, tiesa, Džekai?

Man už nugaros kažkas kostelėjo.

– Ponia Nolan, aš esu seržantas Erlis. Man labai nesmagu dėl to incidento, kuris čia įvyko. Mendamas ne itin svetingai jus pasitiko.

Nė nepastebėjau, kaip policininkas ir Žoržeta čia atsirado. Pažvelgiau į juos abu gerokai apstulbusi.

Į mane kreipęsis maždaug šešiasdešimtmetis vyras buvo tvirto sudėjimo, retėjančiais smėlio spalvos plaukais.

– Gerai žinau, kokius vaikus reikia apklausti, – niūriai kalbėjo jis. – Patikėkite, jų tėvai atlygins jums visus nuostolius.

Taigi Erlis. Man girdėta ši pavardė. Kai praėjusią savaitę tvarkiau savo dokumentus, žvilgtelėjau ir į slaptąjį aplanką. Aplanką, į kurį dokumentus segu nuo tos nakties, kai nužudžiau savo mamą. Viename iš straipsnių, kuriuos jame laikau, minimas ir policininkas Erlis.

– Ponia Nolan, aš dirbu šio miesto policijos nuovadoje daugiau nei trisdešimt metų, – vis šnekėjo jis. – Netrukus jūs ir pati įsitikinsite, kad draugiškesnį miestą už Mendamą būtų sunku rasti.

Pastebėjęs Erlį ir Žoržetą, Aleksas paliko Džeką jodinėti vieną ir atėjo prie mūsų. Kai Žoržeta jį pristatė, Aleksas prabilo:

– Seržante, nei aš, nei mano žmona nenorime gyvenimo šiame mieste pradėti skųsdami policijai kaimynų vaikus. Bet aš tikiuosi, kad radę tuos niekdarius leisite jiems suprasti, kokie dėkingi mums jie turėtų būti už šį sprendimą. Tiesą sakant, aš ketinu kuo greičiau pasirūpinti, kad mūsų sklypas būtų aptvertas ir nuolatos stebimas vaizdo kamerų. Tad jei koks vaikigalis nuspręs papokštauti dar kartą, jam tai geruoju nesibaigs.

Taigi Erlis. Mintyse dar kartą perverčiau apie mane parašytus geltonosios spaudos straipsnius. Tuos pačius straipsnius, kuriuos žiūrinėjant praėjusią savaitę man taip gėlė širdį. Mačiau nuotrauką, kurioje policininkas mane, sėdinčią ant užpakalinės policijos mašinos sėdynės, supa į antklodę. Žinau, kad jo pavardė Erlis, nes po kurio laiko jis kalbėjo su žurnalistais. Tas Erlis tikino juos, kad dar niekada nematė tokio ramaus vaiko kaip aš. „Ji buvo kone paskendusi motinos kraujyje. Bet kai įsupau ją į antklodę, ji ramiu balsu pasakė: „Nuoširdžiai dėkoju, pareigūne.“ Tartum būčiau davęs porciją ledų.“

Dabar aš vėl susidūriau su tuo vyru. Kaip ir praeitą kartą, turėčiau padėkoti jam už paslaugą. Šįkart – už paslaugą, kurios prašoma ir mano vardu.

– Mamyte, man taip patinka šis ponis! – sušuko Džekas. – Noriu pavadinti ją Lize – tuo pačiu vardu, kuris buvo užrašytas ant pievelės. Gerai sugalvojau?

Lize!

Nespėjusi atsakyti Džekui, išgirdau tylų Žoržetos atodūsį.

– O Dieve, žinojau, kad taip nutiks. Štai ir paskalų karalienė, – tyliai sumurmėjo ji.

Netrukus mane supažindino su Marsela Viljams. Ji pagriebė mano ranką ir purtydama ją prabilo:

– Kaimynystėje gyvenu jau dvidešimt aštuonerius metus. Man visada malonu pasveikinti atvykusius naujus kaimynus. Nekantriai laukiu progos geriau susipažinti su jumis, jūsų vyru ir mažuoju berniuku.

Marsela Viljams. Ji vis dar čia gyvena! Teisme ji liudijo prieš mane. Nužvelgiau juos visus, vieną po kito. Žoržeta Grouv, nekilnojamojo turto agentė, pardavusi Aleksui šį namą. Seržantas Erlis, kuris neprašomas prieš daugelį metų susupo mane į antklodę, o vėliau taip pat noriai, niekieno neprašomas, pasakojo žiniasklaidai, kad aš esu mažų mažiausiai bejausmė pabaisa. Marsela Viljams, kuri patvirtino viską, ką teisme pasakojo Tedas. Jos liudijimai padėjo Tedui gauti jam finansiškai palankų teismo sprendimą, dėl to aš likau kone basa.

– Mamyte, ar galiu pavadinti kumelę Lize? – vėl šūktelėjo Džekas.

Aš *privalau* jį apsaugoti, pagalvojau. Privalau jį apsaugoti nuo to, kas įvyktų, jei šie žmonės sužinotų, kas esu iš tikrųjų. Akimirką prisiminiau retsykiais sapnuojamą sapną – tą, kuriame aš bandau išgelbėti vandenyne skęstantį Džeką. „Aš ir vėl vandenyne", – netrukus konstatavau mintyse apimta siaubo.

– Selija, ar tu leidi Džekui pavadinti kumelę Lize? – paklausė Aleksas. Jis atrodė gerokai suglumęs.

Mano vyras, kaimynė, policijos pareigūnas ir nekilnojamojo turto agentė – visi klausiamai stebeilijosi į mane. Norėjau nuo jų pabėgti. Norėjau pasislėpti. O Džekas, kuris nė nenumanė, kas gi čia vyksta, nuoširdžiai norėjo savo ponį pavadinti įžymiojo žudiko vaiko vardu, kuris buvo tapęs ir antruoju mano vardu.

Aš privalau kuo greičiau atsikratyti šių minčių. Turiu įsijausti į vandalizmu pasipiktinusios naujosios kaimynės vaidmenį. Esu naujoji kaimynė. Tik tiek. Prisiverčiau nusišypsoti, nors jie, matyt, tepamatė keistą grimasą, o ne šypseną.

– Neverta leisti kvailiems vaikams sugadinti mums dieną, – atsakiau. – Aš nenoriu rašyti skundo. Žoržeta, prašom pasirūpinti, kad visa žala būtų kuo greičiau atitaisyta.

Negalėjau atsikratyti minties, kad seržantas Erlis ir Marsela stebi mane pernelyg atidžiai. Ar bent vienas iš jų klausė savęs, ką aš jiems primenu? Atsirėmusi į aptvarą, šūktelėjau:

– Džekai, gali savo poną pavadinti kokiu tik nori vardu.

Privalau kuo greičiau pasislėpti name. Bet kurią akimirką seržantas Erlis arba Marsela Viljams gali suprasti, kad esu jiems matyta.

Vienas iš krovėjų – plačiapetis dvidešimtmetis kūdikio veidu – skubėjo taku mūsų link.

– Pone Nolanai, – šūktelėjo jis, – žurnalistai fotografuoja jūsų išterliotą pievelę ir namą. Vienas iš jų dirba televizijoje. Jis nori jus ir ponią Nolan pakalbinti priešais kameras.

– Ne! – maldaujamu žvilgsniu pažvelgiau į Aleksą. – Aš nesutinku.

– Aš turiu raktus nuo užpakalinių namo durų, – nieko nelaukdama prabilo Žoržeta.

Tačiau buvo per vėlu. Man dar nespėjus pasislėpti, mus apsupo iš kitos namo pusės atskubėję žurnalistai. Ėmė blyksėti fotoaparatai. Bandžiau užsidengti veidą delnais. Staiga mano keliai ėmė linkti. Netrukus mane apgaubė aklina tamsa.

6

Iš laikraščio „Star-Ledger" redakcijos Driu Peri paskambino tuo metu, kai ji važiavo 24-ąja gatve Moriso apygardos teismo rūmų link. Jos paprašė pasidomėti įvykiais Mažosios Lizės name. Šešiasdešimt trejų metų Driu buvo visko mačiusi žurnalistikos veteranė – korespondente ji dirbo jau keturias dešimtis metų. Ši moteris buvo stambių kaulų, jos pečius siekiantys pilki plaukai dažnai būdavo šiek tiek pasišiaušę. Rudos Driu akys po storais akinių stiklais atrodė gerokai per didelės veidui.

Vasarą Driu dažniausiai vilkėdavo medvilninę palaidinę trumpomis rankovėmis, plačias žalsvai rudas kelnes, avėdavo teniso batelius.

Nujausdama, kad dėl oro kondicionierių teismo salėje gali būti vėsoka, šiandien ji dėl visa ko į permetamą per petį rankinę buvo įbrukusi ir ploną nertinį. Rankinėje taip pat gulėjo piniginė, užrašų knygelė, butelis vandens bei skaitmeninis fotoaparatas, kurį Driu visada pasiimdavo, norėdama būti tikra, kad pro akis neprasprūs nė viena reikšminga aprašomos istorijos detalė.

– Driu, pamiršk teismo salę. Važiuok į Mendamą, – įsakmiu tonu pareiškė redaktorius. – Senojo Malūno take stovintis namas, tas, kuris vadinamas Mažosios Lizės namu, vėl buvo suniokotas. Jau nusiunčiau ten Krisą, kad viską nufotografuotų.

Mažosios Lizės namas, susimąstė Driu, važiuodama Moristauno gatve. Pernai ji jau rašė straipsnį apie vaikus, kurie per Heloviną to paties namo prieangyje buvo palikę lėlę su žaisliniu pistoletu rankoje ir dažais išmarginę namo pievelę. Tąkart policininkai juos nubaudė gana žiauriai – jie buvo teisiami. Žinoma, kaip nepilnamečiai. Keistoka, kad jiems užteko drąsos šitaip pasielgti dar kartą.

Panaršiusi po rankinę, Driu ištraukė visada ten gulintį butelį ir, vis dar įtemptai mąstydama, išgėrė kelis vandens gurkšnius. Dabar rugpjūtis, dar ne Helovinas. Kodėl vaikai nei iš šio, nei iš to nusprendė vėl taip papokštauti?

Atsakymas į šį klausimą paaiškėjo gana greitai – kai važiuodama Senojo Malūno taku ji pamatė perkraustymo įmonei priklausančius sunkvežimius ir krovėjus, nešančius baldus namo link. Pokšto iniciatorius, kad ir kas jis buvo, norėjo pagąsdinti naujuosius namo savininkus, padarė išvadą Driu. Privažiavusi arčiau ir išvydusi, ką pokštininkai iškrėtė šįkart, ji prarado žadą.

Padaryta didelė žala, nusprendė Driu. Kažin ar tas apatines namo stogo čerpes bus įmanoma tiesiog uždengti. Jas visas teks perdažyti. Dėl dekoratyvinių akmenų reikės kreiptis į profesionalus, taip pat ir dėl suniokotos pievelės.

Driu pastatė mašiną ant kelio, už ten jau stovinčio vietinės televizijos furgono. Pravėrusi automobilio duris, Driu išgirdo ūžesį – danguje ratus suko sraigtasparnis.

Netrukus ji išvydo du žurnalistus ir operatorių, skubančius už namo. Driu irgi pasileido bėgti ir tuoj juos pasivijo. Iš rankinės fotoaparatą ji ištraukė pačiu laiku – dar spėjo nufotografuoti alpstančią Seliją.

Kartu su vis gausėjančiu žurnalistų būriu Driu sulaukė greitosios pagalbos mašinos. Ji vis dar buvo įvykio vietoje, kai žurnalistai apspito iš namo išėjusią Marselą Viljams.

Ji nuoširdžiai mėgaujasi šia šlovės akimirka, pagalvojo Driu, stebėdama su žurnalistais kalbančią ponią Viljams. Marsela pranešė, kad ponia Nolan jau atsigavo ir jaučiasi gana gerai, nors vis dar yra šiek tiek sukrėsta. Tada, pozuodama ją apsupusiems fotografams ir atsakinėdama į televizijos žurnalisto klausimus, Marsela ėmė pasakoti ir savąją šio namo istorijos versiją.

– Aš pažinojau Bartonų šeimą, – pareiškė ji. – Vilas Bartonas buvo architektas. Jis pats ir restauravo šį namą. Tokia baisi tragedija.

Apie tą tragediją Marsela su didžiausiu malonumu čiauškėjo su žurnalistais. Ji vardijo net pačias mažiausias smulkmenas. Nepamiršo paminėti ir to, kad, jos įsitikinimu, dešimtmetė Liza Barton puikiai suprato, ką daro, kai tą vakarą iš naktinio stalelio stalčiaus išsitraukė tėvo pistoletą.

Driu žengė porą žingsnių Marselos Viljams link ir šiurkščiai tarė:

– Ne visi pritaria tokiai šių įvykių versijai.

– Ne visi ir pažinojo Lizą Barton taip gerai kaip aš, – atkirto Marsela.

Kai Marsela grįžo į vidų, Driu nusprendė apžiūrėti ant laukujų namo durų išraižytą kaukolę ir sukryžiuotus kaulus. Ji apstulbo pamačiusi, kad kaukolės akyse išraityti inicialai. Raidė L buvo išskaptuota kairėje akiduobėje, o raidė B – dešinėje.

Kraupoka, pagalvojo Driu. Kažkoks žmogus padirbėjo iš širdies – inicialai nebuvo išraižyti paskubomis. Kaukolę apžiūrinėjo ir laisvai samdomas „New York Post" korespondentas.

– Šitą nufotografuok iš kuo arčiau, – paliepė jis savo fotografui. –
Ko gero, jau turime nuotrauką, kuri rytoj papuoš pirmąjį laikraščio

puslapį. Aš pabandysiu sužinoti daugiau apie naujuosius namo sa-
vininkus.

Toks buvo ir Driu planas. Pirmiausia ji ketino apsilankyti kaimy-
nės, Marselos Viljams, namuose. Vis dėlto lyg ką nujausdama Driu
nusprendė dar kurį laiką palūkuriuoti ir įsitikinti, kad naujieji namo
šeimininkai nebendraus su žiniasklaida.

Nuojauta jos neapgavo. Praėjus dešimčiai minučių, į namo kie-
mą išėjo Aleksas Nolanas.

– Tikriausiai visi suprantate, kokį sukrėtimą mes patyrėme, išvy-
dę, kas čia nutiko. Mano žmona jau jaučiasi geriau. Dėl kraustymo-
si ji gerokai išvargusi, o tai, ką pamatėme čia atvažiavę, ją galutinai
pribaigė. Dabar Selija ilsisi, – paaiškino Aleksas kameras į jį atsuku-
siems žurnalistams.

– Ar tiesa, kad šis namas buvo nupirktas jai gimtadienio proga? –
paklausė Driu.

– Taip, tai tiesa. Ir ši dovana Seliją tikrai pradžiugino.

– Kaip manote, ar sužinojusi šio namo istoriją ji norės čia pasilikti?

– Kaip ji nuspręs, taip ir bus. Atsiprašau, bet turiu baigti šį in-
terviu. – Aleksas apsisuko ir grįžo į vidų.

Driu išsitraukė iš rankinės vandens butelį ir atgaivino gomurį
keliais dideliais vandens gurkšniais. Marsela Viljams minėjo, kad ji
gyvena kitoje gatvės pusėje. Palauksiu jos ten. O kai su ja pasikalbė-
siu, pasistengsiu iškapstyti visus su Mažosios Lizės byla susijusius
faktus, nusprendė Driu. Įdomu, ar teismo stenogramos yra įslap-
tintos. Norėčiau apie šią istoriją parašyti išsamų straipsnį. Tada, kai
įvyko ši tragedija, aš dirbau „Washington Post". Būtų įdomu sužino-
ti, kur Liza Barton dabar ir ką ji veikia. Jei mergytė iš tiesų tyčia nu-
žudė savo motiną ir sąmoningai kėsinosi nužudyti patėvį, ji turėjo
patekti į dar ne vieną bėdą.

7

Atmerkusi akis pamačiau, kad guliu ant pačiame svetainės viduryje pastatytos sofos – ją čia paskubomis atvilko krovėjai. Pirmiausia išvydau siaubo kupinas Džeko akis. Jis buvo palinkęs virš manęs.

Džeko akys man priminė išsigandusias motinos akis, paskutinį jos žvilgsnį. Instinktyviai ištiesiau rankas ir priglaudžiau jį prie savęs.

– Man viskas gerai, drauguži, – sušnibždėjau.

– Tu mane išgąsdinai, – taip pat pašnibždomis atsakė jis. – Tu mane labai išgąsdinai. Nenoriu, kad mirtum.

Nemirk, mama. Nemirk. Argi ne tokius žodžius aš kartojau purtydama savo motinos kūną?

Aleksas kalbėjo mobiliuoju telefonu, stengdamasis išsiaiškinti, kurgi taip ilgai užtruko greitosios pagalbos mašina.

Greitosios pagalbos mašina. Neštuvuose gulintis Tedas buvo įkeltas į greitosios pagalbos mašiną...

Vis dar tebeglausdama prie savęs Džeką, atsirėmiau alkūne į sofos kraštą ir mėginau atsisėsti.

– Man nereikia greitosios pagalbos, – ištariau. – Aš gerai jaučiuosi. Tikrai gerai.

Prie sofos stovėjo Žoržeta Grouv.

– Ponia Nolan, Selija, aš tikrai manau, kad būtų geriau, jei...

– Jus būtinai turi apžiūrėti gydytojas, – pertraukusi Žoržetą, ėmė įtikinėti Marsela Viljams.

– Džekai, mamytei nieko nenutiko. Atsikelkime.

Aš nukėliau nuo sofos kojas, įsikibau į ranktūrį ir, nepaisydama staiga apėmusio silpnumo, prisiverčiau atsistoti. Aleksas stebėjo mane su nepritarimo išraiška veide. Jis buvo smarkiai susirūpinęs.

– Aleksai, juk žinai, kokia įtempta buvo ši savaitė, – pasakiau. – Paprašysiu krovėjų man į vieną iš miegamųjų atnešti tavo didžiąją kėdę ir pagalvėlę, o tada porą valandų pailsėsiu.

– Selija, greitosios pagalbos mašina jau važiuoja, – prabilo Aleksas. – Ar leisi gydytojams tave apžiūrėti?

– Taip.

Privalėjau atsikratyti Žoržetos ir Marselos. Pažvelgiau į jas.

– Tikiuosi, suprasite mane, jei paprašysiu poros minučių ramybės? – pasiteiravau.

– Be abejo, – atsakė Žoržeta. – Aš tuo metu pažiūrėsiu, kas vyksta lauke.

– Gal išgertumėte puodelį arbatos? – pasiūlė Marsela, tikėdamasi likti šiek tiek ilgesniam laikui.

Aleksas suėmė mane už parankės.

– Ponia Viljams, mes tikrai nenorime jūsų gaišinti. Tikiuosi, jūs mus suprantate.

Pasigirdo sirenų kauksmas. Greitoji pagalba jau čia.

Apžiūra vyko viename iš antro aukšto miegamųjų, kuris kadaise buvo mano žaidimų kambarys.

– Jūs patyrėte iš tiesų nemažą šoką, – diagnozavo gydytojas. – Turint minty tai, kas čia šiandien įvyko, tai nesunkiai suprantama. Jei įmanoma, pabandykite likusią dienos dalį praleisti kuo ramiau. Nepakenktų puodelis arbatos su gurkšneliu viskio.

Man atrodė, kad skęstu triukšme, kurį kėlė baldus per grindis stumdantys krovėjai. Prisiminiau, kaip, pasibaigus teismui, manęs pasiimti iš Kalifornijos atvyko Kelogų šeima – tolimi tėvo giminaičiai. Paprašiau jų, kad pakeliui pravažiuotų ir pro mano namą. Name vyko aukcionas – buvo parduodama visa namo įranga, baldai, kilimai, porceliano indai, paveikslai.

Aš mačiau, kaip iš namo buvo nešamas darbo stalas – tas pats, kuris stovėjo viename iš šio kambario kampų. Tas pats, prie kurio praleidau ne vieną valandą piešdama dailius kambarius. Man, mažai mergytei, stebėti tokį vaizdą iš tolyn važiuojančios nepažįstamų žmonių mašinos buvo neapsakomai siaubinga. Nė nepajutau, kaip nuo šių prisiminimų apsiašarojau.

– Ponia Nolan, gal vis dėlto vertėtų nuvežti jus į ligoninę, – tėvišku balsu prabilo gydytojas. Jis buvo daugmaž penkiasdešimties, gerokai pražilęs, itin tankiais antakiais.

– Ne, tikrai nereikia.

Virš manęs buvo palinkęs Aleksas, šluostė man byrančias ašaras.

– Selija, aš privalau išeiti į lauką ir ką nors pasakyti tiems žurnalistams. Netrukus grįšiu.

– Kur Džekas? – sušnibždėjau.

– Vienas iš virtuvėje dirbančių krovėjų paprašė Džeko pagelbėti išpakuojant maisto produktus. Jam viskas gerai.

Abejodama, ar sugebėsiu kalbėti, tiesiog linktelėjau. Pajutau, kaip Aleksas man į delną įspraudė nosinaitę. Net ir sutelkusi visas jėgas niekaip nesugebėjau sulaikyti ašarų ir jos tekėjo upeliais.

Nebegaliu slapstytis, pagalvojau. Nebegaliu gyventi nuolatos baimindamasi, kad kas nors sužinos, kas aš esu iš tikrųjų. Privalau viską papasakoti Aleksui. Privalau būti sąžininga. Jau geriau tegu Džekas sužino visą tiesą dabar, kai jis dar mažas, o ne po dvidešimties metų, kai ši istorija jį tikrai paveiks.

Grįžęs Aleksas atsisėdo greta ir užsikėlė mane ant kelių.

– Selija, kas atsitiko? Nejaugi tave taip nuliūdino šis kvailas pokštas? Kodėl tu taip sielvartauji?

Pagaliau nustojau verkti. Akimirką suakmenėjau. Gal dabar ir turėčiau pasakyti jam tiesą?

– Istorija, kurią pasakojo Žoržeta Grouv... Ta istorija apie atsitiktinai savo motiną nužudžiusią mergaitę... – prabilau.

– Marsela Viljams man papasakojo visai kitokią šios istorijos versiją, – pertraukė mane Aleksas. – Jos įsitikinimu, ta mergaitė turėjo būti nuteista. Ji buvo tikra pabaisa. Nušovusi motiną, ji šaudė į patėvį tol, kol ištuštėjo apkaba. Marsela sakė, jog teisme buvo konstatuota, kad norint bent kartą nuspausti pistoleto gaiduką reikėjo nemenkos fizinės jėgos. Gaidukas nebuvo vienas iš tų jautriųjų, kuriuos pakanka vos spustelėti.

Ėmiau muistytis. Šiaip ne taip man pavyko išsilaisvinti iš Alekso glėbio. Kaipgi aš galiu papasakoti jam tiesą, jei jau dabar jis susidaręs tokią nuomonę?

– Ar visi žmonės jau išėjo? – paklausiau ir nudžiugau išgirdusi, kad mano balsas skamba daugmaž įprastai.

– Kalbi apie žurnalistus?

– Žurnalistus, greitosios pagalbos gydytojus, policininką, kaimynę, nekilnojamojo turto agentę... – Supratau, kad jaučiamas pyktis man suteikia jėgų. Aleksas nusprendė pasirinkti Marselos Viljams pateiktą įvykių versiją.

– Nieko nebėra, išskyrus krovėjus.

– Vadinasi, aš turiu susikaupti ir paaiškinti jiems, kurgi noriu statyti baldus.

– Selija, pasakyk man, kas atsitiko.

Pasakysiu, pažadėjau sau mintyse, tačiau tik tada, kai ir tau, ir pasauliui galėsiu įrodyti, kad Tedas Kartraitas, pasakodamas apie tą naktį, akiplėšiškai melavo. Pasakysiu tada, kai turėsiu įrodymų, kad tąnakt, laikydama rankose pistoletą, aš stengiausi apginti savo motiną, o ne ją nužudyti.

Aš atskleisiu Aleksui – ir visam mus supančiam pasauliui – savo tikrąją tapatybę. Tačiau tik tada, kai sužinosiu visas su ta naktimi susijusias smulkmenas, kai žinosiu, kodėl mano motina taip bijojo Tedo. Tą naktį ji tikrai neįleido Tedo į namus. Tuo net neabejoju. Po motinos mirties viskas tarsi skendėjo rūke. Aš negalėjau savęs apginti. Bet juk turėtų būti išlikusios teismo stenogramos, skrodimo išvados – dokumentai, kuriuos būtinai turiu surasti ir perskaityti.

– Selija, kas atsitiko?

Apkabinau jį.

– Viskas ir niekas, Aleksai, – atsakiau. – Bet tai anaiptol nereiškia, kad nieko nebegalima pakeisti.

Jis atsitraukė ir uždėjo rankas man ant pečių.

– Selija, mums kažkas nutiko. Aš žinau. Tiesą sakant, gyvendamas tame pačiame bute, kuriame tu kadaise gyvenai su Lariu, aš jaučiausi tarsi svečias. Dėl šios priežasties pamatęs šį namą ir nusprendęs, kad jis mums puikiai tiktų, aš ir nesusivaldžiau. Žinau, kad neturėjau jo pirkti nepasitaręs su tavimi. Žinau, kad turėjau leisti Žoržetai Grouv papasakoti man šio namo istoriją, užuot pertraukęs ją vidury sakinio. Vis dėlto pasiteisindamas turiu pasakyti, kad net jei *būčiau leidęs* Žoržetai baigti pasakojimą, tikėtina, jog šią istoriją ji būtų gerokai sušvelninusi.

Aleksas pravirko. Šįkart ašaras šluosčiau aš.

– Viskas bus gerai, – atsakiau. – Aš tuo pasirūpinsiu.

8

Moriso apygardos prokuroras Džefris Makingslis buvo itin suinteresuotas, kad kadaise prasidėjęs Bartonų namų niokojimas pagaliau baigtųsi visiems laikams. Kai prieš dvidešimt ketverius metus tuose namuose įvyko tragedija, Džefris buvo keturiolikmetis dešimtokas ir gyveno vos už mylios nuo Bartonų. Žiniai apie nelaimę pasklidus visame mieste, ten nuskubėjo ir Džefris – jis stoviniavo prie namo tuo metu, kai policininkai iš jo išnešė ant neštuvų paguldytą Odrės Barton lavoną.

Jau tada, nors ir buvo paauglys, Džefris itin domėjosi nusikaltimais ir baudžiamąja teise – jis godžiai skaitė visus straipsnius apie Bartonų tragediją.

Net ir praėjus daugiau nei porai dešimčių metų Džefris vis dar pagaudavo save bemąstantį, kas gi iš tikrųjų buvo dešimtmetė Liza Barton – mergaitė, kuri atsitiktinai nušovė savo motiną, bandydama ją apginti nuo įsisiautėjusio patėvio, ar vaikas, kuris gimė neturėdamas sąžinės? O tokių vaikų būna, atsidusdamas pagalvojo jis, ir nemažai.

Džefris buvo maždaug šešių pėdų ūgio, tvirto kūno sudėjimo, šviesiaplaukis, rudaakis, o jo veidą visą laiką puošė šypsena. Įstatymui paklūstantys žmonės Džefrį pamėgdavo ir imdavo juo pasitikėti vos tik išvydę. Moriso apygardos prokuroru jis dirbo jau ketverius metus. Dar būdamas jaunesniuoju prokuroru Džefris pastebėjo gana lengvai galįs aptikti bylų spragas. Jei jis būtų pasirinkęs gynėjų, o ne kaltintojų pusę, bausmės būtų pavykę išvengti ne vienam pavojingam nusikaltėliui. Dėl šios priežasties Džefris ir atsisakydavo pelningų pasiūlymų tęsti karjerą advokatų kontoroje. Prokuratūroje, kurioje dirbo, Džefris netrukus tapo tikra žvaigžde.

Todėl prieš ketverius metus, kai ankstesnysis prokuroras išėjo į pensiją, gubernatorius į jo postą paskyrė Džefrį.

Ir tarp teismo rūmuose dirbančių kaltintojų, ir tarp gynėjų Džefris buvo pagarsėjęs kaip doras, visas jėgas kovai su nusikalstamumu skiriantis žmogus. Kita vertus, visiems buvo žinoma ir tai, kad jis nuoširdžiai tiki reabilitavimo idėja – Džefris buvo įsitikinęs, kad tinkamas priežiūros ir bausmės derinys gali pakeisti nusikaltėlius.

Dabar Džefris buvo iškėlęs sau užduotį dalyvauti gubernatoriaus rinkimuose. Savo kandidatūrą į šį postą jis ketino pasiūlyti pasibaigus antrajai dabartinio gubernatoriaus kadencijai. Na, o kol kas, dirbdamas prokuroru, ketino daryti viską, kas buvo jo galioje, kad Moriso apygardoje gyventi būtų kuo saugiau.

Štai todėl Džefrį taip pykdė Bartonų namuose vis pasikartojantys incidentai.

– Net ir turėdami tiek galimybių turtingi vaikai nesugeba rasti įdomesnės veiklos už šaipymąsi iš senos tragedijos ir to gražaus namo niokojimą. Jis jau ir taip visame mieste žinomas kaip vaiduoklių namas, – gavęs pranešimą apie incidentą Bartonų name, į savo sekretorę kreipėsi Džefris. – Per kiekvieną Heloviną vaikai vieni kitiems pasakoja kraupias istorijas apie vaiduoklį, stebintį juos pro to namo antro aukšto langą. Pernai namo prieangyje jie paliko milžinišką lėlę, kuriai į delną buvo įspraudę žaislinį pistoletą.

– Nenorėčiau gyventi tame name, – dalykiškai atsakė Džefrio sekretorė Ana Maloj. – Tikiu, kad tos vietos energija bloga. Gal vaikai ten tikrai matė vaiduoklių.

Džefris pagalvojo, ir jau ne pirmą kartą, kad retsykiais per Aną iš tiesų galima netekti kantrybės. Tai buvo vienas iš tų kartų. Tada jis priminė sau, kad vis dėlto ji yra ir viena iš darbščiausių bei geriausiai savo pareigas atliekančių teismo rūmų sekretorių. Anai, laimingai ištekėjusiai už teismo raštininko, buvo arti šešiasdešimties. Taigi ji, priešingai nei dauguma jaunų sekretorių, niekada nešvaistė darbo laiko asmeniniams skambučiams.

– Ana, surink Mendamo policijos komisariato telefono numerį, – prabilo Džefris, bet tyčia nepasakė įprasto „prašau". Tegu bus ženklas, kad Ana jam jau spėjo įkyrėti.

Telefonu atsiliepė Džefriui gerai pažįstamas seržantas Erlis.

– Ką tik kalbėjau su nekilnojamojo turto agente. Namą įsigijo Nolanų šeima, – pranešė seržantas.

– Kaip jie reagavo išvydę tą vaizdą?

– Jis buvo įsiutęs. O ji labai susijaudino, net buvo trumpam praradusi sąmonę.

– Kokio jie amžiaus?

– Vyras šiek tiek daugiau nei trisdešimt penkerių, o jai turbūt apie trisdešimt. Abu labai elegantiški... na, žinai, ką turiu galvoje. Jie turi ketverių metų berniuką. Vaikas arklidėse rado jo laukiantį ponį. Jis sugebėjo perskaityti ant pievelės išterliotą užrašą ir dabar ketina savo ponį pavadinti Lize.

– Turbūt jam dėl tokio ketinimo teko gerokai pasiginčyti su mama.

– Ne, ji neprieštaravo.

– Jei neklystu, šįkart neužteko tik sudarkyti pievelę.

– Nieko panašaus į tai, kas padaryta šį kartą, dar nebuvau matęs – peržengtos visos ribos. Aš iš karto nuvažiavau į mokyklą ir apklausiau vaikus, kurie taip pokštavo per praėjusių metų Heloviną. Jų gaujos lyderis yra Maiklas Baklis. Dvylikametis kietuolis. Maiklas dievagojasi, kad su tuo neturi nieko bendra. Be to, jis drįso man pasakyti manąs, kad buvo pasielgta teisingai: esą naujuosius kaimynus reikėjo perspėti, jog namas, kurį jie įsigijo, yra prakeiktas.

– Kaip manai, ar jis susijęs su šiuo incidentu?

– Jo tėvas patvirtino man, kad tą vakarą jie abu praleido namuose. – Kurį laiką padvejojęs, Erlis vėl prabilo: – Džefri, aš tikiu Maiklu. Ne, neabejoju, kad jis sugebėtų apkvailinti savo tėvą ir išsprukti iš namų vidury nakties. Aš tikiu juo, nes tai iškrėtė ne vaikai.

– Kodėl taip manai?

– Šįkart panaudoti tikri dažai – tie, kurių taip lengvai nenuvalysi. Ir sudarkyta ne tik pievelė. Raižiniai, kuriuos aptikome ant namo durų, yra gana aukštai – juos turėjo padaryti gerokai už Maiklą aukštesnis niekdarys. Yra ir dar vienas dalykas – kaukolę ir sukryžiuotus kaulus išraižė su menais susijęs žmogus. Gerai įsižiūrėjęs pamačiau, kad kaukolės akiduobėse yra ir inicialai. L ir B. Spėju, kad tai pirmosios Lizės Borden vardo ir pavardės raidės.

– Arba Lizos Barton, – pratęsė Džefris.

Erlis sutiko:

– A, taip! Nė nepagalvojau apie tai. Na, ir galiausiai lėlė, kuri buvo palikta namo prieangyje. Tai nebuvo paprastas skarmalų prikimštas maišas. Šį kartą už lėlę buvo nemažai sumokėta.

– Tai mums pagelbės ieškant kaltininkų.

– Tikiuosi. Mes jau dirbame.

– Nepamiršk man pranešti, kas vyksta.

– Tiesa, net jei rasime kaltininkus, Nolanai nerašys skundo, – pranešė seržantas Erlis. Jo balsas išdavė, kad ši žinia jį erzina. – Na, gerai bent jau tai, kad ponas Nolanas ketina savo nuosavybę aptverti ir įrengti teritoriją stebinčias kameras. Gal šis nemalonumas nebepasikartos.

– Klaidai, – įspėjamu balsu prabilo Džefris, – vieną dalyką mes abu gerai žinome. Niekada negalima daryti prielaidos, kad nusikaltimas nepasikartos.

Kaip ir dauguma žmonių, Klaidas Erlis telefonu kalbėjo labai garsiai. Padėjęs ragelį, Džefris suprato, kad Ana girdėjo kiekvieną pokalbio metu ištartą žodį.

– Džefri, – prabilo ji, – prieš daugelį metų aš skaičiau knygą „Parapsichologijos studijos". Joje buvo tvirtinama, kad name įvykus nelaimei sienos sugeria visą su tuo įvykiu susijusią blogą energiją. Kai į tokį namą įsikelia žmonės, panašūs į ankstesnius, nelaimę patyrusius namo gyventojus, ta pati nelaimė pasikartoja. Kai Bartonai įsikraustė gyventi į Senojo Malūno tako namą, jie buvo jauna, turtinga, keturmetį vaiką auginanti pora. Jei nugirdau teisingai, seržantas Erlis pasakė, kad Nolanai yra turtingi, maždaug tokio pat amžiaus sulaukę, keturmetį vaiką auginantys sutuoktiniai. Darosi įdomu, tiesa?

9

Pabudusi kitos dienos rytą aš pirmiausia žvilgtelėjau į laikrodį. Nu-stebau pamačiusi, kad jau penkiolika minučių po aštuonių. Malo-niai rąžydamasi pasiverčiau ant kito šono – kad Aleksas šią naktį čia miegojo, liudijo tik įdubusi pagalvė. Kambaryje tvyrojo nejauki tuštuma. Prie naktinio stalelio lempos buvo prisegtas raštelis. Pas-kubomis jį perskaičiau.

Mieloji Selija,
atsikėliau šeštą. Taip džiaugiuosi matydamas, kad tau pavyko
užmigti po viso to, ką vakar patyrei. Važiuoju į klubą. Valandą
pajodinėsiu. Šiandien ilgai neužtruksiu – ketinu grįžti iki trijų.
Tikiuosi, Džekui patiks pirmoji diena darželyje. Būtinai turėsi
man apie ją papasakoti. Myliu jus abu, A.

Prieš daugelį metų skaičiau įžymios komikės Gertrūdos Lorens biografiją, kurią po jos mirties parašė jos vyras prodiuseris Ričar-das Aldričas. Knygą jis pavadino „Gertrūda Lorens ir ponia A". Su Aleksu esame susituokę šešis mėnesius. Visuose per šį laiką man paliktuose rašteliuose jis pasirašydavo raide A. Kas kartą su pasimė-gavimu įsivaizduodavau esanti ponia A. Net ir dabar, puikiai supras-dama, kokia nepavydėtina mano padėtis, pajutau sunkiai paaiškina-mą lengvumą. Norėjau būti ponia A. Norėjau įprasto gyvenimo, kurį gyvendama galėčiau patenkinta atlaidžiai šyptelėti, kad mano vyras yra pasiryžęs taip anksti keltis vien dėl valandos jodinėjimo, kurį taip mėgsta.

Atsikėliau, įsisupau į chalatą ir nuėjau koridoriumi į Džeko kam-barį. Jo lova buvo tuščia. Išėjusi iš kambario, kelis kartus pašaukiau jį vardu, tačiau atsakymo taip ir nesulaukiau. „Džekai... Džekai... Džekai..." – ėmiau kone klykti ir, išgirdusi savo balsą, supratau, kad mane apėmė tikrų tikriausia panika. Prisiverčiau nutilti, tikindama save, kad mano elgesys yra tiesiog juokingas. Greičiausiai jis apačioje, virtuvėje, ir šiuo metu pilasi į dubenėlį dribsnių. Džekas yra mažas savarankiškas berniukas – jis dažnai taip elgdavosi, kai gyvenome mano bute. Vis dėlto name tvyranti tyla mane iš tiesų baugino. Nuskubėjau žemyn, į pirmą aukštą, ir ėmiau tikrinti visus ten esančius kambarius. Nė viename iš jų neradau jokių Džeko pėdsakų. Virtuvėje taip pat neišvydau nei dribsnių dubenėlio, nei tuščios sulčių stiklinės.

Džekas labai guvus. Gal jam pabodo laukti, kol aš pabusiu, gal jis išėjo žaisti į kiemą ir dabar kur nors klaidžioja? Jis visiškai nepažįsta šių apylinkių. Gal kas nors pastebėjo jį bevaikštinėjantį vieną ir įsitempė į mašiną?

Kadangi kankinau save tokiomis mintimis, mane vėl apėmė panika. Suvokiau, kad jei man taip ir nepavyks rasti Džeko, privalėsiu skambinti policijai.

Tada, kai akimirką prašviesėjo protas, pagaliau supratau, kur jis yra. Žinoma! Jis nuskubėjo aplankyti savo ponio. Puoliau prie virtuvės durų į vidinį kiemą. Jas atidariusi su palengvėjimu atsidusau. Arklidžių vartai buvo atidaryti ir aš iš tolo kuo puikiausiai mačiau prie ponio gardo stovinčio, spalvotą pižamą vilkinčio sūnaus siluetą.

Palengvėjimą netrukus pakeitė pyktis. Vakar vakare, pagaliau apsisprendę, koks gi turėtų būti apsaugos sistemos kodas, mes buvome nakčiai įjungę signalizaciją. 1023 – šį keturženklį skaičių mudu su Aleksu pasirinkome dėl to, kad susipažinome praėjusių metų spalio dvidešimt trečią dieną. Džekui atidarius lauko duris, signalizacija nesuveikė, vadinasi, šįryt išeidamas iš namų Aleksas pamiršo ją vėl įjungti. Jei jis būtų tai padaręs, apsaugos sistemos sirenos būtų mane perspėjusios, kad Džekas bando išeiti į lauką.

Nors Aleksas labai stengiasi, jis vis dar nemoka mąstyti kaip tėvas, priminiau sau, eidama arklidžių link. Norėdama nusiraminti, pamėginau galvoti tik apie tai, koks gražus šis ankstyvas rugsėjo rytas. Gaivi vėsa liudijo, kad jau artėja ruduo. Ruduo visada buvo mano mėgstamiausias metų laikas, nežinau kodėl. Net ir mirus tėčiui rudens vakarus mudvi su mama leisdavome svetainės bibliotekoje. Susirangydavome ant sofos priešais židinį ir visą vakarą skaitydavome knygas. Visada atremdavau galvą į sofos ranktūrį ir ištiesdavau kojas taip, kad pirštų galiukais bent truputį liesčiau greta skaitančią mamą.

Staiga, vis dar bežingsniuojant per vidinį kiemą, man dingtelėjo mintis. Tą vakarą mudvi su mama leidome darbo kambaryje – drauge žiūrėjome filmą, jis baigėsi dešimtą valandą. Prieš mums pakylant į antrą aukštą, mama įjungė signalizaciją. Net ir tada, būdama maža, aš gana lengvai pabusdavau iš miego, todėl kaukiančios apsaugos sirenos mane tikrai būtų pažadinusios. Bet sirenos nekaukė, vadinasi, mama irgi nebuvo perspėta, kad Tedas įsigavo į namą. Įdomu, ar bylą tyrę policininkai apie tai pagalvojo. Tedas dirbo inžinieriumi ir buvo neseniai pradėjęs statybų verslą. Jam tikrai nebūtų buvę sunku išjungti mūsų namo apsaugos sistemą.

Turiu pradėti rašyti tokias mintis į atskirą sąsiuvinį. Jame kaupsiu visus prisiminimus, kurie vėliau galėtų padėti įrodyti, kad tąnakt Tedas į mūsų namą įsilaužė.

Įėjau į arklides ir, ištiesusi ranką, švelniai pataršiau Džeko plaukus.

– Sūneli, tu mane išgąsdinai, – kreipiausi į jį. – Daugiau niekada neišeik iš namo manęs neperspėjęs. Sutarta?

Iš mano balso supratęs, jog esu gana rimtai nusiteikusi, Džekas bailiai linktelėjo. Pažvelgiau į ponio gardą.

– Aš tik norėjau pakalbėti su Lize, – nuoširdžiai atsakė Džekas ir, praėjus vos akimirkai, paklausė: – Mama, kas yra tie žmonės?

Aš įsistebeilijau į pakabintą ant gardo baslio iš laikraščio iškirptą nuotrauką. Joje – aš su tėvais Spring Leiko paplūdimyje. Viena ranka tėtis laiko mane, kita apkabinęs mamą. Puikiai prisimenu, kaip mes pozavome šiai nuotraukai. Tądien milžiniška banga mane ir tėtį išmetė į krantą – tos pačios dienos vakarą ir nusifotografavome. Šios nuotraukos kopiją ir straipsnį, šalia kurio ji buvo išspausdinta, aš vis dar saugau savo slaptajame aplanke.

– Ar tu pažįsti šiuos žmones? – žiūrėdamas į nuotrauką paklausė Džekas.

Be abejo, aš sumelavau:

– Ne, Džekai, nepažįstu.

– Tai kodėl kažkas čia paliko jų nuotrauką?

Taigi, kodėl? Ar tai vis tų pačių vaikigalių pokštas? O gal kas nors mane atpažino? Stengiausi kalbėti kuo ramiau:

– Džekai, nepasakokime Aleksui apie nuotrauką. Jis labai supyks sužinojęs, kad kažkas ją čia pakabino.

Džekas pažvelgė į mane mąsliu vaikišku žvilgsniu – nujautė, kad kažkas negerai. Labai negerai.

– Tai mūsų paslaptis, – pasakiau.

– Kažkas pakabino šią nuotrauką šalia Lizės, kol mes miegojome? – paklausė Džekas.

– Nežinau.

Man ėmė džiūti burna. Gali būti, kad šią laikraščio iškarpą prie gardo priklijavęs žmogus vaikštinėjo aplink arklides tada, kai čia buvo Džekas. Kas gi tas ligonis, nusprendęs suniokoti mūsų namo pievelę ir patį namą? Iš kur jis gavo tą laikraštį? Ir kas būtų nutikę Džekui, jei jis būtų aptikęs tą žmogų arklidėse?

Džekas šėrė ponį pasistiebęs ant pačių kojų pirštų galiukų.

– Lizė labai graži, tiesa, mama? – paklausė jis, visiškai pamiršęs nuotrauką, kurią jau buvau spėjusi įsikišti į chalato kišenę.

Ponis buvo rūdžių spalvos, su maža balta dėme kaktoje, kurios forma šiek tiek priminė žvaigždę.

– Taip, Džekai. Ji iš tiesų graži, – atsakiau, stengdamasi neparodyti baimės, kuri gundė mane griebti Džeką į glėbį ir kuo greičiau iš čia sprukti. – Gal net per graži, kad būtų vadinama Lize. Sugalvokime jai kitą vardą, gerai?

Džekas atidžiai į mane pasižiūrėjo.

– Aš noriu ją vadinti Lize, – užsispyrė. – Vakar sakei, kad galiu ją pavadinti taip, kaip noriu.

Džekas buvo teisus. Bet aš nepraradau vilties pakeisti jo nuomonę. Atkreipiau dėmesį į baltą dėmę.

– Manau, kad kumelė, turinti kaktoje žvaigždę, turėtų būti pavadinta Žvaigžde, – atsakiau. – Aš siūlau duoti jai tokį vardą. Na, jau laikas ruoštis į darželį. Eime.

Dešimtą valandą Džekas turėjo būti darželyje, kuris buvo įsikūręs Šventojo Juozo mokyklos – tos pačios, kurią iki ketvirtos klasės lankiau ir aš, – pastate. Svarsčiau, ar mano mokytojai vis dar ten dirba, o jei taip, ar jie prisimins, kad jau yra mane matę.

10

Maldaudama, pataikaudama ir gundydama papildomomis priemokomis Žoržeta Grouv vis dėlto sugebėjo priprašyti aplinkos tvarkytoją nupjauti suniokotą Nolanų pievelės žolę ir iškloti visą pievelę velėna. Tą pačią popietę ji pasamdė ir dažytoją, kuris pažadėjo pasirūpinti raudonais dažais aptaškytomis namo stogo čerpėmis. Jai dar nebuvo pavykę rasti akmentašio, galinčio sutvarkyti namo pamatus puošiančius dekoratyvinius akmenis, ir staliaus, kurį ji būtų įpareigojusi pašalinti kaukolę ir sukryžiuotus kaulus, išraižytus ant pagrindinių lauko durų.

Po tokios dienos Žoržeta visą naktį beveik nesumerkė akių. Šeštą valandą ryto, išgirdusi prie namo sustojusio laiškanešio automobilį, ji šoko iš lovos. Kiekvieną vakarą prieš eidama miegoti Žoržeta paruošdavo viską, ko reikia norint išgerti rytinį kavos puodelį; atsikėlus jai tereikėdavo spustelėti kavavirės mygtuką. Taip ji padarė ir šįryt, skubėdama tiesiai į gatvę vedančių virtuvės durų link. Atidariusi duris, pakėlė nuo žemės rytinius laikraščius ir grįžo į vidų.

Žoržetą slėgė viena vienintelė mintis. Ji baiminosi, kad Selija Nolan pareikalaus namo įsigijimo aktą pripažinti negaliojančiu. Per pastaruosius dvidešimt ketverius metus aš šį namą parduodu jau ketvirtą kartą, priminė sau Žoržeta. Džeinei Salsman šį namą pavyko įsigyti kone pusvelčiui, nes kalbos apie jame įvykusią tragediją tuo metu dar nebuvo nurimusios. Vis dėlto šis pirkinys jai džiaugsmo nesuteikė. Džeinė tvirtino, kad kas kartą namuose įjungus šildymą pasigirsdavo šūvius primenantis poškėjimas. Pasak jos, nė vienam santechnikui nepavyko jo pašalinti. Po dešimties metų jos kantrybė išseko.

Kitus pirkėjus, Grynų šeimą, pavyko rasti tik praėjus dvejiems metams. Po šiek tiek mažiau nei šešerių metų Grynai kreipėsi į Žoržetą prašydami pagelbėti parduodant jų namą.

– Šis namas labai gražus. Bet man niekaip nepavyksta atsikratyti nuojautos, kad kažkas baisaus čia įvyks dar sykį. Ir aš tikrai neturiu noro sužinoti kas, – paskambinusi Žoržetai tąkart paaiškino Eleonora Gryn.

Paskutiniai namo savininkai, Harimanai, turėjo namą Palm Biče, ten ir praleisdavo didžiąją dalį laiko. Kai per praėjusių metų Heloviną vaikai iškrėtė tą pokštą, jie, užuot dar kurį laiką palaukę, nusprendė tuoj pat kraustytis į Floridą.

– Mūsų namuose Floridoje tvyro visai kitokia nuotaika, – prasitarė Luiza Hariman, įteikdama Žoržetai savo raktą nuo namo. – Šiose apylinkėse gyvenantiems žmonėms aš pirmiausia esu ponia, gyvenanti Mažosios Lizės name.

Per tuos dešimt mėnesių, kuriuos Žoržeta praleido rodydama tą namą ir vis pasakodama jo istoriją, jai ne kartą teko išgirsti, kad namas, kuriame įvyko tokia tragedija, kelia šiurpą. Tose pačiose apylinkėse gyvenantys žmonės, kurie žinojo, jog šis namas vadinamas Mažosios Lizės namu, griežtai atsisakydavo jį net apžiūrėti. Taigi Aleksas Nolanas – pirkėjas, nerodęs nė menkiausio susidomėjimo istorija, apie kurią Žoržeta lyg ir mėgino užsiminti, – prilygo tikrų tikriausiam stebuklui.

Atsisėdusi prie pusryčių stalo, Žoržeta ėmė skaitinėti laikraščius: „Daily Record", „Star-Ledger" ir „New York Post". „Daily Record" namo nuotraukai skyrė visą pirmąjį puslapį. Straipsnyje vandalizmas buvo smerkiamas – jame buvo apgailestaujama dėl to, kad taip seniai įvykusios tragedijos miestelis nesugebėjo pamiršti. Atsivertusi trečiąjį „Star-Ledger" puslapį, Žoržeta rado alpstančios Selijos Nolan nuotrauką. Jos galva buvo nusvirusi, keliai sulinkę, plaukai išsidraikę. Greta išspausdintoje nuotraukoje buvo įamžintas sudarkytas namas ir aprašinėta namo pievelė. „New York Post" trečiajame puslapyje paskelbtoje nuotraukoje buvo gerai matyti ant pagrindinių namo durų išraižyta kaukolė su raidėmis L ir B akiduobėse bei sukryžiuoti kaulai. Ir „New York Post", ir „Star-Ledger" buvo nepamiršta užsiminti apie sensacingą namo praeitį. „Deja, laikui bėgant, Mažosios Lizės namas mūsų bendruomenėje buvo apipintas šiurpą keliančiomis legendomis", – rašė „Daily Record" žurnalistas.

Šis žurnalistas apie vandalizmo aktą kalbėjo ir su Tedu Kartraitu. Straipsnį puošė ir Tedo Kartraito nuotrauka. Jis buvo nufotografuotas savo namuose gretimame Bernardsvilio mieste. Rankoje Tedas laikė pasivaikščiojimams skirtą lazdelę. „Man taip ir nepavyko atsigauti po žmonos mirties. Negaliu patikėti, kad kažkam gali toptelėti vėl visiems priminti tą siaubingą įvykį, – interviu tvirtino jis. – Šią tragediją aš puikiai pamenu. Jos nepamiršo ir mano kūnas. Košmaruose aš vis dar regiu tos mergaitės veido išraišką, kai ji vis spaudė gaiduką. Atrodė tarsi tikras velnio įsikūnijimas."

Tą pačią istoriją jis pasakoja jau beveik ketvirtį amžiaus, pagalvojo Žoržeta. Tedas nenori, kad ji būtų pamiršta. Iš tiesų gaila, kad tuo metu Liza buvo taip ilgai ištikta šoko ir negalėjo apsiginti. Daug atiduočiau už galimybę išgirsti jos versiją. Puikiai žinau, kokiais principais vadovaujasi šis verslininkas. Jei būtų jo valia, Mendame ir Pypake jojimo takų išvis nebeliktų – visur stovėtų milžiniški prekybos centrai. Tedas Kartraitas nenurims tol, kol taip nebus. Galbūt daugelį žmonių jam ir pavyko apkvailinti, tačiau manęs – niekada. Man ne kartą teko bendrauti su juo tada, kai priklausiau Miesto planavimo valdybai. Po naivaus, dėl žmonos netekties sielvartaujančio verslininko kauke paslėptas tikrasis jo veidas. Tedas yra suktas ir negailestingas žmogus.

Žoržeta skaitė straipsnį toliau. „Star-Ledger" žurnalistė Driu Peri gerokai padirbėjo rinkdama informaciją apie Nolanus. „Aleksas Nolanas yra vienas iš Akermano ir Nolano teisininkų kontoros partnerių. Jis taip pat yra Pypako jojimo klubo narys. Jo žmona Selija Foster Nolan yra Lorenso Fosterio, buvusio Bradfordo ir Fosterio investavimo įmonės direktoriaus, našlė."

Aš mėginau perspėti Aleksą Nolaną dėl namo praeities, šimtąjį kartą mintyse pakartojo Žoržeta. Bet juk namo pirkimo aktas pasirašytas jo žmonos vardu, o ji apie šią istoriją nieko nenumanė.

Sužinojusi apie nekilnojamojo turto įstatymuose minimą įpareigo-
jimą perspėti pirkėjus dėl blogą vardą turinčio nekilnojamojo turto,
Selija Nolan gali pareikalauti pirkimo aktą paskelbti negaliojančiu.

Kone verkdama iš bejėgiškumo, Žoržeta tyrinėjo alpstančios
Selijos Nolan nuotrauką. Aš galėčiau tvirtinti, kad jos vyras buvo
perspėtas dėl namo praeities, ir leisti jai paduoti mane į teismą, ta-
čiau ši nuotrauka teisėjui padarytų milžinišką įtaką, pagalvojo ji.

Žoržetai atsistojus įsipilti dar šiek tiek kavos, pasigirdo telefono
skambutis.

– Žoržeta, greičiausiai jau matei šiandienos laikraščius, – pasi-
teiravo moteriškas balsas. Skambino Robina.

– Taip, mačiau. Tu anksti atsikėlei.

– Jaudinausi dėl tavęs. Pastebėjau, kad vakar buvai labai susi-
krimtusi.

Žoržetai buvo malonu, kad Robina tokia rūpestinga.

– Dėkui už rūpestį. Ką tik perskaičiau visus laikraščiuose iš-
spausdintus straipsnius.

– Man kelia nerimą tai, kad kiti nekilnojamojo turto agentai
gali netrukus susisiekti su Selija Nolan ir pranešti jai, kaip lengvai
galima anuliuoti pasirašytą namo pirkimo sutartį. Jie, be abejo, ne-
praleistų progos ir maloniai pasisiūlytų pagelbėti jai ieškant naujo
namo, – pasakė Robina.

Tai išgirdusi, Žoržeta visiškai prarado viltį, kad galbūt viskas
kaip nors išsispręs.

– Kaipgi aš apie tai nepagalvojau. Tu teisi, kas nors iš tikrųjų
gali taip padaryti, – lėtai rinkdama žodžius atsakė ji. – Iki, Robina.
Pasimatysime biure.

Padėjusi ragelį, Žoržeta garsiai atsiduso.

– Nebėra jokios išeities, – garsiai ištarė. – Jokios.

Tada stipriai sukando lūpas. Negaliu tiesiog stebėti, kaip kažkas
iš manęs atima pragyvenimo šaltinį, pagalvojo ji. Gal Nolanai ir ne-
nori rašyti skundo, bet kas nors juk turi atsakyti už tai, kad man gali
tekti vėl pardavinėti tą namą. Pakėlusi telefono ragelį, ji surinko po-
licijos komisariato numerį ir pranešė norinti pasikalbėti su seržantu

Erliu. Tik kai jai pasakė, kad darbe seržantas pasirodys ne greičiau kaip po valandos, Žoržeta suprato, kad dar nėra nė septynių valandų ryto.

– Čia Žoržeta Grouv, – kreipėsi ji į policijos komisariato budėtoją Brajaną Šildsą, kurį pažinojo nuo to laiko, kai jis dar buvo vaikas. – Brajanai, tu tikriausiai žinai, kad tai aš pardaviau Senojo Malūno tako namą, kuris neseniai ir vėl buvo sudarkytas. Gali būti, kad dėl to, kas ten įvyko, man teks vėl ieškoti naujų pirkėjų. Aš norėjau seržanto Erlio paprašyti, kad jis padarytų viską, kas įmanoma, ir būtinai surastų tuos vandalus. Jis privalo juos nubausti taip, kad ir kitiems panašių minčių turintiems žmonėms tai būtų puiki pamoka. Maiklas Baklis yra prisipažinęs, kad per praėjusių metų Heloviną suniokojo to namo pievelę ir paliko ten lėlę. Aš norėjau sužinoti, ar jis jau buvo apklaustas.

– Ponia Grouv, į šį klausimą galiu atsakyti ir aš, – atsakė Brajanas Šildsas. – Seržantas Erlis jau lankėsi Maiklo Baklio mokykloje ir jį apklausė kone ištempęs iš klasės. Vaikis turi alibi. Jo tėvas patvirtino, kad tą naktį jis nebuvo išėjęs iš namų.

– Ar jo tėvas buvo blaivus? – irzliai pasiteiravo Žoržeta. – Jei neklystu, jis mėgsta pakilnoti taurelę. – Nesulaukdama atsakymo, vėl prabilo: – Kai seržantas Erlis pasirodys, paprašyk jo, kad iškart paskambintų man į biurą.

Padėjusi telefono ragelį, Žoržeta, vis dar laikydama rankoje kavos puodelį, nuskubėjo laiptų link. Staiga stabtelėjo. Nedidelė viltis dar yra, pagalvojo. Aleksas Nolanas yra jojimo klubo narys. Be to, kai ieškojome jam namo, užsiminė, kad jam buvo pasiūlyta vadovauti Samite įsikūrusiam teisininkų kontoros padaliniui. Vadinasi, yra mažiausiai dvi priežastys, dėl kurių jis norėtų likti gyventi šiose apylinkėse. Žinau keletą šiuo metu parduodamų namų, kurie galėtų sudominti ir jį, ir jo žmoną. Galbūt, jei pasisiūlyčiau Selijai Nolan juos aprodyti ir užsiminčiau, kad už savo paslaugas neprašyčiau jokio atlygio, ji tokiam sumanymui pritartų? Galų gale Aleksas Nolanas viešai *pripažino*, kad aš mėginau papasakoti jam to namo istoriją.

Žoržeta suprato, kad yra tikimybė, jog šį sumanymą jai pavyks įgyvendinti. Nors ir nedidelė.

Grįžusi į miegamąjį, ji ėmė paskubomis narplioti susimazgiusį chalato diržą. Galbūt atėjo laikas uždaryti agentūrą, sudvejojo. Kiekgi dar aš dirbsiu patirdama vien nuostolius? Pagrindinėje gatvėje stovintį namą, kurį man taip pigiai pavyko įsigyti prieš dvidešimt penkerius metus, galėčiau parduoti vos ne per minutę. Dabar jis apsuptas biurų. Bet ką gi aš tada daryčiau? Leisti sau išeiti į pensiją dar negaliu, o kitiems dirbti nenoriu.

Pamėginsiu Nolanus sudominti kitu namu, nusprendė. Kai Žoržeta grįžo iš dušo ir apsirengė, jai toptelėjo dar viena mintis. Kurį laiką pirmajame Senojo Malūno tako name Odrė ir Vilas Bartonai buvo iš tiesų laimingi. Vilas Bartonas įsigijo tuos griūvančius rūmus tikėdamas, kad juos galima paversti gražiais namais. Iš tiesų po kurio laiko šis Senojo Malūno tako namas jau buvo žinomas kaip vienas įstabiausių miesto namų. Pamenu, kaip vieną kartą važiavau pro jį, norėdama pasižiūrėti, kaipgi vyksta atnaujinimo darbai. Vilas ir Odrė drauge sodino gėles, o Liza žaidė ant pievelės pastatytame vaikams skirtame manieže.

Nė akimirką netikėjau nei tuo, kad Liza ketino nužudyti savo motiną, nei tuo, kad tą naktį ji sąmoningai pasikėsino į Tedo Kartraito gyvybę. Dieve mano, juk ji tebuvo vaikas. Jei ta buvusi Tedo mergina nebūtų paliudijusi, kad jiems išsiskyrus jis ją ne kartą buvo sumušęs, Liza būtų patekusi į nepilnamečiams skirtą koloniją. Įdomu, kurgi ji dabar ir ką ji atsimena apie tai, kas įvyko tąnakt? Na, aš niekada negalėjau suprasti, kuo Tedas sužavėjo Odrę. Jis tikrai neprilygo Vilui Bartonui. Kai kurios moterys tiesiog negali gyventi be vyrų, matyt, Odrė buvo viena iš jų. Jei tik aš nebūčiau paskatinusi Vilo lankyti tų jojimo pamokų...

Praėjus pusvalandžiui, kai jau buvo atsigaivinusi stikline sulčių, sukrimtusi skrebutį ir išgėrusi paskutinį kavos puodelį, Žoržeta užrakino namo duris ir įsėdo į mašiną. Išvažiuodama iš savo kiemo į Hadskreiblo kelią, ji su dėkingumu žvilgtelėjo į gelsvą namą, kurį jau dvidešimt penkerius metus vadino namais. Net ir turėdama daugybę rūpesčių dėl verslo, Žoržeta visada nudžiugdavo į jį pažvelgusi. Prieš daugelį metų šis namas buvo naudojamas kaip karietų sandėlis – tai liudijo ir ištaiginga, nežinia kokią funkciją tais laikais atlikusi laukujes duris puošianti arka.

Visą likusį gyvenimą aš noriu praleisti būtent čia, pagalvojo Žoržeta. Ir nusprendė nekreipti dėmesio į netikėtai ją nupurčiusį lengvą drebulį.

11

Ir mano motina, ir tėvas karstuose buvo išnešti iš Šv. Juozapo bažnyčios. Vakarų pagrindinėje gatvėje ji buvo pastatyta 1860-aisiais. Po šešiasdešimties metų išdygusiame bažnyčios priestate įsikūrė mokykla. Už bažnyčios yra įrengtos ir kapinaitės – ten palaidoti pirmieji Mendamo gyventojai, kurie ir įkūrė šį miestą. Jose ilsisi ir mano protėviai.

Mergautinė motinos pavardė buvo Saton. Pirmą kartą ji buvo paminėta aštuonioliktajame amžiuje, kai buvo aprašomos kalvotos dirbamosios Mendamo žemės, kurias buvo pasidaliję malūnininkai, staliai ir kalviai. Palei Šaltosios Kalvos kelią plytinčiame naujakuriams skirtame žemės sklype įsikūrė Pitnių giminė. Namas, kuris kadaise ten buvo pastatytas, dar ir dabar priklausė jų giminei. Mano protėviai buvo įsikūrę netoliese, tačiau namas, kuriame jie gyveno, neišliko – devynioliktojo amžiaus pradžioje jį nugriovė naujasis savininkas.

Seneliai mano motinos susilaukė būdami gana brandaus amžiaus. Laimė, jiems neteko laidoti dukters, kuri žuvo sulaukusi vos trisdešimt šešerių. Mamos vaikystės namai buvo Mauntensaido gatvėje. Jis, kaip ir daugelis kitų namų, buvo atnaujintas išplečiant gyvenamąją erdvę. Nors ir miglotai, pamenu kelias savo viešnages tame name, kai buvau dar visai mažytė. Vis dėlto vienas to meto vaikystės prisiminimas yra labai ryškus – aš puikiai pamenu, kaip močiutės draugės tikino mano mamą, kad Tedo Kartraito jos motina taip ir neprisivers pamėgti.

Kai mokiausi Šv. Juozo mokykloje, vienuolės sudarė didžiąją jos darbuotojų dalį. Vis dėlto šįryt, vesdama Džeką į darželį, pastebėjau, kad dauguma koridoriuje sutiktų darbuotojų yra pasauliečiai. Džekas jau buvo lankęs vaikų darželį Niujorke. Jam patiko leisti laiką su kitais vaikais. Vis dėlto, kai panelė Darkin, būsima Džeko mokytoja, atėjo su juo pasisveikinti, jis įsitvėrė į mano ranką.

– Mama, juk tu grįši manęs pasiimti? – susijaudinęs paklausė.

Po jo tėvo mirties buvo praėję dveji metai. Nė neabejojau, kad Džekas Larį jau sunkiai beprisimena. Vis dėlto visus išnykusius prisiminimus buvo pakeitusi iki galo nesuvokiama, stingdanti baimė prarasti ir mane. Tuo neabejoju dėl to, kad šis jausmas man buvo puikiai pažįstamas. Pamenu tą dieną, kai Šv. Juozapo bažnyčios kunigas, lydimas Vašingtono slėnio jojimo klubo savininko, atėjo į mūsų namus pranešti, kad, netikėtai pasibaidžius žirgui, žuvo mano tėvas. Nuo tos dienos aš gyvenau baimindamasi, kad kas nors gali nutikti ir mano motinai.

Ir nutiko. Nutiko dėl mano kaltės.

Mano motina kaltino save dėl tėvo žūties. Ji buvo puiki jojikė ir dažnai užsimindavo, kaip norėtų pajodinėti drauge su juo. Kuo daugiau apie tai mąstau, tuo labiau man atrodo, kad tėvas turėjo slaptą žirgų baimę. O žirgai tai gerai jaučia. Motinai, priešingai, jodinėti buvo būtina kaip kvėpuoti. Nuvežusi mane į mokyklą, ji iš karto važiuodavo į Pypako jojimo klubo arklides. Net ir žuvus tėčiui, pasislėpti nuo širdį draskančio sielvarto ji skubėdavo ten.

Pajutau, kaip kažkas trūktelėjo mano ranką. Džekas vis dar laukė atsakymo.

– Kada baigsis pamokos? – pasiteiravau panelės Darkin.

Ji suprato, ką aš darau.

– Dvyliktą, – atsakė.

Džekas jau moka naudotis laikrodžiu. Priklaupiau, kad kalbėdama galėčiau žiūrėti tiesiai jam į akis. Ant nosytės Džekas turi keletą strazdanėlių. Jo akys visada išduoda, kas vyksta mažoje galvelėje.

Kartais, kai sūnus plačiai šypsosi, jo akys liudija, kad jis nerimauja, o kartais – net beprotiškai bijo. Atsukau į jį savo laikrodį.

– Kiek dabar valandų? – paklausiau stengdamasi atrodyti kuo rimtesnė.

– Dešimt.

– Kaip manai, kada aš grįšiu?

Jis nusišypsojo.

– Lygiai dvyliktą valandą, – ištarė.

– Sutarta, – atsakiau, pabučiavusi jį į kaktą.

Panelei Darkin paėmus Džeką už rankos, aš kuo skubiau atsistojau.

– Džekai, norėčiau tave supažindinti su Biliu. Tu gali man padėti jį pralinksminti, – pasiūlė ji.

Bilio skruostais riedėjo ašaros. Niekam nekilo abejonių, kad jis sutiktų būti bet kur kitur, tik ne darželyje.

Kai Džekas nusisuko į jį, aš išsėlinau iš klasės ir grįžau į koridorių. Eidama pro vieną iš kabinetų, žvilgtelėjau į vidų – prie darbo stalo sėdėjo pagyvenusi moteris. Pasirodė, kad jau esu ją kažkur mačiusi. Nejaugi ji čia buvo ir tada, prieš daugelį metų? Taip, ji buvo čia. Nė trupučio tuo neabejojau. Neabejojau ir tuo, kad, šiek tiek ilgiau pamąsčiusi, sugebėčiau prisiminti jos vardą.

Net praėjus mėnesiui nuo gimtadienio vis dar bandžiau išvengti įsikūrimo Mendame. Kai Aleksas užsiminė, kad prieš užsakant baldus, kilimus ir užuolaidas reikia išmatuoti visus kambarius, aš sugalvojau tūkstančius dingsčių, kodėl negaliu užsakyti namui skirtų daiktų. Namui, kurį jau esu vadinusi savo namais. Tikinau jį, kad prieš apsispręsdama, ką turėtume įsigyti, noriu kurį laiką tame name pagyventi, geriau jį pažinti.

Atsispyriau pagundai užsukti į kapines aplankyti tėvų kapų. Užuot tai padariusi, kuo greičiau įsėdau į automobilį ir kelias minutes tiesiog važiavau pagrindine gatve, ieškodama nedidelio prekybos centro, kuriame galėčiau išgerti puodelį kavos. Dabar, būdama viena, negalėjau nustoti mąsčiusi apie tai, kas įvyko per pastarąsias dvidešimt keturias valandas. Įvykiai vis šmėsčiojo man prieš akis.

Barbariškas pokštas. Ant pievelės paliktas užrašas. Seržantas Erlis. Marsela Viljams. Žoržeta Grouv. Iš laikraščio iškirpta nuotrauka, kurią šįryt aptikau arklidėse.

Radusi prekybos centrą, aš pastačiau mašiną, nusipirkau šios dienos laikraščių ir pasukau kavinukės link. Užsisakiusi kavos, prisiverčiau perskaityti kiekvieną apie namą parašytą straipsnį. Viename iš jų radau ir savo nuotrauką – buvau nufotografuota tą akimirką, kai man iš po kojų ėmė slysti žemė. Susigūžiau.

Guostis galėjau nebent tuo, kad visuose laikraščiuose mes buvome vadinami naujaisiais namo savininkais. Aš buvau apibūdinta kaip filantropo Lorenso Fosterio našlė. Informacijos apie Aleksą taip pat nebuvo daug – tik kad jis yra jojimo klubo narys ir kad netrukus turėtų pradėti vadovauti Samite įkurtam teisininkų kontoros padaliniui.

Aleksas. Kodėl jis turi tiek kentėti dėl mano kaltės? Vakar vėl negalėjau atsistebėti, koks jis rūpestingas. Aleksas pasamdė dar kelis krovėjus, kad iki šeštos valandos vakaro namas būtų daugmaž tvarkingas, na, kiek gali būti tvarkingas kraustymosi dieną. Pakankamai baldų mes, be abejo, neturėjome. Vis dėlto stalą, kėdes ir spintą valgomajame buvo spėta pastatyti. Į svetainę taip pat buvo atnešta nemažai daiktų: sofos, lempos, stalai ir keletas kėdžių. Ir miegamieji – mūsų su Aleksu ir Džeko – atrodė neblogai. Į medžiaginius kraustymosi maišus įvilkti drabužiai jau kabojo spintose, išpakuoti buvo ir mūsų lagaminai.

Prisiminiau, kaip įskaudinau Aleksą ir gerokai sutrikdžiau krovėjus neleisdama išpakuoti porceliano, sidabro indų ir krištolo. Paprašiau visas ženklu „Trapu" pažymėtas dėžes nunešti į vieną iš svečių kambarių. Tąkart aš jaučiausi esanti trapesnė net už pačius prabangiausius krištolo indus.

Mačiau, koks nusivylęs buvo Aleksas, kai mano prašymu krovėjai dėžes vieną po kitos nešė svečių kambario link. Jis puikiai suprato, ką tai reiškia – šiame name mes greičiausiai tegyvensime kelias savaites, o ne keletą mėnesių ar metų.

Aleksas norėjo įsikurti šiose apylinkėse – žinojau dar prieš mums susituokiant. Palengva siurbčiodama kavą, mąsčiau apie šį jo norą. Samitas yra vos už pusvalandžio kelio nuo čia. Kai susipažinome, Aleksas jau priklausė Pypako jojimo klubui. Ar gali būti, kad pasąmoningai aš visada troškau sugrįžti į šias iki skausmo pažįstamas vietas? Galų gale juk čia gyveno net kelios mano protėvių kartos. Be abejo, jei kas nors būtų man pasakęs, kad Aleksas nupirks būtent mano vaikystės namą, niekada nebūčiau patikėjusi. Vis dėlto vakardienos įvykiai ir šįryt arklidėse rasta laikraščio iškarpa galutinai mane įtikino, kad aš pavargau slapstytis.

Lėtai nurijau gurkšnelį kavos. Noriu, kad mano vardas nebekeltų paniekos. Privalau sužinoti, kodėl mano mama taip bijojo Tedo. Po vakarykščių įvykių niekam nekils klausimų, kodėl mane domina ši istorija, pagalvojau. Juk niekas nenustebtų, jei pasirodyčiau teismo rūmuose ir imčiau uždavinėti įvairius klausimus. Esu naujoji namo savininkė, tad turiu teisę žinoti visą su tragedija susijusią tiesą, o ne vien kraupius mieste sklindančius gandus. Taigi nesibaimindama galiu pradėti tyrimą. Galbūt, stengdamasi nuplauti namo dėmę, aš sugebėsiu nuplauti ir mano vardą ženklinančią gėdos žymę.

– Atleiskite, bet ar tik ne jūs esate Selija Nolan?

Įsižiūrėjusi į stovinčią priešais mane moterį, padariau išvadą, kad jai apie keturiasdešimt. Pritariamai linktelėjau.

– Esu Sintija Greindžer. Tik norėjau jums pasakyti, kad visi miesto gyventojai labai nesmagiai jaučiasi dėl to, kaip buvo pasielgta su jūsų namu. Norėjome pasveikinti jus čia atvykusius. Mendamas yra tikrai gražus miestas. Ar jūs jodinėjate?

– Ne, tačiau ketinu pradėti, – atsakiau.

– Puiku! Kai jau čia įsikursite, aš būtinai su jumis susisieksiu. Tikiuosi, jums ir jūsų vyrui pavyktų rasti laiko kada nors drauge su mumis pavakarieniauti.

Padėkojau, o kai Sintija Greindžer išskubėjo iš kavinės, ėmiau mintyse kartoti jos pavardę. Greindžer. Aukštesnėse Šv. Juozo mokyklos klasėse mokiausi su keliais Greindžerių pavardę turinčiais vaikais. Įdomu, ar bent vienas iš jų yra Sintijos vyro giminaitis.

Išėjusi iš kavinės, dar apie valandą praleidau važinėdama po miestą. Pakilau Mauntensaido gatve, norėdama pasižiūrėti į senelių namą, stovintį netoli Arklio Pasagos posūkio, šalia Hiltopo gatvės. Pravažiavau ir pro Malonumų slėnio malūną. Be abejo, šiose apylinkėse jis geriau žinomas kaip kiaulių ūkis – jau kurį laiką malūno teritorijoje veisiamos kiaulės. Kaip ir kiekvienas šiose apylinkėse augęs vaikas, pavasariais aš čia apsilankydavau su tėvais – mes irgi atvažiuodavome pasižiūrėti į naujas paršelių vadas. Norėčiau čia atvežti ir Džeką.

Paskubomis apsipirkusi maisto parduotuvėje, pasukau Šv. Juozo mokyklos link. Ten buvau dar prieš dvyliktą – norėjau, kad po pamokų Džekas rastų mane jau jo laukiančią. Mudu iš karto grįžome namo. Prarijęs sumuštinį, Džekas ėmė zyzti norįs pajodinėti Lize. Po tėvo mirties buvau prisiekusi sau daugiau niekada nebejodinėti, bet Džeko ponį pabalnojau be jokio vargo. Rodydama sūnui, kaip reikia suveržti pavaržas, patikrinti balno kilpų tvirtumą ir kaip turėtų būti laikomos vadelės, jaučiausi taip, tarsi niekada nebūčiau nustojusi jodinėti.

– Kur to išmokai? – išgirdau klausimą.

Atsisukau gerokai sumišusi. Aleksas šypsojosi. Nei aš, nei Džekas negirdėjome automobilio. Matyt, paliko jį priešais namą. Spėju, kad net jei Aleksas būtų mane užtikęs bekraustančią jo švarko kišenes, nebūčiau taip sutrikusi ir susigėdusi.

– Ak, – sumikčiojau. – Aš juk pasakojau. Kai buvau maža, turėjau draugę Džiną. Ji labai mėgo žirgus. Gana dažnai stebėdavau ją besimokančią jodinėti. Retsykiais padėdavau jai pabalnoti žirgą.

Melas. Dar vienas melas.

– Neprisimenu, kad būtume apie tai kalbėję, – atsakė Aleksas. – Bet tiek to. – Aleksas pakėlė Džeką, viena ranka apkabino ir mane. – Klientė, su kuria turėjau praleisti šią popietę, atšaukė susitikimą. Jai aštuoniasdešimt penkeri ir ji norėjo dar kartą pakeisti testamentą, tačiau netyčia pasitempė nugarą. Sužinojęs, kad mūsų pasimatymas atšauktas, iš karto sprukau iš kontoros.

Aleksas buvo prasisagstęs marškinius ir atlaisvinęs kaklaraištį. Pabučiavusi jo kaklą pajutau, kaip Alekso ranka mane dar stipriau apsivijo. Man patiko, kaip nerūpestingai jis atrodo. Negalėjau atsigėrėti jo įdegusia oda ir keliomis rusvuose plaukuose pasiklydusiomis saulės nušviesintomis sruogomis.

– Papasakok man apie pirmąją dieną darželyje, – šelmiškai padrąsino Džeką Aleksas.

– Ar iš pradžių galiu pajodinėti Lize?

– Žinoma. Dabar pajodinėk, o vėliau galėsi papasakoti.

– Aš tau papasakosiu, ką atsakiau, kai jie manęs paprašė prisiminti pačią įsimintiniausią šios vasaros dieną. Aš jiems papasakojau ir apie tai, kaip mes čia persikėlėme, ir apie tai, kaip atvažiavo policija ir... ir... ir apie tai, kaip aš šiandien ryte lankiau Lizę ir radau ten tą nuotrauką, ir...

– Džekai, viską galėsi papasakoti tada, kai pajodinėsi, tiesa? – įsiterpiau.

– Gerai sugalvota, – atsakė Aleksas. Jis patikrino balną ir, supratęs, kad nebuvo nė menkiausios priežasties tai daryti, gerokai sutriko. Vis dėlto apie tai nepratarė nė žodžio.

– Džekas ką tik sukrimto sumuštinį, bet aš netrukus pradėsiu ruošti mums pietus, – pranešiau.

– Gal papietaukime kieme? – pasiūlė Aleksas. – Diena tokia graži. Tikrai nesinori sėdėti viduje.

– Kodėl gi ne, – pritariau ir pasukau namo link.

Užbėgau laiptais į viršų. Antrame aukšte tėvas buvo įrengęs du didelius kampinius kambarius, tinkančius įvairiausiems tikslams. Kai buvau maža, vienas iš jų buvo tėvo darbo kambarys, o kitame buvo įrengtas mano žaidimų kambarys. Buvau paprašiusi krovėjų mano darbo stalą nunešti į buvusį tėvo darbo kambarį. Tą senovinį stalą įsigijau dar tada, kai turėjau savo interjero dizaino įmonę. Kone pagrindinė priežastis, dėl kurios nusprendžiau jį įsigyti, buvo ta, kad viename iš šio stalo stalčių buvo įrengta rakinama niša. Ją pasiekti buvo galima tik įveikus paprastą puošybos elementą primenantį užraktą, o norint tai padaryti reikėjo žinoti slaptą apsaugos kodą.

Ištraukiau iš stalčiaus visus aplankus ir, smiliumi surinkusi apsaugos kodą, atrakinau nišą. Nišoje gulėjo storas Mažosios Lizės Borden aplankas. Nieko nelaukdama griebiau aplanką, ištraukiau iš jo nuotrauką, kurią šįryt radau priklijuotą prie ponio gardo, ir paskubomis vėl užrakinau nišą.

Džekas jau prasitarė Aleksui apie šią nuotrauką ir mano vyras, be abejo, paprašys ją parodyti. Išgirdęs tokį prašymą, Džekas supras, kad sulaužė man duotą pažadą. Gali būti, kad jis netyčia prasitars, jog aš prisaikdinau jį nieko Aleksui apie tą nuotrauką nepasakoti. „Aš pamiršau... Juk pažadėjau mamytei, kad nieko tau apie tai nepasakosiu..." – gali susikrimsti jis.

Ir aš vėl turėsiu meluoti.

Įsikišau nuotrauką į kelnių kišenę ir nulipau laiptais. Žinodama, kad Aleksas labai mėgsta rūkytą lašišą, jau buvau spėjusi nupirkti jos parduotuvėje. Per šį pusmetį jis spėjo lašiša sužavėti ir Džeką. Sudėjau lašišos gabalėlius į salotinę, apibarsčiau juos kaparėliais, įbėriau smulkiai supjaustytų svogūnų ir galiausiai įpjausčiau kiaušinių, kuriuos išviriau tada, kai Džekas kramsnojo sumuštinį. Namo kiemui skirtas plieno baldų komplektas, kurį Aleksas nupirko tam, kad mano gimtadienis būtų švenčiamas geriant šampaną, arbatą ir valgant sumuštinius, jau stovėjo lauke. Patiesusi ant staliuko servetėles ir sudėliojusi sidabrinius stalo įrankius, išnešiau į lauką salotas, šaltą arbatą ir pašildytą prancūzišką duoną.

Kai pašaukiau vyrus prie stalo, Aleksas paliko ponį pririštą prie vieno iš gardo baslių. Jis liko pabalnotas, vadinasi, Aleksas ketino leisti Džekui dar kurį laiką pajodinėti.

Jiems priartėjus, aš iš karto supratau, kad kažkas nutiko. Nuo staiga įsivyravusios nejaukios tylos man ėmė kone spengti ausyse. Aleksas atrodė susirūpinęs, o Džekas jau buvo bepradedąs kūkčioti. Po kurio laiko Aleksas prabilo ramiu balsu:

– Selija, kodėl tu nusprendei nuo manęs nuslėpti, kad šįryt arklidėse radai nuotrauką?

– Nenorėjau tavęs nuliūdinti, – atsakiau. – Tai tebuvo laikraščio iškarpa. Nuotrauka, kurioje buvo pavaizduota Bartonų šeima.

– Ką gi, atsitiktinai sužinojęs, kad kažkas čia vaikštinėjo naktį, aš jaučiuosi ne ką mažiau nuliūdęs. Nejaugi ketini tai nuslėpti ir nuo policijos?

Supratau, kad įtikimai gali nuskambėti tik vienas atsakymas.

– Ar vartei šios dienos laikraščius? – tyliai paklausiau. – Nenoriu, kad mes vėl atsidurtume pirmuosiuose puslapiuose. Negi sunku tai suprasti?

– Selija, Džekas man pasakė, kad į arklides jis šįryt nuėjo vienas, tuo metu tu dar miegojai. Ar bent įsivaizduoji, kas galėjo nutikti, jei jis ten būtų užtikęs tą nuotrauką priklijavusį žmogų? Šie pokštai jau seniai peržengė sveiko proto ribas.

Nors ir gerai supratau, dėl ko Aleksas nerimauja, dar geriau žinojau, kad jis nevisiškai teisus.

– Džekas ir nebūtų ten klaidžiojęs vienas, jei tu būtum įjungęs apsaugos sistemą, – atkirtau.

– Mamyte, kodėl tu pyksti ant Alekso? – paklausė Džekas.

– Kaip keista, Džekai, aš norėjau mamytės paklausti lygiai to paties, – atsakė Aleksas. Tada pakilo nuo stalo ir nuėjo į namą.

Nežinojau, ką daryti – kuo greičiau jį vytis ir atsiprašyti ar pasiūlyti jam pasigrožėti suglamžyta nuotrauka, kurią laikiau kelnių kišenėje. Aš nieko nebežinojau.

12

Kitą rytą po sumaišties, kilusios atsikrausčius naujiesiems kaimynams, Marsela Viljams sėdėjo prie pusryčių stalo ir patenkinta vartė ką tik pristatytus laikraščius. Ji siurbčiojo jau antrą kavos puodelį. Suskambo telefonas.

– Klausau, – sumurmėjo pakėlusi ragelį.

– Sveiki. Skambinu norėdamas sužinoti, ar turiu bent menkiausią galimybę šiandien papietauti su žavia moterimi.

Tedas Kartraitas! Marselos širdis ėmė pašėlusiai plakti.

– Žavios moterys čia negyvena, – koketiškai atsakė ji, – bet aš pažįstu vieną žmogų, kuris nė nedvejodamas sutiktų papietauti su garsiuoju ponu Kartraitu.

Praėjus trims valandoms, Marsela jau sėdėjo su Tedu pagrindinėje gatvėje įsikūrusioje „Juodojo arklio" užkandinėje. Gana ilgai svarsčiusi, ką gi jai vilkėti einant į pasimatymą, Marsela nusprendė pasirinkti gelsvai rudų kelnių ir raštuotos šilkinės palaidinės derinį. Tedui ji papasakojo viską, ką pavyko sužinoti apie naujuosius kaimynus, nepamiršo paminėti net pačių mažiausių smulkmenų.

– Pamatęs nusiaubtus savo naujuosius namus, Aleksas Nolanas įsiuto, o jo žmona itin smarkiai susijaudino. Kitokios reakcijos niekas, aišku, ir nesitikėjo. Dieve mano, ta moteris net nualpo! Matyt, tas kraustymasis ją gerokai išvargino. Kad ir kiek pagalbininkų turėtum, vis tiek atsiranda dar tūkstantis darbų, kuriais turi pasirūpinti pats.

– Kad ir kaip būtų, reakcija vis dėlto pernelyg jautri, – susimąstęs atsakė Tedas.

– Taip, sutinku, tačiau ir reginys buvo pribloškiantis. Tedai, ir man šiurpas nugara nubėgo, kai pamačiau tuos raižinius ant durų. Kaukolė su Lizos inicialais akiduobėse ir sukryžiuoti kaulai, įsivaizduoji? O dar tie raudoni dažai, kuriais buvo aprašinėta pievelė ir aptaškytas visas namo fasadas. Prisiekiu, jie priminė tikrų tikriausią kraują. Ir ta rankoje pistoletą laikanti lėlė namo prieangyje... Ji taip pat ne vieną išgąsdino.

Pamačiusi Tedo veido išraišką, Marsela pritilo. Dieve mano, juk tą naktį, kai Liza išsitraukė savo tėvo pistoletą, ta pievelė buvo aptaškyta tikru krauju – *jo* ir Odrės krauju.

– Atleisk, – prabilo ji. – Ir kokiam gi kvailiui galėjo kilti mintis taip pokštauti?

Marsela impulsyviai ištiesė ranką ir spustelėjo Tedo delną.

Kreivai šyptelėjęs, Tedas čiupo vyno taurę ir atsigaivino keliais „Pinot Noir" gurkšniais.

– Marsela, manęs tikrai nedomina tokios smulkmenos, – atsakė jis. – Aš peržiūrėjau laikraščiuose išspausdintas nuotraukas ir to man pakako. Papasakok man apie naujuosius savo kaimynus.

– Jie iš tiesų žavūs, – prabilo Marsela su užuojautos gaida balse. – Jai ne mažiau kaip dvidešimt aštuoneri ir ne daugiau kaip trisdešimt penkeri. Jis, matyt, jau artėja prie keturiasdešimtmečio. Mažasis berniukas, Džekas, yra labai mielas. Jis be galo jaudinosi dėl savo motinos. Džekas nė akimirką nuo jos nesitraukė. Kai ji nualpusi gulėjo ant sofos, vargšelis nerimavo, kad ji mirė.

Marsela suprato ir vėl nenulaikiusi liežuvio. Ji dar kartą peržengė nematomą ribą. Juk prieš dvidešimt ketverius metus, kai policininkai bandė atplėšti Lizą nuo jos mirusios motinos kūno, vos už kelių žingsnių Tedas leisgyvis gulėjo ant grindų.

– Vakar popietę buvau užsukusi į Žoržetos Grouv biurą. Norėjau sužinoti, kaip ji laikosi, – paskubomis ištarė Marsela. – Ji taip nusiminė dėl to įvykio. Aš dėl jos tikrai nerimavau.

Marsela baigė valgyti salotas ir išgėrė paskutinį taurėje likusį „Chardonnay" vyno gurkšnį.

Netrukus ji pastebėjo šelmišką Tedo veido išraišką. Kai jis klausiamai kilstelėjo antakius, Marsela nusprendė neslėpti to, apie ką jis jau buvo spėjęs pagalvoti.

– Ak, tu pernelyg gerai mane pažįsti, – nusijuokė ji. – Gerai jau, gerai. Nuvažiavau į jos biurą, nes norėjau sužinoti paskutines naujienas. Pagalvojau, kad greičiausiai policininkai susisieks su Žoržeta, jei jiems pavyks apklausti vaikus, galėjusius tokį pokštą iškrėsti ir šiemet. Žoržetos biure neradau, bet smagiai pasišnekučiavau su Robina, jos sekretore ar administratore... Tiesą sakant, net nežinau, kuo gi ji ten dirba.

– Ir ką gi tau pavyko sužinoti?

– Robina man pasakė, kad Nolanai susituokė vos prieš šešis mėnesius ir kad šį namą Aleksas nupirko norėdamas padaryti Selijai staigmeną jos gimtadienio proga.

Tedas vėl kilstelėjo antakius.

– Vyrai turėtų džiuginti moteris tik tomis staigmenomis, kurias galima išmatuoti karatais, – pajuokavo.

Marsela plačiai nusišypsojo. „Juodojo arklio" užkandinė jau daugelį metų buvo bene lankomiausia šių apylinkių vieta, vietos gyventojai dažnai atvykdavo čia papietauti. Marsela prisiminė tą dieną, kai ji čia pietavo drauge su Viktoru, Odre ir Tedu. Po kelių mėnesių Odrė ir Tedas išsiskyrė. Tą popietę buvo akivaizdu, kad Tedas dėl jos kraustosi iš proto, Odrė irgi elgėsi taip, lyg būtų jį iš visos širdies įsimylėjusi. Įdomu, dėl ko jie nusprendė pasukti skirtingais keliais, svarstė Marsela. Na, bet ši meilės istorija baigėsi seniai, prieš dvidešimt ketverius metus. Be to, Marsela buvo girdėjusi, kad neseniai Tedas išsiskyrė ir su paskutine mylimąja.

Tedas spoksojo į ją. Puikiai žinau, kad atrodau velniškai gerai, pagalvojo Marsela. Jei neklystu, šito vyro veido išraiška liudija, kad jis yra lygiai tokios pat nuomonės.

– Nori žinoti, apie ką aš mąstau? – ėmė koketuoti Marsela.

– Be abejo.

– Mąstau apie tai, kad dauguma prie šešiasdešimtmečio artėjančių vyrų palengva praranda dalį žavesio. Jų plaukai ima retėti arba visai išslenka. Jie priauga svorio. Ima dėl visko niurzgėti. O tu, priešingai, dabar esi gerokai patrauklesnis nei tada, kai mes buvome kaimynai. Man patinka tavo žylantys plaukai. Jie puikiai dera prie tavo melsvų akių. Tu visada buvai stambus vyras, bet niekada – apkūnus. O Viktoras buvo tikras ištižėlis.

Štai šitaip, per daug apie tai negalvodama ir nesikrimsdama, Marsela sėdėdama prie pietų stalo išsižadėjo vyro, su kuriuo santuokoje pragyveno dvidešimt dvejus metus. Išsižadėjo ne tik jo, bet ir visko, kas buvo su juo susiję. O ypač to fakto, kad prieš dešimt metų, praėjus vos keliems mėnesiams po jų skyrybų, jos vyras vedė antrą kartą, susilaukė dviejų vaikų ir, pasak patikimų šaltinių, buvo be galo laimingas.

– Tu man meilikauji, bet, tiesą sakant, man tai patinka, – atsakė Tedas. – Ar sutiktum išgerti dar vieną puodelį kavos? Paskui aš tave parvešiu namo. Netrukus man teks lėkti atgal į biurą.

Tedas siūlė susitikti „Juodojo arklio" užkandinėje, tačiau Marsela paprašė pasiimti ją iš namų.

– Žinau, kad užsisakysiu taurę vyno, o išgėrusi nenoriu vairuoti, – tąkart telefonu paaiškino ji. Iš tikrųjų Marsela tenorėjo galimybės pabūti bent kiek intymesnėje aplinkoje – jo automobilyje. Be abejo, ji taip pat ieškojo dingsties kuo ilgiau pabūti viena su Tedu.

Praėjus pusvalandžiui, į gatvę, kurioje gyveno Marsela, įsuko Tedo automobilis. Išjungęs variklį, Tedas išlipo iš mašinos ir, ją apėjęs, atidarė Marselai dureles. Kai ji lipo iš mašinos, pro juos nedideliu greičiu pravažiavo automobilis. Ir Marsela, ir Tedas atpažino vairuotoją – tai buvo Moriso apygardos prokuroras Džefris Makingslis.

– Ką jis čia veikia? – susierzinęs paklausė Tedas. – Vaikų pokštai prokurorams neturėtų kelti didelio susidomėjimo.

– Neįsivaizduoju. Vakar seržantas Erlis iš tiesų elgėsi taip, lyg tai būtų svarbiausia metų byla. Gal mes ko nors nežinome? Pabandysiu išsiaiškinti, kas čia dedasi. Ketinu ryt ryte iškepti cinamoninių ritinėlių ir nunešti juos Nolanams, – atsakė Marsela. – Skambtelėsiu tau, jei man pavyks ką nors sužinoti.

Marsela pažvelgė į Tedą, bandydama atspėti, ar jau gali kviesti jį pas save vakarienės. Nenoriu jo atbaidyti, pagalvojo. Pažvelgusi į Tedo veidą, ji nustėro. Nejaugi jis visą šį laiką dėvėjo kaukę? Į tolyn važiuojančią ir galiausiai už posūkio dingstančią prokuroro mašiną žvelgė niūrios įširdusio Tedo akys. Kodėl jis taip sunerimo pamatęs čia Džefrį Makingslį, klausė savęs Marsela. Tada jai toptelėjo, jog galbūt Tedas ją pakvietė drauge papietauti vien dėl to, kad norėjo sužinoti, kas šiuo metu vyksta jos kaimynystėje.

Ką gi, pagalvojo ji, šį žaidimą gali žaisti ir du žmonės.

– Tedai, man buvo iš tiesų malonu su tavimi pasimatyti, – prabilo Marsela. – Gal šį penktadienį užsuksi pas mane vakarienės? Nežinau, ar vis dar pameni, bet aš esu gera virėja.

Tedas, kuris jau buvo spėjęs užsidėti draugiško žmogaus kaukę, maloniai šyptelėjo ir pakštelėjo Marselai į skruostą.

– Marsela, kaipgi galėčiau tai pamiršti?! – atsakė jis. – Ar galiu užsukti septintą?

13

Didžiąją dienos dalį Džefris Makingslis praleido golfo klube „Roxiticus". Jis dalyvavo golfo turnyre, per kurį surinktą pelną buvo ketinama skirti Moriso apygardos istorijos draugijai. Džefris buvo puikus golfo žaidėjas, jau pasiekęs šeštą lygį, tad toks renginys bet kurią kitą dieną jam būtų suteikęs nemažai džiaugsmo. Bet šiandien jis žaidimu nesimėgavo. Nors visą dieną turnyro dalyvius lepino geras oras ir kartu buvo trys geri draugai, Džefris taip ir nesugebėjo sutelkti dėmesio į žaidimą. Jis niekaip negalėjo užmiršti rytiniuose laikraščiuose pasirodžiusių straipsnių apie nusiaubtą pirmąjį Senojo Malūno tako namą.

Džefrį ypač suerzino Selijos Nolan nuotrauka – ji buvo nufotografuota kaip tik tą akimirką, kai, mėgindama pasislėpti nuo žurnalistų, staiga ėmė alpti. Jei tai tebūtų niekdarių darbas, mes nieko nelaukdami iššukuotume visą miestą ir rastume tuos nelemtus pokštininkus. Bet šįkart nusikaltimas buvo *gerai apgalvotas ir suplanuotas,* svarstė Džefris.

Dar nė neįpusėjus dienai, jis buvo pralaimėjęs visiems trims varžovams. Draugų dalyvavimas turnyre baigėsi susitarimu, kad dar prieš oficialius turnyro uždarymo pietus Džefris bare visiems nupirks po „Kruvinąją Meri".

Golfo klubo sienos buvo nukabinėtos eskizais ir paveikslais, specialiai paskolintais iš Moristaune įsikūrusio Džordžo Vašingtono muziejaus. Istorija besidomintis Džefris visada jautė pasididžiavimą dėl to, kad gyvena ir dirba apylinkėse, dėl kurių per Amerikos nepriklausomybės karą buvo išlieta tiek daug kraujo.

Tačiau šiandien, sėdėdamas prie turnyro uždarymo stalo, į kabančius aplink įstabius paveikslus Džefris nė nežvilgtelėjo. Dar nesulaukęs, kol bus pasiūlyta kavos, jis paskambino į komisariatą ir prie stalo grįžo tik tada, kai Ana jį patikino, kad nieko svarbaus šiandien dar neįvyko. Be abejo, Ana neleido Džefriui baigti pokalbio tol, kol nepapasakojo visko, ką buvo perskaičiusi rytiniuose laikraščiuose.

– Žiūrint į Mažosios Lizės namo nuotraukas, kurias jie išspausdino, iš karto matyti, kad šįkart buvo iš širdies padirbėta, – lyg gėrėdamasi aiškino ji. – Baigusi darbą, būtinai pravažiuosiu ir pro tą namą. Noriu viską pamatyti savo akimis.

Džefris Anai neužsiminė, kad ketina padaryti lygiai tą patį. Jis tik vylėsi, kad jam pavyks išvengti susitikimo su savo landžia sekretore. Prisiminęs, kad prie pirmojo Senojo Malūno tako namo jis ketina važiuoti apie trečią, prokuroras pradžiugo. Ana net drąsiausiose svajonėse nesiryžtų palikti darbo vietos nesulaukusi penktos.

Pagaliau pasibaigus oficialiems pietums, Džefris dar kartą atsiprašė draugų už tai, kad taip blogai žaidė, ir nuskubėjo savo automobilio link. Po mažiau nei dešimties minučių jis jau važiavo Senojo Malūno taku mąstydamas apie tai, kas įvyko prieš dvidešimt ketverius metus. Tą naktį jis nemiegojo – sėdėjo prie rašomojo stalo ir ruošė namų darbus. Tąkart Džefris nusprendė įsijungti radijo magnetolą – tą pačią, kurią taip brangino. Joje buvo įmontuotas imtuvas, gaudantis visus policijos ekipažams siunčiamus radijo signalus. Tada Džefris ir išgirdo tą pranešimą: „Pagalbos kreipėsi vyras iš pirmojo Senojo Malūno tako namo. Jis tvirtina, kad jo žmona nušauta, o jis yra sunkiai sužeistas. Kaimynai taip pat pranešė girdėję šūvius."

Buvo apie pirmą valandą nakties, prisiminė Džefris. Mama ir tėtis jau miegojo. Aš nieko nelaukdamas šokau ant dviračio. Kai pasiekiau Bartonų namą, aplink jau būriavosi jų kaimynai. Dieve, ta naktis buvo tokia bjauri ir šalta. Spalio 28-osios naktis prieš dvidešimt ketverius metus. Praėjus vos akimirkai, prie namo ėmė rinktis ir žurnalistai. Mačiau, kaip iš namo ant neštuvų buvo išneštas Tedas Kartraitas. Du greitosios pagalbos medikai laikė jo lašelinę. Tada iš namo buvo išneštas ir Odrės Barton lavonas. Ją išvežė lavoninei priklausančiu automobiliu. Dar ir dabar pamenu, apie ką tada galvojau: prieš akis mačiau Odrę Barton jodinėjančią žirgų parodoje, paskui atsiimančią prizą už šuolių rungtyje laimėtą pirmąją vietą.

Tąkart Džefris namo nuvažiavo tik tada, kai akimis palydėjo tolstančią policijos mašiną, į kurią buvo įsodinta Liza Barton. Tada vis galvojau, apie ką gi dabar mąsto Liza, prisiminė Džefris.

Šį klausimą Džefris ne kartą buvo uždavęs sau ir vėliau. Jis žinojo, kad, padėkojusi Klaidui Erliui už atneštą antklodę, Liza kelis mėnesius nebeištarė nė žodžio.

Važiuodamas pro trečiąjį Senojo Malūno tako namą, Džefris pastebėjo šalia kelio stovinčią porą. Ta moteris yra šnekioji Nolanų kaimynė – ta pati, kuri niekaip negalėjo liautis kalbėjusi su žurnalistais, pagalvojo Džefris. O vyras šalia jos yra Tedas Kartraitas. Ką gi jis čia veikia?

Džefris norėjo stabtelėti ir su jais pasišnekučiuoti, tačiau to nepadarė. Iš to, ką Marsela Viljams papasakojo žiniasklaidai, drąsiai galima daryti išvadą, kad ji yra tikra liežuvautoja. „Tikrai nenoriu, kad pasklistų gandas, jog aš domiuosi šia byla", – nusprendė Džefris.

Dabar jis važiavo kone vėžlio greičiu. Štai ir jis – Bartonų namas. Mažosios Lizės namas. Kelkraštyje buvo paliktas nedidelis sunkvežimis. Prie namo durų greičiausiai ką tik paspaudęs skambutį lūkuriavo ryškų kombinezoną vilkintis vyras.

Iš pirmo žvilgsnio šie dviaukščiai aštuonioliktojo amžiaus neįprastos konstrukcijos rūmai su dekoratyviniais akmenimis papuoštais pamatais neatrodė itin nusiaubti. Tikrąjį žalos mastą Džefris išvydo tik išlipęs iš mašinos – jis iškart pastebėjo, kad ant namo stogo čerpių užteptas storas naujų dažų sluoksnis. Ant namo pamatų raudonų dažų dėmės vis dar buvo matyti. Jau iš tolo žvelgiant buvo aišku, kad dalis pievelės neseniai išklota nauja velėna. Džefris išpūtė akis suvokęs, kokio dydžio užrašai buvo išterlioti ant pievelės.

Duris atidarė aukšta, labai liekna moteris. Matyt, tai Selija Nolan, naujoji namo savininkė, pagalvojo Džefris. Kurį laiką pasikalbėjusi su kombinezoną vilkinčiu vyru, moteris grįžo į vidų. Prie namo lūkuriavęs vyras nužingsniavo sunkvežimio link ir ėmė iš jo krauti paklotus ir darbo įrankius.

Džefris ketino tik pravažiuoti pro namą, tačiau supratęs, kad po kurio laiko viskas bus sutvarkyta, nusprendė pereiti į kitą gatvės pusę ir, kol dar gali, apžiūrėti nuostolius iš arčiau. Vadinasi, jis turėsiąs susipažinti ir su naujaisiais namo gyventojais – juk Moriso apygardos prokuroras negali lyg niekur nieko vaikštinėti po privačią teritoriją.

Netrukus paaiškėjo, kad kombinezoną vilkintis darbininkas yra akmentašys, kurį nekilnojamojo turto agentė pasamdė sutvarkyti dekoratyvinių namo pamatus puošiančių akmenų. Šis kaulėtas šešiasdešimt kelerių metų vyras vėjo nugairintu veidu ir iššokusiu Adomo obuoliu pasisakė esąs Džimis Volkeris.

– Taip, Džimis Volkeris. Kaip ir Niujorko meras 1920-aisiais, – prisistatė jis ir ėmė kvatoti iš visos širdies. – Apie jį net daina parašyta.

Džimis buvo tikras plepys.

– Po praėjusių metų Helovino aš taip pat buvau čia iškviestas. Tada į mane kreipėsi ponia Hariman, buvusi šio namo šeimininkė. O, vyruti! Ji buvo tokia įsiutusi! Tada dažai, kuriais vaikai buvo viską apteplioję, nusiplovė gana lengvai. Tačiau ta ginklą rankoje laikanti lėlė, kuri buvo įsodinta į prieangyje paliktą kėdę, namo šeimininkę buvo gerai išgąsdinusi. Tai buvo pats pirmas dalykas, kurį ji išvydo, kai ryte pravėrė duris. – Džefris jau buvo bežengiąs į namo prieangį, tačiau Džimis nė neketino liautis pliauškęs. – Matyt, visos šiame name gyvenančios moterys tampa nervingos. Jau skaičiau šios dienos laikraščius – mes užsiprenumeravę „Daily Record". Smagu, kai gali pavartyti vietinę spaudą – visada žinai, kas ir kur vyksta. Šiandien jie išspausdino didelį straipsnį apie šį namą. Ar skaitėte?

Kažin kokiu būdu su juo atsiskaitoma už atliktus darbus, pagalvojo Džefris. Jei Nolanai jam moka valandinį atlyginimą, jiems tikrai nepasisekė. Galėčiau lažintis, kad neradęs pašnekovo šis vyrukas ima šnekučiuotis pats su savimi.

– Taip, skaičiau, – atsakė Džefris, statydamas koją ant paskutinės prieangio laiptų pakopos. Ant durų paliktų raižinių nuotraukas jis jau buvo matęs laikraščiuose, tačiau išvysti kaukolę ir sukryžiuotus kaulus savomis akimis – visai kas kita. Skaptuodamas šias raudonmedžio duris kažkas tikrai pasistengė, pagalvojo Džefris. Dirbo iš tiesų gabus žmogus – kaukolės simetrija ideali, o raidės L ir B išraižytos pačiame kaukolės akiduobių viduryje.

Bet kodėl? Spustelėjęs durų skambutį, Džefris išgirdo tylų namo viduje aidintį varpų skambesį.

14

Kai Aleksas paskubomis išvažiavo iš namų, aš bandžiau nusiraminti pati ir nuraminti Džeką. Jau buvau pastebėjusi, kad pastarųjų dienų įvykiai jį gerokai sutrikdė. Išsikraustymas iš vienintelių namų, kuriuose jis buvo gyvenęs, žurnalistai ir policininkai, ponis, mano nualpimas, pirmoji diena darželyje, o dabar dar ir įtampa tarp manęs ir Alekso – visa tai negalėjo nepadaryti Džekui įtakos.

Pasiūliau jam nejodinėti Lize, – Dieve, koks koktus man buvo šis vardas, – o drauge susirangyti ant darbo kabinete stovinčios sofos, kad aš galėčiau jam ką nors paskaityti.

– Lizė taip pat nori popiečio miegelio, – nepamiršau pridurti ir, matyt, šie žodžiai jį įtikino. Padėjęs man nubalnoti ponį, Džekas nė kiek nesiožiuodamas išsirinko knygelę. Praėjus vos kelioms minutėms, jis jau buvo užmigęs. Įsupau sūnų į melsvą apklotą ir dar kurį laiką sėdėjau šalia, žiūrėdama, kaip jis parpia.

Mintyse vardijau visas klaidas, kurias padariau šiandien. Radusi arklidėse tą nuotrauką, bet kuri žmona būtų iš karto paskambinusi vyrui ir viską jam išklojusi. O bet kuri motina nebūtų prisaikdinusi keturmečio sūnelio ko nors nepasakoti savo tėvui ar patėviui. Aleksas turėjo teisę supykti, pasibjaurėti manimi. Ką gi aš jam turėčiau pasakyti prašydama atleidimo? Koks mano paaiškinimas neprimintų beprotės kliedesių?

Virtuvėje suskambo telefonas, tačiau Džekas nė nekrustelėjo. Jis buvo taip giliai įmigęs, kaip gali įmigti tik pavargę vaikai. Bėgte išbėgau iš darbo kabineto. Prašau, meldžiau mintyse, tegu tai būna Aleksas.

Tačiau atsiliepusi išgirdau neryžtingą Žoržetos Grouv balsą. Ji man pasakė, kad jei jau aš esu galutinai apsisprendusi nelikti šiame name, galėtų man parodyti kelis kitus netoliese esančius namus, kurie šiuo metu parduodami.

– Jei išsirinktumėte kurį nors vieną iš jų, aš iš jūsų tarpininkavimo mokesčio neimčiau, – pasiūlė Žoržeta. – Neimčiau atlygio ir už rūpinimąsi jūsų namo pardavimu.

Iš tiesų dosnus pasiūlymas. Be abejo, jis buvo gerai apgalvotas: Žoržeta buvo įsitikinusi, kad mes galime leisti sau įsigyti kitą būstą net nesusigrąžinę už šį namą sumokėtų Alekso pinigų. Matyt, ji suvokė, kad aš, būdama Lorenso Fosterio našlė, turiu nemažai nuosavų pinigų. Pasakiau Žoržetai su mielu noru apžiūrėsianti kitus namus ir nustebau išgirdusi, su kokiu palengvėjimu buvo atsidusta kitame telefono laido gale.

Padėjusi ragelį, supratau, kad vilties dar yra. Kai Aleksas grįš namo, aš jam būtinai papasakosiu apie šį pokalbį. Pasakysiu jam ir tai, kad jei bent vienas iš Žoržetos minėtų namų mums tiks, aš nieko nelaukusi jį ir nupirksiu. Aleksas, žinoma, yra neįtikėtinai dosnus, bet vis dėlto gali ir nesutikti pirkti naujų namų dar nepardavęs tų, kuriuose mes dabar gyvename. Tokį jo nenorą aš kuo puikiausiai suprasčiau. Kaip galėčiau nesuprasti? Užaugau su įtėviais, kurie visą laiką turėjo skaičiuoti savo pinigus, ir buvau ištekėjusi už vyro, kuris, nors ir buvo turtingas, pinigų į kairę ir į dešinę niekada nešvaistydavo.

Negalėjau nustygti vietoje. Taip nekantravau pranešti Aleksui šią naujieną, kad net nesugebėjau skaityti knygos – tiesiog zujau po pirmo aukšto kambarius pirmyn atgal. Vakar krovėjai atvežė visus svetainės baldus. Aš tuo metu buvau viršuje, tad jie juos pastatė taip, kaip jiems pasirodė geriausia, ir, žinoma, visai ne taip, kaip man norėtųsi. Nors ir nesidomiu fengšui, rūpindamasi namų interjeru aš vis dėlto vadovaujuosi tam tikromis taisyklėmis – galų gale juk esu interjero dizainerė. Nė nepastebėjau, kaip, norėdama, kad svetainė nebeprimintų baldų parduotuvės salės, staiga ėmiau į kitą kambario pusę vilkti sofą, perstatinėti kėdes ir stalus, keisti vietomis kilimėlius. Kai baigiau, kambarys bent jau nebeatrodė tamsus. Dėkui Dievui, milžinišką senovinę komodą, kurią taip mėgo Laris, krovėjai buvo pastatę ten pat, kur būčiau pastačiusi aš. Jos aš nebūčiau sugebėjusi net iš vietos pajudinti.

Aleksas iš namų išėjo taip ir nepapietavęs. Aš irgi nepaliečiau maisto; abi lėkštes uždengiau plėvele ir įkišau į šaldytuvą. Po kurio laiko man ėmė skaudėti galvą. Alkio vis dar nejutau, bet puodelį arbatos vis dėlto nusprendžiau išgerti – žinojau, kad arbata turėtų pagelbėti.

Man dar nespėjus įžengti į virtuvę, kažkas paskambino į duris. Sustingau. Gal žurnalistai? Tada prisiminiau, kad prieš padėdama ragelį Žoržeta pasakė, jog mano namų link jau važiuoja jos pasamdytas akmentašys, kuris turėtų sutvarkyti dekoratyvinius namo pamatų akmenis. Žvilgtelėjau pro langą ir lengviau atsidusau pamačiusi priešais namą stovintį furgoną.

Atidariusi duris, kurį laiką šnekėjau su vyriškiu, kuris prisistatė esąs Džimis Volkeris. „Kaip ir Niujorko meras 1920-aisiais. Apie jį net daina parašyta", – plepėjo jis. Pasakiau, kad jo laukiau, ir uždariau duris. Žinoma, prieš jas užverdama, spėjau dar kartą iš arti pamatyti ant laukujų durų padarytus raižinius.

Užvėrusi duris, kurį laiką spaudžiau durų rankeną. Norėjau jas dar kartą plačiai atlapoti ir išrėkti ir Džimiui Volkeriui, ir visam pasauliui, kad aš esu Liza Barton, aš esu ta dešimtmetė mergaitė, kuri baiminosi dėl savo mamos gyvybės. Aš norėjau kuo garsiau klykti jiems visiems, kad, pamatęs mane laikančią rankoje pistoletą, Tedas porą sekundžių pamąstė ir tik tada bloškė į mane mamą. Jis *nusprendė pastumti ją manęs link, puikiai suprasdamas, kad ginklas gali iššauti.*

Tos kelios sekundės buvo lemtingos – tada ir buvo priimtas sprendimas dėl mano motinos likimo. Tada ir buvo nuspręsta, kad ji turi mirti. Atsišliejau į duris. Nors name buvo maloniai vėsu, pajutau, kaip mano kakta išrasojo. Ar tų kelių sekundžių iš tiesų būta? Ar aš jas iš tiesų prisimenu, ar tik noriu prisiminti? Stovėjau atsirėmusi į duris, sukaustyta panikos. Nieko panašaus anksčiau nebuvau prisiminusi. Man visada atrodė, kad Tedas bloškė į mane mamą vos riktelėjęs „kodėl gi ne", iškart, kai tik pamatė mano rankose pistoletą.

Namus vėl sudrebino varpų gaudesys. Akmentašys, nė nesudvejojau. Matyt, nori ko nors paklausti. Norėdama sudaryti įspūdį, kad visą šį laiką buvau kambaryje, luktelėjau pusę minutės ir tik tada atidariau duris. Vyrui, kurį išvydau priešais, buvo apie keturiasdešimt. Išdidi laikysena ir skvarbus žvilgsnis liudijo, kad jis įtakingas

žmogus. Jis tuojau prisistatė esąs Džefris Makingslis, Moriso apy-
gardos prokuroras. Virpėdama iš nerimo, pasiūliau jam užeiti į vidų.

– Būčiau jus perspėjęs telefonu, jei būčiau iš anksto žinojęs, kad
čia užsuksiu. Buvau netoliese, tad nusprendžiau aplankyti ir jus.
Norėjau pasakyti, kad man iš tiesų nesmagu dėl to, kas čia vakar
įvyko, – pasakė jis, kol ėjome į svetainę.

– Dėkui, pone Makingsli, – išlemenau.

Stebėdama, kaip prokuroras dairosi po svetainę, pajutau šiokį
tokį palengvėjimą – kaip gerai, kad aš vis dėlto perstačiau baldus.
Kėdės buvo atsuktos viena į kitą ir tvarkingai išrikiuotos palei abu
sofos galus. Krėslas stovėjo priešais židinį. Senoviniai kilimėliai buvo
išdėlioti taip, kad juos pasiektų pro langą sklindanti šviesa – dabar,
kai juos glostė šiltos popiečio saulės spinduliai, spalvos įgavo ypatin-
go sodrumo. Kambario kampe stovėjo lakuota, raižiniais išmarginta
aštuonioliktojo amžiaus komoda – puikus drožybos pavyzdys. Kam-
baryje vis dar trūko kai kurių baldų, nebuvo ir užuolaidų, paveikslų,
įvairių smulkių puošybos elementų. Bet vis dėlto į jį pažvelgus jau
buvo galima daryti prielaidą, kad aš, nors ir turiu puikų skonį, iš es-
mės niekuo nesiskiriu nuo kitų rūpesčiuose paskendusių naujakurių.

Ši mintis mane nuramino – aš net sugebėjau šyptelėti, kai
Džefris Makingslis vėl į mane kreipėsi.

– Šis kambarys iš tiesų žavus. Tikiuosi, vakarykštis incidentas
jums nesugadino nuotaikos ir netrukus jūs džiaugsitės įsikūrę ne tik
šiame kambaryje, bet ir visuose namuose. Ir mano skyrius, ir vietinė
policijos nuovada jau ieško šio įvykio kaltininko ar kaltininkų, – kal-
bėjo jis. – Ponia Nolan, mes darysime viską, kas tik mūsų galioje.
Tokie incidentai neturėtų pasikartoti.

– Tikiuosi, – atsakiau. Tada susimąsčiau. Kas gi nutiktų, jei da-
bar namo grįžtų Aleksas ir užsimintų apie nuotrauką, kurią radau
arklidėse? – Tiesą sakant... – prabilau. Staiga sudvejojau. Ką gi man
dabar reikėtų pasakyti?

Į mane žvelgė rūsčios prokuroro akys.

– Ponia Nolan, ar dar kas nors nutiko?

Įkišau ranką į kelnių kišenę ir ištraukiau nuotrauką.

– Šią laikraščio skiautę radau arklidėse, priklijuotą prie gardo baslio. Mano sūnus šįryt nuėjo aplankyti savo ponio – tada ją ir pamatė. – Kone springau nuo žodžių, kuriuos netrukus ketinau ištarti. – Ar žinote, kas yra šie žmonės? – šiaip ne taip paklausiau.

Makingslis paėmė iš manęs nuotrauką. Negalėjau nepastebėti, kaip atsargiai jis laiko šią laikraščio skiautę už pačių kraštų. Atidžiai į ją įsižiūrėjęs, prokuroras vėl pažvelgė į mane.

– Taip, žinau, – atsakė, bandydamas – bent jau taip pasirodė – apsimesti abejingas tam, ką joje išvydo. – Tai šį namą restauravusios šeimos nuotrauka.

– Bartonų šeima! – Nekenčiu savęs už tai, su kokia įtaigia nuostaba man pavyko ištarti šiuos žodžius.

– Taip, – atsakė Makingslis. Mačiau, kad jis atidžiai stebi mano reakciją.

– Na, turiu prisipažinti, jog aš įtariau, kad šioje nuotraukoje yra jie, – ištariau. Mano balsas išdavė, kad aš nerimauju.

– Ponia Nolan, ant šios nuotraukos galėjo likti ir įsilaužėlio pirštų atspaudai, – pratarė prokuroras. – Kas dar yra ją lietęs?

– Niekas. Kai šįryt ją radau, vyras jau buvo išėjęs. Džekas taip pat jos nelietė – ji buvo pernelyg aukštai priklijuota, jis nebūtų sugebėjęs jos pasiekti.

– Suprantu. Norėčiau šią nuotrauką pasiimti – reikėtų ją ištirti. Ar turite kokį nors plastikinį maišelį, į kurį galėčiau ją įmesti?

– Žinoma. – Džiaugiausi pagaliau radusi dingstį krustelėti iš vietos. Man buvo sunku stovėti veidu į prokurorą, atlaikyti jo tiriamą žvilgsnį.

Pasukome virtuvės link. Iš stalčiaus ištraukiau sumuštiniams skirtą plastikinį maišelį ir padaviau jį Makingsliui.

Jis tuoj pat įmetė į maišelį nuotrauką.

– Ponia Nolan, daugiau jūsų nebetrukdysiu. Tačiau turiu jūsų kai ko paklausti. Ar bent vienas iš jūsų, jūs arba jūsų vyras, ketino pranešti policijai apie tai, kad buvo įsibrauta į jūsų valdas?

– Tai juk tokia smulkmena, – pamėginau išsisukti.

– Sutinku, tai neprilygsta vakarykščiam incidentui. Bet vis dėlto kažkas vėl neteisėtai lankėsi jūsų valdose. Galbūt tirdami šią nuotrauką mes rasime pirštų atspaudus, kurie mums pagelbės ieškant abiejų incidentų kaltininkų. Mums reikės ir jūsų pirštų atspaudų – kad galėtume palyginti. Puikiai suprantu, kad pastaruoju metu jūs patyrėte nemažai streso. Pasirūpinsiu, kad už poros minučių pas jus atvažiuotų vienas iš Mendamo policijos pareigūnų. Jis ir paims jūsų pirštų atspaudus – dėl to važiuoti į mūsų skyrių jums nereikės, galėsite viską padaryti čia.

Mane apėmė siaubas, kai supratau, kuo tai gali baigtis. Kam gi bus panaudoti mano pirštų atspaudai? Ar jie tik palygins juos su kitais ant nuotraukos rastais atspaudais, ar panaudos juos ir duomenų bazėje ieškodami informacijos apie mane? Vienas iš šiose apylinkėse gyvenančių vaikų prisipažino suorganizavęs praėjusių metų Helovino pokštą. Gali būti, kad policininkams teks naršyti ir po nepilnamečių nusikaltėlių bylas. Ten gali būti ir mano duomenys.

– Ponia Nolan, jei vėl rasite kokių nors įsibrovėlių pėdsakų, prašom būtinai mums paskambinti. Aš taip pat pasirūpinsiu, kad netoli jūsų namų visą laiką budėtų policijos ekipažas.

– Puikus sumanymas, – pasigirdo Alekso balsas.

Nė nepastebėjau, kaip jis grįžo namo. Iš to, kaip staigiai į netikėtai atsklidusio balso pusę atsisuko Makingslis, supratau, kad Alekso pasirodymas jį taip pat nustebino. Aleksas stovėjo virtuvės tarpduryje. Kai juos supažindinau, Makingslis ir jam pranešė ketinantis patikrinti, ar ant nuotraukos, kurią radau arklidėse, neliko įsibrovėlio pirštų atspaudų.

Aleksas taip ir nepaprašė parodyti jam nuotraukos, todėl aš palengvėjusia širdimi atsidusau. Net neabejoju, kad Makingslis būtų gerokai nustebęs, sužinojęs, kad aš dar nebuvau parodžiusi šios nuotraukos savo vyrui. Kai prokuroras išėjo, mudu su Aleksu susižvelgėme. Jis apkabino mane.

– Selija, susitaikykime, – prabilo jis. – Gailiuosi, kad taip pratrūkau. Bet tu turi išmokti manimi pasitikėti, papasakoti man apie tokius dalykus. Juk aš esu tavo vyras, nepamiršk. Nesielk su manimi kaip su prašalaičiu, kuriam neturėtų rūpėti, kas čia dedasi.

Aleksas pritarė mano pasiūlymui ištraukti iš šaldytuvo lašišą, kurios taip ir nebuvo palietęs per pietus. Kai vidiniame namo kieme drauge užkandome, aš papasakojau Aleksui ir apie Žoržetos pasiūlymą.

– Žinoma, sutik, – atsakė Aleksas. – Nieko baisaus, jei kurį laiką mums priklausytų du namai. – Po akimirkos jis pridūrė: – Kas gali žinoti, gal mums prireiks jų abiejų.

Puikiai supratau, kad jis juokauja, tačiau nė vienas iš mūsų nė nešyptelėjo. Prisiminiau seną tiesą – kiekviename juoke yra dalis tiesos. Pasigirdo durų skambutis. Pravėrusi duris išvydau Mendamo policijos komisariato pareigūną, atėjusį paimti mano pirštų atspaudų. Mirkydama pirštų galiukus rašale, vis galvojau apie tai, kad vieną kartą man jau teko tai daryti – tą pačią naktį, kai nužudžiau savo motiną.

15

Vos pravėrusi savo agentūros duris, Žoržeta pajuto tvyrančią įtampą. Laukiamajame stoviniavo Henris. Robina sėdėjo prie savo stalo. Henrio veido nebepuošė įprastinė mėmės išraiška – jo akys buvo pilnos susierzinimo ir ryžto, o lūpos – tvirtai sučiauptos.

Robinos akys kone žaibavo iš pykčio. Iš jos kūno kalbos buvo nesunku suprasti, kad ji pasirengusi bet kurią akimirką pašokti iš kėdės ir gerokai kumštelėti Henriui.

– Kas nutiko? – piktai paklausė Žoržeta, taip tikėdamasi duoti ženklą, kad nėra nusiteikusi aiškintis, kas, ką ir kodėl šiandien nuskriaudė.

– Nieko naujo, – atkirto Robina. – Henrį kamuoja įprastinės pesimistinės mintys. Dangus ir vėl griūva. Aš jam jau pasakiau, kad šiandien tu turi pakankamai rūpesčių ir tikrai nebūsi nusiteikusi klausytis jo verkšlenimų.

– Mūsų agentūrai netrukus gali tekti bylinėtis teisme. Tai mus pribaigtų. Jei tau atrodo, kad dėl to nerimauti neverta, galbūt vertėtų dar kartą gerai pagalvoti prieš pradedant dirbti nekilnojamojo turto agente, – atšovė Henris. – Žoržeta, turbūt jau skaitei šios dienos laikraščius. Norėčiau priminti, kad esu šios agentūros dalininkas.

– Turi dvidešimt procentų akcijų, – ramiu balsu patikslino Žoržeta. – Jei nesuklydau skaičiuodama, tai lyg ir turėtų reikšti, kad man priklauso aštuoniasdešimt.

– Man taip pat priklauso dvidešimt procentų 24-ojoje gatvėje esančio sklypo vertės ir aš noriu tų pinigų, – tęsė Henris. – Puikiai žinai, kad turime galimybę parduoti tą turtą – arba parduok jį, arba kuo greičiau iš manęs nusipirk tą penktadalį, kuris man šiuo metu priklauso.

– Henri, juk žinai, kad žmonės, kurie nori įsigyti mūsų sklypą 24-ojoje gatvėje, atstovauja Tedui Kartraitui. Jei Tedui pavyks jį įsigyti, jam priklausys pakankamai didelė teritorija ir jis padarys viską, kad jai kuo greičiau būtų suteiktas komercinės paskirties žemės statusas. Juk mes buvome sutarę, kad tas turtas bus parduotas valstybei.

– Arba tu įsigysi man priklausančią turto dalį, – nepasidavė Henris. – Žoržeta, prašau mane išklausyti. Tas Senojo Malūno tako namas yra prakeiktas. Tu esi vienintelė šiame mieste dirbanti nekilnojamojo turto agentė, kurią masina galimybė tarpininkauti jį parduodant. Šio namo reklamai kas kartą išvaistomi kone visi mūsų agentūros pinigai. Tu privalėjai papasakoti Aleksui Nolanui visą tiesą apie šio namo praeitį tą pačią akimirką, kai jis užsiminė norįs jį pamatyti. Tą rytą, kai aš rodžiau Selijai Nolan jos naujuosius namus, mus abu nukrėtė šiurpas vos įžengus į kambarį, kuriame vyko tos skerdynės. Dėl to ji taip nusiminė. Jau sakiau tau, mes abu jautėmės taip, lyg būtume atsidūrę laidotuvių namuose. Dar ir dabar prisimenu tą gėlių kvapą.

– Jos vyras užsakė gėles, ne aš, – įpykusi atkirto Žoržeta.

– Mačiau Selijos Nolan nuotrauką laikraštyje. Žurnalistai nufotografavo tą vargšelę tuo metu, kai ji buvo beprarandanti sąmonę. Tikiuosi, suvoki, kad *tu* esi kalta dėl to, kas ten įvyko.

– Užteks, Henri. Manau, jau pasakei viską, ką norėjai pasakyti, – staiga įsiterpė Robina. Ji kalbėjo ramiu, bet griežtu balsu. – Nurimk, – dar kartą kreipėsi į jį ir pažvelgė į Žoržetą. – Vyliausi, kad tau neteks išgirsti šios tirados vos įžengus pro duris.

Žoržeta dėkodama linktelėjo Robinai. Kai įsteigiau šią agentūrą, buvau jos metų, pagalvojo Žoržeta. Ši jauna moteris turi viską, ko reikia norint tapti gera nekilnojamojo turto agente. Nėra abejonių, kad Robina sugebės priversti žmones užsinorėti tų namų, kuriuos jiems rodys. Henriui jau seniai nerūpi, parduos jis namą ar ne. Jis nesugeba galvoti apie nieką kita, išskyrus savo išėjimą į pensiją.

– Klausyk, Henri, – prabilo Žoržeta. – Gali būti, kad aš jau radau išeitį. Aleksas Nolanas yra viešai užsiminęs, kad jis pats nesuteikė man galimybės papasakoti jam apie to namo praeitį – aš mėginau tai padaryti, bet jis man neleido baigti sakinio. Nolanai nori įsikurti šiose apylinkėse. Aš surinksiu visą informaciją apie namus, kurie šiuo metu čia parduodami, ir aprodysiu juos Selijai Nolan. Jei vieną iš jų ji nuspręs įsigyti, aš už paslaugas neimsiu nė cento. Norėdamas, kad viskas kuo greičiau baigtųsi, Aleksas Nolanas nusprendė nerašyti policijai oficialaus skundo dėl nusiaubtų namų. Nujaučiu, jog juos abu bus gana lengva įtikinti, kad šį klausimą taip pat vertėtų spręsti kuo tyliau.

Henris patraukė pečiais, nusigręžė ir, taip nieko ir neatsakęs, žengė savo kabineto link.

– Negaliu nė įsivaizduoti, kaip jis nusivils, jei tau pavyks įgyvendinti šį sumanymą, – tarstelėjo Robina.

– Taip, tu teisi, – sutiko Žoržeta. – O nusivilti jam tikrai teks, nes aš šį sumanymą *tikrai įgyvendinsiu.*

Laiko atsikvėpti šį rytą nebuvo daug – netikėtai į agentūrą užsuko jauna porelė, rimtai nusiteikusi įsigyti namą netoli Mendamo. Žoržeta praleido kelias valandas vežiodama juos po apylinkes ir rodydama visus šiuo metu parduodamus namus, kuriuos jie galėtų įpirkti, taip pat skambinėdama savininkams tų namų, kuriais buvo susidomėta, kad gautų leidimą apžiūrėti namus ir iš vidaus. Su Žoržeta porelė atsisveikino pažadėjusi grįžti su savo tėvais. Jie ketino dar kartą apžiūrėti namą, kurį – bent jau taip pasirodė Žoržetai – jau buvo bepamėgstantys.

Paskubomis sukrimtusi sumuštinį ir išgėrusi puodelį kavos, Žoržeta pradėjo Nolanams skirto namo paieškas. Po visų šiuo metu parduodamų namų sąrašą ji naršė dvi valandas. Tikėdamasi rasti namą, kuris iš karto sudomintų Seliją Nolan, Žoržeta peržiūrėjo ir kitų nekilnojamojo turto agentų pateikiamą informaciją.

Darbuotis ji baigė tik sudariusi galutinį keturių namų sąrašą. Pirmiausia ji, be abejo, aprodys Selijai tuos du namus, kuriuos parduoda pati, bet jei prireiks, pasiūlys ir kitus du. Ji pažinojo nekilnojamojo turto agentą, kuris rūpinosi jų pardavimu, tad buvo tikra, kad, esant reikalui, jai pavyktų susitarti su juo dėl tam tikros piniginės naudos ir sau.

Žoržeta rinko Nolanų namų telefono numerį laikydama špygą. Išgirdusi, kad Selija su malonumu apžiūrėtų ir kitus šiose apylinkėse parduodamus namus, Žoržeta pradžiugo ir su palengvėjimu atsiduso. Ji iš karto susisiekė su visų keturių namų savininkais ir sutarė su jais kuo greičiau susitikti.

Iš biuro į pirmą susitikimą Žoržeta išskubėjo ketvirtą.

– Dar grįšiu, – eidama pro duris tarstelėjo ji Robinai. – Palinkėk man sėkmės.

Apie tris kitus namus ji per daug negalvojo. Visi jie buvo daugiau ar mažiau žavūs, tačiau Žoržeta beveik neabejojo, kad Selijos Nolan jie vis dėlto nesudomintų. Namas, kurio Žoržeta dar nebuvo spėjusi apžiūrėti, bent jau iš aprašymo atrodė esąs pats tinkamiausias. Kadaise ten buvo ūkis. Žinoma, dabar jis visiškai atnaujintas. Šio namo savininkas turėjo išvykti iš Mendamo, nes darbdaviai netikėtai perkėlė jį dirbti į kitą miestą. Žoržeta prisiminė ne kartą girdėjusi, kad galimiems pirkėjams šis namas padaro gerą įspūdį, nes jo interjeras visai neseniai buvo atnaujintas. Namas stovi visai netoli Pypako; kadaise tose pačiose apylinkėse gyveno ir Džekė Kenedi. Aną sykį taip ir nespėjau apžiūrėti šio namo, prisiminė Žoržeta. Praėjusį mėnesį kažkas lyg ir ketino jį įsigyti, tačiau namo pardavimo sutartis taip ir nebuvo pasirašyta.

Šis namas tikrai vertas dėmesio, artėdama prie pastato pagalvojo Žoržeta. Parduodamas ne tik namas, bet ir dvylika akrų žemės – vietos poniui čia tikrai užteks. Žoržeta sustabdė automobilį ir išlipusi pasuko metalinių namo vartų link. Šie vartai iš tiesų dera prie aplinkos, pagalvojo ji, plačiai juos pravėrusi. Į tuos kraupius blizgius vartus, kuriuos taip mėgsta pilis primenančių namų savininkai, būna bjauru žiūrėti.

Žoržeta įsėdo į mašiną, pavažiavo namo link vedančiu asfaltuotu keliu ir sustojo priešais pagrindinį įėjimą. Surinkusi apsaugos kodą, ji atrakino namo raktų dėžutę ir nudžiugo radusi raktus. Vadinasi, šiuo metu namas niekam nerodomas. Staiga jai toptelėjo, kad kitaip būti ir negalėjo – juk kieme nėra automobilių. Tad negali būti ir žmonių. Žoržeta atsirakino duris ir, įėjusi į vidų, ėmė vaikštinėti po namą apžiūrinėdama vieną kambarį po kito. Namas buvo nepriekaištingas. Visi kambariai neseniai perdažyti. Virtuvė, kurią dekoruojant buvo pasistengta išlaikyti senovinės sodybos stilių, prilygo meno kūriniui.

Namas yra puikios būklės, į jį galima persikelti gyventi nors ir dabar, pagalvojo Žoržeta. Tiesa, jis šiek tiek brangesnis už Senojo Malūno tako namą, bet jei Selijai Nolan šis namas iš tiesų patiks, kaina neturėtų sukelti rūpesčių.

Tyrinėdama namą, Žoržeta vis padarydavo tą pačią išvadą – šis namas Seliją Nolan turėtų sudominti. Ji atidžiai apžiūrėjo ir palėpę, ir rūsį. Rūsio apdaila taip pat buvo pasirūpinta, trūko tik vieno dalyko – rakto nuo sandėliuko po rūsio laiptais. Prieš porą dienų Henris kažkam rodė šį namą, irzdama mintyse konstatavo Žoržeta. Greičiausiai užsimiršęs įsikišo tą raktą į kišenę. Praėjusią savaitę jis buvo pradanginęs raktą nuo savo kabineto. Praėjus vos porai dienų, jis visur ieškojo jau ir mašinos raktų. Be abejo, gali būti ir taip, kad jis rakto nuo šio sandėliuko akyse nėra matęs. Dabar aš skubu viskuo apkaltinti jį, pripažino sau Žoržeta.

Tada ant grindų priešais sandėliuką ji pamatė raudoną dėmę. Priklaupusi ėmė apžiūrinėti dėmę iš arčiau. Tai dažai, iškart suprato. Valgomojo sienos buvo sodrios raudonos spalvos. Matyt, šiame sandėliuke laikomi dažų likučiai, nusprendė ji.

Žoržeta pakilo rūsio laiptais į pirmą aukštą, užrakino laukujes namo duris ir įdėjo raktus atgal į raktų dėžutę. Grįžusi į agentūrą, ji iš karto paskambino Selijai Nolan ir ėmė dalytis įspūdžiais.

– Ką gi, matyt, tą namą verta pamatyti.

Selija ne itin nudžiugo, pagalvojo Žoržeta. Bet bent jau sutiko jį drauge apžiūrėti.

– Ponia Nolan, toks namas turėtų sudominti ne vieną pirkėją, – ėmė įkalbinėti Žoržeta. – Ar galėtume pasimatyti rytoj dešimtą ryto? Aš užsukčiau pas jus į namus.

– Ne, manęs iš namų pasiimti nereikia. Galime susitikti ir ten. Visur stengiuosi važiuoti savo automobiliu – tada žinau, kad tikrai laiku pasiimsiu Džeką iš darželio.

– Suprantu. Ką gi, tada man belieka jums pasakyti to namo adresą, – atsakė Žoržeta. Kai Selija pakartojo adresą, Žoržeta jau buvo bepradedanti aiškinti, kaip iki to namo reikėtų nusigauti, tačiau Selija jai taip ir neleido pabaigti sakinio.

– Žoržeta, kažkas man skambina kita telefono linija. Rytoj būsiu ten lygiai dešimtą. Iki pasimatymo.

Žoržeta spustelėjo pokalbio pabaigos mygtuką ir, padėjusi mobilųjį telefoną ant stalo, gūžtelėjo pečiais. Greičiausiai, po kurio laiko suvokusi, kad aš jai taip ir nepasakiau, kaip ten nuvažiuoti, Selija pati paskambins. Tą namą rasti nėra lengva. Kurį laiką Žoržeta kantriai laukė Selijos skambučio, tačiau telefonas taip ir nesuskambėjo. Matyt, jos automobilyje įrengta navigacinė sistema, padarė išvadą Žoržeta.

– Žoržeta, noriu tavęs atsiprašyti, – pasigirdo Henrio balsas.

Žoržeta pakėlė akis. Henris stovėjo tarpduryje.

Jai nespėjus atsakyti, Henris vėl prabilo.

– Tai anaiptol nereiškia, kad gailiuosi dėl to, ką tau pasakiau. Aš gailiuosi dėl to, kaip tai pasakiau, – paaiškino jis.

– Atsiprašymas priimtas, – atsakė Žoržeta ir, kurį laiką patylėjusi, vėl prabilo: – Henri, rytoj susitinku su Selija Nolan – aprodysiu jai tą buvusį ūkį Olandų gatvėje. Žinau, kad lankeisi ten praėjusią savaitę. To namo rūsyje, po laiptais, yra rakinamas sandėliukas. Gal pameni, ar į to sandėliuko spyną buvo įkištas raktas?

– Jei neklystu, taip.

– Ar tu žvilgtelėjai į jo vidų?

– Ne. Poros, kurią buvau ten nuvežęs, namas nesudomino, nes buvo per brangus. Ten mes praleidome vos kelias minutes. Na, man jau laikas namo. Gero vakaro, Žoržeta.

Kai Henris išėjo, Žoržeta dar kurį laiką nekrustelėjo iš vietos. Turiu puikią uoslę – melagius aš visada atpažįstu. Dieve mano, kodėl gi Henris man meluoja? Ką jis slepia? Ir kodėl ten apsilankęs nė neužsiminė, kad tikrai lengvai rasime tokio namo pirkėją?

16

Apžiūrėjusi sudarkytą Senojo Malūno tako namą, Driu Peri iš karto nuskubėjo į „Star-Ledger" redakciją ir parašė straipsnį. Ji nudžiugo sužinojusi, kad straipsnį buvo nuspręsta iliustruoti Selijos Nolan nuotrauka, kurią padarė ji.

– Nori išmesti mane iš darbo? – juokaudamas paklausė Krisas – fotografas, kuris ryte taip pat lankėsi Senojo Malūno tako name.

– Ne. Man tiesiog pasisekė: geru laiku atsidūriau geroje vietoje ir dar spėjau spustelėti mygtuką. – Driu šiuos žodžius ištarė ne tik Krisui, bet ir Kenui Šarkiui, laikraščio redaktoriui, kuriam pranešė ketinanti parašyti išsamų straipsnį apie Lizą Barton. – Kenai, juk tai yra kuo puikiausia tema mano straipsnių ciklui „Nepapasakotos istorijos", – paaiškino ji.

– Ar bent įsivaizduoji, kur dabar yra Liza Barton? – paklausė Kenas.

– Ne, neįsivaizduoju.

– Na, šis straipsnis būtų vertas dėmesio, jei tau pavyktų rasti Lizą Barton ir sužinoti, ką gi ji gali papasakoti apie tos nakties įvykius.

– Aš tai ir ketinu padaryti.

– Na, tada nieko nelaukdama gali pradėti. Gerai tave pažįstu – žinau, kad atkapstysi ką nors tikrai įdomaus, – atsakė Kenas ir šyptelėjo, duodamas ženklą, kad pokalbis baigtas.

– Tiesa, Kenai, rytoj aš dirbsiu namie.

– Gerai. Man jokio skirtumo.

Driu persikraustė gyventi į šias apylinkes prieš penkerius metus. Ji paliko Vašingtoną ir, vos čia atvykusi, iš karto rado tobulus namus. Tai buvo nedidelis namas Montklero miestelyje, Kaštonų gatvėje. Driu patiko, kad iš ten galima nusigauti iki Niuarko mieste įsikūrusios „Star-Ledger" redakcijos. Be to, ji labai mėgo leisti laiką tvarkydama namo pievelę ar rūpindamasi nedideliu šalia namo įrengtu sodeliu. Kai kurie žmonės, bandydami išvengti visų sodininkystės ar sniego valymo darbų, verčiau įsigyja butą arba būstą sublokuotame name, tačiau Driu nebuvo viena iš jų – visi su nuosavu namu susiję rūpesčiai jai buvo malonūs.

Nemenkas šio namo pranašumas buvo ir tai, kad vos už kvartalo nuo jo buvo traukinių stotis. Į patį Manhatano centrą Driu galėdavo nusigauti vos per dvidešimt minučių – ir jai nereikėdavo nei vairuoti, nei kas kartą svarstyti, kurgi būtų galima palikti mašiną. Driu buvo didelė kino ir teatro mėgėja, tad Manhatane praleisdavo bent tris ar keturis vakarus per savaitę.

Kitos dienos rytą Driu atsikėlė anksti. Apsimovė patogius džinsus, užsivilko laisvą medvilninę palaidinę ir, išsivirusi kone kubilą kavos, pasuko darbo kambario link. Dauguma žmonių tą kambarį būtų pavertę antru miegamuoju, tačiau ne Driu. Ant sienos, prie kurios stovėjo darbo stalas, buvo pakabinta milžiniška kamštinė lenta. Rašydama straipsnius, Driu prie jos tvirtindavo visą su gvildenama istorija susijusią informaciją, kurią jai pavykdavo rasti internete. Ji buvo atsakinga už skiltį „Nepapasakotos istorijos", kuri „Star-Ledger" pasirodydavo kiekvieną sekmadienį. Kas kartą bebaigiant rašyti šiai skilčiai skirtą straipsnį ši lenta būdavo nukabinėta nuotraukomis, laikraščių iškarpomis ir paskubomis parašytais rašteliais, kuriuos sugebėdavo iššifruoti tik pati Driu.

Kompiuteryje Driu išsaugojo visą informaciją apie Lizą Barton, kurią jai buvo pavykę rasti internete. Prieš dvidešimt ketverius metus straipsnių apie Lizą laikraščiuose pasirodydavo kone kasdien. Vėliau, kaip ir visos kitos sensacingos istorijos, jos istorija buvo trumpam pamiršta. Apie Lizą vėl imta rašyti tik įvykus teismui – pirmuosiuose laikraščių puslapiuose Lizos išteisinimą komentavo psichiatrai, psichologai, parapsichologai ir kiti nežemiškų galių ekspertai.

– Rentapsichiatras, – vieno iš straipsnyje cituotų ekspertų titulą pusbalsiu perskaitė Driu. Rentapsichiatras, kaip ir keli kiti žurnalistų kalbinti ekspertai, išreiškė susirūpinimą tuo, kad teisėjas vis dėlto nusprendė Lizą išteisinti. Jis tvirtino nė neabejojąs, kad Liza Barton yra vienas iš tų vaikų, kurie sugebėtų suplanuoti ir įvykdyti šaltakraujišką žmogžudystę.

Vienas iš perskaitytų interviu Driu ypač suerzino. „Leiskite man pateikti pavyzdį, – kreipėsi į žurnalistą straipsnyje cituojamas psichiatras. – Pernai gydžiau devynmetę, kuri uždusino savo mažąją sesutę. „Norėjau, kad ji mirtų, – pasakė ji man, – bet nenorėjau, kad liktų mirusi." Šiuose žodžiuose slypi skirtumas tarp mano pacientės ir Lizos Barton. Mano pacientė nesuprato, kad mirtis yra negrįžtamas procesas. Ji tenorėjo sustabdyti kūdikio verksmą. Iš to, ką žinau apie Lizą Barton, darau prielaidą, kad Liza, priešingai, puikiai suprato, kas yra mirtis, ir norėjo, kad jos motina mirtų. Liza buvo įsitikinusi, kad ištekėdama antrą kartą jos motina išdavė savo pirmąjį vyrą, žuvusį Lizos tėvą. Kaimynai patvirtino, kad Liza visada buvo priešiškai nusiteikusi patėvio atžvilgiu. Nenustebčiau sužinojęs, kad tas šokas, dėl kurio ji esą nebesugeba kalbėti ir tyli jau kelis mėnesius, tėra paprasta apgavystė."

Tokie žmonės kaip šis tuščiakalbis ir sukūrė Mažosios Lizės mitą, pagalvojo Driu.

Kas kartą pradėdama rašyti skilčiai skirtą straipsnį Driu ant kamštinės lentos pakabindavo sąrašą pavardžių, kurios būdavo vienaip ar kitaip susijusios su narpliojama istorija. Šįkart ant lentos jau kabėjo dviejų stulpelių sąrašas. Sąrašo pradžioje – Liza, Odrė Barton ir Tedas Kartraitas. Nieko nelaukdama Driu į sąrašą įtraukė ir dar vieną pavardę – Vilo Bartono, Lizos tėvo. Jis žuvo jodinėdamas. Įdomu, ar laiminga buvo jo ir Odrės santuoka. Driu ketino tuo pasidomėti.

Viena iš pavardžių jai kėlė ypatingą susidomėjimą – Diana Vesli. Laikraščiuose ji buvo apibūdinta kaip „manekene dirbanti buvusi Tedo Kartraito mergina". Tuo metu, kai vis dar vyko teismas, Diana nepaisė teisėjo nurodymo neaptarinėti bylos viešai ir noriai pozavo fotografams, su žiniasklaidos atstovais čiauškėjo apie savo parodymus. Ji papasakojo žurnalistams, kad, likus kelioms valandoms iki tragedijos, su Tedu vakarieniavo restorane. Diana tvirtino, kad tąkart Tedas jai papasakojo slapta susitikinėjantis su žmona ir užsiminė, kad neapykanta, kurią jam jaučia Liza, ir yra pagrindinė priežastis, dėl kurios juodu kuriam laikui buvo išsiskyrę.

Dianos liudijimas būtų padėjęs nuteisti Lizą. Vis dėlto taip nenutiko – į teismą atėjo buvęs Dianos draugas ir paliudijo, kad Diana jam skundėsi, esą Tedas Kartraitas ją ne kartą sumušęs. Jei Dianos draugas sakė tiesą, įdomu, kodėl gi ji liudijo Tedo Kartraito naudai, nusistebėjo Driu. Norėčiau su ja pakalbėti dabar, kai praėjo tiek metų.

Bendžaminas Flečeris, Lizą gynęs advokatas, kurio pavardė taip pat buvo įrašyta į sąrašą, Driu domino ne ką mažiau. Panaršiusi internete, Driu sužinojo, kad universitetą Flečeris baigė tik būdamas keturiasdešimt šešerių. Valstybės samdomu gynėju jis teišdirbo porą metų, vėliau pats vienas įkūrė teisininkų kontorą, kurios specializacija – skyrybos, testamentai ir nekilnojamojo turto sandoriai. Flečeris vis dar dirbo, jo biuras buvo visai netoli Mendamo, Česteryje. Dabar jam turėtų būti septyniasdešimt penkeri, suskaičiavo Driu. Galbūt nuo jo ir vertėtų pradėti. Greičiausiai teismas man neleis peržiūrėti nepilnamečių bylų. Keista, kad Flečeris niekada ir nedirbo nepilnamečių gynybos srityje. Įdomu, kodėl gi toks nepatyręs teisininkas buvo paskirtas atstovauti vaikui žmogžudystės byloje, nusistebėjo Driu.

Tiek daug klausimų ir tiek mažai atsakymų, atsiduso ji. Tada atsilošė supamojoje kėdėje, nusiėmė akinius ir ėmė valyti jų stiklus. Geri Driu draugai tokį jos elgesį lengvai iššifruodavo – jis liudydavo, kad Driu galvoje jau kirba įvairios išganingos mintys.

17

Marsela nė kiek nepasikeitė, kandžiai dar kartą mintyse konstatavo Tedas Kartraitas, siurbčiodamas viskį savo biure Moristaune. Ji vis dar yra didžiausia miesto paskalų nešiotoja, ir vis dar pavojinga. Tedas griebė ant stalo gulintį stiklinį rutulį, sviedė jį ir patenkintas žiūrėjo, kaip rutulys su trenksmu nukrito ant kitame kabineto gale stovinčio odinio krėslo. Tedas trumpam užsisvajojo, kaipgi būtų buvę smagu, jei ant to krėslo iš tiesų būtų sėdėję žmonės, ant kurių jis taip širsta. Aš visada pataikau, pagalvojo jis, įsivaizduodamas iš siaubo ir skausmo perkreiptus jų veidus.

Ką gi Džefris Makingslis šiandien veikė Senojo Malūno take? Pamatęs Džefrį, pravažiuojantį pro Marselos namą, Tedas negalėjo išmesti šio klausimo iš galvos. Prokurorai netiria smulkaus chuliganizmo bylų, vadinasi, jis čia lankėsi dėl kitos priežasties.

Sučirškė telefonas. Kažkas skambino tiesiogine linija. Kai Tedas, pakėlęs ragelį, irzliai išpyškino, kas esąs, su juo pasisveikino gerai pažįstamas balsas.

– Tedai, aš skaičiau šios dienos laikraščius. Ir tavo nuotrauka, ir tavo komentaras man padarė gerą įspūdį. Tu esi pats tikriausias sielvartaujantis našlys. O mes abu gerai žinome, kad niekas kitas geriau už mane nesugebėtų paliudyti, kaip labai tu sielvartauji. Na, turbūt jau supratai, jog skambinu tau dėl to, kad šiuo metu man labai praverstų šiokia tokia finansinė parama.

18

Kai Žoržeta pasisiūlė paieškoti mums kito namo, aš iš karto pritariau jos sumanymui. Pardavę šį namą ir persikraustę gyventi kitur, mes visiems aplinkiniams tebūsime paprasti naujakuriai. Niekam per daug nerūpėsime. Šia mintimi guodžiausi visą popietę.

Aleksas paprašė krovėjų į biblioteką nunešti jo darbo stalą, kompiuterį ir knygas. Kai per gimtadienį nekilnojamojo turto agentas Henris Palis vedžiojo mane po kambarius, Aleksas džiaugsmingai pranešė, kad jo darbo kambarys bus bibliotekoje. Tąkart jis taip pat prasitarė ketinantis bibliotekoje laikyti ir savo pianiną. Jis buvo sutaręs, kad pianinas iš saugyklos į mūsų namus būtų atgabentas jau kitą savaitę. Vis nedrįsau Alekso pasiteirauti, ar jis jau pranešė krovėjams, kad mūsų planai pasikeitė ir pianino į šiuos namus vežti nebereikės.

Po vėlyvų pietų, per kuriuos abu tebejautėme įtampą, Aleksas iš karto paspruko į biblioteką ir ėmė traukti iš dėžių knygas – bent jau tas, kurių jam netrukus galėtų prireikti. Kai Džekas pabudo, nusivedžiau jį į antrą namo aukštą. Laimė, mano sūnus puikiausiai gali žaisti vienas. Apsvaigęs nuo minties, kad sulaukęs tiek metų tapo tėvu, Laris dažnai apipildavo Džeką dovanomis. Vis dėlto netrukus paaiškėjo, kad mėgstamiausias Džeko žaislas bus paprasti mediniai kubeliai. Džekas nepaprastai mėgo su jais žaisti – statyti namus, tiltus bei dangoraižius. Pamenu, kaip, žiūrėdamas į žaidžiantį Džeką, Laris man pasakė: „Ką gi, tavo tėvas buvo architektas. Matyt, pomėgis statyti jam įgimtas.“

Architekto genas yra visai neblogas dalykas, pagalvojau stebėdama savo sūnų, kuris, sukryžiavęs kojas, sėdėjo buvusio mano žaidimo kambario kampelyje. Kol jis žaidė, aš peržiūrinėjau dokumentus, kurių ketinau atsikratyti prieš mums išsikraustant.

Apie penktą pabodo žaisti, tad mes drauge nusileidome į pirmą aukštą. Nedrąsiai artėjome bibliotekos link. Alekso darbo stalas buvo paskendęs popieriuose. Jis dažnai parsineša namo dokumentus, susijusius su bylomis, kuriomis tuo metu rūpinasi, tačiau šįkart šalia stalo ant grindų gulėjo ir krūva laikraščių. Pastebėjęs mus, Aleksas nusišypsojo. „Na, sveikučiai! Man be jūsų čia jau darėsi liūdna. Džekai, mes taip ir likome beveik nepajodinėję, ar ne? Jei nori, galime pajodinėti dabar. Ką pasakysi?“

Be abejo, išgirdęs tokį pasiūlymą, Džekas nebegalėjo nustygti vietoje ir iškart nukūrė prie durų į vidinį kiemą. Aleksas atsistojo,

priėjo prie manęs ir suėmė mano veidą. Kas kartą, kai jis taip pada-
ro, aš pasijuntu beprotiškai mylima ir saugi.

– Selija, aš dar kartą perverčiau visus laikraščius. Ko gero, po
truputį imu suprasti, kaip tu jautiesi čia gyvendama. Galbūt šis na-
mas iš tiesų yra prakeiktas. Bent jau tuo tikinčių žmonių yra nema-
žai. Aš tokiais dalykais netikiu, bet jei šiuose namuose tu nesijauti
laiminga, juose laimingas nebūsiu ir aš. Ar tiki manimi?

– Taip, tikiu, – atsakiau stengdamasi sulaikyti ašaras. Dabar
Aleksui mažiausiai reikia verkšlenančios žmonos, kartojau sau.

Suskambo virtuvės telefonas. Aš puoliau atsiliepti, iš paskos
nusekė ir Aleksas – kieme jo jau laukė Džekas. Pakėlusi ragelį,
išgirdau Žoržetos Grouv balsą – ji skambino norėdama pranešti,
kad jau rado mums nuostabų namą, restauruotą senovinį ūkį. Aš
privalanti kuo greičiau jį apžiūrėti. Sutarusi su ja susitikti, pokal-
bį iškart ir baigiau, nes pamačiau mirksinčią kitos telefono linijos
lemputę. Atsiliepiau Aleksui jau einant pro duris. Matyt, jis išgir-
do, kaip aš aiktelėjau, nes staiga atsigręžė. Papurčiusi galvą, padė-
jau telefono ragelį.

– Vėl tie pardavimo agentai, – sumelavau.

Pamiršau paprašyti telekomunikacijų kompanijos, kad įslap-
tintų mūsų namų telefono numerį. Atsiliepusi išgirdau kimų, tyčia
pakeistą balsą:

– Ar galėčiau pakalbėti su Mažąja Lize?

Visi trys vakarieniavome mieste, tačiau aš negalėjau galvoti apie nie-
ką kita, tik apie skambutį. Visą laiką nerimavau. Ar kas nors mane
atpažino? O gal tai tik nevykęs vaikų pokštas? Stengiausi apsimesti,
kad mano nuotaika pakili, tačiau Alekso apgauti man taip ir nepa-
vyko. Kai grįžome namo, pasakiau, kad man skauda galvą, ir iš karto
nuėjau miegoti, nors buvo gana anksti.

Aleksas mane pažadino vidury nakties.

– Selija, tu verki per miegus, – pasakė jis.

Taip, aš verkiau ir niekaip negalėjau sustoti – kaip ir tąsyk, kai
nualpusi vidiniame namo kieme atgavau sąmonę. Aleksas laikė

mane glėbyje ir po kurio laiko užmigau, padėjusi galvą jam ant peties. Ryte jis palaukė, kol mudu su Džeku atsikelsime, ir drauge papusryčiavo. Kai Džekas nubėgo į viršų apsirengti, Aleksas tyliai man sušnabždėjo:

– Selija, tu *privalai* pasikalbėti su gydytoju – arba su tuo, kuris liko Niujorke, arba su vienu iš tų, kurie dirba čia. Sąmonės praradimas, nevaldomas verksmas – gal tai ženklai, kad tavo kūnas negaluoja. O jei šie požymiai susiję ne su fizine, o su psichine sveikata, turi kuo greičiau užsirašyti pas psichologą arba psichiatrą. Mano pusbrolis sirgo klinikine depresija ir viskas prasidėjo nuo nesutramdomos raudos protrūkių...

– Aš nesergu depresija, – paprieštaravau. – Tik...

Nutilau. Kai įtėviai atsivežė mane į Kaliforniją, buvau užrašyta ir pas psichologą – daktarą Moraną. Nustojau pas jį lankytis tik po septynerių konsultacijų metų, kai įstojau į Manhatano taikomųjų menų institutą. Daktaras Moranas man siūlė lankytis pas psichologus ir Niujorke, bet aš į šį jo patarimą neatsižvelgiau. Nenorėjau po savo praeitį kapstytis su nauju psichologu, tad, užuot kreipusis į kitą specialistą, vis susisiekdavau su daktaru Moranu. Retsykiais jam paskambindavau ir dabar.

– Aš apsilankysiu pas gydytoją. Vien tam, kad tu nesijaudintum, – pažadėjau Aleksui. – Galbūt man net pavyks susirasti gydytoją čia. Bet galiu tau prisiekti – jaučiuosi puikiai.

– Suprantu, Selija. Aš tik noriu būti tuo visiškai įsitikinęs. Paklausinėsiu klube, gal kas nors rekomenduos gerą gydytoją. Na, man jau metas važiuoti. Sėkmės ieškant namo.

Skubantis vyras, kuris, pabučiavęs žmoną, nulekia savo automobilio link, – taip normalu, net guodžia. Stebėjau Aleksą pro langą. Kaip puikiai jam tinka tas švarkas – pabrėžia jo tvirtus pečius. Aleksas dar kartą man pamojavo atsisveikindamas ir, pasiuntęs oro bučinį, nuvažiavo.

Sutvarkiusi virtuvę, užlipau į antrą aukštą. Nusiprausiau, apsirengiau ir, beklodama lovas, supratau, kad jau atėjo laikas ieškoti namų šeimininkės ir auklės. Nuvežusi Džeką į darželį, nusipirkau laikraščių ir užsukau į anksčiau atrastą kavinukę išgerti dar vieno puodelio kavos. Paskubomis perverčiau laikraščius – dėkui Dievui, kelių puslapių straipsnių apie nusiaubtą mūsų namą nebuvo. Viename teradau trumpą žinutę, kad policija vis dar ieško šio įvykio kaltininkų. Išgėrusi kavą, išskubėjau – su Žoržeta turėjau susitikti visai netrukus.

Aš dar nebuvau pamiršusi, kur yra Olandų gatvė. Ten gyveno mano močiutės pusbrolis. Kai buvau maža, dažnai pas jį svečiuodavomės. Žinojau, kad tai gražus rajonas. Vienoje gatvės pusėje plyti slėnis, kitoje – kalva, kurios šlaitu driekiasi namų virtinė. Vos išvydusi namą, prie kurio mes turėjome susitikti su Žoržeta, ir jį supančias žemes, trumpam netekau žado. Dieve, gali būti, kad aš to ir ieškau. Jau žinojau, kad ir Aleksui įspūdį padarys ne tik pats namas, bet ir jo apylinkės.

Metaliniai namo vartai buvo praverti – mačiau, kad sidabrinis Žoržetos BMW sedanas stovi priešais namą. Žvilgtelėjau į savo laikrodį. Iki dešimtos dar buvo likę penkiolika minučių. Pastačiau savo automobilį greta Žoržetos ir, užlipusi prieangio laiptais, paskambinau į duris. Kurį laiką palūkuriavusi, spustelėjau mygtuką dar kartą. Gal Žoržeta rūsyje arba palėpėje ir negirdi durų skambučio? Spėliodama, ką man daryti, pasukau rankeną – durys buvo neužrakintos. Įėjau į namą ir, vaikščiodama iš vieno kambario į kitą, vis šaukiau Žoržetą vardu.

Šis namas buvo gerokai didesnis už Senojo Malūno tako namą. Jame buvo ne tik bendrasis kambarys ir biblioteka, bet ir dar vienas valgomasis bei atskiras darbo kambarys. Nė viename iš jų Žoržetos man taip ir nepavyko rasti. Patikrinau net visus tualetus – pabelsdavau į duris ir, nesulaukusi atsakymo, dėl visa ko jas praverdavau, norėdama įsitikinti, kad viduje iš tikrųjų nieko nėra.

Pirmame aukšte Žoržetos tikrai nebuvo. Atsistojusi prie pagrindinių namo laiptų, kelis kartus šūktelėjau ją vardu, tačiau joks garsas iš antro aukšto taip ir neatsklido. Ankstyvas šios dienos rytas buvo gan saulėtas, tačiau vėliau dangų aptraukė debesys. Atrodė, kad name labai tamsu. Jau buvau bepradedanti nerimauti, bet netrukus man pavyko save įtikinti, kad baimintis būtų kvaila – juk Žoržeta negalėjo tiesiog pradingti. Ji turi būti čia, šiame name.

Prisiminiau, kad į rūsį vedančios durys, kurias mačiau virtuvėje, buvo šiek tiek praviros. Nusprendžiau paieškoti Žoržetos ten. Grįžau į virtuvę, atlapojau rūsio duris ir spustelėjau elektros jungiklį. Kad tai neįprastas rūsys, liudijo jau ąžuolinėmis plokštėmis dengtos rūsio laiptus supančios sienos, kurias išvydau uždegusi šviesą. Dar kelis kartus šūktelėjau Žoržetą ir ėmiau lipti žemyn – laiptelis po laiptelio mano nerimas augo. Nuojauta kuždėjo, kad įvyko kažkas baisaus. Gal Žoržeta susižeidė?

Spustelėjau elektros jungiklį laiptų apačioje – užsidegė rūsio lubose įtaisytos lempos ir paaiškėjo, kad čia įrengtas poilsio kambarys. Galinėje rūsio sienoje buvo įstatytos stiklinės slankiosios durys, vedančios į vidinį namo kiemą. Žengiau jų link, vildamasi, kad Žoržeta yra lauke, tačiau šios durys buvo užrakintos. Staiga pastebėjau, kad rūsyje tvyro šiek tiek išsivadėjęs, bet vis dar gana aitrus keistas kvapas. Terpentinas, atpažinau.

Perėjau per visą rūsyje įrengtą kambarį ir siauru koridoriumi pasukau dar vieno vonios kambario link. Vos pasukusi už kampo, užkliuvau už kojos.

Žoržeta gulėjo ant grindų. Į mane spoksojo tuščios akys. Žoržetos kakta buvo sutepta krauju ir jis jau buvo pradėjęs krešėti. Šalia gulėjo terpentino buteliukas – jo turinys lašas po lašo sunkėsi į kilimą. Rankose Žoržeta vis dar laikė skudurą. Pistoletas, iš kurio, matyt, ir buvo iššauta Žoržetą nužudžiusi kulka, gulėjo ant grindų pačiame raudonos dažų dėmės viduryje.

Pamenu savo riksmą.

Pamenu, kaip išbėgau iš namo ir puoliau į automobilį.

Pamenu, kaip važiavau namo.

Pamenu, kaip surinkau pagalbos numerį, bet, atsiliepus operatorei, taip ir nesugebėjau ištarti nė vieno žodžio.

Kai į mano namus atvažiavo policija, telefono ragelį vis dar laikiau rankose. Daugiau nebepamenu nieko – tik tai, kad, pabudusi ligoninėje, pirmiausia išgirdau seržanto Erlio balsą. Jis klausė manęs, kodėl aš surinkau pagalbos numerį.

19

Džaretas Albertis, spynų meistras, buvo antrasis žmogus, radęs Žoržetos lavoną. Jis buvo sutaręs su ja susitikti Olandų gatvės name pusę dvylikos. Atvažiavęs sutartu laiku, Džaretas pastatė savo automobilį greta Žoržetos BMV. Pamatęs, kad laukujės durys praviros, jis taip pat nusprendė įeiti vidun. Nė neįtardamas, kad jo pastangos beprasmės, lygiai kaip ir Selija Džaretas apėjo visus kambarius šaukdamas Žoržetą.

Įėjęs į virtuvę, Džaretas pamatė iš namo rūsio sklindančią šviesą ir nieko nelaukdamas nusileido žemyn. Netrukus jis taip pat užuodė terpentino skleidžiamą smarvę ir, ieškodamas, iš kurgi ji sklinda, rado Žoržetos lavoną – praėjus vos valandai po to, kai jį ten buvo radusi Selija.

Džaretas buvo tvirto sudėjimo dvidešimt aštuonerių metų vyras, buvęs jūrų pėstininkas. Jis dvejus metus tarnavo Irake ir iš tarnybos buvo atleistas, kai kulka jam suknežino kulkšnį. Mūšio lauke Džaretui ne kartą buvo tekę susidurti su mirtimi. Vis dėlto ši mirtis buvo kitokia – Žoržeta Grouv buvo ilgametė jo šeimos draugė.

Apie minutę jis stovėjo nė nekrustelėdamas, bandydamas suvokti, kas gi čia įvyko. Tada, lyg vis dar tarnautų kariuomenėje, staigiai apsisuko, išėjo į lauką, surinko pagalbos numerį ir stovėjo namo prieangyje tol, kol į įvykio vietą atskubėjo policijos ekipažas.

Praėjus valandai, atsistojęs šiek tiek nuošaliau, Džaretas iš tolo stebėjo aplink zujančius žmones. Namo teritorija buvo apjuosta specialia policijos juosta, turinčia sulaikyti į namą bandančius patekti žurnalistus ir kaimynus. Ekspertas apžiūrinėjo lavoną. Tyrėjai naršė po namą ir aplink, stengdamiesi rasti kokių nors įkalčių. Džaretas jau buvo pasakęs jiems, kad nei lavono, nei grindinio, ant kurio jis gulėjo, nebuvo palietęs.

Džaretą Albertį apklausė prokuroras Džefris Makingslis ir Lola Spaulding – viena iš policijos komisariate dirbančių detektyvių.

– Esu spynų meistras, – paaiškino jiems Džaretas. – Vakar vakare Žoržeta man paskambino į namus.

– Kada ji jums paskambino? – paklausė Džefris.

– Apie devintą vakaro.

– Gana vėlus metas skambinti kam nors darbo reikalais.

– Žoržeta buvo geriausia mano motinos draugė. Ji dažnai vadindavo save mano surogatine teta. Žoržeta visada paskambindavo, jei prireikdavo pakeisti ar sutaisyti spynas name, kurį tuo metu norėdavo parduoti. – Visa tai pasakodamas, Džaretas prisiminė, kaip jie kartu su Žoržeta sėdėjo greta jo mirštančios motinos.

– Ar Žoržeta užsiminė, kokios pagalbos jai prireikė šįkart?

– Ji tik pasakė, kad buvo pradangintas šio namo sandėliuko raktas. Prašė manęs atvykti pakeisti spynos dar prieš devynias, tačiau aš atsakiau, kad galėčiau atvažiuoti tik dešimtą. Tada ji man pasakė, kad tuomet mums būtų geriausia susitikti apie pusę dvyliktos.

– Kodėl? – tuojau pasiteiravo Džefris.

– Žoržeta nenorėjo, kad aš spyną tvarkyčiau tuo metu, kai ji čia bus su kliente. Ji manė, kad pusę dvyliktos klientė jau bus išvažiavusi.

– Ar Žoržeta tikrai minėjo moterį?

– Taip, – patvirtino Džaretas. Tada, kiek paabejojęs, pridūrė: – Pasakiau, kad man būtų gerokai patogiau, jei mes čia susitiktume dešimtą valandą, bet Žoržeta nenorėjo nieko apie tai girdėti. Esą klientė jokiu būdu neturi pamatyti to, kas yra sandėliuke. Man tai pasirodė gana juokinga, todėl paklausiau, ar tik ne auksą ji ten slepia. „Nesijaudink, Žoržeta, nepavogsiu aš to tavo aukso", – pasakiau.

– Ir...

Džaretas jau buvo beatsigaunantis po sukrėtimo, kurį patyrė išvydęs lavoną. Pamažu išgąstį ėmė keisti patirto praradimo skausmas. Dvidešimt aštuonerius metus Žoržeta buvo neatsiejama jo gyvenimo dalis, bet kažkas ją nužudė.

– Tada Žoržeta pasakė, kad visiškai manimi pasitiki, priešingai nei kai kuriais ją supančiais žmonėmis.

– Ji nepaaiškino, ką turėjo omenyje?

– Ne.

– Ar žinote, kur ji buvo tuo metu, kai jums skambino?

– Taip. Ji man sakė, kad vis dar dirba savo agentūroje.

– Džaretai, kai lavonas bus išneštas iš namo, ar galėsite mums pagelbėti ir atrakinti tą sandėliuką?

– To aš čia ir atvažiavau, – atsakė jis. – Tikiuosi, dabar jau galiu grįžti į savo furgoną ir palaukti ten. – Džaretas nė kiek nesigėdijo jį apimančio liūdesio.

Praėjus keturiasdešimčiai minučių, sėdėdamas savo furgone, Džaretas žiūrėjo, kaip iš namo išnešamas į specialų maišą įdėtas Žoržetos Grouv lavonas. Netrukus jis buvo išvežtas lavoninei priklausančiu automobiliu. Prie jo sunkvežimio sparčiai žingsniuodama artėjo detektyvė Lola Spaulding.

– Mes jau laukiame jūsų namo rūsyje, – pranešė ji.

Išlaužti spyną buvo paprasta. Džaretas nelaukė paraginimo ir pats pravėrė sandėliuko duris. Jis nenumanė, ką ten ras, bet neabejojo, kad sandėliuke yra kažkoks daiktas, tiesiogiai susijęs su jo draugės mirtimi.

Šviesa sandėliuke užsidegė automatiškai. Džaretas išvydo keliolika tvarkingai į lentynas sudėliotų dažų skardinių. Dauguma jų dar nė karto nebuvo atidarytos – ant skardinių etikečių buvo ranka parašyta, kuriuose kambariuose dažus ketinama panaudoti.

– Juk čia tik dažų skardinės! – drebančiu balsu šūktelėjo Džaretas. – Nejaugi kažkas Žoržetą nušovė dėl paprastų dažų skardinių?

Džefris nieko neatsakė. Jis įdėmiai žiūrėjo į apatinėje lentynoje stovinčias dažų skardines. Tai buvo vienintelės sandėliuke rastos skardinės, kurios mažiausiai kartą jau buvo atidarytos. Trys iš jų buvo tuščios. Ketvirtoji puspilnė ir be dangtelio. Dėmė, kurią Žoržeta Grouv bandė išvalyti, greičiausiai buvo šioje skardinėje laikytų dažų dėmė, pagalvojo Džefris. Ant visų pradarytų skardinių etikečių buvo užrašyta „Valgomasis". Visose jose buvo raudoni dažai. Nereikia būti pačiu protingiausiu pasaulio žmogumi, kad suprastum, jog šiuos dažus ir naudojo Nolanų namus nusiaubę vandalai, pagalvojo jis. Ar *dėl to* Žoržeta Grouv ir buvo nužudyta? Nejaugi norint išsaugoti šią paslaptį buvo nuspręsta atimti žmogaus gyvybę?

– Ar jau galiu važiuoti namo? – pasiteiravo Džaretas.

– Žinoma. Jūs dar turėsite parašu patvirtinti tai, ką mums šiandien papasakojote, bet tai galima padaryti ir vėliau. Džaretai, mes esame nuoširdžiai dėkingi jums už pagalbą.

Džaretas linktelėjo ir pasuko koridoriumi rūsio laiptų link. Jis žengė atsargiai, stengdamasis neužminti ant kreida nubrėžtų Žoržetos lavono kontūrų. Jam išėjus, į rūsį nusileido Klaidas Erlis. Jis buvo gerokai paniuręs ir sparčiu žingsniu prisiartino prie Džefrio.

– Aš ką tik grįžau iš ligoninės, – paaiškino Erlis. – Mes ten drauge su medikais nuvežėme Seliją Nolan. Dešimtą valandą ryto ji surinko pagalbos telefono numerį, tačiau operatorei taip ir nesugebėjo nieko pasakyti – tik žiopčiojo į ragelį. Operatorė iš karto susisiekė su mumis ir mes tuojau nuvažiavome į Selijos Nolan namus. Ji buvo ištikta šoko. Negalėjo atsakyti į jokį mūsų klausimą. Iš karto nuvežėme ją į ligoninę. Priimamajame ji šiek tiek atsigavo. Selija Nolan tvirtina, kad šįryt ji buvo šiame name. Pasakė, kad rado čia lavoną ir parvažiavo namo.

– Ji rado lavoną ir parvažiavo namo! – šūktelėjo Džefris.

– Ji tvirtina prisimenanti tik tiek, kad, pamačiusi lavoną, išbėgo į lauką, įsėdo į mašiną ir parvažiavo namo. Taip pat sakė, kad prisimena, kaip bandė mums paskambinti. Kas įvyko, kai ji surinko pagalbos numerį, tvirtina nebepamenanti – esą atsipeikėjo tik ligoninėje.

– Kaip ji jaučiasi dabar? – paklausė Džefris.

– Gana gerai, nors ir prigirdyta raminamųjų. Selijos Nolan vyrui jau paskambinta. Jis važiuoja į ligoninę ir Selija tvirtina ketinanti dar šiandien grįžti drauge su juo namo. Mokykloje kilo didelis sąmyšis, nes ji iš darželio taip ir nepasiėmė savo sūnaus. Vaiką ištiko isterija. Prieš porą dienų jis matė, kaip motina nualpo. Matyt, dabar yra persigandęs, kad ji gali mirti. Vienas iš mokytojų atvežė berniuką į ligoninę. Dabar jis su motina.

– Mes turime su ja pasikalbėti, – atsakė Džefris. – Greičiausiai ji ir buvo ta klientė, kuriai Žoržeta ketino aprodyti šį namą.

– Na, ko gero, šio namo ji nebepirks, – tarė Erlis. – Jai turėtų pakakti įspūdžių gyvenant vienoje nusikaltimo vietoje.

– Ar ji tau pasakė, kelintą valandą čia atvažiavo?

– Tvirtino, kad čia atvažiavo per anksti – be penkiolikos minučių dešimtą.

Vadinasi, mes praradome apie valandą. Džaretas mums paskambino praėjus maždaug valandai po to, kai lavoną čia rado Selija Nolan, pagalvojo Džefris.

– Džefri, aukos rankinėje mes radome kai ką, kas gali tave sudominti.

Pirštine apmautoje rankoje detektyvė Spaulding laikė laikraščio iškarpą. Norėdama, kad rastą įkaltį prokuroras pamatytų kuo greičiau, ji pati atnešė jį parodyti. Tai buvo nuotrauka, kuri laikraščiuose pasirodė vakar – ta pati, kurioje buvo įamžinta sąmonę prarandanti Selija Nolan.

– Atrodo, ši nuotrauka buvo įkišta į Žoržetos rankinę jau kai ji buvo nužudyta, – pranešė detektyvė. – Mes patikrinome, ar ant jos buvo palikti kokie nors pirštų atspaudai. Nieko neradome.

20

Nurimti prisiverčiau tik tada, kai pamačiau siaubo iškreiptą Džeko veidą. Kai jį atvedė į ligoninės priimamojo palatą, kurioje buvau paguldyta, Džekas vis dar kūkčiojo. Dažniausiai jis noriai leidžiasi apkabinamas Alekso, bet šį kartą, kai taip jį išgąsdinau neatvažiuodama į mokyklą, nusiramino tik mano glėbyje.

Važiuodami namo mudu su Džeku susiglaudę sėdėjome ant užpakalinės automobilio sėdynės, nė akimirkos nepaleidau jo rankos. Aleksui skaudėjo širdį dėl mūsų abiejų.

– Dieve, Selija, – atsidusęs prabilo jis. – Aš negaliu nė įsivaizduoti, ką tau teko patirti. Kas gi dedasi šiame mieste?

Iš tiesų, kas?

Buvo beveik antra valanda ir mes buvome gerokai praalkę. Aleksas, atidaręs skardinę, visiems paruošė sriubos, o Džekui dar sutepė ir patį mėgstamiausią – riešutų sviesto ir uogienės – sumuštinį. Karšta sriuba man padėjo įveikti silpnumą, kurį jaučiau nuo tada, kai gydytojas man suleido raminamųjų.

Durų skambutį žurnalistai ėmė spaudyti mums dar nespėjus papietauti. Žvilgtelėjusi pro langą, pamačiau, kad tarp jų stoviniuoja ir žilstelėjusi pagyvenusi moteris. Ši žurnalistė buvo čia ir įkurtuvių dieną. Prisimenu, kaip tuo metu, kai jau buvau beprarandanti sąmonę, mačiau ją bėgančią artyn.

Aleksas išėjo į lauką. Tai buvo jau antras kartas per pastarąsias keturiasdešimt aštuonias valandas, kai jam teko kreiptis į žurnalistus.

– Kai šį antradienį atvažiavę čia pamatėme nusiaubtus namus, nusprendėme pradėti kito namo paieškas. Žoržeta Grouv pasiūlė mano žmonai apžiūrėti Olandų gatvėje esantį namą, kuris šiuo metu parduodamas. Atvykusi į susitikimą, Selija rado ponios Grouv lavoną ir nuskubėjo namo paskambinti policijai.

Mačiau, kaip, vos baigęs sakinį, Aleksas buvo apipiltas žurnalistų klausimais.

– Ko jie klausė? – pasiteiravau, kai jis grįžo.

– Nieko, ko nebūčiau tikėjęsis. Klausinėjo, kodėl tu policijai nepaskambinai iš karto ir nejaugi neturėjai pasiėmusi mobiliojo telefono. Atsakiau, kad žudikas vis dar galėjo būti name, tad tu pasielgei taip, kaip ir turėjai pasielgti – kuo greičiau iš ten sprukai.

Praėjus kelioms minutėms, suskambo telefonas – Džefris Makingslis norėjo sužinoti, ar galėtų užsukti su manimi pasikalbėti. Aleksas jau buvo beprieštaraujantis, bet aš sutikau. Nuojauta man kuždėjo, kad prokurorui turiu sudaryti gerą įspūdį, pasirodyti esanti bet kuriuo metu bendradarbiauti pasirengusi liudytoja.

Makingslis atvyko su akiniuotu penkiasdešimtmečiu. Šis putlaus veido vyras retėjančiais plaukais, stebintis aplinką skvarbiu griežtu žvilgsniu, pasirodė esąs detektyvas Polas Volšas. Makingslis paaiškino man, kad Volšas ir bus atsakingas už Žoržetos Grouv mirties aplinkybių tyrimą.

Kol atsakinėjau į jų klausimus, Aleksas visą laiką sėdėjo greta. Paaiškinau, kad mes ketiname likti gyventi šiose apylinkėse, tačiau ne šiame name, nes ir jo istorija, ir vandalų išpuoliai mus gerokai sukrėtė. Papasakojau ir apie Žoržetos pasiūlymą – apie tai, kad ji buvo pažadėjusi atsisakyti mokesčio už savo paslaugas, jei mes būtume išsirinkę vieną iš jos pasiūlytų namų, ir kad ji ketino pagelbėti mums parduodant šį namą neimdama už tai pinigų.

– Pirmą kartą šiame name jūs apsilankėte praėjusį mėnesį. Ar prieš atvykdama čia žinojote šio namo istoriją? – pasiteiravo detektyvas Volšas.

Pajutau, kaip sudrėko delnai. Atsakiau atsargiai rinkdama kiekvieną žodį.

– Prieš išvysdama šį namą praėjusį mėnesį, aš nieko nežinojau apie jo istoriją, – atsakiau.

– Ponia Nolan, ar jūs žinote apie Naujojo Džersio valstijoje galiojantį įstatymą, kuris įpareigoja nekilnojamojo turto agentus informuoti klientus, jei nekilnojamasis turtas, kuriuo jie domisi, yra kliaudingas. Tai reiškia, kad pirkėjas privalo sužinoti, jei, pavyzdžiui, name, kuriuo jis domisi, buvo įvykdytas nusikaltimas ar kas nors nusižudė. Įstatymas įpareigoja nekilnojamojo turto agentą prabilti net ir tuo atveju, jei yra pasklidusios kalbos, kad tame name vaidenasi.

Man nereikėjo vargti bandant apsimesti, kad esu apstulbusi, – aš iš tikrųjų praradau žadą.

– Galėčiau prisiekti, kad apie tai nė nenumaniau, – atsakiau. – Vadinasi, Žoržeta visai ne iš dosnumo pasisiūlė mums nemokamai pagelbėti.

– Ji norėjo papasakoti man apie namo praeitį, tačiau aš neleidau jai kalbėti, – paaiškino Aleksas. – Pasakiau jai, kad kai buvau mažas, mano tėvai Menkių kyšulyje nuomojosi namą, kuris visose apylinkėse buvo žinomas kaip vaiduoklių namas.

– Na, dėl to niekas nesikeičia. Vakardienos laikraščiuose skaičiau, kad šį namą jūs gimtadienio proga padovanojote žmonai. Kadangi namo pirkimo sutartis buvo sudaryta jos vardu, Žoržeta Grouv apie namo praeitį privalėjo papasakoti būtent jai, – paaiškino Makingslis.

– Dabar suprantu, kodėl Žoržetą taip nuliūdino vandalų išpuolis, – atsakiau. – Atvažiavę čia antradienio rytą, mes užtikome ją betempiančią iš namo garažo vandens žarną – ji ketino pati nuplauti ant namo pievelės paliktus užrašus.

Pajutau, kaip mane užvaldo pyktis. Aš taip lengvai galėjau išvengti viso su grįžimu į šiuos namus susijusio siaubo. Tada prisiminiau Žoržetą Grouv – prieš pradėdama bėgti, aš akimirką žvilgtelėjau į ją, į sukrešėjusį kraują ant kaktos, į skudurą, kurį ji vis dar gniaužė rankoje. Juk ji mėgino nutrinti tą raudoną dažų dėmę ant rūsio grindų.

Raudoni dažai kaip kraujas. Iš pradžių jie išsipila, tada sutirštėja ir galiausiai išdžiūsta...

– Ponia Nolan, ar jūs pažinojote Žoržetą Grouv prieš įsikraustydama gyventi į šį namą?

Raudonų dažų dėmė greta Žoržetos lavono...

– Selija, – pasigirdo Alekso šnibždesys ir aš supratau, kad detektyvui Volšui ką tik teko dar kartą pakartoti savo klausimą. Ar anksčiau buvome susitikusios su Žoržeta Grouv? Mano motina tikrai galėjo Žoržetą pažinoti, tačiau ar pažinojau aš, niekaip negalėjau prisiminti.

– Ne, – atsakiau.

– Vadinasi, pirmą kartą jūs ją pamatėte tik tą dieną, kai čia atsivežėte daiktus, ir tąkart bendravote vos kelias akimirkas?

– Taip, – pakeltu tonu atsakė Aleksas. – Žoržeta antradienį čia ilgai neužtruko. Ji norėjo kuo greičiau grįžti į savo agentūrą ir pradėti ieškoti žmonių, kurie galėtų sutvarkyti namą ir pievelę. Kai vakar grįžau namo, Selija man pasakė, kad Žoržeta jai skambino ir pasisiūlė aprodyti kitus namus. Kai vakar po pietų ji paskambino dar kartą, aš buvau netoliese. Girdėjau, kaip jos sutarė šįryt susitikti.

Volšas viską kruopščiai užsirašinėjo.

– Ponia Nolan, aptarkime visa tai neskubėdami. Jei teisingai supratau, jūs buvote sutarusi šįryt pasimatyti su Žoržeta Grouv.

Mintyse perspėjau save, kad nereikėtų persistengti bevaidinant tą pasirengusią bendradarbiauti liudytoją. Tik nepradėk balsu svarstyti, kas, kodėl ir už ką, papasakok, ką matei, ir tiek, kartoju sau.

– Žoržeta pasisiūlė mane paimti iš namų, tačiau aš atsisakiau. Paaiškinau, kad nusigavusi ten savo automobiliu būsiu tikra, jog laiku paimsiu Džeką iš Šventojo Juozo mokyklos. Džeką lopšelyje palikau apie devintą valandą penkiolika minučių, tada kurį laiką gėriau kavą prekybos centro kavinėje ir galiausiai nuvažiavau susitikti su Žoržeta.

– Ar ji buvo jums paaiškinusi, kaip važiuoti į Olandų gatvę? – paklausė Volšas.

– Ne. Taip! Taip, žinoma, ji man buvo paaiškinusi.

Abiejų mane klausinėjančių vyrų veiduose trumpam šmėkštelėjo nuostaba. Aš pati sau prieštaravau. Mačiau, kaip jie įsistebeilijo į mane, stengdamiesi atspėti, kas gi dedasi mano galvoje, ir svarstydami, ar manimi galima pasitikėti.

– Ar ilgai užtrukote beieškodama namo? – prabilo detektyvas Volšas. – Olandų gatvės pradžią skelbiančią kelio nuorodą nelengva pastebėti.

– Važiavau lėtai, tad nebuvo sunku, – paaiškinau. Tada papasakojau, kas nutiko man ten nuvažiavus: apie pravertus vartus ir prie namo pastatytą Žoržetos mašiną, apie tai, kaip lengvai įėjau į vidų ir kaip ilgai ieškojau Žoržetos, šaukdama ją vardu. Galiausiai kaip, nusileidusi į rūsį, užuodžiau terpentino kvapą ir netrukus radau jos lavoną.

– Ponia Nolan, ar lietėte ką nors ten būdama? – šįkart klausimą uždavė prokuroras.

Susimąsčiau ir pabandžiau dar kartą mintyse grįžti į tuos namus. Nejaugi ten aš buvau vos prieš kelias valandas?

– Liečiau laukujų durų rankeną, – prabilau. – Vargu ar prieš atidarydama į rūsį vedančias duris dar ką nors priliečiau. Kai nusileidau į apačią, bandžiau atidaryti slankiąsias stiklines duris, nes pamaniau, kad gal Žoržeta išėjusi į vidinį kiemą. Durys buvo užrakintos – matyt, ir jas būsiu palietusi, nes kaipgi kitaip žinočiau, kad jos buvo užrakintos. Tada užuodžiau terpentino dvoką ir, bandydama išsiaiškinti, iš kur jis sklinda, radau Žoržetą.

– Ar jūsų vardu yra registruotas šaunamasis ginklas? – staiga pasiteiravo Volšas.

Tokio klausimo nesitikėjau. Žinojau, kad jis buvo užduotas norint mane apstulbinti.

– Ne, žinoma, ne, – kelis kartus pakartojau.

– Ar kada nors esate naudojusis pistoletu?

Pažvelgiau į savo tardytoją. Jo rusvos tiriančios akys slėpėsi už apskritų akinių stiklų ir nekantriai laukė mano atsakymo. Kas gi kankintų tokiu klausimu nekaltą žmogų, prieš keletą valandų aptikusį nužudyto žmogaus lavoną? Žinojau, kad kažkas – kažkas, ką aš pasakiau arba nusprendžiau nutylėti, – Polui Volšui jau spėjo sukelti įtarimą.

Be abejo, aš dar kartą pamelavau.

– Ne, nesu, – atsakiau.

Galiausiai detektyvas išsitraukė plastikinį maišelį. Viduje buvo laikraščio iškarpa – mano nuotrauka, ta pati, kurioje aš bealpstanti.

– Ar galėtumėte paaiškinti, kaip panelės Grouv rankinėje atsidūrė ši nuotrauka? – paklausė jis.

Išgirdusi Alekso balsą, buvau jam kaip niekada dėkinga.

– Dieve mano, iš kurgi mano žmona gali žinoti, ką ir kodėl Žoržeta Grouv nešiojosi savo rankinėje? – atkirto jis ir atsistojo. Nelaukdamas atsakymo, Aleksas ir vėl prabilo: – Tikiuosi, jūs suprantate, kokia sunki ši diena buvo mūsų šeimai.

Abu vyrai tuoj pat atsistojo.

– Ponia Nolan, mums gali tekti dar kartą su jumis pasikalbėti, – paaiškino prokuroras. – Tikiuosi, artimiausiu metu neketinate niekur išvažiuoti.

Nebent į toliausiai nuo čia esantį pasaulio kraštą, norėjau atkirsti. Vis dėlto su karteliu balse atsakiau:

– Ne, pone Makingsli, aš būsiu čia, namie.

21

Vėjo nugairintas veidas, tvirtas, raumeningas kūnas ir nuospaudų nusėti delnai – pažvelgus į Zaką Vilėtą buvo nesunku atspėti, kad didžiąją gyvenimo dalį jis praleido atvirame ore. Jam buvo šešiasdešimt dveji ir jis vis dar dirbo Vašingtono slėnio jojimo kube. Čia jis įsidarbino būdamas vos dvylikos – iš pradžių savaitgaliais mėždavo arklides, o sulaukęs šešiolikos metė mokyklą ir klube pradėjo dirbti kasdien.

„Jau žinau viską, ką man reikia žinoti, – atsakė Zakas mokytojui, bandančiam jį įkalbėti likti mokykloje ir kartojančiam, kad toks sumanus vaikinas turėtų siekti išsilavinimo. – Aš suprantu arklius ir jie supranta mane."

Zakas Viletas neturėjo ypatingų ambicijų, tad karjeros laiptais nekilo. Visą gyvenimą Vašingtono slėnio jojimo klube jis taip ir pradirbo visų galų meistru. Zakas jautė malonumą prižiūrėdamas ir treniruodamas žirgus, tad jam šis darbas patiko. Jis sugebėdavo tuoj pat ant kojų pastatyti bet kurį sunegalavusį savo eiklųjį draugą ir mokėdavo nepriekaištingai išvalyti ir sutaisyti jojimo įrangą. Zakas net buvo įkūręs nedidelį verslą – perpardavinėjo šią įrangą. Jo klientūrą sudarė dviejų tipų žmonės: tie, kurie ieškojo galimybės kuo pigiau įsigyti jojimo reikmenis, ir tie, kurie, praradę susidomėjimą žirgais, nekantravo atsikratyti visais su šiuo brangiu sportu susijusiais daiktais.

Retsykiais, kai jojimo instruktoriai neturėdavo laiko, Zakas vesdavo ir jojimo pamokas, tačiau ši veikla ypatingo malonumo jam neteikdavo. Zaką baisiai erzino nieko bendro su žirgais neturintys žmonės, kurie, nervingai patrūkčioję vadeles, pašiurpdavo iš siaubo, kai priešindamasis žirgas kelis kartus papurtydavo galvą.

Prieš tris dešimtis metų Vašingtono slėnio jojimo klube savo žirgus laikė ir Tedas Kartraitas. Vėliau, praėjus porai metų, Tedas juos perkėlė į netoliese įsikūrusias, prestižinėmis laikytas Pypako jojimo klubo arklides.

Ankstyvą ketvirtadienio rytą klube pasklido žinia apie Žoržetos Grouv mirtį. Zakas Žoržetą pažinojo ir mėgo. Retsykiais Žoržeta užsimindavo apie Zaką žmonėms, kurie ieškodavo prižiūrėtojo savo žirgams. „Kreipkitės į Zaką, dirbantį Vašingtono slėnio jojimo klube. Jei maloniai su juo elgsitės, jis jūsų žirgu rūpinsis taip, tarsi tai būtų jo paties vaikas", – sakydavo ji.

„Žoržeta Grouv buvo tokia maloni moteris. Kam galėjo prireikti ją nužudyti?" – šį klausimą mintyse kartojo ne vienas žmogus.

Jodinėjant Zakui geriausiai sekdavosi mąstyti. Įbedęs į tolį mąslų žvilgsnį, jis pabalnojo vieną iš arklių, kurį buvo pasamdytas išjodinėti, ir risčia nujojo kalvos link vingiuotu keliuku. Pasiekęs kone pačią kalvos viršūnę, jis apgręžė žirgą ir nuo kalvos ėmė leistis takeliu, kuriuo joti ryždavosi vos keli jojimo klubo nariai. Saugiai nusileisti šiuo kalvos šlaitu vedančiu takeliu sugebėdavo tik itin patyręs jojikas, tačiau Zakas jo vengdavo ne dėl šios priežasties. Jam nereikėjo dar vieno priminimo apie tai, kas čia įvyko prieš daugelį metų. Priminimo apie tai, kas ligi šiol tebegraužė jo sąžinę.

Matyt, jei jau sugebėjai taip pasielgti su vienu po kojomis pasipainiojusiu žmogumi, tai sugebėsi taip pat pasielgti ir dar su keliais, svarstė Zakas. O dėl to, kad Žoržeta jam buvo pasipainiojusi po kojomis, nekyla nė mažiausios abejonės. Apie tai kalbėjo visas miestas. Jis gviešėsi į Žoržetai priklausantį sklypą 24-ojoje gatvėje – norėjo, kad ten iškiltų komerciniai pastatai. Na, bet detektyvai greitai suuos, kad Žoržetos mirtis jam buvo naudinga. Įdomu, jei jis iš tikrųjų ją nužudė, ar bent užteko proto nenaudoti to paties šautuvo?

Zakas prisiminė sudilusią šovinio tūtelę, kurią buvo paslėpęs savo bute. Jis gyveno Česteryje, antrame namo, kurį dalijosi dvi šeimos, aukšte. Zakas puikiai suprato, jog praėjusią naktį Semo bare Tedas Kartraitas nejuokavo – jis iš tiesų jam grasino. Padavęs voką, Tedas jam tyliai sušnibždėjo: „Zakai, pasisaugok. Mano kantrybės bandyti tikrai neverta."

Tai Tedas bando mano kantrybę, pagalvojo Zakas, grožėdamasis kalvos papėde. Priartėjęs prie staigaus posūkio, jis trūktelėjo vadeles ir žirgas sustojo. Kurį laiką pasiknaisiojęs po savo liemenės kišenę, Zakas ištraukė mobilųjį telefoną, nukreipė fotoaparato objektyvą į tolį ir spustelėjo mygtuką. Geriau vieną kartą pamatyti nei tūkstantį kartų išgirsti, pagalvojo jis ir, palaimingai šypsodamasis, švelniai paragino žirgą keliais. Netrukus žirgas ėmė toliau klusniai risnoti vingiuotu šlaito takeliu.

22

Apie Žoržetos Grouv mirtį Driu Peri sužinojo ne iš karto. Tą rytą ji praleido Moriso apygardos teisme – stebėjo teismo procesą, apie kurį ketino parašyti straipsnį. Kai teisėjas paskelbė pietų pertrauką, Driu peržiūrėjo visas trumpąsias žinutes, kurias buvo gavusi, ir tuojau paskambino Kenui Šarkiui – laikraščio redaktoriui. Praėjus vos penkioms minutėms, ji jau važiavo į nusikaltimo vietą. Į Olandų gatvę Pypake.

Driu Peri ten atskubėjo pačiu laiku – Džefris Makingslis buvo ką tik pradėjęs spaudos konferenciją. Prokuroras patvirtino, kad buvo nužudyta ilgametė Mendamo gyventoja, gerai žinoma nekilnojamojo turto agentė Žoržeta Grouv. Žoržeta į šį restauruotą namą buvo atvykusi pasimatyti su kliente. Jos kūnas su šautine žaizda buvo rastas pastato rūsyje.

Džefris gerokai visus apstulbino pranešdamas, kad pirmiausia Žoržetos lavoną aptiko ne spynų meistras, o Selija Nolan. Išgirdę šią naujieną, žurnalistai apipylė prokurorą klausimais. Driu gerokai pyktelėjo ant savęs, išgirdusi kitą žurnalistą klausiant apie įstatymą, įpareigojantį nekilnojamojo turto agentus įspėti klientus, jei turtas, kuriuo jie domisi, yra kliaudingas. Aš turėjau žinoti šį įstatymą, mintyse kartojo Driu. Ir kaipgi sugebėjau tai pražiopsoti?

Džefris žurnalistus supažindino tik su esminiais faktais. Selijos Nolan ir Žoržetos Grouv susitikimas turėjo įvykti dešimtą valandą ryto. Selija į jį atvyko penkiolika minučių anksčiau. Laukujės namo durys buvo neužrakintos, tad, vis šaukdama Žoržetą Grouv vardu, Selija Nolan nusprendė įeiti į vidų. Aptikusi lavoną, ji puolė prie savo mašinos, parvažiavo namo ir surinko pagalbos numerį. Selija Nolan buvo patyrusi milžinišką šoką, tad, atsiliepus operatorei, taip ir nepratarė nė vieno žodžio.

Prokuroras žurnalistams papasakojo ir apie spynų meistrą, kuris policijai paskambino šiek tiek po pusės dvyliktos.

– Įvykio aplinkybės šiuo metu kruopščiai tiriamos, – pabrėžė prokuroras. – Gali būti, kad kažkas Žoržetą Grouv sekė visą laiką, o kai ji įėjo į namą, tiesiog nusekė iš paskos. Bet neatmetame galimybės, kad jos jau laukė namo viduje. Nusikaltimo įrankis buvo rastas šalia ponios Grouv lavono.

Nujausdama, kad ilgiau Olandų gatvėje lūkuriuoti nebeverta, Driu nuvažiavo į Nolanų namus. Jai ir vėl pasisekė – į šiuos namus ji taip pat atvyko pačiu laiku. Aleksas Nolanas buvo ką tik pradėjęs atsakinėti į besibūriuojančių šalia namo žurnalistų klausimus.

– Ar jūs žinojote apie kliaudingojo nekilnojamojo turto įstatymą? – šūktelėjo Driu, tačiau Aleksas Nolanas jau buvo spėjęs grįžti į vidų.

Driu nesekė pavyzdžiu tų žurnalistų, kurie išvažiavo, vos Aleksas Nolanas uždarė duris. Ji pastatė automobilį už kelių šimtų pėdų nuo Nolanų namų ir nusprendė dar kurį laiką jame pasėdėti. Netrukus gatvėje pasirodė automobilis, kuriame sėdėjo prokuroras Makingslis ir detektyvas Volšas. Driu matė, kaip jie pastatė savo mašiną už Nolanų mašinos, priartėjo prie namo ir, porą kartų spustelėję durų mygtuką, buvo įleisti į vidų.

Driu iš karto iššoko iš mašinos, perėjo gatvę ir taip pat prisiartino prie Nolanų namo. Abu vyrai namo kieme pasirodė praėjus dvidešimčiai minučių. Driu iš karto atkreipė dėmesį į rūškanus jų veidus.

– Driu, spaudos konferencija įvyks penktą valandą, – griežtu balsu į ją kreipėsi Džefris. – Tada ir pabandysiu atsakyti į visus tavo klausimus. Neabejoju, kad tu ten būsi.

– Negi galėtų būti kitaip? – pavymui sparčiais žingsniais tolstantiems Džefriui ir detektyvui riktelėjo Driu.

Supratusi, kad nei Džefrio Makingslio, nei Polo Volšo dabar pakalbinti nepavyks, Driu nuskubėjo į Rytų pagrindinėje gatvėje įsikūrusią Grouv nekilnojamojo turto agentūrą. Važiuodama ten ji nesitikėjo ką nors rasti, bet pastačiusi mašiną ir priėjusi prie agentūros durų Driu maloniai nustebo. Nors ant durų buvo pakabintas ženklas, kad agentūra uždaryta, pro jos durų stiklą buvo aiškiai matyti, jog priimamajame lūkuriuoja trys žmonės.

Driu geriau įsižiūrėjo ir apstulbo pamačiusi, kad vienas iš viduje stovinčių žmonių yra Marsela Viljams. *Žinoma,* Marsela čia, kaipgi kitaip, pagalvojo Driu. Visas paskalas ji privalo sužinoti pati pirma.

Vis dėlto Marsela man dar gali ne kartą praversti, padarė išvadą Driu, kai, atrakinusi agentūros duris, Marsela įleido ją į vidų ir pristatė Žoržetos Grouv bendradarbiams.

Ir vyras, ir moteris, kuriems Driu buvo pristatyta, atrodė gerokai suirzę.

– Žoržeta Grouv buvo tikras mūsų miesto bendruomenės ramstis. Aš noriu jai atsidėkoti parašydama gražų straipsnį, – paaiškino jiems Driu. Nors stengėsi viską pateikti kuo švelniau, buvo gana akivaizdu, kad Žoržetos kolegos neketina su ja kalbėtis.

Tada į pokalbį įsiterpė Marsela.

– Jūs tiesiog privalote pakalbėti su Driu, – kreipėsi ji į Robiną Kapenter ir Henrį Palį. – Vakar „Star-Ledger" išspausdino Driu straipsnį, kuriame Žoržeta labai užjaučiama dėl streso, kurį jai teko patirti dėl taip nusiaubto namo. Net buvo paminėta, kad prieš atvykstant Nolanams Žoržeta tampė po kiemą vandens žarną, bandydama pati kuo greičiau nuplauti užrašus nuo pievelės.

Ką gi, apie tai rašydama aš dar nežinojau, kad Žoržeta greičiausiai pažeidė įstatymą nepapasakodama Nolanams to namo istorijos, pagalvojo Driu, tada pati kreipėsi į Robiną ir Henrį:

– Žoržeta Mendamui buvo labai svarbi. Manau, žmonėms turėtų būti priminta, kiek daug ji padarė mūsų bendruomenės labui.

Kalbėdama Driu atidžiai stebėjo ir Robiną, ir Henrį.

Nors nuo ašarų žydros Robinos akys ištino ir jos veidą išmušė dėmės, nėra jokių abejonių, kad ji yra stulbinamo grožio moteris, mintyse padarė išvadą Driu. Natūrali jos plaukų spalva yra šviesi, tačiau akivaizdu, kad kelias sruogas kirpėjas dar labiau pašviesino. Žavus veidas. Didelės plačios akys. Jei ta nosis tikrai jos, ši moteris yra laimės kūdikis. Gundančios lūpos. Įdomu, ar norint, kad šios lūpos ir išliktų tokios sultingos, į jas buvo ko nors įšvirkšta. Puikus kūnas. Galėtų būti manekenė, tik greičiausiai daug pinigų uždirbti jai nebūtų pavykę – per mažas ūgis. Ši moteris taip pat turi puikų skonį, jos apranga nepriekaištinga, nusprendė Driu, nužiūrėjusi Robinos drabužius. Ji vilkėjo rusvas puikaus kirpimo gabardino kelnes ir puošnią raštuotą rausvą palaidinę gilia iškirpte.

Atrodo, ji stengiasi būti seksuali, bet čia jos pastangos bergždžios, pažvelgusi į Henrį mintyse konstatavo Driu. Rodos, šis nuvargęs šešiasdešimtmetis smulkaus sudėjimo vyrukas dabar labiau nerimauja, nei gedi. Driu nusprendė prie šios minties būtinai dar kartą grįžti.

Netrukus paaiškėjo, kad Robina, Henris ir Marsela ketino drauge išgerti kavos. Driu buvo pakviesta prie jų prisidėti. Rankose laikydama kavos puodelį, Driu nusekė Robinai iš paskos. Abi moterys atsisėdo ant atokiame priimamojo kampe pastatytos sofos. Sofa ir kelios kėdės stovėjo priešais nedidelį staliuką, ant kurio buvo televizorius ir įvairios vaizdo įrangos. Netrukus prie jų prisėdo ir Henris bei Marsela.

– Kai praėjusiais metais čia įsidarbinau, Žoržeta paaiškino man, kad priimamojo planas buvo gerai apgalvotas. Ji norėjo turėti atskirą erdvę, kurioje su klientais galėtų ne tik draugiškai pasišnekučiuoti, bet ir parodyti jiems vaizdo medžiagą. Įrašuose, kuriuos ji rodydavo klientams, yra įamžintas įvairus nekilnojamasis turtas, – liūdnu balsu paaiškino Robina.

– Ar ji savo kolekcijoje turėjo vaizdo įrašą, kuriame įamžintas tas Olandų gatvės namas? – pasiteiravo Driu, vildamasi, kad šis klausimas nepasirodys pernelyg žiaurus.

– Ne, – atsakė Henris. – Tuo namu buvo susidomėta tuoj pat, kai tik jo savininkas pranešė ketinantis jį parduoti. Mes nė nespėjome jo apžiūrėti. Vis dėlto pardavimo sutarties su tais staiga atsiradusiais pirkėjais pasirašyti taip ir nepavyko, tad šį namą teko įtraukti į parduodamo nekilnojamojo turto sąrašus. Tai įvyko vos prieš savaitę.

– Ar tada jūs spėjote jį apžiūrėti? – pasiteiravo Driu. Mintyse ji laikė špygą, tikėdamasi, kad Robina ir Henris vis dėlto atsakys ne tik į šį, bet ir į dar kelis su Olandų gatvės namu susijusius klausimus.

– Taip, aš jį apžiūrėjau praėjusią savaitę, – atsakė Henris. – Netgi buvau ten nusivedęs klientus, tačiau pinigų suma, kurios prašoma už šį namą, jiems pasirodė per didelė.

– Aš ten buvau prieš porą valandų rinkdama medžiagą straipsniui, – prabilo Driu. – Be abejo, žurnalistams į vidų įeiti nebuvo leista, tačiau net ir žvalgantis kieme buvo akivaizdu, kad tai iš tiesų gražūs namai. Nesuprantu tik vieno – kodėl Žoržeta šį namą ketino aprodyti būtent Selijai Nolan? Selija buvo jai pasakiusi, kad neliks gyventi Senojo Malūno tako name? O galbūt tai buvo kaip nors susiję su įstatymu dėl kliaudingojo nekilnojamojo turto? Jei Nolanai būtų padavę Žoržetą į teismą, greičiausiai jai būtų tekę grąžinti jiems pinigus, tiesa?

Driu, žinoma, pastebėjo, kaip tvirtai Henris sučiaupė lūpas.

– Nolanai norėjo likti šiose apylinkėse, – šaltai atsakė jis. – Žoržeta man buvo užsiminusi, kad ji skambino poniai Nolan ir pasisiūlė nemokamai aprodyti jai kitus namus.

Driu nusprendė surizikuoti ir užduoti dar vieną pavojingą klausimą:

– Tačiau nepapasakodama visos tiesos apie Senojo Malūno tako namą Žoržeta lyg ir buvo juos nuvylusi. Juk Nolanai galėjo pareikalauti savo pinigų ir kreiptis į kitą nekilnojamojo turto agentą, tiesa?

– Aš buvau čia, šiame priimamajame, kai Žoržeta bandė perspėti Aleksą Nolaną dėl Senojo Malūno tako namo praeities. Jis tiesiog neleido Žoržetai kalbėti, – piktai atkirto Robina. – Visai kas kita, kad apie namo istoriją ji nieko neužsiminė poniai Nolan. Pasakysiu jums atvirai: būdama Selija Nolan, išvydusi nusiaubtus namus, aš greičiausiai taip pat būčiau įsiutusi, tačiau prarasti sąmonę? Ne, nemanau, kad man taip būtų nutikę. Žoržeta suprato, kad bandant išspręsti šį klausimą per teismą jos padėtis būtų buvusi gana kebli – neabejotina, kad žinant Selijos Nolan reakciją sunku likti abejingam. Dėl šios priežasties Žoržeta ir stengėsi padaryti viską, kas tik įmanoma, kad Selija Nolan kuo greičiau rastų sau naujus namus. Už tai ji sumokėjo gyvybe.

– Kaip jums atrodo, kodėl ji buvo nužudyta? – paklausė Driu.

– Manau, kažkas įsilaužė į namą ir Žoržeta pasirodė ten netinkamu metu. Žinoma, gali būti ir taip, kad kažkas ją visą laiką sekė, nes norėjo apiplėšti, o nužudė iš panikos.

– Ar Žoržeta šįryt buvo pasirodžiusi agentūroje?

– Ne, tačiau mes ir nesitikėjome, kad bus kitaip. Kai vakar mudu su Henriu jau ruošėmės eiti namo, Žoržeta užsiminė ketinanti į tą namą važiuoti iš savo namų.

– Kodėl vakar vakare ji nėjo namo drauge su jumis? Ar ketino su kuo nors susitikti?

– Agentūra buvo antrieji Žoržetos namai. Ji gana dažnai čia užtrukdavo iki vėlumos.

Pirma Driu net nedrįso viltis gauti tiek daug naudingos informacijos. Ji buvo pastebėjusi, kad Henris atsakinėti į jos klausimus neturi jokio noro. Kas kartą ją išgelbėdavo tik Robinos geranoriškumas.

– Sakote, antrieji jos namai. Pakalbėkime apie tai, koks gi žmogus buvo Žoržeta Grouv. Žinau, kad ji buvo aktyvi visuomenininkė.

– Ji turėjo iškarpų albumą, – atsakė Robina. – Jums vertėtų jį pamatyti.

Po penkiolikos minučių, rankose gniauždama įrašų pilną užrašų knygelę, Driu jau buvo pasiruošusi atsisveikinti. Marsela nuo sofos pakilo drauge su ja. Išėjusi iš agentūros, Driu jau buvo beištarianti atsisveikinimo žodžius, tačiau Marsela ją pertraukė ir pasisiūlė palydėti iki automobilio.

– Kaip baisu, ar ne? – prabilo Marsela. – Aš vis dar negaliu patikėti, kad Žoržeta mirusi. Matyt, dauguma miesto gyventojų to dar net nežino. Kai atvažiavau į agentūrą, prokuroras ir detektyvas kaip tik buvo iš jos beišeinantys. Manau, jie ten lankėsi norėdami apklausti Robiną ir Henrį. Aš pas juos užsukau norėdama sužinoti, ar galėčiau kuo nors pagelbėti, na, paskambinti žmonėms ir pranešti jiems apie nutikusią nelaimę ar panašiai.

– Kokia jūs rūpestinga, – netikėdama tuo, ką sako, pratarė Driu.

– Na, žinoma, nepasakysi, kad Žoržetą mėgo *visi*. Ji turėjo itin tvirtą nuomonę dėl to, kas šiame mieste turėtų būti statoma ir kas ne. Turbūt pamenate tą Ronaldo Reigano frazę: jei būtų gamtosaugininkų valia, tai jie įsiveržtų į Baltuosius rūmus ir nukabinėtų juos lesyklėlėmis. Kai kurie žmonės buvo įsitikinę, kad jei būtų Žoržetos valia, visi Mendamo gyventojai vis dar tebevažinėtų akmenimis grįstais keliais ir tebeskaitytų prie žvakių šviesos.

Ko gi Marsela siekia, svarstė Driu.

– Robina man sakė, kad, išgirdęs apie Žoržetos mirtį, Henris negalėjo nustoti verkęs, ir aš tuo tikiu, – toliau čiauškėjo Marsela.

– Henrio žmona mirė prieš keletą metų. Jei neklystu, nuo to laiko jis buvo Žoržetą įsižiūrėjęs, tačiau ji taip ir neparodė jokio susidomėjimo. Taip pat esu girdėjusi, kad nusprendęs kuo greičiau išeiti į pensiją jis visiškai pasikeitė. Ne vienam žmogui Henris yra sakęs, kad norėtų uždaryti agentūrą ir parduoti pastatą, kuriame ji šiuo metu įsikūrusi. Na, tą patį, kuriame mes ką tik svečiavomės. Kurį laiką tas pastatas niekuo nesiskyrė nuo kitų šio rajono gyvenamųjų namų, tačiau dabar, kai šiame rajone įsikūrė tiek daug biurų, jo vertė gerokai šoktelėjo. Be to, Henris drauge su Žoržeta buvo įsigijęs sklypą 24-ojoje gatvėje – tai buvo bendra jų investicija. Henris jau kurį laiką norėjo tą sklypą parduoti, tačiau Žoržeta tam griežtai prieštaravo. Ji norėjo tą sklypą įkeisti valstybei.

– Kas gi su tuo sklypu bus daroma dabar? – paklausė Driu.

– Aš apie tai taip pat jau svarsčiau. Žoržeta artimai bendravo su dviem Pensilvanijoje gyvenančiais pusbroliais – matyt, nepamiršo jų paminėti savo testamente. – Marsela pašaipiai nusijuokė. – Na, dėl vieno dalyko aš neabejoju. Jei tą sklypą ji iš tiesų paliko pusbroliams, valstybė jį gali pamiršti. Jie viską parduos niekam nespėjus nė mirktelėti.

Automobilį Driu buvo palikusi aikštelėje greta Robinsono vaistinės, kurios pastatas išdygo dar devynioliktajame amžiuje ir buvo įtrauktas į lankytinų Mendamo objektų sąrašą. Prie automobilio ji atsisveikino su Marsela, pažadėjusi su ja dar ne kartą pasimatyti. Išvažiavusi į gatvę, Driu žvilgtelėjo į vaistinės atvaizdą užpakalinio vaizdo veidrodėlyje ir pagalvojo, kad greičiausiai Žoržeta Grouv yra ne kartą grožėjusis šiuo reto grožio pastatu.

Ji dar kurį laiką galvojo apie tai, kodėl Marsela Viljams taip nėrėsi iš kailio bandydama ją įtikinti, kad Žoržetos mirtis buvo naudinga būtent Henriui Paliui. Gal ji ant Henrio dėl ko nors griežia dantį, svarstė Driu. O gal bando ką nors apsaugoti?

23

Čarlis Hačas gyveno viename iš mažiausių Mendamo namų – keturių kambarių devynioliktojo amžiaus namelyje, kurį įsigijo po skyrybų. Šis namelis Čarliui itin patiko dėl to, kad jo teritorijoje buvo daržinė, kurioje jis galėjo laikyti savo sodininkystės ir sniego kasimo įrankius. Čarlis buvo gana simpatiškas keturiasdešimt ketverių metų vyras tamsiai gelsvais plaukais. Dirbdamas Mendamo gyventojams, Čarlis gyveno neblogai, tačiau visiems savo pinigingiems klientams jautė giliai įsišaknijusią pagiežą.

Nuo pačios pavasario pradžios iki paskutinių rudens dienų jis šienaudavo jų namų pieveles ir genėdavo jų gyvatvores, o žiemas praleisdavo kasdamas sniegą nuo jų kelių. Ir nuolat galvodavo vis apie tą patį – kodėl jie negali apsikeisti vietomis? Kodėl jis negimė turtingoje ir privilegijuotoje šeimoje?

Dauguma žmonių, kuriems Čarlis dirbo ilgą laiką, juo pasitikėjo. Jie nesibaimindami palikdavo Čarliui namų raktus ir sumokėdavo papildomai už tai, kad jiems išvykus jis žvilgtelėtų, ar namai nenukentėjo nuo netikėtai praūžusių liūčių ar pūgų. Būdamas geros nuotaikos, Čarlis gana dažnai nusiveždavo miegmaišį į vieną iš klientų namų ir praleisdavo juose naktį. Jis įsitaisydavo bendrajame kambaryje, žiūrėdavo televizorių ir mėgaudavosi gėrimais, kuriuos pats sau leisdavo pasiskolinti iš šeimininkų baro. Ši veikla Čarliui buvo itin maloni – jam patiko jaustis pranašesniam už kitus. Dėl šios priežasties jis ir sutiko nuniokoti Senojo Malūno tako namą.

Kai tą ketvirtadienio vakarą suskambėjo telefonas, Čarlis buvo įsitaisęs savo krėsle, aptrauktame netikra oda, ir patogiai pasidėjęs kojas ant išlankstytos otomanės. Traukdamas iš kišenės mobilųjį telefoną, jis žvilgtelėjo į laikrodį ir gerokai nustebo. Iki vidurnakčio tebuvo likęs pusvalandis. Pramiegojau vakaro žinias, pagalvojo jis. Čarlis būtinai norėjo jas pažiūrėti, nes žinojo, kad šiandien turėjo būti parodytas ir išsamus reportažas apie Žoržetos Grouv žmogžudystę. Ekrane rodomas telefono numeris Čarliui buvo pažįstamas, tad atsiliepęs jis iš karto sumurmėjo pasisveikinimo žodžius.

Gerai jam pažįstamo balso savininkas šįkart, atrodė, buvo praradęs kantrybę.

– Čarli, tu tikrai kvailai pasielgei palikdamas tas tuščias dažų skardines sandėliuke. Kodėl tu jų neatsikratei?

– Gal visai išprotėjai? – atkirto Čarlis. – Apie visa tai tiek laiko kalbėjo žiniasklaida, o tu nori, kad aš šiukšlių dėžėje palikčiau raudonų dažų skardines? Juk jos iš karto būtų pastebėtos. Klausyk, aš padariau tai, ko tu norėjai. Ir tikrai gerai padariau.

– Niekas tavęs neprašė ant priekinių namo durų išraižyti kaukolę ir sukryžiuotus kaulus. Jau kartą perspėjau tave, kad turi kuo greičiau paslėpti visus savo drožinius. Ar pasirūpinai tuo?

– Aš net negalvojau, kad... – buvo bepradedąs teisintis Čarlis.

– Taigi. Tu negalvoji! Tave policija tikrai apklaus – gali tuo net neabejoti. Jie sužinos, kad dirbai tų namų sodininku.

Daugiau netaręs nė žodžio, Čarlis nuspaudė mobiliojo telefono mygtuką. Miegai išlakstė. Stipriai stumtelėjęs kojomis otomaną, jis atsistojo. Bandydamas suvaldyti pamažu jį apimantį nerimą, Čarlis ėmė dairytis po apšnerkštą savo kambarį ir suskaičiavo matąs šešias ant židinio atbrailos ir stalų išrikiuotas iš medžio išdrožtas figūrėles. Tyliai keikdamasis, jis visas jas surinko ir pasuko virtuvės link. Radęs polietileninės plėvelės ritinį, Čarlis suvyniojo drožinius ir įkišo juos į šiukšlių maišą. Kurį laiką dar palūkuriavo virtuvėje, svarstydamas, ką reikėtų daryti toliau. Po poros minučių Čarlis pravėrė daržinės duris, nuskubėjo prie lentynos, ant kurios buvo išrikiuoti keli penkiasdešimt svarų sveriantys pramoninės druskos maišai, ir užkišo už jų rankoje gniaužtą šiukšlių maišą.

Čarlis iš karto grįžo į namą ir, pagriebęs mobilųjį telefoną, ėmė paskubomis spaudyti jo mygtukus.

– Viską saugiai paslėpiau, gali ramiai miegoti, – pranešė jis.

– Gerai.

– Į ką tu mane įpainiojai? – kone išrėkė Čarlis. – Kodėl policija gali norėti su manimi pasikalbėti? Aš tos nekilnojamojo turto agentės beveik nepažinojau.

Šįkart netikėtai pokalbį baigė ne Čarlis, o vėlyvu skambučiu jį iš miego pažadinęs žmogus.

24

Artinasi mirties valanda – atėjo laikas nusiplėšti kaukę... Visą dieną niekaip negalėjau pamiršti šios citatos, nors nežinau kodėl. Kai detektyvas ir prokuroras išėjo, Aleksas nuskubėjo į savo darbo kambarį ir ėmė skambinti telefonu. Tokiu metu jis turėjo būti darbe, ne namie, tad jam teko atšaukti visus susitikimus, kuriuos buvo suplanavęs. Mudu su Džeku išėjome į lauką ir aš jam leidau pajodinėti poniu. Nusprendžiau nebeapsimetinėti, kad man reikia Alekso pagalbos balnojant žirgus. Jis jau žino, kad aš ir pati galiu tuo pasirūpinti.

Keletą ratų aptvare apsukau drauge su Džeku. Galiausiai vis dėlto pasidaviau Džeko įkalbinėjama ir leidau jam pačiam laikyti vadeles.

– Mamyte, eik, atsiremk į tvorą ir tik stebėk mane, – maldavo jis. – Aš juk didelis.

Juk ir aš būdama maža mamos prašydavau lygiai to paties. Pirmą kartą ant ponio ji mane pasodino, kai buvau vos trejų. Keista, kad vis dar prisimenu tokius dalykus. Aš jau ilgą laiką bandžiau užgniaužti visus, net ir laimingus, su vaikyste susijusius prisiminimus – prisiminti man pernelyg skaudu. Vis dėlto dabar, gyvendama name, kuriame praleidau pirmuosius dešimt savo metų, neprisiminti jau nebesugebu.

Daktaras Moranas, psichologas, yra man pasakęs, kad visam laikui užgniaužti prisiminimų tiesiog neįmanoma. Bet kad ir kaip stengčiausi, niekaip negaliu prisiminti visų su ta naktimi susijusių smulkmenų – matyt, per giliai jas palaidojau. Pamenu, atsikėlusi iš pradžių pamaniau, kad kažkas pamiršo išjungti televizorių, tačiau geriau įsiklausiusi supratau, jog balsas, kurį girdžiu, man pažįstamas. Tai buvo mano motinos balsas ir nė neabejoju, kad ji arba šaukė mano tėvą vardu, arba apie jį kalbėjo. *Ką gi ji pasakė Tedui?*

Netrukus pasijutau taip, lyg būčiau netyčia spustelėjusi televizoriaus pultelio mygtuką ir įjungusi kitą kanalą – priešais mane šmėkščiojo Žoržetos Grouv veidas. Ji buvo sutrikusi, ašarų pilnomis akimis – tokia, kokią ją pamačiau pirmą kartą. Tiesa, dabar aš jau žinojau, kad tokia sutrikusi Žoržeta buvo ne dėl to, kas nutiko man, – ji nerimavo dėl savęs. Žoržeta nenorėjo prarasti už namą gautų pinigų. Dėl šios priežasties ji ir norėjo man kitą namą aprodyti kuo greičiau, dar šį rytą.

Nejaugi šis skubėjimas, noras susitikti jau šįryt, Žoržetą ir pražudė? Įdomu, ar ji buvo sekama, ar žudikas jos jau laukė namo viduje? Žoržeta nė nenumanė, kad jos tyko pavojus. Greičiausiai į ją buvo šauta tada, kai ji klūpojo ant grindų šveisdama tą dažų dėmę.

Pro šalį prajojo plačiai besišypsantis Džekas. Jis bandė man pamojuoti, tačiau, bijodamas prarasti pusiausvyrą, tuojau pat rankute vėl sugriebė vadeles. Tą akimirką aš supratau tai, ką turėjau suprasti gerokai anksčiau. Nejaugi siaubiant šiuos namus buvo panaudoti lygiai tie patys dažai, kurių dėmę ir bandė panaikinti Žoržeta?

Be abejo, taip ir buvo. Dažai tie patys. Aš tuo *neabejoju.* Taip pat neabejoju, kad policija ne tik užduos sau tokį pat klausimą, bet dar ir sugebės rasti šį spėjimą patvirtinančius įkalčius. O tada aš būsiu dar kartą apklausta ne tik dėl to, kad radau Žoržetos lavoną, bet ir dėl to, kad jos žmogžudystė gali būti susijusi su šio namo subjaurojimu.

Žoržetą nužudęs žmogus tyčia paliko pistoletą ant tos dažų dėmės. Jis norėjo, kad Žoržetos mirtis būtų susieta su tais dažais. O tada susieta dar ir su manimi, pagalvojau.

Artinasi mirties valanda – atėjo laikas nusiplėšti kaukę.

Mirties valanda jau atėjo, pagalvojau. Žoržetos mirties valanda. Deja, kaukės nusiplėšti aš negaliu. Negaliu reikalauti teismo proceso stenogramų. Negaliu gauti motinos autopsijos ataskaitos kopijos. Negaliu sau leisti būti pastebėta bevaikštinėjanti po Moriso apygardos teismo rūmus ir prašanti tokios informacijos.

Ar sužinoję, kas aš esu iš tikrųjų, jie nepagalvotų, kad greičiausiai šįryt turėjau pasiėmusi ginklą? Ar jiems netoptelėtų, kad, pamačiusi dažus valančią Žoržetą, aš ją ir nušoviau, padariusi išvadą, jog ji nusiaubė mano namus?

Saugokitės! Mažosios Lizės namas...

Lizė Borden nepėsčia, griebė kirvį ji nakčia...

– Mama, Lizė tokia puiki, tiesa? – šūktelėjo Džekas.

– Nevadink jos Lize! – ėmiau klykti. – Tu jos negali taip vadinti! To aš tikrai nepakęsiu!

Džekas pravirko iš išgąsčio. Puoliau prie ponio, apglėbiau sūnų per juosmenį ir ėmiau kaip įmanydama jį raminti. Kai Džekas sustabdė ponį, aš padėjau jam nulipti.

– Mamyte, tu mane išgąsdinai, – graudžiu balseliu paaiškino jis ir nubėgo vidun.

25

Penktadienio rytą, praėjus dienai po to, kai buvo nužudyta Žoržeta Grouv, Džefris Makingslis į savo kabinetą pakvietė visus Žoržetos žmogžudystę tiriančius detektyvus. Susitikime dalyvavo ne tik Polas Volšas, bet ir dar du patyrę detektyvai – Mortas Šelis ir Andželas Ortisas. Visi trys vyrai suprato, kad jų viršininkas gerokai susirūpinęs.

Paskubomis pasisveikinęs, Džefris iš karto prabilo apie reikalus. – Raudoni dažai, kuriais buvo apteplioti Nolanų namai, buvo įsigyti Mendame, Tanono technikos priemonių parduotuvėje. Jie buvo pagaminti pagal užsakymą. O užsakė juos Kerolai, to namo Olandų gatvėje savininkai. Ir tam, kad tai sužinočiau, aš pats turėjau paskambinti poniai Kerol, kuri šiuo metu yra San Diege.

– Aš tuo taip pat domėjausi, – teisindamasis prabilo Andželas Ortisas. – Buvau įpareigojęs Riką Klingą, Mendamo policijos darbuotoją, susisiekti su visomis parduotuvėmis, kuriose parduodami dažai. Tanono technikos priemonių parduotuvėje dirbęs vaikis buvo naujokas – jis neturėjo supratimo, kaip būtų galima patikrinti visus įrašus apie dažų pardavimą. Pats Semas Tanonas iš komandiruotės grįžo tik vakar. Rikas ketino su juo pasikalbėti, bet to padaryti taip ir nespėjo – netrukus Olandų gatvės name mes aptikome tas tuščias dažų skardines.

– Jau antradienio popietę mes žinojome, kad žmogus, nusiaubęs Nolanų namus, naudojo „Benjamin Moore" prekės ženklo dažus, – griežtai atsakė Džefris. – Tanono technikos priemonių parduotuvė yra vienintelė licencijuota šio prekės ženklo dažų platintoja mūsų apylinkėse. Man sunkiai suprantama, kodėl detektyvas Klingas nesusiprotėjo iš karto paskambinti Semui Tanonui ir paklausti, ar į jo parduotuvę nebuvo kreiptasi su prašymu sumaišyti raudonus „Benjamin Moore" dažus su kokio nors kito prekės ženklo degintos umbros spalvos dažais. Su ponu Tanonu aš pats kalbėjau prieš valandą. Jis, be abejo, prisiminė šį užsakymą. Pasirodo, ponas Tanonas pats ir maišė visus tiems namams skirtus dažus – į jį dėl to buvo kreipęsis interjero dizaineris, kurį Kerolai buvo pasamdę.

– Rikas Klingas žino, kad padarė klaidą, – atsiliepė Andželas. – Jei būtume žinoję, kad vandalai naudojo Kerolų namams užsakytų dažų likučius, mes į tą Olandų gatvės namą būtume nuvykę dar šį trečiadienį.

Nuskambėjus paskutiniam sakiniui, Džefrio kabinete trumpam įsivyravo nejauki tyla.

– Tai, be abejo, nereiškia, kad būtų pavykę apsaugoti Žoržetą Grouv nuo mirties, – prabilo Džefris. – Gali būti, kad Žoržeta tapo nepavykusio apiplėšimo auka. Vis dėlto jei detektyvas Klingas būtų geriau atlikęs savo darbą, tą sandėliuką būtume atidarę ir dažų likučius konfiskavę dar šį trečiadienį. Jaučiausi gana kvailai, kai per spaudos konferenciją turėjau pripažinti, kad mums taip ilgai nepavyko sužinoti, jog tie dažai buvo pirkti čia pat, Mendame.

– Džefri, man atrodo, kad svarbiausia ne *kada* mes tuos dažus radome, o kad jie buvo naudoti ir niokojant Mažosios Lizės namą. Manau, nusikaltimo įrankis ant dažų dėmės buvo paliktas tikintis atkreipti į tai mūsų dėmesį. O tai reiškia, kad dėmesį mums reikia atkreipti ir į Seliją Nolan. Vertėtų kuo greičiau pasidomėti, kas gi ji tokia ir iš kur. – Šiurkštus Polo Volšo balsas buvo bevirstantis įžūliu.

– Kad pistoletas ant raudonų dažų dėmės paliktas tyčia, gana akivaizdu, – atkirto Džefris. Kurį laiką patylėjęs, jis ir vėl prabilo, tik šįkart – pabrėžtinai kategorišku balsu: – Nepritariu tavo prielaidai, kad Selija Nolan gali kažką slėpti. Per pastarąsias tris dienas ši moteris patyrė vieną milžinišką sukrėtimą po kito, tad nieko keisto, kad ji sutrikusi ir nervinga. Klaidas Erlis buvo policijos ekipaže, kuris atvyko į Nolanų namus, kai ji surinko pagalbos numerį. Jis atmetė galimybę, kad Selija Nolan apsimetė esanti ištikta šoko – ta moteris buvo taip sukrėsta, kad pirmuosius žodžius sugebėjo ištarti tik nuvežta į ligoninę.

– Ant nuotraukos, kurią Selija Nolan tau davė, – tos, kurią ji rado arklidėse, – liko jos pirštų atspaudai. Reikia jos duomenis įvesti į sistemą, – užsispyrė Polas. – Nenustebčiau sužinojęs, kad mes dar daug ko nežinome apie jos praeitį.

– Prašom, – atkirto Džefris. – Man tik norisi, kad už šios bylos tyrimą atsakingas žmogus dėmesį sutelktų į žudiko paiešką, o ne į Seliją Nolan.

– Džefri, ar tau nepasirodė keista, kad ji pasakė vaiką vedanti į Šventojo *Juozo* mokyklą? – nenusileido Polas.

– Ką turi galvoje?

– Šią mokyklą taip vadina tik vietos gyventojai – tie, kurie čia yra praleidę nemažai laiko. Keistoka, kad Selija Nolan, būdama naujakurė, jos nepavadino Šventojo Juozapo mokykla, tiesa? Be to, man atrodo, kad Selija Nolan melavo tvirtindama, kad Žoržeta Grouv paaiškino jai, kaip nusigauti iki to Olandų gatvės namo. Turbūt pameni, kad tada, kai uždaviau jai šį klausimą, Selija Nolan ėmė pati sau prieštarauti. Iš pradžių pasakė „ne", tada, praėjus vos porai sekundžių, – „taip, žinoma". Ji savo klaidą ir pati pastebėjo. Beje, aš sužinojau tikslų laiką, kada ji surinko pagalbos telefono numerį. Buvo dešimt minučių po dešimtos.

– Ką nori pasakyti?

– Ogi štai ką – ji mums paliudijo, kad į Olandų gatvės namą įėjo be penkiolikos dešimtą ir ten dar kurį laiką klajojo šaukdama Žoržetą. Džefri, tas namas milžiniškas. Ponia Nolan tvirtino, kad ji dar ketino apžiūrėti ir antrą aukštą, tačiau tada esą netikėtai prisiminė, jog į rūsį vedančios durys, kurias ji matė virtuvėje, buvo praviros. Ji teigė, kad iš karto grįžo į virtuvę, nusileido laiptais, patikrino į vidinį namo kiemą vedančias stiklines duris ir tik tuomet, pasukusi už kampo, aptiko lavoną. Tada ji neva nubėgo prie savo automobilio ir parvažiavo namo. – Polas gerai suprato, kad šiuo metu jis tiesiai aiškina tiesioginiam viršininkui, kad jis nesugeba pastebėti akivaizdžių dalykų, tačiau, nors ir suvokdamas, koks pavojingas jo elgesys, susitvardyti nebegalėjo. – Vakar vakare aš grįžau ten ir, atidžiai stebėdamas laikrodį, pats automobiliu įveikiau atstumą tarp Olandų gatvės ir Senojo Malūno tako namų. Nusigauti į Olandų gatvę yra gan sunku, ne ką lengviau ir išvažiuoti iš jos. Važiuodamas į Senojo Malūno tako namą, ne ten pasukau – man teko grįžti ir pradėti kelionę iš naujo. Normaliu greičiu, tai yra neviršydamas leistino greičio daugiau nei dešimčia kilometrų per valandą, nuo Olandų gatvės namo prie Senojo Malūno tako namo nuvažiavau per devyniolika minučių. Tai patys skaičiuokite, kas ir kaip. – Volšas žvilgtelėjo į Mortą Šelį ir Andželą Ortisą, norėdamas įsitikinti, kad jiems suprantama jo minčių seka. – Jei Selija Nolan į tą namą Olandų gatvėje iš tiesų nusigavo likus penkiolikai minučių iki dešimtos ir, važiuodama normaliu greičiu, savo namus pasiekė per devyniolika minučių, pačiame name ji tegalėjo išbūti keturias, daugių daugiausia šešias minutes.

– Bet tai visai įmanoma, – tyliai ištarė Džefris. – Na, žinoma, suktis reikėjo gana greitai, bet tai iš tiesų įmanoma.

– Žinoma, šie skaičiai tikrovę atitinka tik tuo atveju, jei mes laikomės vienos svarbios prielaidos – Selija Nolan turėjo puikiai žinoti kelią į savo namus. Ji, nors ir patyrusi milžinišką stresą, patekusi į painią sankryžą, turėjo kas kartą pasukti tik teisingu keliu.

– Na, manau, tavo šnekoje vis dėlto yra tiesos, – paniuręs atsakė Džefris.

– Aš noriu pasakyti štai ką: arba ji į tą namą nuvyko anksčiau ir laukė Žoržetos, arba ji jau buvo jame lankiusis ir dėl to puikiai žinojo, kaip į jį nuvažiuoti ir kaip iš ten grįžti į namus.

– Ir kaipgi tu tai paaiškintum?

– Matyt, Selija Nolan nemelavo, kai teigė nieko nežinojusi apie tą nekilnojamojo turto įstatymą, kuriuo remdamasi galėjo nutraukti namo pirkimo sutartį. Dosnusis Selijos Nolan vyras nupirko namą, kurio moteris nenorėjo, tačiau jam apie tai prasitarti ji taip ir neišdrįso. Jai kažkaip pavyko sužinoti apie pokštą, kurį vaikai iškrėtė per praėjusių metų Heloviną, ir tada ji nusprendė padaryti ką nors panašaus. Taigi, Selija Nolan pasamdo žmones, kad nusiaubtų tą namą, tada atvažiuoja, suvaidina, esą patyrė milžinišką sukrėtimą, ir taip pasiekia tai, ko ir norėjo. Ji išsikrausto iš namų, kurių niekada nenorėjo, o jos naujasis nuostabusis vyras tam, žinoma, pritaria. Bet netikėtai apie šį planą sužinojo Žoržeta. Juk savo rankinėje ji nešiojosi alpstančios Selijos Nolan nuotrauką. Matyt, Žoržeta ketino pasakyti Selijai Nolan, kad taip paprastai išsisukti jai nepavyks.

– O kodėl ant tos nuotraukos nebuvo jokių pirštų atspaudų, net Žoržetos? – pasiteiravo Ortisas.

– Mano galva, tuo pasirūpino ponia Nolan. Nuotraukos ji nepasiėmė baimindamasi, kad kiti žmonės jau galėjo būti matę ją pas Žoržetą. Taigi, nuvaliusi pirštų atspaudus, ji įkišo nuotrauką atgal į Žoržetos rankinę.

– Polai, tu turėjai tapti advokatu, – atkirto Džefris. – Atrody-
tų, kalbi įtikinamai, tačiau geriau įsiklausius iš karto paaiškėja, kiek
daug spragų tu palieki. Selija Nolan yra pasiturinti moteris. Ji galėjo
bet kuriuo metu įsigyti naują namą ir tada tiesiog *įkalbėti* savo vyrą į
jį persikraustyti. Aleksas Nolanas dėl jos eina iš proto, tai akivaizdu.
Eik, įvesk Selijos Nolan pirštų atspaudų duomenis į mūsų sistemą,
o tada kuo greičiau sutelk savo dėmesį į tai, kas iš tikrųjų svarbu.
Mortai, ką įdomaus galėtum papasakoti?

Mortas Šelis iš kišenės išsitraukė užrašų knygelę.

– Šiuo metu sudaromas sąrašas žmonių, kurie turėjo galimybę
netrukdomi patekti į tą namą. Nekilnojamojo turto agentai, kurie
galėjo atsirakinti namo raktų dėžutę, tame name dirbę žmonės,
pavyzdžiui, valytojai ar sodininkai, – visus juos apklausime, kai tu-
rėsime galutinį sąrašą. Bandome sužinoti, ar Žoržeta Grouv turėjo
priešų, ar buvo kam nors skolinga, ar čia galėjo būti įsipainiojęs ir
koks nors širdies draugas. Iš kur atsirado ta lėlė, kuri buvo palikta
Nolanų namo prieangyje, vis dar nežinome. Kitados už tą lėlę buvo
nemažai sumokėta, tačiau aš manau, kad ji arba buvo įsigyta per
kokį namuose užsilikusių daiktų išpardavimą, arba ilgą laiką dūlėjo
kažkieno palėpėje.

– O pistoletas, kurį ta lėlė laikė? Jis buvo gana tikroviškas – jei
kas nors būtų juo pamojavęs man prieš akis, būčiau išsigandęs, –
pasakė Džefris.

– Mes susisiekėme su gamintojais. Jie patvirtino, kad iš parduo-
tuvių lentynų šis modelis senokai dingęs. Kai kilo sąmyšis dėl to,
kaip tikroviškai šis pistoletas atrodo, jie buvo priversti nutraukti
jo gamybą. Praėjus septyneriems metams nuo tada, kai šiuo žaislu
buvo nustota prekiauti, įmonės savininkas sunaikino visus su šiuo
reikalu susijusius dokumentus. Viskas. Aklavietė.

– Aišku. Na, nepamirškite man retsykiais pranešti, kas ir kaip.

Norėdamas duoti ženklą, kad susirinkimas baigtas, Džefris at-
sistojo. Kabinete likęs vienas, jis paskambino savo sekretorei Anai
ir paprašė pasirūpinti, kad bent jau valandą telefonu jo niekas ne-
trukdytų.

Praėjus dešimčiai minučių, ėmė mirksėti vidaus telefono lemputė. Skambino Ana.

– Džefri, – prabilo ji, – jums skambina moteris, kuri tvirtina girdėjusi, kaip vakar vakare „Juodojo arklio" užkandinėje Tedas Kartraitas grasino Žoržetai Grouv. Numanau, kad norėtumėte su ja pasikalbėti.

– Sujunk, – atsakė Džefris.

26

Atsisveikinusi su Marsela Viljams, Driu Peri iš karto nuvažiavo į „Star-Ledger" redakciją. Baigusi straipsnį apie Olandų gatvės name įvykdytą žmogžudystę, Driu sutarė su redaktoriumi Kenu kitos dienos rytą praleisianti namuose. Ji norėjo parašyti pasakojimą apie Žoržetą Grouv, kurį buvo ketinama išspausdinti savaitgalį.

Tad penktadienį ryte ji neskubėjo nusivilkti pižamos ir, įsisupusi į chalatą, nuėjo į darbo kambarį. Sėdėdama prie darbo stalo ir mėgaudamasi kava, Driu Peri žiūrėjo žinias per vietinį 12-ąjį kanalą. Televizijos žurnalistas kalbino Žoržetos pusbrolį, Tomą Medisoną, kuris, išgirdęs apie pusseserės mirtį, atvyko į Mendamą iš Pensilvanijos. Tomas Medisonas buvo maždaug penkiasdešimties, kalbėjo tyliu, ramiu balsu. Žurnalistui jis pasakė ne tik gedįs mylimos giminaitės, bet ir išreiškė pasipiktinimą, kad ji buvo taip šaltakraujiškai nužudyta. Žoržetos pusbrolis taip pat pranešė visą su laidotuvėmis susijusią informaciją. Kai kūną bus galima atsiimti iš lavoninės, palaikai bus kremuoti. Jos pelenus ketinama palaidoti Moriso apygardos kapinėse, bendrame giminės kape. Pamaldos už mirusiąją įvyks pirmadienį dešimtą valandą ryto Hiltopo presbiterijonų bažnyčioje, kurią Žoržeta lankė visą gyvenimą.

Pamaldos už mirusiąją įvyks jau pirmadienį, atkartojo ką tik išgirstą naujieną Driu. Vadinasi, pusbrolis Tomas tenori kuo greičiau viską sutvarkyti ir grįžti į Pensilvaniją. Driu spustelėdama nuotolinio valdymo pultelio mygtuką išjungė televizorių ir apsisprendė dalyvausianti Žoržetai Grouv skirtose pamaldose.

Įjungusi kompiuterį, į interneto naršyklės paieškos langelį Driu įrašė Žoržetos Grouv pavardę. Šį informacijos rinkimo būdą Driu itin mėgo. Ne kartą benaršydama internete ji buvo radusi itin vertingos informacijos – informacijos, kurią pamačius jai retsykiais atvipdavo žandikaulis.

– O štai ir atlygis, – džiaugsmingai ištarė ji, kai po valandos paieškų aptiko Žoržetos Grouv ir Henrio Palio nuotrauką. Tai buvo mokyklos laikų nuotrauka, tuo metu Žoržeta ir Henris dar buvo Mendamo mokyklos aukštesniųjų klasių mokiniai. Antraštė po nuotrauka skelbė, kad jie abu buvo apygardos metinių ilgo nuotolio bėgimo varžybų laimėtojai. Rankose jie laikė savo trofėjus. Kaulėta Henrio ranka buvo apsivijusi Žoržetos liemenį. Žoržeta šypsodamasi žiūrėjo į objektyvą, o neapsakomai išsiviepęs Henris spoksojo vien tik į ją.

Oho, jis tiesiog apspangęs iš meilės, pagalvojo Driu. Matyt, šiltus jausmus Žoržetai jis puoselėjo dar nuo mokyklos laikų.

Driu nusprendė paieškoti informacijos ir apie Henrį Palį. Įrašius į paieškos langelį jo pavardę, buvo pateikti keli faktai: baigęs koledžą Henris Palis visą laiką dirbo nekilnojamojo turto agentu, būdamas dvidešimt penkerių, vedė Konstanciją Liler, o sulaukęs keturiasdešimties pradėjo dirbti Grouv nekilnojamojo turto agentūroje. Dar kurį laiką panaršiusi internete, Driu rado pranešimą apie Konstancijos Liler Palis laidotuves – ji mirė prieš šešerius metus.

Vadinasi, jei tikėtume Marsela Viljams, tada Henris bandė dar kartą pavergti Žoržetos širdį, susimąstė Driu. Tačiau savo tikslo jam ir šįkart pasiekti nepavyko. Be to, paskutiniu metu jie vaidijosi dėl to, kad Henris norėjo atgauti pinigus, kuriuos buvo investavęs į agentūrą ir sklypą 24-ojoje gatvėje. Henris man nepanašus į žudiką, pagalvojo Driu. Tačiau meilė ir pinigai yra dvi pagrindinės priežastys, dėl kurių žmonės ryžtasi žudyti. Įdomu.

Driu atsirėmė į girgždančios kėdės atlošą ir įsispoksojo į lubas. Kai vakar kalbinau Henrį Palį, ar jis užsiminė, kur buvo tuo metu, kai buvo nužudyta Žoržeta Grouv? Atrodo, ne, nusprendė Driu. Savo rankinę ji buvo palikusi ant grindų, visai netoli darbo stalo. Truputį joje panaršiusi, Driu išsitraukė užrašų knygelę ir ėmė į ją rašyti visus į galvą atėjusius klausimus ir mintis.

Kur Henris Palis buvo tą rytą, kai buvo įvykdyta žmogžudystė? Į agentūrą jis atvyko įprastu laiku ar užtruko kokiuose nors susitikimuose su klientais? To Olandų gatvės namo raktų dėžutė yra kompiuterizuota, vadinasi, yra galimybė gauti duomenis, kurie atskleistų, kaip dažnai Henris jame lankėsi. Ar Henris žinojo apie sandėliuke laikomas dažų skardines? Jis norėjo, kad agentūra nutrauktų veiklą. Įdomu, ar jis būtų tyčia nusiaubęs Senojo Malūno tako namą, kad diskredituotų Žoržetą arba kad sužlugdytų su Nolanais sudarytą sandorį?

Driu užvertė užrašų knygelę ir įmetė ją atgal į rankinę. Tada nusprendė tęsti informacijos apie Žoržetą paiešką internete. Praėjus porai valandų, ji jau žinojo, kad Žoržeta buvo nepriklausoma moteris, sprendžiant iš daugybės jai įteiktų apdovanojimų, ne tik aktyvi visuomenininkė, bet ir viena iš pagrindinių kovotojų už gero gyvenimo išsaugojimą Mendame. Tiksliau, tokio gyvenimo, kokį ji vadino geru.

Driu perskaitė, kad Žoržeta ne tik įnirtingai, bet ir gana sėkmingai kovojo prieš ekonominės zonos plėtrą Mendamo mieste. Greičiausiai daugybė žmonių, kurie yra kreipęsi į Miesto planavimo valdybą, siekdami šios zonos ribas praplėsti, būtų mielai uždusinę Žoržetą, pagalvojo Driu.

O gal vienas iš jų būtų mielai ją nušovęs, mintyse dar patikslino žurnalistė. Visa ši informacija liudija, kad Žoržeta trukdė ne vienam žmogui, ypač kelerius pastaruosius metus. Ar gali būti, kad labiausiai nuo visuomeninės Žoržetos veiklos nukentėjo būtent Henris? Driu čiupo telefoną ir, nors ir nujausdama, kad agentūra šiandien gali būti uždaryta, surinko jos telefono numerį.

Netrukus atsiliepė Henris.

– Henri, aš taip džiaugiuosi, kad man pavyko su jumis susisiekti. Vis svarsčiau, ar šiandien agentūra bus atidaryta. Dabar rašau straipsnį apie Žoržetą ir pagalvojau, kad būtų gerai įdėti ir keletą nuotraukų iš to iškarpų albumo, kurį man rodėte praėjusį kartą. Norėčiau netrukus pas jus užsukti ir tą iškarpų albumą pasiskolinti arba bent jau padaryti kelių jame esančių nuotraukų kopijas.

Praėjus porai minučių, Henris pasidavė Driu įkalbinėjimams ir davė jai leidimą nufotografuoti albumo puslapius.

– Albumo išnešti iš biuro aš neleidžiu, – patikslino jis, – ir nenoriu, kad iš jo kas nors būtų išimama.

– Henri, galėsite stovėti greta manęs, kai fotografuosiu. Aš esu jums labai dėkinga. Užsuksiu apie dvyliktą. Ilgai jūsų negaišinsiu, pažadu.

Padėjusi ragelį, Driu atsistojo ir nubraukė ant akių užkritusius kirpčius. Turiu juos patrumpinti, pagalvojo, jau panėšėju į avis ganantį šunėką. Tada ji nuskubėjo koridoriumi į savo miegamąjį ir ėmė rengtis. Staiga Driu kilo dar vienas klausimas. Šį klausimą jai pakuždėjo nuojauta, kuri Driu ne kartą buvo pagelbėjusi rašant tiriamuosius straipsnius ir iš dalies lėmė jos, kaip žurnalistės, sėkmę. Įdomu, ar laisvalaikiu Henris vis dar bėgioja, o jei taip, ar šis faktas yra kuo nors reikšmingas?

Tuo ji būtinai pasidomėsianti.

27

Mano įtėviai, Martinas ir Ketlina Kelogai iš Santa Barbaros miesto Kalifornijoje, yra tolimi mano giminaičiai. Kai mirė mano motina, jie gyveno Saudo Arabijoje, nes ten, vienoje iš inžinerijos įmonių, tuo metu dirbo Martinas. Kas įvyko, jie sužinojo tik kai Martino įmonė perkėlė jį dirbti atgal į Santa Barbarą. Teismas jau buvo įvykęs, aš gyvenau čia, Naujojo Džersio valstijoje, vienoje iš prieglaudų, ir laukiau, kol Vaikų teisių apsaugos taryba nuspręs, kur mane reikėtų apgyvendinti.

Gal ir gerai, kad iki tol mes visai nebuvome bendravę. Sužino-
ję, kas įvyko, Kelogai, kurie savo vaikų taip ir nesusilaukė, iš karto
atvažiavo į Moriso apygardą ir tyliai, nė žodžiu neužsiminę apie tai
žiniasklaidai, pareiškė norintys mane įsivaikinti. Martinas ir Ketlina
buvo išsamiai apklausti ir perėjo medicininę apžiūrą. Galiausiai teis-
mas su džiaugsmu suteikė jiems leidimą įsivaikinti mergaitę, kuri
per metus tebuvo ištarusi vos keletą žodžių.

Kai tai įvyko, Kelogams buvo šiek tiek per penkiasdešimt, tad
vienuolikmete pasirūpinti jie vis dar galėjo. Martinas, nors ir toli-
mas, vis dėlto buvo mano kraujo giminaitis. Tačiau gerokai svarbiau
už bet kokį kraujo ryšį buvo tai, kad ir jis, ir Ketlina buvo nuoširdūs,
linkę užjausti žmonės. Kai pirmą kartą pamačiau Ketliną, ji pasakė
besivilianti, kad aš ją pamėgsiu, o vėliau gal net pamilsiu. „Visada
svajojau susilaukti mergytės. Liza, aš padarysiu viską, kad likusią
savo vaikystės dalį tu praleistum taip, kaip ją praleistų bet kuris kitas
tavo amžiaus vaikas", – pasakė ji tąkart.

Pas juos aš noriai išvažiavau. Žinoma, tokiu pat vaiku kaip mano
bendraamžiai tapti vargu ar begalėjau. Aš jau nebebuvau vaikas. Aš
buvau išteisinta žudikė. Kelogai norėjo, kad aš pamiršščiau esanti
Mažoji Lizė ir visą su ta istorija susijusį siaubą kuo greičiau palik-
čiau praeityje. Todėl jie iš karto ėmė pratinti mane prie istorijos,
kurią reikėjo pasakoti žmonėms, pažinojusiems Martiną ir Ketliną
dar prieš jiems grįžtant į Santa Barbarą.

Aš tapau geros jų draugės dukra. Esą sužinojusi, kad serga nepa-
gydoma vėžio forma, ta moteris, kuri savo vyrą jau buvo praradusi,
paprašė Kelogų mane įsivaikinti. Selija aš buvau pavadinta savo mo-
čiutės Sesilijos garbei. Mano įtėviai buvo protingi žmonės, jie pui-
kiai suprato, kad bent mažą sąsają su praeitimi man būtina palikti,
nors aš visą likusį gyvenimą turėsiu ją laikyti paslaptyje.

Su Kelogais gyvenau tik septynerius metus. Visą tą laiką aš kar-
tą per savaitę užsukdavau pas daktarą Moraną. Mano pasitikėjimą
jis įgijo iš karto. Manau, jis, o ne Martinas, tapo antruoju mano
tėvu. Kai dar nesugebėjau kalbėti, daktaras Moranas paprašydavo

manęs ką nors jam nupiešti. Kas kartą jam įteikdavau vis tokius pat piešinius. Viename vaizduodavau savo namų svetainę, joje – nugarą atsukusią, šiurpią, beždžionę primenančią būtybę, kuri laikė mano mamą prispaudusi prie sienos. Kitame – ore pakibusį šautuvą ir iš jo skriejančias kulkas. Nė karto nenupiešiau rankos, kuri tą šautuvą būtų laikiusi. Mano piešiniai buvo panašūs į Pietą, tik juose motina ir vaikas būdavo apsikeitę vaidmenimis – mirštančią motiną ant kelių laikydavo vaikas.

Nors buvau praleidusi vienus mokslo metus, gana greitai pasivijau bendramokslius ir netrukus pradėjau lankyti vieną iš Santa Barbaros vidurinių mokyklų. Kaip ir ankstesniojoje, šioje mokykloje buvau žinoma kaip „tyli, bet miela mergaitė". Draugų joje susiradau, tačiau niekada neprisileisdavau jų pernelyg arti. Žmogui, iki kaklo paskendusiam mele, atvirai kalbėti nebuvo lengva – turėjau nuolatos sekti, ką ir kam sakau. Aš taip pat privalėjau išmokti nuslėpti tikruosius savo jausmus. Puikiai pamenu tą dieną, kai mes, antro kurso studentai, per anglų kalbos paskaitą buvome „pradžiuginti" netikėtu žinių patikrinimu – dėstytoja mums liepė parašyti rašinį apie įsimintiniausią savo gyvenimo dieną.

Tąkart man prieš akis sušmėžavo visi tos nakties įvykiai – pasijutau tarsi žiūrėdama kino filmą. Bandžiau pakelti tušinuką, tačiau pirštai manęs neklausė – niekaip negalėjau jų sulenkti. Tada pabandžiau giliai kvėpuoti, tačiau įkvėpti taip pat nesugebėjau. Netrukus aš apalpau.

Šis nutikimas buvo paaiškintas taip: esą būdama maža aš vos nepaskendau ir to baisaus įvykio prisiminimai mane vis dar retsykiais aplanko. Savo įspūdžiais aš pasidalijau su daktaru Moranu – prisipažinau jam, kad tokie ryškūs prisiminimai mane buvo aplankę pirmą kartą, ir papasakojau, jog akimirką aš net buvau prisiminusi, kokius žodžius tą naktį mano motina išrėkė Tedui. Tačiau tik akimirką – netrukus aš juos ir vėl pamiršau.

Tais pačiais metais persikėliau į Niujorką ir pradėjau studijas Taikomųjų menų institute. Mano įtėviai iš Santa Barbaros taip pat išsikraustė. Kai Martinas jau galėjo išeiti į pensiją, jam buvo pasiūlytas naujas darbas vienoje iš Neiplso inžinerijos įmonių, tad jie persikraustė gyventi į Floridos valstiją. Nuo to laiko praėjo nemažai metų, Martinas jau seniai išėjęs į pensiją. Dabar jam daugiau nei aštuoniasdešimt ir jis, pasak Ketlinos, yra šiek tiek užmaršus. Aš baiminuosi, kad tas jo užmaršumas pranašauja Alcheimerio ligą.

Su Aleksu tyliai, pernelyg apie tai neskelbdami, susituokėme Šventojo Patriko bažnyčioje, Palaimintosios Mergelės Marijos koplyčioje. Santuokos ceremoniją stebėjo tik trys žmonės: Džekas, Ričardas Akermanas, pagyvenęs teisininkas ir Alekso darbovietės dalininkas, bei Džoana Donlan, kuri man buvo ne tik dešinioji ranka steigiant interjero dizaino įmonę, bet ir iš tiesų artima draugė, su kuria aš bendrauju iki šiol.

Netrukus po vestuvių aš, Aleksas ir Džekas kelioms dienoms išskridome į Neiplsą – norėjome aplankyti Martiną ir Ketliną. Dėkui Dievui, nusprendėme apsistoti viešbutyje. Martinas jau tada dažnai prarasdavo ryšį su tikrove. Vieną dieną, mums bepietaujant vidiniame kieme, jis ėmė ir pavadino mane Liza. Tąkart man pasisekė. Aleksas jau pėdino paplūdimio link norėdamas kiek paplaukioti, tad Martino žodžių nebeišgirdo. Sukluso tik greta sėdintis Džekas. Tąkart jis taip sutriko, kad net dabar retsykiais manęs paklausia, kodėl aną vasaros dieną senelis mane pavadino Liza.

Kartą Džekas manęs to pasiteiravo mūsų bute, Niujorke, kai šalia buvo ir Aleksas. Tuomet Aleksas jam pasakė, kad kai kurie seni žmonės būna užmaršūs ir retsykiais ima painiotis kreipdamiesi į kitus. „Porą kartų senelis yra pavadinęs mane Lariu, pastebėjai? Taip nutiko dėl to, kad kartais jis supainioja mane su tavo tėčiu", – tąkart paaiškino jis Džekui.

Kai aš pratrūkau išgirdusi, kad sūnus vėl vadina ponį Lize, Džekas nubėgo į namą. Aš nusekiau jam iš paskos. Radęs Aleksą, Džekas užsiropštė jam ant kelių ir ėmė verksmingu balseliu pasakoti, kaip mamytė jį išgąsdino. „Džekai, kartais ji ir mane išgąsdina", – atsakė jam Aleksas. Žinau, kad jis juokavo, tačiau gerai žinau ir tai, jog šiuose žodžiuose buvo tiesos. Mano apalpimas, ašarų protrūkiai, šokas, kurį patyriau išvydusi Žoržetos lavoną, – jis dėl daug ko turėjo nerimauti. Nuogąstavimų Aleksui nuslėpti nepavyko – visa tai buvo parašyta ant jo kaktos. Jis baiminosi, kad aš balansuoju ant pamišimo ribos.

Išklausęs Džeko pasakojimą apie tai, kaip aš neleidau jam vadinti ponio Lize, Aleksas bandė mane pateisinti.

– Supranti, Džekai, prieš daugelį metų šiame name gyveno mergaitė, vardu Lizė. Ji padarė daug labai blogų dalykų. Dėl to jos čia niekas nemėgo ir ji turėjo išvažiuoti. Išgirdę šį vardą, mes iš karto pagalvojame apie tą mergaitę. Kokio dalyko tu labiausiai nemėgsti? – pasiteiravo jis Džeko.

– Kai gydytojas man su adata leidžia vaistus.

– Ką gi, tada paklausyk. Lizės vardas mums su mamyte primena tą blogą mergaitę, taip? Argi tu norėtum savo kumelę pavadinti Gydytojo Adata?

Džekas ėmė juoktis.

– Neeeeeeeeeee, – atsakė.

– Na, tai dabar supranti, kaip jaučiasi mamytė. Sugalvokime tavo poniui kitą vardą.

– Mamytė sakė, kad turėtume pavadinti ją Žvaigžde, nes ji ant kaktos turi žvaigždelę.

– Man atrodo, šis vardas yra labai geras. Taip ją ir pavadinkime. Mamyte, ar mes turime dovanų popieriaus?

– Lyg ir turime, – atsakiau. Buvau dėkinga Aleksui už tai, kad jis nuramino Džeką, betgi Dieve mano, koks buvo jo paaiškinimas!

– Gal padarykime iš to popieriaus didelę žvaigždę? Galėtume ją pakabinti ant arklidžių durų – tada visi žinotų, kad ten gyvena ponis, vardu Žvaigždė. Ką manai?

Džekui šis sumanymas labai patiko. Ant slidžiosios dovanų vyniojimo popieriaus pusės nupiešiau žvaigždės kontūrus ir leidau Džekui pačiam ją išsikirpti. Netrukus buvo suorganizuota ir žvaigždės pakabinimo ceremonija. Tada aš padeklamavau vieną vaikišką eilėraštuką, kurį man pavyko prisiminti:

Žvaigždele šviesi, žvaigždele skaisti,
Žvaigždele, tu danguje blyksi,
Aš viską galėčiau, aš viską mokėčiau,
Jei tik šį norą įvykdytą turėčiau.

Buvo jau šešios, tad dangų po truputį ėmė marginti juodi nakties šešėliai.

– Mamyte, koks *tavo* noras? – paklausė Džekas.

– Aš noriu, kad mes trys amžinai būtume drauge.

– Aleksai, o ko nori tu? – nenurimo Džekas.

– Aš noriu, kad tu kuo greičiau pradėtum mane vadinti tėčiu. Dar noriu, kad kitąmet tokiu metu jau turėtum broliuką arba sesutę.

Tą naktį Aleksas norėjo mane prie savęs priglausti. Pajutęs pasipriešinimą, jis iš karto liovėsi bandęs.

– Selija, kodėl gi tau neišgėrus migdomųjų? – pasiūlė. – Tau reikėtų atsipalaiduoti. Aš miego dar nenoriu. Nusileisiu į apačią ir kurį laiką ten paskaitysiu.

Dažniausiai migdomųjų tabletę perskeldavau per pusę, tačiau po tokios dienos nusprendžiau to nedaryti, tad, išgėrusi vaistų, aštuonias valandas miegojau kaip niekad kietai. Pabudau likus kelioms minutėms iki aštuntos – Alekso greta jau nebuvo. Apsisiaučiau chalatu ir paskubomis nusileidau į pirmą namo aukštą. Džekas jau buvo atsikėlęs, apsirengęs ir pusryčiavo drauge su Aleksu.

Aleksas pašoko nuo kėdės manęs pasitikti.

– Nieko sau miegojai, – pratarė. – Visą naktį nė nekrustelėjai. – Jis pabučiavo mane taip, kaip labiausiai mėgstu – laikydamas suėmęs mano veidą. – Turiu bėgti į darbą. Tau viskas gerai?

– Taip, viskas gerai. – Ir aš nemelavau. Galutinai pabudusi supratau, kad tiek jėgų neturėjau nuo to ryto, kai prie šio namo sustojo mūsų daiktus atvežę sunkvežimiai. Puikiai žinojau, ką šiandien padarysiu. Nuvežusi Džeką į darželį, susiieškosiu kokį nors kitą šiame mieste dirbantį nekilnojamojo turto agentą ir paprašysiu jo kuo greičiau surasti mums namą, kurį mes nieko nelaukdami galėtume arba išsinuomoti, arba nusipirkti. Man nebebuvo svarbu, ar namas bus be trūkumų. Bet kuris namas bus geresnis už tą, kuriame gyvename dabar. Svarbiausia žengti pirmą žingsnį.

Bent jau kol kas jokios geresnės išeities aš nemačiau. Tą patį rytą nuvažiavau į Marko Grenono nekilnojamojo turto agentūrą. Netikėtai, besivažinėdama po apylinkes su pačiu Marku Grenonu, aš išgirdau apie Žoržetą Grouv tokią naujieną, kad trumpam netekau amo.

– Žoržeta buvo vienintelė agentė, sutikusi tarpininkauti parduodant jūsų namą, – važiuojant Hadskreiblo keliu prasitarė jis. – Visi kiti agentai nenorėjo su juo turėti nieko bendro. Kurį laiką Žoržeta artimai bendravo su Odre Barton. Jos abi mokėsi Mendamo vidurinėje mokykloje. Žoržeta, tiesa, buvo pora metų už Odrę vyresnė.

Įdėmiai klausiausi, tikėdamasi, kad Markas Grenonas nepastebės, kokia aš įsitempusi.

– Žinote, Odrė buvo puiki jojikė. Tikra amazonė. Jos vyras Vilas, priešingai, bijojo žirgų ir šios savo baimės labai gėdijosi. Jis norėjo jodinėti drauge su žmona. Tai sužinojusi, Žoržeta ir pasiūlė jam susisiekti su Zaku iš Vašingtono slėnio jojimo klubo. Kad Vilas mokysis jodinėti, juodu sutarė laikyti paslaptyje. Odrė šią paslaptį sužinojo tik tada, kai policija jai pranešė apie Vilo mirtį. Daugiau su Žoržeta ji niekada nebesikalbėjo.

Zakas!

Išgirdusi šį vardą, pasijutau taip, lyg į mane būtų trenkęs žaibas. Šį vardą mama buvo surikusi tą naktį, kai Tedas ją nužudė.

Zakas – aš radau dar vieną dėlionės dalį!

28

Penktadienio popietę atsiliepęs vidiniu savo biuro telefonu, Tedas Kartraitas sužinojo, kad už jo kabineto durų lūkuriuoja Polas Volšas iš Moriso apygardos prokuratūros, kuris, pasak sekretorės, čia atėjo užduoti keleto klausimų.

Tedas žinojo, kad anksčiau ar vėliau sulauks tokio svečio. Vis dėlto supratęs, kad šio susitikimo išvengti nebepavyks, Tedas pajuto, kaip staiga ėmė prakaituoti delnai. Paskubomis nusišluostęs sudrėkusius delnus į švarką, jis pravėrė rašomojo stalo stalčių ir žvilgtelėjo į visada ten gulintį veidrodį. Atrodau neblogai, pagalvojo. Tedas akimirksniu sumojo, kad neturėtų būti pernelyg svetingas – svetingumas gali būti supainiotas su silpnumu.

– Įrašo apie susitikimą su ponu Volšu mano darbotvarkėje nebuvo, – sušvokštė jis į telefono ragelį. – Na, tiek jau to. Perduok jam, kad gali pas mane užeiti.

Išvydęs šiek tiek susitaršiusį, ne itin naują švarką vilkintį Polą Volšą, Tedas iš karto pajuto jam panieką ir šiokį tokį palengvėjimą. Apskriti Volšo akinių rėmeliai priminė Tedui rusvus jo jojimo batus. Tedas nusprendė elgtis svetingai, bet nepamiršti parodyti svečiui tikrosios jo vietos.

– Man labai nepatinka netikėti vizitai, – ištarė jis. – Po dešimties minučių prasidės telefoninė konferencija, kurioje aš privalau dalyvauti. Taigi, pone Volšai, siūlau iš karto pradėti nuo reikalo esmės. Rodos, tokia jūsų pavardė?

– Taip, tokia, – ryžtingu, neperkalbamu balsu prabilo Volšas. Griežtas balsas visiškai nederėjo prie jo išvaizdos. Įteikęs Tedui savo vizitinę kortelę, Polas, nė nepasiteiravęs, ar galėtų, šleptelėjo ant kėdės, stovinčios priešais Tedo darbo stalą.

Suvokęs, kad galios svertai ką tik pakrypo į kitą pusę, Tedas taip pat atsisėdo.

– Kuo galėčiau jums pagelbėti? – paklausė jis. Šįkart – šiurkščiu balsu.

– Drįsčiau spėti, jog jūs jau supratote, kad aš tiriu vakar ryte įvykdytą Žoržetos Grouv žmogžudystę. Turbūt esate apie ją girdėjęs?

– Turbūt tik kurčias, kvailas ir aklas dar nėra nieko apie ją girdėjęs, – atšovė Tedas.

– Ar pažinojote ponią Grouv?

– Be abejo. Mes abu šiose apylinkėse gyvename nuo pat gimimo.

– Ar jūs buvote draugai?

Jis žino apie trečiadienio vakarą, pagalvojo Tedas.

– Vienas su kitu buvome pakankamai draugiški, – atsakė vildamasis nuginkluoti Polą. Tada porą sekundžių patylėjo, norėdamas apgalvoti kiekvieną žodį, kurį ketino ištarti. – Pastaruoju metu Žoržeta buvo labai linkusi į konfliktus. Dar tada, kai buvo Miesto planavimo valdybos narė, ji be galo apsunkindavo visas derybas dėl ekonominės zonos plėtros. Dar vienai kadencijai Žoržeta nebuvo perrinkta, tačiau tai jai nė kiek netrukdė pasirodyti kiekviename valdybos posėdyje ir tęsti savo destruktyvią veiklą. Dėl šios priežasties aš, kaip ir daugelis kitų Žoržetą pažinojusių žmonių, su ja visas draugystes ir nutraukiau.

– Kada paskutinį kartą ją matėte?

– Trečiadienio vakarą „Juodojo arklio" užkandinėje.

– Pone Kartraitai, ar pamenate, kokiu laiku?

– Tarp penkiolikos minučių po devynių ir pusės dešimtos. Ji vakarieniavo viena.

– Ar priėjote prie jos?

– Iš pradžių mes tik žiūrėjome vienas į kitą. Tada Žoržeta man pamojo ir aš priėjau prie jos pasisveikinti. Buvau apstulbęs – ji tuojau ėmė kaltinti mane dėl to, kad buvo nusiaubtas tas Senojo Malūno tako namas.

– Tas pats namas, kuriame jūs kadaise gyvenote.

– Tas pats.

– Ką jūs jai atsakėte?

– Pasakiau, kad ji pamažu virsta beprote, ir pareikalavau, kad tuojau pat man paaiškintų, iš kur šias kalbas ištraukė. Žoržeta ėmė tvirtinti, kad aš susimokiau su Henriu Paliu, esą mudu bandome sužlugdyti jos verslą, kad ji kuo greičiau parduotų savo sklypą 24-ojoje gatvėje. O tada pareiškė, kad tą nuosavybę aš matysiu kaip savo ausis.

– Koks buvo jūsų atsakas?

– Pasakiau jai, kad su Henriu Paliu neturiu nieko bendro. Bandžiau paaiškinti, kad nors *iš tiesų* norėčiau tame sklype pastatyti keletą biurų, aš turiu ir daugybę kitų įgyvendinamų projektų. Tuo mūsų pokalbis baigėsi.

– Suprantu. Pone Kartraitai, kur jūs buvote vakar ryte tarp aštuntos ir dešimtos?

– Nuo aštuonių iki devynių jodinėjau vienu iš Pypako jojimo klubo takų. Tada tame pačiame klube įlindau į dušą ir iš karto atvažiavau čia. Biurą pasiekiau apie pusę dešimtos.

– Už namo, kuriame buvo nužudyta ponia Grouv, driekiasi miškingi plotai. Ir žemė, ant kurios pastatytas namas, ir tie keli akrai miško yra dvi tos pačios nuosavybės dalys. Jei neklystu, teń ir vingiuoja jojimo takas, kuris veda Pypako jojimo klubo link.

Tai išgirdęs, Tedas pašoko nuo kėdės.

– Dinkit iš čia! – įsakmiai suriko. – Ir nė nebandykite grįžti. Jei man ir vėl teks bendrauti su jumis ar su jūsų kolegomis, šalia bus ir mano advokatas.

Polas atsistojo ir pasuko durų link. Uždėjęs ranką ant durų rankenos, jis atsigręžė ir tyliai ištarė:

– Pone Kartraitai, su manimi jums dar teks bendrauti. Jei kada artimiausiu metu kalbėsitės su savo draugu, ponu Paliu, galite perduoti jam, kad su manimi pabendrauti teks ir jam.

29

Penktadienį Čarlis Hačas namo grįžo apie ketvirtą valandą po pietų. Savo furgoną jis paliko ant keliuko už sandėlio. Nors dažniausiai dėl to galvos nesukdavo, šįkart Čarlis nusprendė atkabinti priekabą, kurioje laikė žoliapjovę ir kitus sodininkystės reikmenis. Šiandien jis dar ketino pasimatyti su draugais – drauge pavakarieniauti bare, stebint beisbolo rungtynes, kuriose žais „New York Yankees“ komanda. Čarlis šio vakaro be galo laukė.

Diena buvo ilga. Viename iš namų, kuriuose jis dirbo, nudžiūvo visa pievelės žolė – sugedo purkštuvų sistema. Namo šeimininkai ketino greitai grįžti iš atostogų. Pamatę šitaip atrodančią pievelę jie būtų gerokai įsiutę. Purkštuvai, be abejonės, sugedo ne dėl Čarlio kaltės, tačiau šių klientų jis nenorėjo prarasti – darbai, kuriuos jam tekdavo atlikti jų namuose, buvo iš tiesų lengvi. Taigi Čarlis nusprendė šiek tiek sugaišti – jis ne tik surado apie purkštuvų sistemas nusimanantį vyruką, bet ir dar kurį laiką palūkuriavo, norėdamas įsitikinti, kad sutaisyta įranga tinkamai sudrėkino pievelės žemę.

Čarlis vis dar buvo nusiminęs dėl vakarykščio pokalbio su Tedu Kartraitu. Belaukdamas purkštuvų meistro, jis pasinaudojo laisva minute ir ėmė atidžiai apžiūrinėti savo drabužius. Tuos pačius džinsus jis vilkėjo ir pirmadienio vakarą – tada, kai lankėsi Senojo Malūno tako name. Gerai įsižiūrėjęs, ant kelio Čarlis pamatė tris išdžiūvusius raudonų dažų lašus. Tų pačių dažų pėdsakus jis aptiko ir ant furgono užpakalinės sėdynės. Šie džinsai buvo seni, tačiau patogūs, todėl jų atsikratyti Čarlis nenorėjo. Užuot juos išmetęs, jis nusprendė pabandysiąs dažų žymes išvalyti terpentinu.

Čarlis žinojo, kad privalo būti itin atsargus. Juk ta moteris, Žoržeta Grouv, buvo nužudyta tada, kai bandė nuvalyti dažų dėmes, kurias Čarlis ten paliko pirmadienio naktį kišdamas dažų skardines atgal į sandėliuką.

Kamuojamas pačių blogiausių minčių, jis nuvilko priekabą toliau nuo furgono ir pasuko namo link. Įėjęs į vidų, Čarlis iš karto nuskubėjo prie šaldytuvo – išsitraukė butelį alaus, atidarė jį ir užsivertė. Nuo lūpų butelį jis atplėšė žvilgtelėjęs pro virtuvės langą. Iš gatvės į jo kiemą ką tik įsuko automobilis su švyturėliu. Policija. Jis žinojo, kad anksčiau ar vėliau ji čia pasirodys – juk jis rūpinosi Olandų gatvės namu, tuo pačiu, kuriame buvo nužudyta ta nekilnojamojo turto agentė.

Čarlis žvilgtelėjo žemyn. Tie trys išdžiūvę raudonų dažų lašai dabar atrodė kone reklaminės iškabos dydžio. Jis puolė į miegamąjį ir nusispyrė sportbačius. Kai Čarlis išvydo, kad kairio sportbačio padas ne tik žemėtas, bet ir išteptas raudonais dažais, jį apėmė tikra neviltis. Įšokęs į velvetines kelnes, kurias rado drabužių spintos apačioje, ir įspraudęs kojas į puošnius batus, Čarlis nudundėjo į koridorių. Laukujes duris jis atidarė tik kai durų skambutis buvo paspaustas antrą kartą.

Priešais save Čarlis išvydo Klaidą Erlį.

– Čarli, ar galiu trumpam užeiti? – pasiteiravo jis. – Norėčiau užduoti tau keletą klausimų.

– Žinoma, žinoma, seržante. Prašom į vidų. – Stovėdamas pora žingsnių atokiau, Čarlis atidžiai stebėjo po kambarį klaidžiojančias Erlio akis. – Prisėsk. Aš ką tik grįžau. Iš karto atsikimšau butelį alaus. Čia taip karšta. Keista, kai pagalvoji. Dar vakar diena buvo tokia vėsi, o šiandien, žiūrėk, šast ir vėl vasara. Gal alaus?

– Ne, Čarli, dėkui. Aš tarnyboje.

Erlis prisėdo ant kėdės su atlošu – vienos iš dviejų, stovinčių greta medinio stalo, prie kurio Čarlis valgydavo.

Čarlis išsirinko netoliese stovintį nudriskusį krėslą – atsisėdo ant paties krašto. Šis krėslas jam buvo atitekęs po skyrybų – kai juodu su žmona dar gyveno kartu, jis buvo laikomas jų bendro buto svetainėje kaip dekoracija.

– Tai, kas vakar nutiko Olandų gatvėje, iš tiesų kraupu, – prabilo Erlis.

– Tai jau taip. Kai pagalvoji, net šiurpas nukrečia, tiesa? – ištarė Čarlis ir gurkštelėjo alaus. Jau netrukus jis pasigailėjo tai padaręs. Erlio veidą išmušė raudonis. Kai seržantas nusiėmė kepurę, Čarlis pamatė, kad jo plaukai net sudrėkę nuo prakaito. Galėčiau lažintis, jog dabar jis padarytų viską, kad tik galėtų gurkštelėti šio alaus, pagalvojo Čarlis. Greičiausiai jam ne itin smagu žiūrėti, kaip aš jį nesustodamas maukiu, padarė išvadą ir nerūpestingai pastatė butelį ant grindų.

– Čarli, ką tik grįžai iš darbo?

– Taip.

– O kokia proga vilki velvetines kelnes? Dar ir batai odiniai. Juk taip apsirengęs nedirbai?

– Šiandien taisiau purkštuvų sistemą. Mano džinsai ir sportbačiai kiaurai permirko. Tavo mašiną pamačiau tada, kai jau buvau nusivilkęs drabužius ir ėjau dušo link. Va ir užsimečiau tai, ką radau spintoje.

– Aišku. Na, atleisk, kad ištempiau tave iš dušo. Noriu tik patikslinti keletą faktų. Tu aptarnauji dešimtąjį Olandų gatvės namą, taip?

– Teisybė. Dirbu ten jau aštuonerius ar devynerius metus – nuo tada, kai tą namą įsigijo Kerolai. Kai ponas Kerolas sužinojo, kad yra perkeliamas dirbti kitur, paprašė manęs ir toliau rūpintis tuo namu – kol jis bus parduotas.

– Čarli, ką turi galvoje sakydamas, kad tavęs paprašė rūpintis tuo namu?

– Na, rūpintis aplinka – šienauti pievelę, karpyti krūmus, nuvalyti prieangį ir takus.

– Ar turi raktą nuo to namo?

– Taip. Kas porą dienų užsukdavau į tą namą – iššluodavau grindis, patikrindavau, ar šiaip viskas tvarkinga. Kai lydavo, žmonės, kuriuos nekilnojamojo turto agentai atvesdavo į tą namą, palikdavo daugybę žemėtų pėdsakų. Tai aš užsukdavau patikrinti, ar nėra kokios netvarkos. Supranti?

– Kada paskutinį kartą lankeisi tame name?

– Pirmadienį. Po savaitgalio aš ten visada užsukdavau, nes šeštadienį ir sekmadienį agentai į jį atvesdavo daugiausia žmonių.

– Ką tiksliai praėjusį pirmadienį veikei tame name?

– Tą patį, ką ir visada. Į tą namą užsukau iš pat ryto. Žinojau, kad agentai gali į jį atsivesti klientų, tad norėjau įsitikinti, kad visur tvarka.

– Ar žinojai, kad to namo sandėliuke buvo laikomi raudoni dažai?

– Aišku, žinojau. Skardinių buvo nemažai. Ir ten buvo laikomi ne vien raudoni dažai – buvo ir kitų spalvų. Man atrodo, kai tas namas buvo dekoruojamas, dizaineris tiesiog užsakė daugiau dažų, nei išties reikėjo.

– Vadinasi, tu nežinojai, kad Senojo Malūno tako namą nusiaubę vandalai naudojo būtent iš to sandėlio pavogtus raudonos spalvos dažus?

– Aš, be abejonės, skaičiau apie tai, jog Mažosios Lizės namas buvo nuniokotas, bet tikrai nežinojau, kad jis buvo ištepliotas tais dažais. Kas gi galėjo taip pasielgti?

– O kaip tau atrodo?

Čarlis gūžtelėjo pečiais.

– Gal tu pakalbink agentus, kurie šlaistėsi po tą Olandų gatvės namą? Gali būti, kad vienas iš jų griežė dantį ant Žoržetos arba ant tų žmonių, kurie dabar gyvena Mažosios Lizės name.

– Įdomi versija. Na, Čarli, aš užduosiu dar porą klausimų ir tada leisiu tau eiti į dušą. Raktas nuo sandėliuko, kuriame buvo laikomi dažai, yra dingęs. Ar tu tai žinojai?

– Praėjusią savaitę jis tikrai buvo savo vietoje, gerai žinau. Nė nepastebėjau, kad pirmadienį jo ten nebuvo.

Išklausęs atsakymą, Erlis nusišypsojo.

– Nežinojau, kad jis dingo būtent pirmadienį. Juk apie tai net neužsiminiau.

– Na, juk aš ten paskutinį kartą buvau pirmadienį, – bandė pasiaiškinti Čarlis. – Aš tai turėjau galvoje.

– Paskutinis klausimas, Čarli. Ar galėjo būti taip, kad, aprodęs namą klientams, vienas iš tų nekilnojamojo turto agentų pamiršo užrakinti lauko duris? Kaip manai, ar taip galėjo nutikti?

– Ir galėjo nutikti, ir *buvo* nutikę. Vieną kartą radau neužrakintas virtuvės duris – tas, kurios veda į vidinį namo kiemą. Jie buvo neužrakinę ir stiklinių slankiųjų durų, kurios yra įrengtos poilsio kambaryje ir taip pat veda į vidinį namo kiemą. Kai kurie agentai tokie išsiblaškę – nesugeba galvoti apie nieką kita, išskyrus būsimą sandorį. Kas iš to, kad jie visada užrakina laukujes duris ir raktų dėžutę, jei pro kitas namo duris kuo ramiausiai gali įžygiuoti nors ir pati popiežiaus gvardija.

– Čarli, o ar tu pats visada užrakini visas duris?

– Klausyk, seržante, aš uždirbu pinigus rūpindamasis kitų žmonių namais. Kaip manai, jei aš staiga susimaučiau, ar bent vienas iš jų suteiktų man antrą galimybę? Aš pats į šį klausimą ir atsakysiu – ne, nesuteiktų. Nė vienas. Jei aš juos nuvilčiau, jei nepadaryčiau visko tiesiog tobulai, jie net nesusimąstę perliptų per mano lavoną.

Erlis atsistojo.

– Na, Čarli, atrodo, kad per Žoržetos Grouv lavoną kažkas jau perlipo. Duok man žinią, jei prisiminsi ką nors, kas galėtų man pagelbėti. Aš manau, kad ponią Grouv nužudė tas pats žmogus, kuris nusiaubė ir Mažosios Lizės namą. Matyt, poniai Grouv pavyko aptikti jo pėdsakus – tai sužinojęs, jis persigando ir ją nužudė. Iš tiesų apmaudu – juk Mažosios Lizės namo suniokojimas tėra smulkus chuliganizmas, už kurį gresia daugių daugiausia vieni metai. O jei tas žmogus prieš tai nebuvo teistas, greičiausiai būtų paleistas lygtinai ar atsipirktų kokiais nors viešaisiais darbais. Na, o dabar, jei tas vandalas iš tiesų nužudė Žoržetą, norėdamas ją nutildyti, jam jau gresia mirties bausmė. Ką gi, iki pasimatymo, Čarli, – atsisveikino Erlis ir nelydimas išėjo.

Čarlis atsipeikėjo tik tada, kai Erlio automobilis išsuko iš jo namo kiemo. Tada, apimtas panikos, jis išsitraukė iš kišenės mobilųjį telefoną ir ėmė nervingai spaudyti mygtukus. Bet išgirdo ne kvietimo signalą, o kompiuterinį balsą, pranešantį, kad abonentas, su kuriuo jis bando susisiekti, šiuo metu yra ne ryšio zonoje.

30

Grouv nekilnojamojo turto agentūroje Tomas Medisonas pasirodė penktą valandą po pietų. Jis jau buvo spėjęs persirengti. Tamsiai mėlyną kostiumą, kurį vilkėjo tada, kai davė interviu 12-ajam televizijos kanalui, jis paliko motelyje, kuriame buvo apsistojęs. Dabar, vilkėdamas laisvas kelnes ir šviesios spalvos nertinį, Tomas atrodė gerokai jaunesnis nei penkiasdešimt dvejų. Puikus kūno sudėjimas buvo ne vienintelis dalykas, siejantis jį su pussesere. Tomas, kaip ir Žoržeta, puikiai žinojo, ko nori iš gyvenimo.

Kai jis pravėrė agentūros duris, Henris ir Robina jau buvo bebaigią darbus.

– Džiaugiuosi, kad man dar pavyko jus rasti, – prašneko jis. – Ketinau čia likti visą savaitgalį, tačiau dabar matau, kad tai nebūtina. Važiuoju namo. Grįšiu sekmadienį, tik jau drauge su visais: savo žmona, seserimis ir seserų vyrais.

– Rytoj agentūra bus atidaryta, – pranešė Henris. – Jei mums pasiseks, rytoj sudarysime keletą pardavimo sutarčių. Ar jau buvote Žoržetos namuose?

– Ne. Jos namuose vis dar darbuojasi policija. Labai norėčiau sužinoti, ko gi jie ten ieško.

– Matyt, įvairių asmeninių laiškų, raštelių – ko nors, kas jiems pagelbėtų ieškant žudiko, – atsakė Robina. – Jie buvo ir čia – naršė po Žoržetos darbo stalo stalčius.

– Negalėčiau dirbti policijoje. Bjaurus darbas, – pasakė Tomas. – Štai šiandien jie manęs paklausė, ar norėčiau pamatyti lavoną. Atvirai sakant, aš jo pamatyti tikrai nenorėjau. Prisipažinti taip ir neišdrįsau, tad lavoninėje man vis dėlto teko apsilankyti. Kai pamačiau tą vaizdą, mane kone suvimdė, nemeluoju. Jai buvo šauta tiesiai į tarpuakį.

Tai išgirdusi, Robina krūptelėjo.

– Atleiskite, – išvydęs jos reakciją sulemeno Tomas. – Tik... – Jis taip ir nebaigė sakinio, tik patraukė pečiais, bandydamas parodyti, kad ši situacija jį trikdo ne ką mažiau. – Na, man jau metas važiuoti namo, – ištarė. – Treniruoju vaikų futbolo komandą. Rytoj mūsų laukia svarbios rungtynės. – Akimirką jo veidą nušvietė šypsena. – Girtis gal ir nevertėtų, tačiau mūsų komanda yra stipriausia šios lygos komanda Filadelfijoje.

Henris mandagiai šyptelėjo. Jam nė kiek nerūpėjo, kokia buvo Žoržetos pusbrolio komanda – geriausia ar blogiausia, stipriausia tik Filadelfijoje ar ir visose Jungtinėse Valstijose. Jam buvo vis vien. Žoržetos giminaičio planai jam, be abejo, buvo svarbūs – tačiau tik tie, kurie buvo susiję su verslu.

– Tomai, – prabilo Henris, – jei neklystu, Žoržetai priklausiusį turtą paveldėjote jūs ir jūsų seserys.

– Taip, taip ir yra. Šįryt buvau užsukęs pas Oriną Haskelą, Žoržetos advokatą. Jo biuras vos už kvartalo, turbūt ir patys žinote. Orinas Haskelas turėjo Žoržetos testamento kopiją – nors oficialiai Žoržetos valia dar nėra patvirtinta, jos noras buvo toks, – paaiškino Tomas ir dar kartą patraukė pečiais. – Mano seserys jau ginčijasi, katra ką turėtų paveldėti. Žoržeta turėjo keletą itin vertingų senovinių paveikslų, kurie mūsų giminei priklauso ne vieną dešimtį metų. Matote, mūsų prosenelės buvo seserys. – Tomas pažvelgė į Henrį, tada vėl prabilo: – Žinau, kad jūs esate ir šio pastato, ir 24-ojoje gatvėje esančio sklypo dalininkas – jums priklauso dvidešimt procentų. Pasakysiu jums štai ką – mes tikrai neketiname tęsti šio verslo. Taigi turime dvi išeitis. Galime kreiptis į turto vertintojus – sužinojęs, kokia yra mums priklausančios turto dalies vertė, galėsite ją iš mūsų nusipirkti. Kita vertus, jei agentūros likimas jūsų taip pat pernelyg nedomina, galime ją uždaryti ir viską tiesiog parduoti – ir agentūrą, ir Žoržetos namą. Tiesa, namas su jumis neturi nieko bendro.

– Ar žinote, kad 24-ojoje gatvėje esantį turtą Žoržeta ketino įkeisti valstybei? – pasiteiravo Robina, stengdamasi nekreipti dėmesio į pagiežingus žvilgsnius, kuriuos į ją ėmė svaidyti Henris.

– Žinau. Mūsų laimei, ji to padaryti nespėjo – gal dėl to, kad taip ir nerado laiko, o gal ir dėl to, kad tam nepritarėte jūs, Henri. Teisybė, mes visi esame pasiryžę išbučiuoti jums kojas už tai, kad sulaikėte Žoržetą nuo šio dosnumo priepuolio. Esu tikras, kad Naujojo Džersio valstija dėl to nenuskurs, o mums šie pinigai iš tiesų pravers. Aš pats turiu tris vaikus, mano seserys – po du. Visus pinigus, kuriuos gausime pardavę Žoržetos turtą, ketiname investuoti į savo atžalų mokslus.

– Ką gi, tada aš pasirūpinsiu turto vertinimu, – pasisiūlė Henris.

– Kuo greičiau tai padarysite, tuo geriau. Na, man jau metas eiti. – Žengęs porą žingsnių, Tomas stabtelėjo. – Po laidotuvių ceremonijos mūsų šeima susirinks prie gedulingų pietų stalo. Būtų iš tiesų malonu, jei prie mūsų prisidėtumėte, juk jūs buvote antroji Žoržetos šeima.

Henris prabilo tik tada, kai Tomas užvėrė agentūros duris.

– Ir nuo kada gi mes tapome antrąja Žoržetos šeima? – paklausė susierzinęs.

– Aš Žoržetą tikrai mėgau, – tyliai atsakė Robina. – Man atrodo, ne ką mažiau ją mėgai ir tu, – pridūrė.

– Tą trečiadienio vakarą, tada, kai čia užtruko, Žoržeta rausėsi po tavo darbo stalo stalčius. Ar vis dar galėtum pasakyti, kad ją tikrai mėgai? – paklausė Henris.

– Aš apie tai niekam neketinau užsiminti. Ji šniukštinėjo ir po tavo darbo stalo stalčius?

– Ji ne tik po juos šniukštinėjo. Ji dar ir pasisavino vieną iš mano segtuvų. O tu? Nieko nepasigedai?

– Lyg ir nieko. Nemanau, kad ją kas nors galėjo sudominti, nebent mano plaukų lakas ar kvepalai.

– *Tikrai*, Robina? Nė kiek tuo neabejoji?

Jie abu vis dar stovėjo agentūros priimamajame. Henris buvo gana nedidelio ūgio, tad Robina, kuri šiandien buvo įsispyrusi į basutes su septynių centimetrų aukščio pakulne, galėjo žvelgti jam tiesiai į akis. Kurį laiką jie įdėmiai žiūrėjo vienas į kitą.

– Nori pažaisti žaidimą „Tiesa ar drąsa"? – paklausė Henris.

31

Savaitgalį praleidome tikrai puikiai. Abi dienas oras buvo nuostabus. Ankstyvą šeštadienio rytą Aleksas išėjo pajodinėti, o kai grįžo, aš pasiūliau drauge nuvažiuoti į Spring Leiką. Mes jau buvome tenai lankęsi liepos mėnesį – tada dalyvavome vienos iš mano klienčių vestuvėse. Tąkart buvome apsistoję „Breakers" viešbutyje. Tai buvo viena iš kelių vietų, kur galėjau sau leisti visiškai atsipalaiduoti: kadangi joje lankėmės drauge su Aleksu, man nebereikėtų apsimetinėti, esą aš čia niekada nesu buvusi.

– Darbo dienos laisvadieniai jau baigėsi, gal mums pavyks užsisakyti viešbučio kambarį, – pasakiau.

Apie tai išgirdęs, Džekas kone apsvaigo iš laimės. Aleksui mano sumanymas taip pat patiko. Jis tuojau paskambino į jojimo klubą. Vienas iš savaitgaliais ten dirbančių žmonių mielai sutiko užsukti į mūsų namus šeštadienio vakarą bei sekmadienio rytą ir pasirūpinti Žvaigžde.

Viskas vyko taip, kaip aš ir įsivaizdavau. „Breakers" viešbutyje mums pavyko išsinuomoti du sujungtus kambarius, už kurių langų mėlynavo vandenynas. Visą šeštadienio popietę praleidome paplūdimyje. Pavakarieniavę nusprendėme pavaikštinėti pajūriu ir įkvėpti to gaivaus, šiek tiek druską primenančio kvapo, kurį aplinkui nešiojo švelnus pajūrio vėjelis. Ak, vandenynas visada nuramina mano sielą. Aš net radau jėgų pasidžiaugti savo prisiminimais – juk kadaise, kai buvau visai maža, aš taip pat vaikštinėjau pajūriu įsikibusi į mamos ranką. Taip, kaip dabar čia su manimi vaikštinėja Džekas.

Sekmadienio rytą mes nuėjome į mišias gražiojoje Šv. Kotrynos bažnyčioje, kur visada rasdavau ramybę. Meldžiau Aukščiausiojo, kad suteiktų man jėgų bandant nuplauti visą su mano vardu susijusį purvą, kad pagelbėtų atskleisti pasauliui, kas Liza Barton buvo iš tiesų. Meldžiau galimybės gyventi tokį gyvenimą, kokį gyvena kitos jaunos šeimos, kurias mačiau aplinkui.

Suole tiesiai priešais mūsiškį sėdėjo pora su dviem mažais berniukais, maždaug ketverių ir trejų, ir mažyte mergaite, kuriai nebuvo nė metų. Kurį laiką berniukai elgėsi pavyzdingai, tačiau jų kantrybė gana greitai ėmė sekti – jie pradėjo sukiotis ir žaisti. Mažasis ėmė baksnoti vyresnįjį brolį, o šis neiškentęs ėmė spausti jį prie suolo krašto. Berniukų tėvas kaipmat juos sudrausmino įspėjančiu žvilgsniu. Netrukus nerimauti ėmė ir mergytė – ji jau buvo bepradedanti mokytis vaikščioti, tad ėmė blaškytis bandydama ištrūkti iš motinos glėbio.

Norėjau Aleksui padovanoti tokią šeimą, kokios jis troško – šeimą, turinčią daugybę tų palaimingų rūpestėlių, kurių išvengti tiesiog neįmanoma.

Be abejo, ir Aleksas, ir Džekas pastebėjo tuos vaikus. Kai išėjome iš bažnyčios, Aleksas pasiteiravo Džeko, kokių gi priemonių jis imtųsi, jei staiga jį pradėtų baksnoti jaunesnis broliukas.

– Aš jam duočiau niuksą, – savimi pasitikinčio žmogaus balsu paaiškino Džekas.

– Džekai, ne! Juk vyresnieji broliai taip nesielgia, – paaiškinau jam.

– Aš padaryčiau lygiai tą patį, – paantrino Aleksas. Pažvelgę vienas į kitą, abu mano vyrai išsišiepė iki ausų. Apie mano praeitį sužinojęs per anksti, man dar nespėjus surinkti visų įrodymų, Aleksas gali nuspręsti išsikraustyti, imti ir dingti iš mūsų gyvenimo, pagalvojau, bet pasistengiau šią mintį nuvyti kuo toliau.

Likusią dienos dalį praleidome paplūdimyje. Tada, Sigirte pavakarieniavę Rodo senojoje airių smuklėje, laimingi, bet pavargę išsiruošėme į Mendamą. Bevažiuojant namo pasakiau Aleksui, kad ketinu pradėti lankyti jojimo pamokas Vašingtono slėnio jojimo klube.

– Kodėl ne Pypako jojimo klube? – pasiteiravo Aleksas.

– Todėl, kad esu girdėjusi daug gerų žodžių apie tokį Zaką, kuris dirba Vašingtono slėnio jojimo klube. Kalbama, kad jis labai geras mokytojas.

– Kas tau jį rekomendavo?

– Žoržeta, – atsakiau kone springdama nuo savo melo. – Su Zaku aš jau susisiekiau – penktadienio popietę mudu kalbėjomės telefonu. Jis pasakė, kad šiuo metu nėra pernelyg užsiėmęs, tad rastų laiko ir mano jojimo pamokoms. Ką gi, manau, Zakas sutiko mane mokyti dėl to, kad aš jį apsvaiginau gražbylystėmis. Pasakiau jam, kad mano vyras yra puikus jojikas ir man būtų nejauku pradėti mokytis tame pačiame klube, kuriame jodinėja ir jis. Juk tada visi jo draugai pamatytų, kokia niekam tikusi jojikė aš esu.

Melas po melo. Tiesa tokia, kad jojimas prilygsta važiavimui dviračiu – jei jau kartą išmokai, tai mokėsi visą gyvenimą. Aš baiminausi, kad mane išduos puikūs jojimo įgūdžiai, o ne atvirkščiai.

Be abejo, mokydamasi jodinėti pas Zaką turėčiau galimybę praleisti šiek tiek laiko su vyru, kurio vardą likus kelioms akimirkoms iki mirties ištarė mano motina.

32

Pamaldos už Žoržetą Grouv vyko pirmadienio rytą, Hiltopo pres-biterijonų bažnyčioje. Polas Volšas prie bažnyčios pasirodė vienas iš pirmųjų. Vildamasis nepražiopsoti nė vieno į pamaldas atvyks-tančio žmogaus, jis įsitaisė pačiame paskutiniame suole. Praėjusią naktį ir bažnyčios viduje, ir šalia jos paslapčia buvo įrengtos stebė-jimo kameros. Visi jų padaryti įrašai vėliau bus atidžiai peržiūrėti. Žinoma, niekas nesitikėjo, kad Žoržetą nužudęs žmogus mišiose pasirodys pats pirmas, bet vis dėlto į mirusiosios išlydėtuves jis arba ji greičiausiai atvyks.

Polas nė akimirkos nepatikėjo tuo, kad Žoržetą galėjo nužudyti jos nepažįstantis žmogus, kuris esą nusekė Žoržetai iš paskos, no-rėdamas ją apiplėšti. Tuomet neįmanoma paaiškinti, kaip ir kodėl Žoržetos rankinėje atsidūrė Selijos Nolan nuotrauka. Juk akivaizdu, kad visi pirštų atspaudai nuo tos nuotraukos nuvalyti tyčia.

Kuo ilgiau Polas apie tai galvojo, tuo patrauklesnė jam atrodė jo paties versija – žudikė yra Selija Nolan. Ši iš pusiausvyros išmuš-ta moteris į tą Olandų gatvės namą nuvažiavo jau turėdama ginklą. Polas galėjo nesunkiai įsivaizduoti, kaip Selija Nolan, gniauždama rankoje pistoletą, laksto iš kambario į kambarį ieškodama Žorže-tos. Galiu lažintis, kad Žoržetos vardu ji tikrai nešaukė, pagalvojo jis. Savo auką ji aptiko klūpančią ant grindų, su terpentinu permir-kusiu skuduru rankoje. Ją nušovusi, Selija Nolan ir įkišo į rankinę tą nuotrauką iš laikraščio – taip ji tarsi bandė paaiškinti, už ką Žoržeta buvo nužudyta. Net ir pačiame dažų dėmės viduryje paliktas pisto-letas, Polo įsitikinimu, buvo dar vienas įrodymas, kokia sutrikusi ir sveiką protą praradusi moteris yra Selija Nolan.

Žoržetos namų krata buvo sėkminga. Vienas iš Mendamo po-licininkų rado segtuvą su iš tiesų vertingais dokumentais, kurį Žoržeta buvo paslėpusi savo miegamajame, spintoje. Tai buvo iš-spausdinti elektroniniai laiškai, kuriuos vienas kitam parašė Henris Palis ir Tedas Kartraitas. Viename iš jų Tedas žadėjo sąmokslininkui gerai sumokėti, jei jam pavyktų priversti Žoržetą Grouv parduoti jai priklausantį sklypą 24-ojoje gatvėje. Henris savo ruožtu keliuose laiškuose ne kartą paminėjo, jog daro viską, kad Grouv nekilnojamojo turto agentūra kuo greičiau bankrutuotų, ir vis tikino naująjį draugą, kad stengiasi atbaidyti visus klientus, su kuriais jam pačiam tenka bendrauti.

Šitas vyrukas, nors ir suktas, nėra pavojingas, pagalvojo Polas. Stengdamasis nuskurdinti savo verslo partnerę, jis tikrai išliejo nemažai prakaito. Vis dėlto nenustebčiau sužinojęs, kad ne jis pasamdė Mažosios Lizės namą nusiaubusius vandalus. Džefris buvo įsitikinęs, kad Žoržetą nužudė Henris – esą jį ištiko panika sužinojus, kad į Žoržetos rankas pateko jam priklausantis dokumentų segtuvas. Polas šia versija nebuvo linkęs tikėti.

Po poros metų Džefris ketino kandidatuoti į gubernatoriaus postą. Tai buvo vieša paslaptis, negana to, dauguma žmonių nė neabejojo, kad jam pasiseks. Tokio atgarsio sulaukusi byla Džefriui labai praverstų. Na, jei pavyktų rasti žudiką, toli gražu nenukentėtų ir mano karjera, pagalvojo Polas. Jis jau svarstė galimybę išeiti į pensiją – ketino susirasti lengvą, tačiau gerai apmokamą darbą, kad ir didžiųjų korporacijų apsaugos srityje.

Iki dešimtos valandos likus dešimčiai minučių, ėmė gausti vargonai. Staiga į bažnyčią pradėjo gužėti žmonės. Polas atpažino kelis vietinės žiniasklaidos atstovus, kurie, kaip ir jis, pasirinko paskutinius bažnyčios suolus. Driu Peri jis pastebėjo iš karto – vis dėl tų jos styrančių gerokai žilstelėjusių plaukų. Nors Driu Polui atrodė pernelyg šiurkšti, detektyvas ją gerbė kaip iš tiesų puikią žurnalistę. Įdomu, ar ji, kaip ir tas Samsonas iš Biblijos, taip pat semiasi stiprybės iš savo plaukų, pagalvojo jis.

Polas akimis nusekė ir Marselą Viljams – ši Senojo Malūno tako gyventoja atsisėdo ketvirtame suole. Matyt, baiminasi, kad tik nieko nepraleistų, pagalvojo ją stebėdamas. Keista, kad Marsela susilaikė ir neužsiropštė ant altoriaus.

Iki gedulingų mišių pradžios likus penkioms minutėms, bažnyčioje pasirodė ir giminės. Polas suskaičiavo tris giminaičius: Tomą

Medisoną, Žoržetos pusbrolį, ir dvi jo seseris. O tie jiems iš paskos sekantys žmonės greičiausiai yra seserų sutuoktiniai ir Tomo Medisono žmona, spėliojo stebėdamas juos praeinančius pro šalį ir atsisėdančius pirmame bažnyčios suole.

Žoržetos giminės iš įdomių žmonių sąrašo jau buvo išbraukti. Nustatyta, kad visi jie yra Filadelfijos valstijos apylinkėse gyvenantys gerbiami ir padorūs piliečiai. Polui labai patiko pasakymas „įdomūs žmonės". Taip jie su kolegomis vadindavo tuos, kurių kalte niekas per daug neabejojo ir darė viską, kad surinktų pakankamai juos pražudyti galinčių įkalčių.

Link altoriaus nuskubėjo ir iš pažiūros gedulingai nusiteikęs Henris Palis su Robina Kapenter – jie abu taip pat atsisėdo pačiame pirmame suole. Robina vilkėjo prie kūno prigludusią juodos ir baltos spalvų suknelę. Kad Henris išsiruošė į laidotuves, liudijo tik juodas kaklaraištis, kuris ne itin derėjo nei prie gelsvo sportinio švarko, nei prie rudų laisvų kelnių. Tą kaklaraištį jis nusiriš vos išgirdęs paskutinį „amen", nusprendė Polas.

Ką gi, juk jau prakalbome apie įdomius žmones, pagalvojo jis, išvydęs į bažnyčią įskubančius Seliją ir Aleksą Nolanus. Kunigas jau buvo spėjęs priklaupti prieš altorių, tad Nolanai kuo greičiau atsisėdo vos už kelių eilių nuo Polo. Selija vilkėjo šviesiai pilką kostiumėlį, išmargintą gelsvais dryžiais, kuris, kaip buvo nesunku pastebėti, kainavo iš tiesų nemažai. Akis ji buvo paslėpusi po saulės akiniais, o tamsius ilgus plaukus surišusi į kuodą viršugalvyje. Kai Selija pasuko galvą kažką šnibždėdama savo vyrui į ausį, Polas galėjo matyti jos profilį.

Ji atrodo iš tiesų elegantiškai, pripažino. Žudikė angelo veidu.

Polas matė, kaip Aleksas švelniai patapšnojo žmonai per nugarą, lyg bandytų ją nuraminti, paguosti.

Nedaryk to, sudraudė jį mintyse. Aš noriu pamatyti, kaip tavo žmona vėl praras savitvardą.

Bažnyčios choro solistui ėmus giedoti „Viešpats yra mano ganytojas", visi kaipmat pakilo.

Kunigas, kaip ir dera, prabilo apie nesavanaudišką, dėl kitų žmonių gyvenusią moterį.

– Šimtus kartų ir tikrai ne iš vieno žmogaus esu girdėjęs, kad Žoržeta stebuklingu būdu sugebėdavo rasti įperkamą namą kiekvienam norinčiam prisidėti prie gražios mūsų bendruomenės, – žėrė pagyras mirusiajai. – Mes visi gerai žinome apie Žoržetos pasiaukojimą, apie jos neįkainojamas pastangas išsaugoti ramų mūsų bendruomenės gyvenimą...

Pasibaigus pamaldoms, Polas nė nekrustelėjo iš vietos ir atidžiai stebėjo visų iš bažnyčios einančių žmonių veido išraiškas. Jis nuoširdžiai nudžiugo pamatęs, kad keli iš jų nosinės kampeliu šluostosi akis. Buvo akivaizdu, kad gerokai susikrimtęs bažnyčią paliko ir vienas iš Žoržetos giminaičių. Per šias kelias nuo Žoržetos žūties praėjusias dienas Polas jau buvo spėjęs susidaryti įspūdį, kad Žoržeta, nors ir buvo daugelio mėgstama, turėjo vos kelis iš tiesų artimus žmones. Negana to, prieš pat mirtį jai teko pažvelgti į tą žmogų, kuris jos neapkentė tiek, kad ryžosi žmogžudystei. Polas norėjo tikėti, kad galbūt kažkokiu stebuklingu būdu Žoržeta vis dėlto pajuto, kokia svarbi ji buvo daugumai šiandien į bažnyčią susirinkusių žmonių.

Pro šalį, tvirtai įsikibusi į vyro ranką, praėjo ir Selija Nolan. Ji buvo smarkiai išbalusi. Skaityk mano mintis, mintyse ėmė ją raginti Polas, kai jų žvilgsniai trumpai susitiko. Bijok manęs. Nagi, poniute, ar jauti – aš negaliu sulaukti tos akimirkos, kai pagaliau tave pričiupsiu.

Išėjęs iš bažnyčios, Polas išvydo prie įėjimo lūkuriuojančią Robiną.

– Detektyve Volšai, – dvejodama prabilo ji, – sėdėdama pamaldose aš niekaip negalėjau nustoti mąsčiusi apie Žoržetą, apie tai, ką išgirdau ją sakant trečiadienio vakarą. Buvo apie šešias, visus darbus jau buvau baigusi, tad užsukau pas ją į kabinetą palinkėti gero vakaro. Radau Žoržetą palinkusią prie darbo stalo – ji niekaip negalėjo atplėšti akių nuo savo iškarpų albumo. Ji nė nepastebėjo, kaip aš įėjau – durys nesugirgždėjo. Na, jos jau buvo pravertos, kai prie jų prisiartinau. Įžengusi į jos kabinetą, aš išgirdau kai ką, kas jus gali sudominti.

Polas nieko neatsakė – jis kantriai laukė, ką gi Robina jam pasakys.

– Žoržeta sau po nosimi sumurmėjo: „Dieve mano, niekas neturi sužinoti, kad aš ją atpažinau."

Polas žinojo, kad ši žinia yra neįkainojama. Tiesa, jis dar negalėjo suprasti kodėl, tačiau nuojauta jam tai aiškiai sakė.

– Kur dabar yra tas iškarpų albumas? – griežtu balsu pasiteiravo.

– Henris jį paskolino Driu Peri – ji rinko duomenis straipsniui, kuris pasirodė vakarykščiame „Star-Ledger" numeryje. Henris jai to albumo skolinti neketino, tačiau Driu pavyko jį perkalbėti. Albumą ji žadėjo grąžinti šią popietę.

– Tada šiandien po pietų aš pas jus ir užsuksiu. Dėkui, panele Kapenter.

Link automobilio skubančio Polo galvoje sukosi daugybė minčių. Ši informacija yra kažkaip susijusi su Selija Nolan, konstatavo jis. Aš tuo *neabejoju*.

33

Sju Vortman prižiūrėjo ponį, kol mes leidome laiką Spring Leike. Kai sekmadienio vakarą grįžome namo, radome Sju arklidėse. Ji paaiškino, jog užsuko norėdama įsitikinti, kad Žvaigždei nieko netrūks, jei mes namo grįžtume šiek tiek vėliau, nei ketinome.

Sju buvo iš tiesų stulbinančios išvaizdos mergina – raudonplaukė, blyškiaodė ir melsvai žalsvomis akimis. Iš keturių jos šeimoje augusių vaikų Sju buvo pati vyriausia, tad ji lengvai rasdavo bendrą kalbą su vaikais – Džekas prie jos iš karto prilipo. Jis tuojau ėmė aiškinti Sju, kodėl Lizės vardas buvo blogas ir kodėl jam teko pavadinti savo ponį Žvaigžde. Sju savo ruožtu nuramino Džeką, kad naujasis vardas poniui tinka labiau, ir pradžiugino jį pasakiusi, jog galėtų lažintis, kad jodamas tokį vardą turinčiu poniu Džekas tikrai taps čempionu.

Mums grįžtant iš Spring Leiko Aleksas užsiminė, kad turėtume pagerbti Žoržetą dalyvaudami pamaldose. „Ji sugaišo nemažai laiko rodydama man namus, kol aš pagaliau radau tą, kuris man tiko", – priminė jis.

Na, už šį radinį aš jai mažiausiai norėčiau padėkoti, pagalvojau. Vis dėlto Aleksas buvo teisus – pamaldose mums reikėjo dalyvauti. Taigi, sužinojusi, kad Sju mielai padirbėtų aukle, aš ją iš karto ir pasamdžiau. Buvau sutarusi, kad rytoj Vašingtono slėnio jojimo klube jodinėsiu tuo metu, kai Džekas bus darželyje. Dabar, kai sūnumi pasirūpinti bet kuriuo metu buvo pasiruošusi Sju, galėjau jojimo pamoką perkelti – pasimatyti su Zaku ne dešimtą ryto, o antrą po pietų.

Keturios valandos yra ne itin daug, tačiau aš jomis džiaugiausi – vis šiek tiek daugiau laiko pasirengti susitikimui su Zaku. Visą naktį mane kankino slogūs sapnai. Kiekviename iš jų buvau sukaustyta baimės. Sapnavau, kad skęstu ir esu išsekusi, nebeturiu jėgų kovoti už savo gyvybę. Kitame sapne niekaip negalėjau rasti Džeko, jis buvo dingęs, paskui staiga pamačiau jį vandenyje, visai šalia, tačiau niekaip negalėjau jo pasiekti. Dar viename sapne į mane pirštais badė žmonės, kurie neturėjo veidų. Ir tie jų pirštai buvo pistoletų vamzdžių pavidalo. Jie prabilo prancūziškai, kalba, kurią mokiausi dar mokykloje: J'accuse! J'accuse!* – skandavo.

Pabudusi pirmadienį ryte jaučiausi taip, lyg visą naktį būčiau praleidusi kovos lauke. Mano akys buvo pavargusios, akių vokai apsunkę. Man skaudėjo ir kaklą, ir pečius, jie buvo be galo įsitempę. Duše praleidau daugiau laiko nei paprastai. Leidau karštam vandeniui suvilgyti mano plaukus, veidą, tada – visą kūną. Vyliausi, kad vanduo nuplaus nuo manęs praėjusios nakties slogulį ir tą baimę, kuri man neleisdavo kietai miegoti – baimę, kad mano paslaptis bus atskleista.

Maniau, į pamaldas mudu su Aleksu važiuosime skirtingais automobiliais – juk joms pasibaigus jis turės vykti į darbą. Tačiau

* Kaltinu! Kaltinu!

Aleksas pasakė, kad bus geriausia, jei jis pats mane parveš namo. Sėdėdama bažnyčioje, visą laiką priešais mačiau Žoržetą – tempiančią vandens žarną, besiviliančią, kad jai pačiai pavyks nuplauti pievelę bjaurojančius užrašus. Tokią, kokia Žoržeta buvo, kai mes susitikome pirmą kartą. Galvojau apie tai, kaip ji tąsyk sutriko, apie atsiprašymo žodžius, kuriuos nesustodama kartojo. Tada prisiminiau tą rytą Olandų gatvės name – kaip, pasukusi už kampo, vos nesuklupau užkliuvusi už jos lavono. Net ir sėdėdama čia, bažnyčioje, vis dar užuodžiau ant grindų išsiliejusio terpentino smarvę.

Be abejo, Aleksas pastebėjo, kad aš susikrimtusi.

– Selija, šis sumanymas buvo iš tiesų kvailas, – sušnibždėjo jis. – Atleisk man.

Išeidami iš bažnyčios, – aš buvau tvirtai įsikibusi Aleksui į parankę, – praėjome ir pro detektyvą Volšą. Mūsų žvilgsniai trumpam susitiko. Galėčiau prisiekti – detektyvas į mane žvelgė su neapykanta. Jis jautė man panieką – tai buvo akivaizdu. Negana to, jis *nė nebandė* to nuo manęs slėpti. Jis buvo didysis inkvizitorius. Tai jo balsu mano sapnuose klykdavo beveidžiai padarai: *J'accuse! J'accuse!*

Nuskubėjome prie automobilio. Supratau, kad Aleksui svarbi kiekviena minutė. Pasakiau jam, kad žinau, jog jis vėluoja, ir gailiuosi, kad į bažnyčią neatvažiavau savo mašina. Mums nepasisekė. Pasirodo, iš paskos į automobilių aikštelę atskubėjo ir Marsela Viljams – ji stovėjo netoliese ir nugirdo mūsų pokalbį.

– Ir kam gi jums švaistyti savo brangų laiką vežant Seliją namo? – prabilo ji. – Aš kaip tik važiuoju tiesiai į savo namus. Be to, tai būtų puiki proga Selijai pas mane pasisvečiuoti. Ne kartą ketinau užsukti, pasiteirauti, kaip laikotės, tačiau nenorėjau imti ir brautis į jūsų namus.

Mudu su Aleksu apsikeitėme žvilgsniais. Manasis, be abejo, liudijo sunkiai apsakomą nusivylimą. Lipdama į Marselos mašiną, vis guodžiau save, kad atstumą iki jos namų mums turėtų pavykti įveikti vos per dešimt minučių.

Esu interjero dizainerė, sugebanti akimirksniu, vos įėjusi į kambarį, įvertinti visus namų interjero pranašumus ir trūkumus.

Atrodo, studijų metais išmokau ir kai ko daugiau – atspėti, su kokiu žmogumi turiu reikalą, žiūrėdama į jo išvaizdą. Marselą Viljams pažinojau dar tada, kai buvau visai maža. Su ja buvome susitikusios ir tą dieną, kai mudu su Aleksu atsikraustėme čia gyventi, tačiau tąkart aš buvau beveik pamišusi. Taigi šiandien, nenoriai įsitaisiusi greta Marselos ir užsisegusi saugos diržą, aš pagavau save pirmą kartą iš tiesų atidžiai bestebinčią šią moterį.

Marsela yra graži moteris, tačiau jos grožis dirbtinis. Jos šukuosena akivaizdžiai rūpinasi tikras profesionalas – rusvi Marselos plaukai buvo meistriškai pagyvinti keliomis šviesiomis sruogomis. Nepriekaištingi atrodė ir šios moters veido bruožai, o figūra – tiesiog tobula. Vis dėlto akivaizdu buvo ir tai, kad Marselos išvaizda ne kartą dailinta skalpeliu. Jos burna buvo tarsi ištempta į šonus – veido odos tempimo procedūrų rezultatas. Nenatūraliai glotni buvo ir Marselos kaktos bei skruostų oda – greičiausiai dėl botokso procedūrų. Kai kurios moterys niekaip negali suprasti, kad akis ir lūpas supančios juoko raukšlelės suteikia mūsų veidams individualių bruožų, atskleidžia, kas iš tikrųjų esame. Marselos veide šių laiko žymių nebuvo, tad dabar, sėdėdama greta jos, negalėjau atsikratyti minties, kad bet kurią akimirką ant manęs gali išvirsti ne tik išsprogusios jos akys, bet ir keistai iššokusi burna. Marsela įdėmiai žvelgė į mane gudriomis akimis. Jos praviroje burnoje blyksėjo pernelyg dažnai ir pernelyg stipriai balinami dantys. Marsela vilkėjo rusvai žalsvą „Chanel" kostiumėlį, kuris prie kraštų įgaudavo sodrų žalią atspalvį. Akivaizdu, kad pamaldose ji norėjo būti pastebėta ir vylėsi sulaukti ne vieno komplimento.

– Selija, aš taip džiaugiuosi galimybe pabūti su jumis dviese, – maloniu balsu kreipėsi į mane Marsela, išvairavusi savo BMV iš aikštelės. – Pamaldos buvo gražios, tiesa? Kaip puiku, kad ir jūs nusprendėte atsisveikinti su mirusiąja – juk Žoržetos beveik nepažinojote. Namą jūsų vyrui ji pardavė nė neužsiminusi apie jo istoriją. Lyg to nebūtų užtekę, jūs pati dar ir aptikote jos lavoną. Bet jūs vis tiek atvykote pagerbti mirusiosios.

– Kai Aleksas ieškojo namo, Žoržeta jam skyrė itin daug dėmesio ir laiko. Jam atrodė, kad mes turime dalyvauti pamaldose.

– Kaip smagu būtų, jei ir kiti žmonės šitaip mąstytų. Galėčiau jums pateikti ilgiausią sąrašą žmonių, tikrų Mendamo senbuvių, kurie šiose pamaldose turėjo dalyvauti, tačiau to nepadarė vien dėl to, kad vienu ar kitu metu spėjo apsipykti su Žoržeta. Na, ką padarysi. Mudvi vis dar važiavome pagrindine gatve.

– Jei neklystu, jūs jau buvote pradėjusi kito namo paieškas – juk dėl to ir atsidūrėte tame name Olandų gatvėje. Aš taip norėčiau, kad mudvi liktume kaimynės, bet gerai jus suprantu. Esu gera Tedo Kartraito draugė. Jis yra tas patėvis, kurį Liza Barton bandė nušauti jau nužudžiusi savo motiną. Turbūt jūs ir pati jau gerai žinote šios istorijos detales.

– Taip, žinau.

– Įdomu, kurgi tas vaikas dabar. Be abejo, dabar ji jau nebe vaikas. Jai turėtų būti šiek tiek daugiau nei trisdešimt, bent jau man taip atrodo. Kaip norėčiau sužinoti, kas jai nutiko. Tedas sakė, kad jam visiškai nesvarbu – jis nuoširdžiai tikisi, kad Liza jau seniai gavo galą.

Kas gi čia vyksta? Ji žaidžia su manimi?

– Puikiai suprantu, kad jis norėtų kuo greičiau pamiršti tai, kas kadaise įvyko, – atsakiau.

– Praėjo tiek daug metų, tačiau antrą kartą jis taip ir nevedė. Taip, merginų jis turėjo. Ne vieną ir ne dvi. Juk Tedas, dievaži, nėra atsiskyrėlis. Tačiau dėl Odrės jis tiesiog kraustėsi iš proto. Kai Odrė paliko jį dėl Vilo Bartono, Tedo širdis kone perplyšo pusiau.

Mano motina paliko Tedą dėl mano tėvo! Aš to nė nenumaniau. Mamai tebuvo dvidešimt ketveri, kai ištekėjo. Sukaupiau visas jėgas ir, stengdamasi apsimesti, kad man tai ne itin rūpi, paklausiau:

– Ką jūs turite galvoje sakydama, kad Odrė jį paliko? Nejaugi Odrę ir Tedą Kartraitą kažkas siejo dar prieš jai ištekant už Vilo Bartono?

– Ak, brangioji, dar ir kaip siejo. Milžiniškas sužadėtuvių žiedas, vestuvių planai. Visi jau laukė saldainių lietaus. Atrodė, vienas dėl kito jie buvo kone pamišę. Štai tada Odrė netikėtai buvo pakviesta į koledžo laikų draugės vestuves Konektikute. Ji buvo pirmoji pamergė, o Vilas Bartonas – pirmasis pabrolys. Taip viskas ir prasidėjo, o baigėsi pati žinote kaip.

Kodėl gi aš nieko apie tai nežinojau, klausiu savęs. Na, turint omenyje tai, kas buvo įvykę, šitoks mamos pasirinkimas visai suprantamas. Ji tylėjo, nes puikiai žinojo, kokia ištikima aš buvau savo tėvo atminimui. Tedas mamos gyvenime neatsirado iš niekur – jis visą laiką buvo šalia ir po kelerių metų pertraukos vėl pasirodė. Tai žinodama, aš būčiau dar labiau šlykštėjusis jų santuoka.

Kodėl gi mano mama staiga ėmė jo bijoti? Kodėl Tedas, pamatęs mano rankose pistoletą, taip šaltakraujiškai pasielgė? Kodėl jis bloškė mamą į mane?

Įsukome į Senojo Malūno taką.

– Na, ar užeisite pas mane puodelio kavos? – pasiteiravo Marsela.

Sugebėjau išsisukti sumeluodama, kad, prieš pasiimdama Džeką iš darželio, turiu būtinai paskambinti keliems žmonėms. Išpyškinau miglotą pažadą, kad kada nors greitai mudvi tikrai pasimatysime, ir nieko nelaukdama išlipau iš automobilio. Palengvėjusia širdimi nuskubėjau namo ir, įėjusi į virtuvę, iš karto užrakinau duris.

Mirksėjo raudona telefono lemputė. Pakėliau ragelį ir, spustelėjusi mygtuką, ėmiau klausytis.

Tas pats kimus balsas, kurį girdėjau prieš keletą dienų.

– Dar keletas eilučių apie Mažąją Lizę... – sušnibždėjo jis šįkart. Ir netrukus ėmė deklamuoti:

> *Kas baisaus čia atsitiko,*
> *Kai tėvų jos nebeliko?*
> *Lizė griebė pistoletą*
> *Ir dar pribaigė Žoržetą!*

34

Antrą valandą Džefrio Makingslio kabinete prasidėjo susirinkimas dėl Žoržetos Grouv žmogžudystės bylos. Visi trys detektyvai – Polas Volšas, Mortas Šelis ir Andželas Ortisas – į jį atvyko laiku ir buvo pasirengę pateikti viršininkui ataskaitas apie atliktus darbus.

Pirmasis prabilo Mortas Šelis:

– Į to namo kompiuterizuotos raktų dėžutės atmintį buvo įvesti aštuoni individualūs nekilnojamojo turto agentų kodai. Du iš jų priklausė Žoržetai Grouv ir Henriui Paliui. Kompiuteriniai duomenys išliko, tad mes iš karto sužinojome, koks kodas ir kada buvo įvestas. Henris Palis tvirtino, kad tame name jis buvo tik kartą. Bet jis ten lankėsi tris kartus. Paskutinį kartą – prieš savaitę, praėjusio sekmadienio popietę. Dažais, gulėjusiais to namo sandėliuke, Nolanų pievelė greičiausiai buvo aptepliota pirmadienio naktį. – Mortas trumpai žvilgtelėjo į savo užrašus. – Jau susisiekiau su kitais dviem nekilnojamojo turto agentais, kurie tame name lankėsi praėjusią savaitę. Jie dievagojosi, kad, aprodę šį namą savo klientams, užrakino ir vidinio kiemo duris, vedančias virtuvės link, ir rūsyje įrengtas stiklines duris. Vis dėlto jie abu sutartinai tvirtino, kad kas nors *galėjo* pamiršti tai padaryti – taip jau buvo nutikę. To namo apsaugos sistemos jutikliai reaguoja į ugnį ir į anglies monoksidą. Nei įeinant į namą, nei iš jo išeinant apsaugos sistema nesuveikia – taip ji buvo nustatyta, kai keletą kartų, įvedus klaidingą kodą ir ėmus gausti sirenoms, prie namo atvažiavo policija. Namo savininkai nusprendė, kad iš tos apsaugos sistemos daugiau žalos nei naudos, nes namas tuščias, be to, jį prižiūri Čarlis Hačas.

– Ar bent vienas iš agentų, su kuriais kalbėjai, prisiminė matęs raktą sandėliuko spynoje? – pasiteiravo Džefris.

– Vienas iš Marko Grenono nekilnojamojo turto agentūros darbuotojų tą namą klientams rodė sekmadienį. Jis tvirtina, kad buvo atidaręs sandėliuką ir kad visos dažų skardinės tuomet buvo uždarytos. Tas pats agentas prisiekinėja, jog, aprodęs sandėliuką klientams, iš karto užrakino duris ir raktą paliko ten, kur ir buvo jį radęs – spynoje.

– Ką gi, aptarkime viską iš pradžių, neskubėdami, – pasiūlė Džefris. – Mes žinome, kad sekmadienį ryte raktas nuo sandėliuko dar nebuvo dingęs. Henris Palis klientams namą rodė tos pačios dienos popietę ir tvirtina nepastebėjęs, ar raktas ten vis dar buvo. Trečiadienį „Juodojo arklio" užeigoje Žoržeta viešai apkaltino Tedą Kartraitą, kad jis susimokė su Henriu, kad jie abu bando ją priversti parduoti sklypą 24-ojoje gatvėje. Žoržetos spintoje radome Henriui priklausantį dokumentų segtuvą, tad jau žinome, kas išprovokavo tokį jos elgesį. Žoržeta turėjo neginčijamų įrodymų, kad Tedas Kartraitas ir Henris Palis dirbo drauge.

– O tai suprato ir visi užeigoje buvę žmonės, – įsiterpė Mortas Šelis.

– Taigi, – pritarė Džefris. – Na, mano įvykių versija yra gana paprasta. Vargu ar Henris Palis būtų sugebėjęs pats išteplioti dažais Nolanų namo pievelę ar išraižyti kaukolę ir sukryžiuotus kaulus ant durų, tačiau aš neabejoju, kad tai padariusį žmogų pasamdė arba jis, arba Tedas Kartraitas. Sužinojęs, kad į Žoržetos rankas pakliuvo įrodymai, jog jis yra susijęs su tuo išpuoliu, Henris baisiai persigando, ir aš puikiai suprantu kodėl. Juk už tokį nusikaltimą jam, be abejonės, nebūtų tik pagrūmota pirštu – teisėjas būtų atsižvelgęs į tai, kad Henris nusikalto siekdamas sužlugdyti savo verslo partnerę. Už tai jam tikriausiai būtų tekę kurį laiką pakalėti. – Džefris sunėrė rankas ir atsilošė krėsle. – Henris žinojo apie sandėliuke laikomus dažus. Jis norėjo atgauti pinigus už agentūrai priklausantį nekilnojamąjį turtą. Norėjo ir tų pinigų, kuriuos buvo investavęs į sklypą 24-ojoje gatvėje. Neabejotina, kad Tedas buvo pažadėjęs Henriui dosniai atsidėkoti, jeigu jam pavyks priversti Žoržetą tą sklypą parduoti. Remdamasis tuo, ką girdėjau apie Žoržetą, drįsčiau teigti, kad, sužinojusi apie šiuos kėslus, ji nebūtų leidusi Henriui parduoti to sklypo net badaudama. Mano galva, Henris Palis ir Tedas Kartraitas yra pagrindiniai šios žmogžudystės bylos įtariamieji – į juos ir turėtų būti sutelktas visų mūsų dėmesys. Abejoju, ar mums pavyktų išgąsdinti Tedą Kartraitą, jis kietas riešutėlis. Tačiau Henrį Palį tikrai galėtume porą kartelių spustelėti.

– Džefri, tu žinai, kaip aš tave gerbiu. Vis dėlto šįkart privalau pasakyti, kad mes kaukiame žiūrėdami į saulę, o ne į mėnulį. – Neįprasta, tačiau Polo balsas nebuvo persmelktas sarkazmo. – Su Žoržetos mirtimi yra susijęs vienas vienintelis žmogus – ta daili Senojo Malūno tako name gyvenanti poniutė.

– Tu ketinai paieškoti Selijos Nolan pirštų atspaudų duomenų sistemoje, – atsakė Džefris. Jis kalbėjo tyliai, bet buvo akivaizdu, kad palengva ima širsti. – Turbūt taip ir padarei. Ką gi tau pavyko rasti?

– A, ji švari, – nė kiek nesutrikęs atsakė Polas. – Matyt, ji dar nebuvo sučiupta už nusikaltimą. Bet kai kas man kelia nemažai abejonių. Selija Nolan bijo. Ji ginasi, nors kol kas jokių kaltinimų jai niekas nėra pateikęs. Ji kažką slepia. Buvau Žoržetai skirtose pamaldose. Kai išėjau iš bažnyčios, mane sustabdė Robina Kapenter.

– Va čia tai nieko sau moteris, – įsiterpė Andželas Ortisas. Džefris nutildė jį vos žvilgtelėjęs.

– Kaip žinome, trečiadienio vakarą Žoržeta užtruko darbe, – kalbėjo Polas. – Ko gero, ji įtarinėjo Henrį ir tą vakarą, panaršiusi po jo darbo stalą, aptiko tą dokumentų segtuvą. Tą patį vakarą, vakarieniaudama „Juodojo arklio" užeigoje, Žoržeta pastebėjo Tedą Kartraitą ir apipylė jį keiksmais. Vis dėlto šie faktai nublanksta prieš visa tai, ką man šį rytą pasakė Robina, Žoržetos bendradarbė. – Norėdamas atkreipti dėmesį į tai, kokia svarbi jo žinia, Polas akimirką patylėjo. – Robina man pasakė, kad tą trečiadienio vakarą ji užsuko į Žoržetos darbo kabinetą norėdama su ja atsisveikinti. Kabineto durys buvo pravirios, tad eidama į vidų Robina jas tik vos vos stumtelėjo ir Žoržeta jos nepastebėjo. Pasak Robinos, Žoržeta buvo palinkusi prie savo iškarpų albumo ir, nesuvokdama, kad yra stebima, tyliai sau po nosimi sukuždėjo: „Dieve mano, niekas neturi sužinoti, kad aš ją atpažinau."

– Apie ką ji kalbėjo? – paklausė Džefris.

– Aš spėju, kad ji žiūrėjo į Selijos Nolan nuotrauką.

– Ar turi tą albumą?

– Ne. Henris paskolino albumą Driu Peri iš „Star-Ledger", žurnalistei prireikė jo rašant straipsnį. Pasak Robinos Kapenter, ji pažadėjo

albumą grąžinti šią popietę, iki ketvirtos valandos. Ketinu pats už-
sukti į agentūrą ir jį pasiimti. Driu net neskambinau – nenoriu, kad ji
žinotų, jog mes domimės tuo albumu.

– Polai, aš dar kartą pakartosiu tai, ką jau esu tau sakęs: būk ati-
dus, neatmesk faktų vien dėl to, kad jie nepatvirtina tavosios teorijos.
Kitaip mes galime taip ir nesužinoti tiesos vien dėl to, kad ta tiesa
nebuvo tavo, – išrėžė Džefris. – Penktadienį mes jau apie tai kalbėjo-
me. Na, tęskime. Ar turite kokių nors naujienų dėl pirštų atspaudų?

– Nieko neįprasto Olandų gatvės name neradome, – atsakė
Mortas Šelis. – Visi pirštų atspaudai buvo ten, kur jie ir būna: ant
durų rankenų, elektros jungiklių, virtuvės stalčių. Visus pirštų at-
spaudų duomenis įvedėme į sistemą ir nieko įdomaus neradome.
Visi šiuos atspaudus palikę žmonės nebuvo teisti.

– O pistoletas?

– Irgi nuobodu. Eilinis pigus ginklas, kurį galėjo įsigyti bet kas ir
bet kur. Daugiau atkapstyti mums tikrai nepavyks.

Ataskaitą buvo paruošęs ir Andželas Ortisas.

– Penktadienio popietę Klaidas Erlis kalbėjosi su sodininku Čar-
liu Haču, – prabilo jis. – Klaidui pasirodė, kad tas vyrukas gerokai
sunerimęs. Žinoma, žmonės sutrinka, kai jiems klausimus užduoda
policijos pareigūnai, tačiau Čarlio Hačo nerimas buvo kitoks – jis
vis gynėsi. Matyt, sodininkas kažką slepia.

– Ar Klaidas jau pasidomėjo Čarliu Haču? – pasiteiravo Džefris.

– Taip. Šįryt aš su juo kalbėjau. Klaidas neaptiko nė vienos prie-
žasties, dėl kurios Čarlis Hačas būtų galėjęs nekęsti Žoržetos Grouv.
Čarlis dirba namų savininkams, o ne nekilnojamojo turto agentams.
Tačiau Klaidą kankina jo garsioji nuojauta, todėl jis dar kurį laiką pa-
šniukštinės, kas ir kaip, taip lengvai nepaleis Čarlio Hačo iš akiračio.

– Na, tik priminkite Klaidui, kad šįkart mums nereikia „akivaiz-
džių įrodymų“, gana tų pokštų, – atsakė Džefris. – Ir patys pame-
nate, kaip baigėsi ta narkotikų byla, kurią tyrėme prieš porą metų.
Klaido istorija teisėjo nesužavėjo – jis taip ir nepatikėjo, kad nar-
kotikus gabenęs vyrukas galėjo tiesiog palikti krovinį ant priekinės
automobilio sėdynės.

– Ne kiekvieno žvilgsnis yra toks skvarbus kaip Klaido, – šypsodamasis ištarė Mortas Šelis. – Jei neklystu, Klaidas savo istoriją šiek tiek pakoregavo – jis bandė įtikinti teisėją, kad pastebėjo narkotikų pėdsakus ant pirštininės.

– Andželai, perspėk jį, – įsakmiu balsu prabilo Džefris. – Klaidas turi bėdą ir mes visi tai žinome. Prieš dvidešimt ketverius metus, kai tyrė Bartonų bylą, jis buvo tapęs tikra žvaigžde. Nuo to laiko Klaidas niekaip nenurimsta ir vis ieško progų dar kartą pasimaudyti šlovės spinduliuose. – Džefris pakilo iš savo krėslo ir pranešė: – Ką gi, kol kas užteks.

Už dešimties mylių, priešais Čarlio Hačo sandėliuką, stoviniavo seržantas Klaidas Erlis. Jis gerai žinojo, kad namuose nieko nėra. Čarlio furgonas buvo pastatytas priešais vieną iš Kadenos gatvės namų – Klaidas jį matė savo akimis. Juk aš užsukau tenorėdamas patikslinti keletą faktų, susijusių su Čarlio viešnage tame Olandų gatvės name, mintyse sau pasakė seržantas. Kaip apmaudu, kad mudu prasilenkėme.

Greta sandėliuko stovintys šiukšlių konteineriai buvo pilnutėliai. Ir kas gi blogo nutiktų, jei aš į juos žvilgtelėčiau, pagalvojo Klaidas. Štai šio šiukšlių konteinerio dangtis kone kybo ore – tuojau pats nukris. Žinau, kad kratos orderio man gauti nepavyktų, nes jokių įkalčių prieš Čarlį Hačą neturiu. Bet ką padarysi, šįkart man teks apsieiti be jo. Kadaise šiukšlės nepriklausė niekam, jos buvo laikomos bešeimininkiu turtu. Kokie geri laikai buvo – nereikėjo jokių kratos orderių. O dabar? Ir dar kai kas stebisi, kad tiek daug žmogžudystes įvykdžiusių padugnių išsisuka nuo bausmės!

Nuraminęs savo sąžinę, Klaidas atplėšė dangtį nuo pirmojo šiukšlių konteinerio. Ten pūpsojo du juodi šiukšlių maišai – abu tvirtai užrišti. Stipriai trūktelėjęs, Klaidas atrišo vieną maišą. Jame tebuvo apetito nežadinantys Čarlio Hačo maisto likučiai. Tyliai keikdamasis, Klaidas sumetė išbarstytus maisto atliekas atgal į maišą ir jį užrišo. Kitame šiukšlių maiše seržantas rado krūvą sudėvėtų drabužių. Matyt, Čarlis tvarkė spintą, pagalvojo jis.

Klaidas iškratė visą antrojo šiukšlių maišo turinį ant žemės. Paskutiniai iš maišo iškrito sportbačiai, džinsai ir nedidelis maišelis, į kurį buvo sukišti keli medžio drožiniai. Su nugalėtojo šypsena veide Klaidas atidžiai apžiūrėjo radinius ir netrukus aptiko tai, ko ir ieškojo: į džinsus buvo įsigėrę keli raudonų dažų lašai, o kairio sportbačio padas buvo suteptas ne vien žemėmis, bet ir raudonais dažais. Matyt, į tas velvetines kelnes Čarlis įšoko pamatęs mane, pagalvojo Klaidas. Jei jis būtų susipratęs užsirišti rankšluostį, man nebūtų kilę nė menkiausio įtarimo, kad kažkas čia ne taip.

Mažesniame maišelyje, kaip paaiškėjo, buvo šešios meistriškai išdrožtos įvairių gyvūnų ir paukščių statulėlės, visos daugmaž šešių colių ilgio. Va čia yra tikras lobis, džiūgavo Klaidas. Jei jas išdrožė Čarlis, jis iš tiesų talentingas. Ir kodėl gi jis nusprendė šiuos drožinius išmesti? Viskas lyg ant delno, nusprendė policininkas. Čarlis norėjo jų kuo greičiau atsikratyti dėl to, kad Mažosios Lizės name jis ne tik pasidarbavo dažų teptuku. Pagautas sunkiai suvaldomo įkvėpimo, jis dar nusprendė ant laukujų namo durų išraižyti kaukolę ir sukryžiuotus kaulus. Tai man ir padės jį sučiupti. Juk kažkas turi žinoti apie šį slaptą jo pomėgį.

Didžiuodamasis atliktu seklio darbu, Klaidas, nešinas drožiniais, sportbačiais ir džinsais, pasuko savo automobilio link.

Jei nebūčiau čia atvažiavęs, rytoj ryte šiukšlininkai visus šiuos daiktus būtų nuvežę į sąvartyną, savo nuovokumu džiaugėsi jis. Dabar jau žinome, kas nuniokojo Mažosios Lizės namą. Teliko sužinoti, kodėl Čarlis Hačas tai padarė ir kas yra jo užsakovas.

Dabar, kai radiniai saugiai gulėjo jo automobilyje, Klaidas norėjo kuo greičiau sprukti. Visus kitus drabužius jis paskubomis sukišo atgal į šiukšlių maišą, tuoj pat užmazgė ir tyčia paliko greta šiukšlių konteinerio, ant žemės. Tegu Čarlis šiek tiek papraakaituoja, išvydęs, kad kažkas čia buvo ir pasisavino įkalčius, kurių jis manė atsikratęs. Kaip norėčiau būti nedideliu paukštuku ir išvysti Čarlio išraišką tuo metu, kai jis suvoks, kas čia įvyko, mintyse džiūgavo seržantas.

Klaidas grįžo į savo automobilį ir pasuko raktelį. Abejoju, ar Čarlis kreipsis į policiją dėl vagystės, pagalvojo jis. Greičiausiai man dėl to nerimauti neverta. Pagalvojęs, kokia neįtikėtinai absurdiška būtų tokia situacija, Klaidas nesusilaikė ir, pamažu toldamas nuo namo, ėmė garsiai kvatoti.

35

Iš pradžių norėjau tą kraupią balso žinutę ištrinti, tačiau susilaikiau. Ištraukiau juostelę iš telefono atsakiklio ir puoliau į darbo kabinetą. Atitraukiau savo darbo stalo stalčių, ištraukiau visus aplankus ir, surinkusi apsaugos kodą, atrakinau slaptąją nišą. Kuo greičiau įmečiau į ją juostelę, kuri, rodėsi, svilina man delną. Dabar ši juostelė gulėjo ten pat, kur ir kita su Mažąja Lize Borden susijusi medžiaga. Viską sutvarkiusi, atsisėdau ant kėdės greta stalo. Rankas pasidėjau ant kelių – norėjau, kad jos kuo greičiau nustotų drebėjusios.

Niekaip negalėjau patikėti tuo, ką išgirdau. Kažkoks žmogus, kuris žino, kad aš esu Liza Barton, kaltina mane dėl Žoržetos Grouv žmogžudystės. Dvidešimt ketverius metus gyvenau baimindamasi, kad vieną dieną kas nors bes į mane pirštu ir išrėks tikrąjį mano vardą, tačiau net ir pats baisiausias sapnas neprilygsta *tokiam* puolimui. Kaipgi kam nors galėjo ateiti į galvą mintis, kad aš nužudžiau moterį, su kuria mačiausi vos vieną kartą? Moterį, su kuria aš esu bendravusi mažiau nei valandą?

Detektyvas Volšas. Jo pavardė man pirmiausia atėjo į galvą. *Ar kada nors esate naudojusis pistoletu?* Juk tokie klausimai užduodami įtariamiesiems, o ne sunkiai po patirto sukrėtimo atsigaunančioms lavoną aptikusioms nekaltoms moteriškėms. Nejaugi detektyvas Volšas ir yra tas žinutes palikęs žmogus? Ką jis daro? Žaidžia su manimi katės ir pelės žaidimus?

Net jei jis žino, kad aš esu Liza Barton, – nors *kaipgi* jis galėjo sužinoti, – kodėl turėtų manyti, kad aš nužudžiau Žoržetą Grouv? Nejaugi jis galėjo pagalvoti, kad Žoržetą nužudžiau įpykusi dėl to, jog ji pardavė Aleksui šį namą? Gal jis mano, kad žmogų galėtų taip paveikti ir keli žiaurūs priminimai apie jame įvykusią tragediją? Nejaugi jam atrodo, kad galiu būti tokia pamišusi? Vien pagalvojus apie tokią galimybę man iš baimės pakirto kojas.

Gali būti, jog detektyvas Volšas nežino, kad aš esu Liza Barton, bet vis tiek mane įtarinėja. Jau esu jam sumelavusi. Jei jis čia užsuks dar kartą, aš būsiu priversta meluoti dar ir dar sykį.

Aš galvojau apie praėjusią savaitę. Tada tokiu metu aš buvau Penktajame aveniu, savo bute. Mano pasaulio nereikėjo gelbėti. Atrodė, lyg praėjusi savaitė nuo šios dienos būtų nutolusi per kelis šimtus metų.

Turiu nuvažiuoti į mokyklą ir pasiimti Džeką. Jo poreikiai ir yra ta ašis, aplink kurią sukasi mano pasaulis. Atsistojau, nuėjau į savo vonios kambarį ir, norėdama kuo greičiau grįžti į tikrovę, ėmiau prausti veidą lediniu vandeniu. Henris Palis užsiminė, kad vienas iš šio namo pranašumų tas, jog prie pagrindinio miegamojo įrengti du vonios kambariai – jos ir jo. Pamenu, kaip norėjau jam pranešti, kad mano tėvas ir buvo šio sumanymo autorius. Kaip keista, kad tai prisiminiau.

Nusirengusi bažnyčioje vilkėtą kostiumėlį apsimoviau džinsus ir užsivilkau medvilninį nertinį. Įsėdusi į automobilį, priminiau sau, kad turiu nupirkti naują juostelę telefono atsakikliui. Jei pamiršiu tai padaryti, Aleksas būtinai pasiteiraus, kurgi dingo ta juostelė, kuri atsakiklyje buvo šį rytą.

Pasiėmusi Džeką iš Šv. Juozo mokyklos, pasiūliau jam drauge užkąsti kavinėje. Supratau, kad atsirado dar viena priežastis, dėl kurios aš baiminsiuosi likti namuose: nuo šiol vos suskambėjus namų telefonui mane apims panika.

Sugebėjau atkalbėti Džeką nuo jo įprasto pasirinkimo – jis užsisakė ne sviesto ir uogienės, o skrudinto sūrio sumuštinį. Sūnus nesustodamas dalijosi darželyje patirtais įspūdžiais. Papasakojo ir apie tai, kad šiandien mergaitė bandė jį pabučiuoti.

– Ar leidaisi bučiuojamas? – paklausiau.

– Ne, tai kvaila.

– Na, *man* tai tu leidi save pabučiuoti, – ėmiau jį erzinti.

– Čia visai kas kita.

– Nejaugi taip niekada ir neleisi jokiai mergaitei tavęs pabučiuoti?

– Ne, aišku, kad leisiu. Leisiu Megei. Aš ją kada nors vesiu.

Džekas darželyje buvo tik keturis kartus, bet savo ateitį jau spėjo suplanuoti. Tačiau kol mes pietavome kavinėje ir jis kramsnojo savo skrudinto sūrio sumuštinį, sūnus buvo patenkintas tuo, kad šalia jo esu būtent aš.

O aš, be abejo, buvau labai patenkinta tuo, kad šalia manęs yra jis. Kaip keista, kai pagalvoji: juk Džekas ir buvo viena iš pagrindinių priežasčių, dėl kurių aš ištekėjau už Alekso. Su Aleksu susipažinome prieš dvejus metus, Lario laidotuvėse. Tikrąja Lario šeima pamažu buvo tapę jo verslo partneriai – mano pirmasis vyras buvo vienas iš tų žmonių, kurie kraujo ryšiui itin daug svarbos neteikia. Su keliais jo giminaičiais aš buvau susitikusi, bet tik tada, kai, pasak Lario, „nebuvo galimybės išsisukti nuo tų prakeiktų giminių vakaronių".

Net ir stovėdama prie savo vyro karsto negalėjau nepastebėti, koks patrauklus tas Aleksas Nolanas. Antrą kartą su juo susitikome vos prieš metus per labdaros vakarienę – Aleksas pats prie manęs priėjo ir prisistatė. Praėjus savaitei, mes drauge papietavome, dar po kelių dienų pavakarieniavome ir nuėjome į kiną. Nuo pat pradžių Aleksas nė kiek neslėpė, kad aš jam patinku. Bet tuo metu neturėjau nė mažiausio noro užmegzti kokius nors santykius. Aš nuoširdžiai mylėjau Larį, tačiau po jo mirties buvau gerokai išmušta iš vėžių ir dėl kitos priežasties – niekaip negalėjau pamiršti, kiek daug skausmo Lariui suteikė mano praeitis.

Laris buvo man pasakęs, kad tikrasis jo gyvenimas prasidėjo sutikus mane. Išgirdęs mano pasakojimą apie Mažąją Lizę, Laris apkabino mane ir ištarė: „Dieve, vargšė mažyle." Mano vyras klykė iš džiaugsmo sužinojęs, kad laukiuosi, ir nė akimirkos neatsitraukė nuo manęs per visą ilgą ir sudėtingą gimdymą. Laris įtraukė mane į savo testamentą – aš paveldėjau trečdalį jo turto, visa kita atiteko Džekui.

Gulėdamas mirties patale jis silpna ranka gniaužė mano delną ir, žvelgdamas į mane artėjančios mirties nuojautos aptemdytomis

akimis, meldė niekada neužtraukti mūsų sūnui gėdos. Jis prašė ma-
nęs niekada neprasitarti Džekui apie savo praeitį.

Mudu su Aleksu pradėjome bendrauti galvodami, kad šie san-
tykiai nėra rimti, kad jie ir išliks platoniški – šiais laikais šis žodis,
be abejonės, ne vieną prajuokina. „Selija, aš būsiu platoniškas tiek
laiko, kiek tik tu norėsi, – mėgdavo pajuokauti Aleksas, – tačiau gali
būti tikra, kad mano mintys platoniškos nebuvo ir nebus." Tada jis
atsisukdavo į Džeką. „Ei, drauguži, – ištardavo, – reikia pasirūpinti
tavo mama. Kaipgi mes galėtume priversti ją mane pamėgti?"

Taip buvo keturis mėnesius, kol galiausiai vieną naktį viskas
pasikeitė. Džeko auklė vėlavo. Kai ji pasibeldė į mano buto duris,
iki aštuntos valandos vakaro buvo telikę dešimt minučių, o pobū-
vyje Vest Saide turėjau būti aštuntą. Durininkas jau buvo iškvietęs
taksi kitam žmogui. Pamačiusi Penktuoju aveniu važiuojantį taksi
automobilį aš, nieko nelaukdama, ėmiau mojuoti ir puoliau prie
jo. Nepastebėjau, kaip ir kada pajudėjo šalia kelkraščio stovėjęs
limuzinas.

Praėjus dviem valandoms, aš pabudau ligoninėje – gerokai
apibrozdinta, su daugybe mėlynių, patyrusi smegenų sutrenkimą,
tačiau smarkiau nenukentėjusi. Ant lovos krašto sėdėjo Aleksas. Į
mano klausimą jis atsakė man nė nespėjus jo užduoti:

– Džekui nieko nenutiko. Auklė man paskambino, kai tik
tavo bute pasirodė policija. Jiems niekaip nepavyko susisiekti su
tavo tėvais Floridoje. – Aleksas švelniai perbraukė delnu man per
skruostą. – Selija, tu galėjai žūti! – ištarė. Netrukus jis atsakė į dar
vieną neužduotą mano klausimą. – Auklė palauks, kol aš nuva-
žiuosiu į tavo butą. Šią naktį aš praleisiu tavo namuose, su Džeku.
Tai žinodama, galėsi būti visiškai rami – jei Džekas ir pabus, aš
būsiu šalia jo.

Po dviejų mėnesių mudu su Aleksu susituokėme. Be abejo, vis-
kas pasikeitė – kai mes bendravome neturėdami įsipareigojimų, aš
nieko neprivalėjau daryti. Dabar, būdama jo žmona – ne, *prieš* su-
tikdama tapti jo žmona, – aš privalėjau kai ką padaryti. Privalėjau
pasakyti Aleksui tiesą.

Apie visa tai mąsčiau ir tuo metu, kai Džekas šypsodamasis pra-
rijo paskutinį sumuštinio kąsnelį. Gal dabar Džekas galvoja apie
Megę, tą keturmetę mergaitę, kurią ketina vesti?

Kaip keista. Nors mano gyvenimas paskendo maišatyje, jame
vis dar pasitaikydavo kelios tylos ir ramybės akimirkos – kad ir ši,
kai mudu su Džeku ramiai pietavome. Kai daviau padavėjui ženklą,
kad esame pasiruošę atsiskaityti, Džekas pranešė, jog yra pakvies-
tas pas draugą pažaisti. Aš privalanti kuo greičiau paskambinti Bilio
mamai. Pasirausęs kišenėse, Džekas ištraukė ir popieriaus skiautę,
ant kurios buvo parašytas telefono numeris.

– Ar Bilis yra tas pats berniukas, kuris verkė pačią pirmą dieną? –
paklausiau.

– Ne, ten buvo kitas Bilis. Jis vis dar verkia.

Bevažiuodama namo prisiminiau, kad taip ir nenupirkau nau-
jos telefono atsakiklio juostelės. Mums teko apsisukti ir grįžti.
Kai pagaliau parvažiavome, buvo be dvidešimt minučių antra. Sju
mūsų jau laukė. Aš užbėgau į viršų ir, nusispyrusi sportinius bate-
lius, apsiaviau aulinius batus, kurie pirmajai jojimo pamokai tiko
gerokai labiau.

Ir kaipgi aš nesusiprotėjau atidėti jojimo pamokos? Matyt, ta
dviguba grėsmė man visiškai sumaišė protą. Niekaip negalėjau liau-
tis galvojusi ne tik apie tai, jog kažkas žino, kad aš esu Liza Barton,
bet ir apie tai, kad detektyvas Volšas, net jei ir nežino, kas aš esu,
šiuo metu mane vis tiek įtarinėja.

Vis dėlto nuojauta man kuždėjo, kad, geriau pažinusi Zaką, aš
netrukus sužinosiu, kodėl tą naktį, grumdamasi su Tedu, mano
mama suklykė jo vardą.

Važiuojant Vašingtono slėnio jojimo klubo link, man prieš akis
iškilo kaip niekada ryškūs prisiminimai apie mamą. Pamenu, kaip
nepriekaištingai ji atrodė tada, kai mudu su tėčiu stebėjome ją
Pypako jojimo klube šokinėjančią per kliūtis. Mama vilkėjo juodą,
puikiai jai tinkantį švarką ir rusvus bridžius, glotnius, į šinjoną su-
suktus plaukus ji buvo paslėpusi po jojiko šalmu.

„Mama atrodo kaip princesė, tiesa?" – pasakė man tėvas, kai ji risčia prajojo pro šalį. Taip, ji buvo tikra princesė. Įdomu, ar tada, kai to manęs klausė, jis jau buvo pradėjęs lankyti jojimo pamokas? Automobilį palikau jojimo klubo aikštelėje. Įėjusi į vidų, pranešiau administratorei atėjusi pasimatyti su Zaku Viletu. Pastebėjusi, kad administratorė nepritardama nužvelgė mano drabužius, pažadėjau sau, kad netinkamai apsirengusi čia nebepasirodysiu.

Netrukus į jojimo klubo vestibiulį atėjo ir Zakas Viletas. Nusprendžiau, kad jam apie šešiasdešimt. Raukšlių išvagotas Zako veidas liudijo, kad lauke jam teko praleisti itin daug dienų. Jo skruostų ir nosies kapiliarai buvo sutrūkinėję. Turbūt Zakas neatsispiria svaigiesiems gėrimams, pagalvojau. Jo antakiai buvo itin vešlūs, nukreipiantys pašnekovo dėmesį į akis. Pačios akys buvo keisto rusvo atspalvio – labiau žalios nei rudos, beveik praradusios spalvą. Lyg po tiek metų, praleistų po kaitria saule, ėmė blankti ir jos.

Į mane Zakas Viletas pažvelgė su vos juntama pašaipa. Puikiai žinojau, ką šis vyras galvojo – kad aš esu viena iš tų, kurie jojimu susižavi vien dėl to, jog tai madinga. Jis neabejojo, kad esu eilinė aikštinga poniutė, kuri, praradusi kantrybę, nustos žavėtis jojimu jau po dviejų pirmųjų pamokų.

– Eime į kiemą. Aš jau pabalnojau pradedantiesiems skirtą žirgą, – pasisveikinęs ir prisistatęs paragino jis. Kol ėjome arklidžių link, Zakas pasiteiravo: – Ar esate kada nors jodinėjusi? Aš neklausiu, ar jodinėjote poniu, kai buvote maža.

Atsakymą į šį klausimą jau buvau parengusi, tačiau dabar jis nuskambėjo gan kvailai:

– Kai buvau maža, viena iš mano draugių turėjo ponį. Juo ir mokiausi jodinėti.

– Aha.

Buvo akivaizdu, kad mano atsakymas jam padarė nekokį įspūdį.

Prie kuolo žirgams rišti trypė du pabalnoti žirgai. Didžioji kumelė, be abejo, buvo jo. Mažesnis, iškastruotas, itin romus atrodantis arklys buvo skirtas man. Zakas atpylė man jojimo įvadą, o aš klausiausi itin atidžiai.

172

– Prisiminkite, ant žirgo visada turite lipti iš kairės pusės, – aiškino jis. – Prieikite arčiau, aš jus kilstelėsiu. Įkiškite koją į balnakilpę ir nukreipkite kulną žemyn – taip koja tikrai neišslys. Vadžias laikykite tarp šių dviejų pirštų ir, svarbiausia, niekada jų netraukykite. Užgausite jam snukį. Šį žirgą vadiname Sausainiuku. Tai trumpinys, visas jo vardas yra Jūros Sausainiukas. Toks nevykęs buvo šio žirgo savininko humoro jausmas.

Nors ant žirgo nebuvau sėdėjusi daug metų, vos ant jo užlipusi, pasijutau taip, lyg niekada nebūčiau nustojusi jodinėti. Viena ranka laikiau vadžias, kita kelis kartus patapšnojau Sausainiukui kaklą. Tada, laukdama mokytojo leidimo, atsisukau į Zaką. Jis linktelėjo ir mes neatitoldami vienas nuo kito ėmėme sukti ratus mokytojo manieže.

Su Zaku praleidau valandą. Nors jis nebuvo itin šnekus, man pavyko jį prakalbinti. Zakas papasakojo man, kad šiame klube dirba nuo dvylikos metų, sakė, kad bendravimas su žirgais jam teikiąs gerokai didesnį malonumą nei bendravimas su žmonėmis, kuriuos jis pažįsta. Jis taip pat papasakojo, kad žirgai yra kaimenėmis gyventi linkę gyvūnai, jie mėgsta būti vienas šalia kito. Todėl, norint nuraminti lenktyninius žirgus, į jų gardą prieš pat lenktynes dažnai atvedami tose pačiose arklidėse gyvenantys žirgai.

Pasistengiau padaryti keletą klaidų, kurias daro patirties neturintys jojikai: kelis kartus leidau išsprūsti vadžioms, taip pat porą kartų tyčia spygtelėjau, kai Sausainiukas netikėtai ėmė risnoti šiek tiek greičiau.

Zakas, žinoma, manimi irgi domėjosi. Sužinojęs, kad gyvenu Senojo Malūno take, jis iš karto supratob jog gyvenu būtent Mažosios Lizės name.

– Vadinasi, jūs esate ta pati moteris, kuri aptiko Žoržetos lavoną!

– Taip, tai aš.

– Nekokia patirtis. Žoržeta buvo miela moteris. Laikraščiuose skaičiau, kad tą namą vyras jums padovanojo gimtadienio proga. Nieko sau dovana! Tedas Kartraitas, tos mergaitės, kuri šaudė jūsų name, patėvis, anksčiau čia laikė savo žirgus, – ėmė pasakoti Zakas.

– Mes esame seni draugai. Kaip jis nustebs sužinojęs, kad aš mokau jus joti! Ar tame name jau matėte kokių nors vaiduoklių?

Prisiverčiau šyptelėti ir pasakiau:

– Ne, kol kas nemačiau. Tikiuosi, nė vieno ir nepamatysiu. – Tada, stengdamasi, kad mano klausimas nuskambėtų kuo nerūpestingiau, kreipiausi į Zaką: – Esu girdėjusi, kad Lizos, arba Lizės, kaip ją čia visi vadina, tėvas kažkur netoliese žuvo bejodinėdamas.

– Taip, tai tiesa. Kai kitą kartą mudu susitiksime, aš jums parodysiu tą vietą. Tai vingiuotas keliukas, kurį išbandyti ryžtasi tik įgudę jojikai. Niekas taip ir nesužinojo, kodėl Vilas Bartonas nusprendė juo joti. Gal jam reikėjo, tai jis ir jojo – kas dabar bepasakys, kaip ten viskas buvo. Tądien aš turėjau joti šalia jo.

– Tai ar jojote? – paklausiau apsimesdama eiline smalsuole. – Kas nutiko?

– Drauge mes buvome jodinėję apie dešimt kartų, tad jis jau mokėjo pasibalnoti žirgą. Mano žirgui kanopoje buvo įstrigęs nedidelis akmuo ir aš vis krapštinėjausi bandydamas jį ištraukti. Tada Vilas pasakė josiantis tako link, matyt, jį labai masino mintis nujoti ten pačiam. Tačiau pasakysiu jums štai ką: tas vyras bijojo žirgų, ir žirgai tai kuo puikiausiai suprato. Pajutę baimę, jie tampa nervingi ir baikštūs. Bet Vilas buvo pasiryžęs ten joti. Žodžiu, aš atsilikau nuo jo daugmaž penkiomis minutėmis ir jau pradėjau nerimauti, kad man niekaip nepavyksta jo pasivyti. Nė nepagalvojau, kad jis galėjo nujoti tuo keliuku. Vilas buvo daug kartų perspėtas ten nejoti. Bent jau man taip atrodė. Aš jo ieškojau ir ieškojau, o kai galiausiai grįžau į arklides, žinia apie jo mirtį jau buvo pasklidusi. Jis drauge su žirgu nukrito nuo skardžio. Vilas žuvo, o žirgas susilaužė kojas. Netrukus ir jis nudvėsė.

– Kaip jums atrodo, kodėl jis nusprendė joti tuo keliu?

– Turbūt susipainiojo.

– Nejaugi ten nebuvo jokių įspėjamųjų ženklų?

– Aišku, buvo. Bet jo žirgas tikriausiai buvo sunerimęs ir Vilas susirūpinęs jų tiesiog nepastebėjo. Gal kai žirgas jau risnojo taku, Vilas suvokė, kur joja, ir nevalingai trūktelėjo vadeles. Tuomet žirgas atsistojo piestu. Tas kelias yra slidus, pilnas purvo, nusėtas akmenimis. Žodžiu, jie abu nukrito ir aš iš dalies visus šiuos metus dėl to kaltinu save. Turėjau liepti Vilui manęs palaukti.

Tai štai kas nutiko, pagalvojau. Viskas prasidėjo nuo žirgo kanopoje įstrigusio akmenėlio. Matyt, išgirdusi šią istoriją, mama ėmė kaltinti Zaką Viletą dėl to, kad jo nebuvo šalia, kai tėtis išjojo iš arklidžių. Tačiau dėl ko gi ji išrėkė jo vardą Tedui?

Gal Tedas Kartraitas paskatino mano tėvą jodinėti būtent su Zaku, gal dėl tokio jo pasiūlymo mano tėvas ir pražuvo?

– Na, metas grįžti į arklides, – pranešė Zakas Viletas. – Jums sekėsi visai neblogai. Jei taip ir toliau, jūs tapsite tikrai gera jojike. – Atsakymą išgirdau nė neuždavusi klausimo. – Žinote, – vėl prabilo jis, – sakėte, kad mane jums rekomendavo Žoržeta Grouv. Ji pas mane ir atvedė Vilą Bartoną. O dabar jūs gyvenate jo name. Va čia tai jau tikras sutapimas, o gal likimas. Nė nežinau.

Važiuojant namo, ramybės man nedavė dar viena mintis: jei detektyvas Volšas žino arba sužinos, kad aš esu Liza Barton, jis turės dar vieną priežastį tvirtinti, jog aš nekenčiau Žoržetos Grouv. Pasiūlydama mano tėvui lankyti jojimo pamokas pas Zaką Viletą, Žoržeta tiesiogiai prisidėjo prie jo mirties.

Aš *nebesugebėsiu* atsakinėti į detektyvo Volšo klausimus, pagalvojau. Negaliu leisti sau paskęsti visame tame melo liūne, į kurį jie mane tempia. Aš privalau pasisamdyti advokatą.

Bet kaipgi aš tai paaiškinsiu savo advokatu dirbančiam vyrui?

36

Parašiusi trumpą straipsnį apie Žoržetai Grouv skirtas pamaldas, Driu Peri įteikė jį savo viršininkui, „Star-Ledger" redaktoriui, ir, nuskubėjusi prie darbo stalo, vėl sutelkė visą dėmesį į naująjį „Nepapasakotų istorijų" ciklo straipsnį. Toks žurnalistinis darbas jai patiko labiausiai, negana to, Driu jau buvo spėjusi kone apkvaišti nuo minties, kad jai gali pavykti naujomis akimis pažvelgti į Lizos Barton, arba Mažosios Lizės Borden, bylą.

Driu buvo palikusi žinutę Bendžamino Flečerio, to paties advokato, kuris atstovavo Lizai teisme, telefono atsakiklyje. Praėjus kuriam laikui, advokatas su ja vis dėlto susisiekė – jo skambučio Driu sulaukė tada, kai lipo Hiltopo bažnyčios laiptais, skubėdama į Žoržetos Grouv atminimui skirtas pamaldas. Driu susitarė, kad į Bendžamino Flečerio biurą Česteryje atvyks ketvirtą valandą.

Driu ketino paklausinėti Flečerio apie Dianą Vesli, buvusią Tedo Kartraito merginą. Prasidėjus teismui, ji pati pasisiūlė duoti interviu žiniasklaidai. Diana tvirtino tragedijos išvakarėse vakarieniavusi su Tedu restorane. Esą tada jis ir užsiminė, kad neapykanta, kurią jam jautė Liza, buvo pagrindinė jo ir Odrės Barton išsiskyrimo priežastis.

Be to, viename iš bulvarinių laikraščių Driu buvo aptikusi itin įdomų interviu – jis buvo išspausdintas minint antrąsias tragedijos metines. Su žurnalistais atvirai kalbėjosi gana mažai drabužėlių vilkinti mergina, vardu Džuli Bret, – dar viena buvusi Tedo Kartraito draugė. Džuli Bret prasitarė, jog Lizos gynėjai buvo pakvietę ją į teismą tam, kad ji paneigtų ankstesnius liudytojų tvirtinimus, jog Tedas Kartraitas niekada nebuvo panaudojęs jėgos prieš moterį. „Aš stovėjau ant liudytojams skirtos pakylos, – pasakojo ji žurnalistui, – ir tiesiai išrėžiau, kad gerokai išgėręs Tedas virsta pikta, pagiežinga pabaisa. Jis ima kalbėti apie žmones, kurių nekenčia, ir pamažu taip įširsta, kad pradeda viską aplinkui mėtyti arba daužyti greta esančius žmones. Patikėkite manimi, jei tą naktį, kai Tedas mane sumušė, būčiau turėjusi šautuvą, jo tarp gyvųjų jau nebebūtų.“

Kaip gaila, kad žiniasklaidai ji to nepapasakojo vykstant teismui, pagalvojo Driu. Greičiausiai teisėjas buvo prisaikdinęs ją tylėti.

Bendžaminas Flečeris, Diana Vesli ir Džuli Bret – Driu norėjo pasikalbėti su jais visais. Vėliau ji ketino susisiekti su tais Pypako jojimo klubo darbuotojais ir nariais, kurie buvo susidraugavę su Odre Barton ir bendravo su ja prieš jai ištekant už Vilo Bartono ir vėliau.

Sprendžiant iš visos informacijos, kurią man pavyko rasti, jų santuoka buvo iš tiesų laiminga, pagalvojo Driu. Bet juk esu daug girdėjusi apie tokias neva laimingas santuokas. Ji prisiminė artimus draugus, kurie pasuko skirtingais keliais po dvidešimt dvejų lyg ir laimingos santuokos metų. Praėjus kuriam laikui, Natali, Driu draugė, patikėjo jai paslaptį: „Driu, eidama prie altoriaus, aš žinojau, kad darau klaidą. Visus šiuos metus aš kaupiau drąsą ir vyliausi, kad vieną dieną man pavyks ją ištaisyti."

Pusę dviejų Driu, laikydama rankose kumpio ir sūrio sumuštinį bei termosiuką juodos kavos, lūkuriavo kavinėje prie kasos. Ji jau buvo pastebėjusi eilės pradžioje stovintį Keną Šarkį, tad, atsiskaičiusi už pirkinius, prisiartino prie jo staliuko.

– Ar redaktorių pradžiugintų mano draugija? – pasiteiravo Driu.

– Ką? Ak, Driu, žinoma, papietaukime drauge.

Keno veido išraiška liudijo, kad proga papietauti su Driu jis ne itin džiaugiasi. Bet Driu nekreipdama į tai dėmesio prisėdo šalia – ji itin mėgo dalytis kūrybiniais sumanymais su Kenu, ir šis metas atrodė tinkamas tokiai veiklai.

– Šiandien pamaldose dalyvavo ir Polas Volšas, – prabilo ji.

Kenas gūžtelėjo.

– Nė kiek tuo nesistebiu. Jis vadovauja Žoržetos Grouv žmogžudystės bylos tyrimui.

– Gali būti, kad aš klystu, tačiau man atrodo, jog tarp jo ir Džefrio kilusi įtampa, – pasakė Driu.

Tai išgirdęs, Kenas Šarkis, išstypęs vyrukas, nuo kurio veido paprastai nedingdavo ironiška šypsena, suraukė antakius.

– Tau taip atrodo, nes taip ir yra. Polas pavydi Džefriui. Jis ir pats mielai kandidatuotų į gubernatoriaus postą, o jei nelaimėtų rinkimų, ramiai pasitrauktų į užtarnautą poilsį. Išėjęs į pensiją, Polas su malonumu sutiktų užimti kokį nors prestižinį postą – vadovautų saugos tarnybai ar panašiai. Nėra abejonių, kad šiuo metu jam būtų pravartu išnarplioti sudėtingą bylą. Ir jis tokią bylą gavo. Nežinau, kaip yra iš tiesų, tačiau sklinda gandai, kad Polas su Džefriu gerokai nesutaria ir šią nesantaiką paslėpti jiems darosi vis sunkiau.

– Man reikėtų pasikalbėti su Džefrio sekretore, – pasisiūlė Driu. – Ji nėra paskalų nešiotoja, tačiau bekalbėdama kas kartą nevalingai išduoda, kas, kodėl ir kur, – aš ją greitai perprantu. – Nurijusi keletą milžiniškų sumuštinio kąsnių, Driu suvilgė burną kava ir ėmė toliau garsiai svarstyti. – Kenai, aš kurį laiką palaikau ryšį su Marsela Viljams. Na, turbūt reikėtų sakyti priešingai – tai ji jau kuris laikas palaiko ryšį su manimi. Tai yra ta pati moteris, kuri gyvena Senojo Malūno take, visai netoli Nolanų. Ta pati, kuri taip noriai bendravo su žiniasklaida, kai buvo nusiaubti jos kaimynų namai. Marsela Viljams man užsiminė, kad praėjusį trečiadienį matė pro jos namus pravažiuojantį Džefrį Makingslį. Marsela tokia jau yra – ji nusekė jam iš paskos. Sako, Džefris automobilį paliko prie Nolanų namo. Argi ne keista, kad tuo išpuoliu staiga susidomėjo net ir Moriso apygardos prokuroras? Juk tada Žoržeta dar nebuvo nužudyta.

– Driu, pasidomėk tuo, – atsakė Kenas Šarkis. – Džefris yra labai ambicingas. Gana greitai jis ims trimituoti apie tai, kaip saugu buvo gyventi Moriso apygardoje pastaruosius ketverius metus – nuo tada, kai jis pradėjo dirbti apygardos prokuroru. Straipsniai apie nusiaubtą Nolanų namą pasirodė pirmuosiuose laikraščių puslapiuose – tai ir paskatino jį susidomėti šia smulkaus chuliganizmo byla. Dėl to jis ir lankėsi Nolanų namuose. Jau ima sklisti gandai, kad Žoržetą nužudė kažkoks Mažosios Lizės istorija susižavėjęs beprotis. Esą jis iš pradžių nuniokojo Nolanų namą, o tada nužudė ir Žoržetą, kuri buvo susijusi su ta istorija. Suprantama, Džefris nori kuo greičiau išnarplioti abi šias bylas. Tikiuosi, taip ir įvyks. Jei Džefris nuspręs kelti savo kandidatūrą gubernatoriaus rinkimuose, aš balsuosiu už jį. – Kenas Šarkis sudorojo savo sumuštinio likučius. – Polas Volšas man nepatinka. Jis su panieka žiūri į žurnalistus. Tačiau progos pranešti žiniasklaidai apie artėjančias ypatingas operacijas niekada nepraleidžia ir taip elgiasi vien tam, kad įbaugintų žmones, kurie, jo įsitikinimu, kažką slepia. Ar pameni Hatfordo bylą? Kai dingo Džimo Hatfordo žmona, Polas ėmė jį kaltinti dėl visų pasaulio nelaimių. Dar gerai, kad neišvadino jo maniaku, kirviu kapojančiu žmonėms galvas. O po kurio laiko paaiškėjo, kad ta vargšelė, blogai pasijutusi, nesuvaldė mašinos ir nusirito nuo kelio. Tą patį vėliau patvirtino ir autopsija – Džimo Hatfordo žmona patyrė stiprų širdies smūgį. Įsivaizduoji, ką jam teko patirti? Visą tą laiką, kol buvo ieškoma jo žmonos, Hatfordas ne tik kankino save klausimais, kurgi dingo moteris, su kuria jis pragyveno keturiasdešimt metų. Kas rytą, atsivertęs laikraščius, jis skaitydavo ilgiausius straipsnius apie tai, kad, policijos įsitikinimu, jo žmona tapo sąmokslo auka, o jis pats yra vienas iš šios bylos įtariamųjų. Bet mes abu gerai žinome, ką reiškia žodis „įtariamasis", – jie nė neabejojo, kad Hatfordas nužudė savo žmoną. – Kenas Šarkis suglamžė popierių, į kurį buvo įvyniotas sumuštinis, ir įmetė jį į šiukšliadėžę po stalu. – Polas yra sumanus, tačiau jis elgiasi netinkamai – ir su nekaltais žmonėmis, ir su žiniasklaida, ir galiausiai su bendradarbiais. Jei aš būčiau Džefris Makingslis, jau seniai būčiau jį pasiuntęs krautis daiktų.

Driu atsistojo.

– Na, manęs siųsti niekur nereikia. Aš pati einu, – prabilo ji. – Turiu kai kam paskambinti, be to, ketvirtą valandą susitinku su Bendžaminu Flečeriu – advokatu, kuris atstovavo Lizai teisme.

Kenas Šarkis atrodė nustebęs.

– Teismas įvyko prieš dvidešimt ketverius metus. Jei neklystu, tada Flečeris buvo daugmaž penkiasdešimties. Jis vis dar dirba advokatu?

– Dabar jam septyniasdešimt penkeri ir jis vis dar dirba advokatu, tačiau Klarensą Darou vargu ar beprimena. Išskirtinių konsultacijų gynybos klausimais jis lyg ir nesiūlo – tokio įrašo jo asmeniniame puslapyje internete neradau.

– Nepamiršk man duoti žinią, kas ir kaip, – atsisveikindamas ištarė redaktorius.

Žingsniuodama redakcijos koridoriumi, Driu šyptelėjo. Įdomu, ar atsisveikindamas Kenas yra kam nors kada nors ištaręs „iki pasimatymo", „nepersidirbk" arba „geros kloties". Galėčiau lažintis, kad ryte išeidamas iš namų jis pabučiuoja žmoną ir taip pat prataria: „Nepamiršk man duoti žinią, kas ir kaip."

*

Po dviejų valandų Driu jau sėdėjo ankštame Bendžamino Flečerio biure, įdėmiai žiūrėdama į kitapus dokumentuose ir šeimos nuotraukose paskendusio darbo stalo patogiai įsitaisiusį advokatą. Vykdama į susitikimą, Driu per daug negalvojo, koks gi žmogus bus Bendžaminas Flečeris ir kaip jis atrodys, tačiau milžiną primenančios būtybės išvysti taip pat nesitikėjo. Advokatas buvo kone dviejų metrų ūgio, stambus – turintis mažiausiai penkiasdešimties kilogramų antsvorį. Keli ant jo viršugalvio likę plaukai buvo sudrėkę, o kakta blizgėjo – atrodė, tuoj apsipils prakaitu.

Švarką advokatas buvo pasikabinęs ant kėdės atlošo, pirmoji jo marškinių saga buvo atsegta, o kaklaraištis atlaisvintas. Bendžamino Flečerio akiniai buvo be rėmelių, tad dar labiau didino ir taip plačias pilkšvai žalsvas jo akis.

– Ar jūs bent įsivaizduojate, kiek žurnalistų per visus šiuos metus yra man skambinę dėl Bartonų bylos? – pasiteiravo jis Driu. – Jūs, žurnalistai, vis dar tikitės apie tą bylą parašyti tai, kas apie ją dar nebuvo parašyta. Liza buvo įsitikinusi, kad jos motinai gresia pavojus. Ji susirado tėvo pistoletą. Tada, juo grasindama, liepė Tedui Kartraitui paleisti motiną. O kas įvyko paskui, jūs ir pati gerai žinote.

– Manau, esminiai tos bylos faktai žinomi daug kam, – pritarė Driu. – Aš norėčiau pakalbėti apie jūsų ir Lizos santykius.

– Aš buvau jos advokatas.

– Na, aš turiu mintyje tai, kad Liza artimų giminių neturėjo. Ar ji prisirišo prie jūsų? Kai teismas jus paskyrė Lizos gynėju, kiek su ja kalbėjotės? Sklinda kalbos, kad ji nepratarė nė žodžio. Ar tai tiesa?

– Liza padėkojo policininkui, kuris policijos automobilyje apklostė ją antklode, o paskui beveik du mėnesius nepravėrė burnos. Net ir tada, kai vėl pradėjo kalbėti, su psichiatrais ji bendravo ne itin noriai. Tai, ką jiems pavyko iš jos iškvosti, nė kiek nepadėjo tirti bylą. Liza paminėjo savo tėvo jojimo mokytoją ir tada be galo nusiminė. Kai psichiatrai paklausė jos apie patėvį, Liza atsakė jo nekenčianti.

– Juk tai visai suprantama, tiesa? Ji kaltino patėvį dėl motinos mirties.

Bendžaminas Flečeris iš kišenės išsitraukė suglamžytą nosinaitę ir nusišluostė veidą.

– Nuo tų vaistų prakaituoju lyg garo mašina, – paaiškino jis. – Taip jau būna, kai esi tam tikro amžiaus. Sulaukęs septyniasdešimties, aš pavirtau vaikščiojančia vaistine. Bet aš bent jau vaikštau, esu gyvas – dauguma mano amžiaus žmonių tuo pasidžiaugti nebegali. – Staiga jis prabilo nebe taip draugiškai: – Ponia Peri, turiu jums kai ką pasakyti. Ta maža mergaitė buvo labai protinga. Labai. Ji savo motinos nužudyti nėketino – dėl to nė kiek neabejoju. Tačiau Tedas Kartraitas, jos patėvis, yra visai kas kita. Man visą laiką kėlė nuostabą tai, kad žurnalistai taip išsamiau ir nepasidomėjo jo ir Odrės Barton santykiais. Taip, jie žinojo, kad Odrė Barton buvo susižadėjusi su Tedu, tada paliko jį dėl Vilo Bartono, o vėliau, jau būdama našlė, vėl susižavėjo buvusiu sužadėtiniu. Vis dėlto žurnalistai nevargo aiškindamiesi, kas vyko tada, kai Odrė vis dar buvo ištekėjusi už Vilo Bartono. Vilas Bartonas buvo intelektualas – gabus, tačiau ne itin daug uždirbantis architektas. Per daug pinigų jų namuose tikrai nebuvo, o ir tais, kuriuos jie leisdavo, pasirūpindavo Odrė – ji buvo kilusi iš turtingos šeimos. Odrė jodinėjo nuo pat vaikystės ir buvo įpratusi tai daryti kiekvieną dieną. Ištekėjusi už Vilo, šio pomėgio ji neapleido. Kaip jums atrodo, su kuo ji leisdavo laiką Pypako jojimo klube? Su Tedu Kartraitu. Jos vyras į tą klubą nė kojos nekeldavo – jis labai bijojo arklių.

– Norite pasakyti, kad Odrė su Tedu buvo meilužiai tuo metu, kai ji buvo ištekėjusi? – tuojau pasiteiravo Driu.

– Ne, aš to nesakau, nes nežinau, ar tai tiesa. Aš sakau kitką – klube juodu matydavosi kone kasdien, drauge risnodavo takeliais, šokinėdavo per kliūtis. Tuo metu Tedas buvo pradėjęs savo statybų verslą, ėmė uždirbti nemažai pinigų.

– Darote prielaidą, kad Odrė gailėjosi ištekėjusi už Vilo Bartono?

– Prielaidos aš nedarau. Aš *tvirtinu*, kad ji gailėjosi. Kai ruošiausi šios bylos svarstymui teisme, apsilankiau ir tame jojimo klube. Apie šią viešą paslaptį man užsiminė bene šeši jo darbuotojai. Liza, tokia protinga mergaitė, greičiausiai irgi šį tą numanė, tiesa?

Iš peleninės greta alkūnės Flečeris ištraukė neuždegtą cigarą, įspraudė jį tarp lūpų, o po poros akimirkų padėjo ten pat, iš kur buvo paėmęs.

– Stengiuosi atsikratyti žalingo įpročio, – paaiškino jis Driu ir ėmė toliau dalytis mintimis: – Odrė pradėjo susitikinėti su Tedu Kartraitu vos palaidojusi savo vyrą. Jų santuoka, tiesa, įvyko tik po poros metų. Iš karto už Tedo ištekėti Odrei nepavyko dėl to, kad mergaitė šiems santykiams priešinosi nuo pat pradžios.

– Tai kodėl Odrė norėjo skirtis? Kodėl ji taip bijojo Tedo?

– To mes niekada nesužinosime. Bet aš manau, kad jiems trise gyventi po vienu stogu nebuvo lengva. Matyt, Odrės kantrybė išseko, o savo vaiko ji gi negalėjo palikti. Bet nepamirškime ir dar vieno itin svarbaus šios bylos fakto.

Flečeris atidžiai pažvelgė į Driu norėdamas sužinoti, ar ji iš tiesų yra tikra Bartonų bylos žinovė.

– Jei neklystu, jūs turite galvoje visas su Bartonų namų apsaugos sistema susijusias mįsles, – pratęsė jo mintį Driu.

– Taip, ponia Peri, aš kalbu apie apsaugos sistemą. Vienas iš kelių faktų, kuriuos mums pavyko išpešti iš Lizos, buvo tas, kad tą vakarą prieš einant miegoti jos motina apsaugos sistemą buvo įjungusi. Į tą namą atvažiavę policininkai apsaugos sistemą rado išjungtą. Tedas Kartraitas įsilaužti negalėjo. Jei jis būtų bandęs tai padaryti arba išjungti sistemą iš lauko, tai būtų liudiję išlikę duomenys. Tedas tvirtino, kad Odrė norėjo susitaikyti ir tą vakarą pati pasikvietė jį į namus. Aš juo tikiu. Ką gi, ponia Peri, deja, aš esu priverstas mūsų pokalbį dabar ir baigti – šiandien ketinu iš darbo išeiti šiek tiek anksčiau.

– Pone Flečeri, paskutinis klausimas. Aš skaičiau straipsnį, kuris pasirodė viename iš bulvarinių laikraščių praėjus dvejiems metams po teismo. Tai buvo interviu su Džuli Bret. Ši moteris teisme liudijo, kad Tedas Kartraitas naudojo prieš ją fizinį smurtą.

Flečeris tyliai sukikeno.

– O kaipgi. Žinoma, liudijo. Tiesa, Tedas Kartraitas Džuli Bret nuskriaudė nebent tuo, kad paliko ją dėl kitos moters. Na, supraskite mane teisingai. Tas vyrutis kantrybę praranda tikrai greitai, jis yra ne kartą mosavęs kumščiais, tačiau Džuli nemušė.

– Tai Džuli melavo?

– Juk aš to nepasakiau, ar ne? Manau, juodu tiesiog vaidijosi. Gal Tedas jau buvo beišeinąs iš namų ir Džuli jį netikėtai sugriebė, o tada jis bandė Džuli nuo savęs atplėšti ir kiek stumtelėjo. Matyt, gailėdamasi Lizos, Džuli nusprendė viską šiek tiek pagražinti. Ji yra labai geros širdies. Na, tai tegu lieka tik tarp mūsų, gerai?

Driu pažvelgė į Flečerį. Garbaus amžiaus advokato veidas švytėjo iš pasitenkinimo. Prisiminęs Džuli Bret jis gerokai pralinksmėjo – tai buvo akivaizdu. Staiga Flečeris surimtėjo.

– Ponia Peri, Džuli teisėjui padarė milžinišką įspūdį. Patikėkite, jei ne ji, teismas būtų nusiuntęs Lizą Barton į nepilnamečių koloniją ir laisvę ji būtų atgavusi tik sulaukusi dvidešimt vienų.

– O kaipgi Diana Vesli, dar viena Tedo Kartraito mergina? – paskubomis pasiteiravo Driu. – Ji tvirtino žurnalistams, kad vakarieniavo su Tedu Kartraitu tragedijos išvakarėse ir kad tada Tedas apkaltino Lizą dėl visų jo ir Odrės problemų.

– Taip, su žiniasklaida ji apie tai kalbėjo, tačiau galimybė liudyti teisme jai taip ir nebuvo suteikta. Kita vertus, nemanau, kad jos liudijimas būtų ką nors pakeitęs – tai tebuvo dar vienas įrodymas, kad Odrę ir Tedą išskyrė būtent Liza.

Flečeris atsistojo ir ištiesė ranką.

– Buvo malonu su jumis susipažinti, ponia Peri. Tikiuosi, straipsnyje geru žodžiu paminėsite ir kadaise už skatikus dirbusį valstybės skiriamą advokatą. Tą mažą mergaitę aš tąkart gyniau velniškai gerai.

Driu spustelėjo jo ranką.

– Pone Flečeri, dėkui, kad skyrėte man laiko. Ar bent numanote, kur Liza yra dabar?

– Ne. Retsykiais apie Lizą pagalvoju. Tikiuosi, profesionali psichologinė pagalba jai vis dėlto buvo suteikta. Jei ne, nė kiek nenustebčiau vieną dieną sužinojęs, kad ji grįžo ir ištaškė Tedui smegenis. Sėkmės jums, ponia Peri.

37

Vėlyvą pirmadienio popietę Čarlis Hačas leido savo svetainėje gurkšnodamas alų ir nekantriai laukdamas sutarto skambučio. Mintyse jis vis kartojo žodžius, kuriais ketino paaiškinti, su kokiais netikėtais nesklandumais jam teko susidurti.

Aš tikrai nesu dėl to kaltas, tikino jis save. Kai praėjusio penktadienio popietę tas policininkas, seržantas Erlis, išėjo, surinkau įprastą telefono numerį, bet ryšio nebuvo ir aš vos neišsikrausčiau iš proto. Paskui, praėjus vos minutei, mano telefonas suskambėjo. Man buvo liepta kuo greičiau eiti iš namų ir įsigyti vieną iš tų telefonų, kuriuos galima naudoti tik ribotą laiką, kad niekas nesusektų mano telefono numerio.

Tada, bandydamas įrodyti, kad esu iš tiesų atsargus, užsiminiau apie dažų žymes, kurias radau ant džinsų ir sportbačių, pasigyriau, kad prieš įsileisdamas į namus policininką spėjau persirengti. Maniau, visa tai papasakojęs įrodysiu esąs ne iš kelmo spirtas. O kas įvyko? Man buvo liepta tučtuojau atsikratyti ir kelnių, ir batų, o paskui dar ir patikrinti, ar dažų žymių neliko ant furgono. Negana to, aš ir vėl turėjau klausytis keiksmų, kaip kvailai pasielgiau išraižydamas tas duris.

Visą savaitgalį į ryšulį susukti mano džinsai, sportbačiai ir drožiniai gulėjo garaže, ant lentynos. Tada, pagalvojęs, kad ten juos laikyti gal ir nėra itin saugu, nusprendžiau jų visiškai atsikratyti. Aš gi nekvailas: į milžinišką šiukšlių maišą įkišau ne tik džinsus, sportbačius ir gražiąsias savo statulėles – ten pat sugrūdau ir keletą drabužių, kuriuos kadaise ketinau išmesti. Tada stipriai užrišau tą maišą ir įmečiau jį į šiukšlių konteinerį. Aš net išvaliau savo šaldytuvą ir į konteinerį įmečiau dar vieną maisto atliekų pilną maišą – jame buvo ir pašvinkusio kinų maisto, ir sudžiūvusių picos gabalėlių, ir kavos nuosėdų, ir tie pažaliavę apelsinai.

Šiukšliavežė prie mano namų atvažiuoja antradieniais ir penktadieniais. Maniau, palikus tuos maišus šiukšlių konteineryje sekmadienio naktį, tikrai nenutiks nieko blogo. Iš kurgi galėjau žinoti, kad kažkoks bukagalvis nuspręs pasiknisti po mano dvokiančias šiukšles? Jokios abejonės, kad taip padarė tas landus policininkas, seržantas Erlis. Jis ir bus tas didvyris, kuris, pasikuitęs po šiukšles, rado mano džinsus, sportbačius ir drožinius. Žodžiu, jų ten nebėra. Ką gi, pripažįstu, kad užsitempdamas tas velvetines kelnes tokią karštą vasaros dieną taip pat pasielgiau ne itin genialiai. Seržantas tai pastebėjo. Jis net kažką apie tai pasakė.

Suskambėjo Čarlio namų telefonas. Staiga jam ėmė trūkti oro. Jis giliai įkvėpė ir atsiliepė:

– Klausau.

– Ar nusipirkai kitą telefoną?

– Tu man liepei nusipirkti, tai aš ir nusipirkau.

– Koks jo numeris?

– 973 555 0347.

– Aš netrukus tau paskambinsiu.

Čarlis užsivertė alaus butelį ir ištuštino jį iki dugno. Kai suskambo naujasis telefonas, Čarlis atsiliepė ir, užuot atkartojęs kelis kartus repetuotą pasiaiškinimo kalbą, nervingai išpyškino:

– Aš išmečiau savo sportbačius, džinsus ir drožinius į šiukšlių konteinerį. Kažkas juos iš ten ištraukė. Numanau, kad tai padarė tas pats policininkas, kuris penktadienį buvo pas mane užsukęs.

Įsivyravo tyla. Ji buvo gerokai kraupesnė už tas priekaištų tiradas, kurių Čarliui tekdavo kas kartą klausytis dėl to, kad ant Senojo Malūno tako namo durų išraižė kaukolę ir sukryžiuotus kaulus.

Balsas, kurį Čarlis netrukus išgirdo, buvo ramus.

– Kodėl įmetei tuos daiktus į šiukšlių konteinerį? – pasiteiravo jis Čarlio.

– Šiukšles būtų išvežę jau ryt. Jaučiausi nejaukiai laikydamas tuos daiktus garaže, – gindamasis paaiškino jis.

– Aš tavęs apie šiukšlių išvežimo grafiką neklausiau. Palikdamas tuos daiktus savo šiukšlių konteineryje ilgiau nei parai, pasielgei kaip tikras kvailys. Juk galėjai juos įmesti į kokios parduotuvės šiukšlių konteinerį – tuo viskas ir būtų pasibaigę. Įdėmiai klausykis ir pasistenk įsisąmoninti tai, ką aš tau dabar pasakysiu. Aš nežinau, kas nušovė Žoržetą Grouv. Bet jei policininkai turi įrodymų, kad Nolanų namus nusiaubei tu, jie apkaltins tave ir dėl Žoržetos mirties.

– Apkaltins *mus*, – įsiterpė Čarlis.

– Čarli, negrasink man. Nė neabejoju, kad tik kratos orderis suteikia teisę knistis po šiukšlių konteinerius ar juo labiau ką nors pasisavinti. Net jei tam policininkui pavyko rasti kokių nors įkalčių, jis jų prieš tave panaudoti negalės. Policija tegali bandyti palaužti tave psichologiškai. Taigi susirask advokatą. Kitaip neatsakinėk į jokius jų klausimus, žiūrėk man.

– Advokatą! Kas sumokės už jo paslaugas?

– Tu velniškai gerai žinai, kad aš. – Po trumpos pauzės tas pats balsas pridūrė: – Čarli, jei sugebėsi šįkart nesusimauti, tau daugiau niekada nereikės rūpintis dėl pinigų.

– Štai tokias naujienas man tikrai malonu girdėti, – atsakė Čarlis ir, spustelėjęs mygtuką, nutraukė pokalbį. Pajutęs nemažą palengvėjimą, jis nužingsniavo šaldytuvo link ir išsitraukė dar vieną butelį alaus. Jei džinsų ir sportbačių jie negali panaudoti kaip įkalčių, kaipgi jie mane apkaltins? Mano mažosios statulėlės, žinoma, liudija, kad aš esu talentingas drožėjas, tačiau tai toli gražu nereiškia, kad būtent aš ant tų durų išraižiau kaukolę ir sukryžiuotus kaulus.

Laikydamas rankoje alaus butelį, Čarlis išėjo į kiemą. Įėjęs į sandėliuką, jis ėmė dairytis aplinkui. Žoliapjovė, genėjimo mašina, grėbliai, kastuvai – visi šie ir daugelis kitų ten gulinčių sodininko įrankių jam priminė ilgas sunkaus ir baisiai nuobodaus darbo valandas, dienas, mėnesius ir metus.

„Visai netrukus aš pats kažkam mokėsiu už savo pievelės šienavimą", – pažadėjo sau Čarlis.

38

Pirmadienio vakarą Zakas leido Marčio bare. Krimsdamas sumuštinį ir mėgaudamasis svaigiaisiais gėrimais, jis svarstė, ar jau atėjo metas skambinti Tedui Kartraitui. Nuotrauka, kurią jis Tedui buvo išsiuntęs paštu, jau turėjo jį pasiekti. Jis ją tikrai turėjo gauti, tikino save Zakas. Vargu ar sekretorė galėjo pamanyti, kad šis jos įtakingajam viršininkui skirtas siuntinėlis nėra pakankamai svarbus.

Kairiajame apatiniame voko kampe Zakas buvo užrašęs „Konfidenciali informacija".

Šį užrašą jis raitė su milžinišku pasimėgavimu. Juk tai buvo taip manieringa. Prieš porą metų viena iš moterų, lankiusių pas Zaką jojimo pamokas, jam į klubą atsiuntė čekį – tąkart voką puošė štai tokia ranka rašyta pastaba. Nuo to laiko ant kiekvieno voko, net ant to, į kurį dėdavo sąskaitą už pokalbius telefonu, Zakas užrašydavo „Konfidenciali informacija".

Greičiausiai policija jau yra apklaususi Tedą Kartraitą dėl Žoržetos Grouv mirties, svarstė jis. Tedas siuto ant Žoržetos dėl to, kad ji trukdė jam plėsti statybų verslą, ir tai žinojo bene visi šio miestelio gyventojai. Nėra abejonių, kad policininkai Tedu dar labiau susidomėtų, jei staiga, prabilus sąžinei, toks Zakas Viletas imtų ir pasidalytų su jais savo prisiminimais.

Žinoma, taip nutiktų tik jei prokuroras jam pažadėtų neliečiamybę, apsaugą, ar kaip ten ji vadinama, priminė sau Zakas.

„Aš esu ta smulki žuvelė, kuri gali juos nuplukdyti pas ryklį", – mėgavosi jis įgauta įtaka.

Zakas nusprendė negerti trečios škotiško viskio taurės ir, sėdęs į automobilį, pasuko namų link. Namai! Butas, kuriame jis buvo įsikūręs, Zakui iš tiesų patiko. Nors jis nebuvo itin erdvus, Zakui vietos jame netrūko. Trys kambariai ir terasa, kurioje tomis dienomis, kai oras būdavo geras ir nereikėdavo dirbti, Zakas mėgdavo leisti laiką skaitinėdamas laikraščius ar žiūrėdamas nešiojamąjį televizorių. Šio malonumo jam, deja, teko atsisakyti. Praėjusiais metais, kai mirė apačioje gyvenusi senoji poniutė Poters, į tą butą įsikraustė gyventi jos duktė. Ji augino keturis vaikus, o vienas iš jų mušdavo būgnus. Tas nuolatinis iš jų buto sklindantis dundesys varė Zaką iš proto. Kartais jis net imdavo svarstyti, kad gal naujoji jo kaimynė moka savo vaikams už keliamą triukšmą. Ji norėjo užimti Zako butą, tačiau išmesti jo į gatvę negalėjo – Zakas buvo pasirašęs nuomos sutartį, kuri jam suteikė teisę tame bute gyventi dar dvejus metus.

Madisone Tedas stato kotedžus, pagalvojo Zakas. Jo vardas užrašytas ant visų statybos aikštelę juosiančių tvorų. Statybos netrukus bus baigtos, o tie namai atrodo tikrai neblogai. Jų ten septyniasdešimt ar aštuoniasdešimt. Būtų visai smagu turėti šiek tiek erdvesnį butą. Ir vietą automobiliui, priminė sau, kai, pagaliau pasiekęs namus, pamatė, kad laisvų vietų jau nebeliko. Naujosios namo šeimininkės vaikai į svečius vėl buvo pasikvietę gaują draugų.

Rasti vietą automobiliui Zakui pavyko kone už pusantro kvartalo nuo savo gatvės. Jis paniuręs paržingsniavo namo. Vakaras buvo šiltas ir, užlipęs laipteliais į namo prieangį, Zakas išvydo krūvą ten įsitaisiusių paauglių. „Sveikas, Zakai", – ištarė keli iš jų, tačiau jokio atsako nesulaukė. Zakas nė kiek neabejojo, kad, rakindamas duris, vedančias į antrame aukšte esantį butą, užuodė marihuanos kvapą. Laiptais jis lipo pamažu, vos pavilkdamas kojas ir tyčia vilkindamas laiką. Zakas vylėsi šįvakar surūkysiąs cigarą kitoje namo pusėje įrengtame prieangyje, savajame prieangyje, tačiau, žvilgtelėjęs į vidinį kiemą, pamatė dar daugiau vienas ant kito šaukiančių paauglių.

Zako neguodė mintis, kad neapsikentęs vienas iš kaimynų netrukus paskambins policijai. Jis buvo susierzinęs ir daugiau su tuo taikstytis neturėjo nė menkiausio noro. Zakas išsitraukė iš kišenės mobilųjį telefoną ir, padėjęs jį ant stalo, ėmė svarstyti, ar surinkti tą numerį. Jis jau buvo skambinęs Tedui prieš savaitę. Dažniausiai prieš kitą kartą su juo susisiekdamas palaukdavo šiek tiek ilgėliau. Bet šįkart buvo kitaip. Žoržeta juk negyva, tad Tedui dabar svyla padai, drąsino save Zakas.

Staiga iš pirmo aukšto ataidėjo būgnų dundesys ir Zakas net šoktelėjo. Pašnibždomis kartodamas vieną keiksmą po kito, jis ėmė rinkti Tedo mobiliojo telefono numerį...

– Telefonas šiuo metu yra už ryšio zonos ribų... Jei norite palikti balso pašto žinutę...

Sulaukęs kompiuterinio balso tirados pabaigos, Zakas prabilo:

– Tedai, gaila, kad man nepavyko tavęs pagauti. Žinau, esi labai nusiminęs dėl Žoržetos mirties. Neabejoju, kad tiesiog nerandi sau vietos. Tikiuosi, gerai mane girdi. Tas iš apačios sklindantis triukšmas mane varo iš proto. Man reikėtų susirasti naują būstą, gal ką nors panašaus į tuos tavo statomus namus. Tikiuosi, gavai dailiąją nuotrauką, kurią tau išsiunčiau. – Zakas jau ketino baigti, bet staiga jam toptelėjo viena mintis. – Tiesa, aš ką tik pradėjau mokyti jodinėti dar vieną ponią. Tai Selija Nolan – ta pati, kuri dabar gyvena tavo senajame name. Ji klausinėjo manęs apie tą Vilui Bartonui nutikusią nelaimę. Pagalvojau, kad tave ši naujiena sudomintų.

39

Visą pirmadienio vakarą svarsčiau, kaipgi turėčiau pasakyti Aleksui, kad noriu pasisamdyti advokatą. Kas kartą, kai susiruošdavau prabilti, žodžiai įstrigdavo man gerklėje. Po Spring Leike praleisto savaitgalio įtampa tarp mūsų buvo gerokai sumažėjusi ir aš norėjau, kad ši palaima truktų kuo ilgiau.

Grįždama iš jojimo pamokos, užsukau į maisto prekių parduotuvę. Ketlina, mano įmotė, net turėdama pustuštį šaldytuvą, sugebėtų iškelti tikrą puotą. Su ja varžytis tikrai negalėčiau, tačiau ruošti maistą patinka ir man. Gamindama valgį aš nusiraminu.

Kol manęs nebuvo, Džekas leido laiką su Sju, savo aukle. Juodu sutarė kuo puikiausiai. Kai grįžau namo, Džekas man išūžė ausis pasakodamas apie tai, kokius kaimynystėje gyvenančius vaikus jis sutiko tada, kai Sju vedžiojo ponį po apylinkes.

– Sutikau ir Bilį, kuris neverkia, – pasakė jis. – Mama, tu turi paskambinti Bilio mamai ir pasakyti, kad ryt iš darželio aš galėsiu ateiti pas jį pažaisti. Prisimeni?

Džekas padėjo man suminkyti miltų, sviesto ir pieno tešlą sausainiams, išdžiovinti salotų lapus, pagaminti kreminį padažą, kuriame ketinau apvolioti lašišą, o šparagus į keptuvę sudėjo net be mano pagalbos.

Kai pusę septynių grįžo Aleksas, mes visi trys kurį laiką paplepėjome svetainėje. Mudu su Aleksu išgėrėme po taurę vyno, o Džekas ištuštino stiklinę limonado. Tada visi nuėjome vakarieniauti į valgomąjį – jame prie stalo susėdome pirmą kartą. Aleksas mums papasakojo apie garbaus amžiaus klientę, kuri pagaliau užsuko pas jį pakeisti savo testamento.

– Dabar namą Hamptone paveldės jos sūnėno duktė, – paaiškino jis. – Neabejoju, kad dėl to giminėje kils trečiasis pasaulinis karas. Man atrodo, jog ta senučiukė kankindama savo giminaičius patiria malonumą. Bet kol ji moka man už paslaugas, aš su didžiausiu malonumu padėsiu jai žaisti šį žaidimą.

Aleksas jau buvo spėjęs užsivilkti sportinius marškinėlius ir rusvai žalsvas kelnes. Kaip visada, žiūrėdama į jį negalėjau liautis galvojusi, koks jis patrauklus. Aš dievinu jo rankas, jo ilgus, jautrius pirštus. Jei kas nors manęs paprašytų nupiešti chirurgo rankas, nupieščiau būtent jo rankas. Bet aš puikiai žinau, kokios jos stiprios. Jei niekaip negaliu atsukti stiklainio dangtelio, Aleksas tuoj pat man pagelbėja. Jam tereikia vos suktelėti dangtelį, ir stiklainis jau atidarytas.

Tai buvo įprasta smagi šeimos vakarienė. Kai pavalgėme, Aleksas pranešė, kad ryt po pietų jam teks išskristi į Čikagą ir praleisti joje bent vieną, gal dvi naktis. Jis turįs apklausti keletą žmonių, susijusių su byla. Išgirdusi šią naujieną, galima sakyti, pajutau palengvėjimą. Jei tas baisus žmogus vėl paskambins, Alekso čia nebus ir jis ragelio pakelti negalės. Ketinau susisiekti su daktaru Moranu, kuris mane anksčiau gydė. Daktaras Moranas jau kurį laiką mėgavosi užtarnautu poilsiu, tačiau jo telefono numerį aš turėjau. Man reikėjo jo patarimo. Paskutinį kartą su juo kalbėjau prieš ištekėdama už Alekso. Daktaras Moranas buvo mane perspėjęs, kad neatskleisdama Aleksui tiesos apie savo praeitį aš be galo rizikuoju. „Selija, Laris neturėjo jokios teisės iš tavęs to reikalauti", – tąkart paaiškino jis.

Jei dabar daktaras Moranas iš karto neatsilieps, aš galėsiu nesibaimindama palikti balso pašto žinutę ir paprašyti jo man atskambinti. Be to, bus puiki proga pasiteirauti jo, kaipgi turėčiau pranešti Aleksui apie savo ketinimus pasisamdyti advokatą.

Apie visa tai galvojau guldydama Džeką į lovą. Paskaičiau jam pasaką, tada leidau kurį laiką pačiam pavartyti pasakų knygą – kol ateis laikas gesinti šviesą.

Kambarys, kuriame bent jau kol kas buvo įsikūręs Džekas, kadaise buvo mano. Nors jis gana didelis, lovą tegalėjome pastatyti vienoje vietoje – palei ilgą sieną tarp dviejų langų. Kai krovėjai nešė daiktus į šį kambarį, aš paprašiau jų pastatyti Džeko lovą palei kitą sieną, tačiau toks baldų išdėstymas pasirodė keistokas.

Visi mano vaikystės baldai buvo baltos spalvos – kuo puikiausiai tinkančios mergaitės kambariui. Lovatiesė ir užuolaidos buvo žydros ir baltos spalvų. Džeko baldai buvo išdrožti iš klevo, itin tvirti – tokie, kokie labiausiai tinka berniukui. Jo lovą buvau užklojusi lovatiese iš skiautinių, kurią pasiuvau jo laukdamasi. Ji buvo itin žaisminga, kelių spalvų – raudonos, geltonos, žalios ir mėlynos. Kas kartą, kai kamšau ja užmigusį Džeką, prisimenu tą džiaugsmą, kurį patyriau siūdama šį apklotą. Prisimenu tuos laikus, kai vyliausi visą gyvenimą išlikti Selija Kelog Foster.

Prieš nulipdama žemyn aš kurį laiką stovėjau tarpduryje ir apžiūrinėjau šį kambarį. Galvojau apie tas dienas, kurias, būdama Džeko amžiaus, praleidau jame skaitydama knygą – laiminga, saugi, nė nenujaučianti, kokia ateitis manęs laukia.

O kokia ateitis laukia Džeko? Tada, būdama jo amžiaus, aš nė susapnuoti negalėjau, kad praėjus keleriems metams mano mama žus nuo mano rankos, o gal net dėl mano kaltės. Taip, tai buvo nelaimingas atsitikimas, tačiau aš nužudžiau, aš žinau, kaip atrodo mirštantis žmogus. Mano mamos akys sustingo. Jos kūnas sulinko. Kai ji sužiopčiojo, pasigirdo tylus gurguliavimas. O tada, kai iš pistoleto vis dar skriejo kulkos, kai Tedas vis dar šliaužė grindimis, stengdamasis mane pasiekti, mano mama susmuko ant kilimo, o jos ranka nukrito ant mano kojos.

Tai buvo pamišėliškos, akis temdančios mintys. Lipdama laiptais pajutau visa nustelbiantį poreikį apsaugoti sūnų. Jam taip patinka atsiliepti telefonu. Kas gi nutiktų, jei jis išgirstų tą kimų, apie Mažąją Lizę kalbantį balsą? Dėl tos istorijos su poniu jis jau žino, kad Lizė buvo labai bloga mergaitė. Žinau, kad suvokia, nors ir nesąmoningai, kad šis vardas reiškia kraupią istoriją. Nusiaubti naujieji mūsų namai, neišdildomas įspūdis, kurį jam padarė atūžiančios policijos mašinos, žurnalistai, galiausiai greitoji pagalba – visa tai turėjo jį paveikti. Atrodytų, jam nieko blogo nenutiko, tačiau kas gi iš tiesų vyksta toje mažytėje protingoje galvelėje?

Norėdama atsikratyti šių tamsių minčių, prisiverčiau prisiminti tą šilumą, kuria mes trise dalijomės sėdėdami prie vakarienės stalo. Šiek tiek atsigavusi, pasukau virtuvės link. Aš turėjau eiti migdyti Džeko, tad Aleksas buvo pasisiūlęs nurinkti nuo stalo indus ir sudėti juos į indaplovę.

– Pačiu laiku, – pamatęs mane su šypsena veide ištarė jis. – Espreso kava jau paruošta. Nusineškime ją į svetainę.

Atsisėdome šalia židinio, į vienas priešais kitą stovinčius krėslus. Nuojauta man kuždėjo, kad Aleksas nori apie kažką pasikalbėti.

– Kada Džekas turi išjungti šviesą? – paklausė jis.

– Pusę devynių. Bet tu gi žinai, kaip būna. Jis ims snausti gerokai anksčiau.

– Vaikai maldauja leisti dar kurį laiką neiti miegoti, o gavę leidimą panaktinėti užmiega vos padėję galvą ant pagalvės. Niekaip prie to nepriprantu. – Aleksas į mane įdėmiai pažvelgė ir aš akimirksniu supratau, kad kažkas nutiko. – Selija, šeštadienį bus pristatytas mano pianinas, – pranešė jis.

Man dar nespėjus pradėti prieštarauti, Aleksas mostelėjo ranka, prašydamas jį išklausyti.

– Selija, man tikrai trūksta pianino. Nuo to laiko, kai, atsisakęs savo buto, aš perkėliau jį į sandėlį, praėjo jau šeši mėnesiai. Tau gali pasisekti rasti kitą namą jau rytoj, tačiau tai gali įvykti ir po metų. Net jei tau pavyktų netrukus rasti mums naujus namus, tikimybė, kad mes iš karto galėsime į juos įsikraustyti, gana menka.

– Tu nori likti čia, šiuose namuose, tiesa? – paklausiau.

– Taip, Selija. Noriu. Žinau, kad, turėdama tokį talentą, sugebėtum juos paversti gražiais, jaukiais namais. Dėl visa ko galėtume apjuosti šį namą apsaugine tvora, kad tie chuliganų išpuoliai nebepasikartotų.

– Bet žmonėms šis namas visada bus Mažosios Lizės namas, – paprieštaravau.

– Selija, aš žinau, kaip mes galėtume tai pakeisti. Skaičiau keletą knygų apie šių apylinkių istoriją – ne vienas šiame užmiestyje kadaise gyvenęs žmogus buvo suteikęs savo namui pavadinimą. Mūsų namas anksčiau buvo vadinamas Viršukalvės namu. Pradėkime jį vėl taip vadinti ir pakabinkime ant namo vartų apie tai skelbiančią lentelę. Kai jau būsime visiškai įsikūrę, galėsime surengti kokteilių vakarėlį. Išsiųsime žmonėms kvietimus su šio namo nuotrauka siūlydami jiems smagiai drauge praleisti laiką Viršukalvės name. Pamažu šis vardas namui ir priliptų. Ką apie tai manai? – Matyt, į šį klausimą atsakė mano veido išraiška. – Ką gi, tiek jau to, – atsiduso Aleksas. – Šiaip ar taip, greičiausiai tai buvo niekam tikęs sumanymas. – Pakilęs iš krėslo, jis pridūrė: – Tačiau šeštadienį pianinas mums bus atvežtas.

Kitą rytą Aleksas su manimi atsisveikino paskubomis pabučiuodamas.

– Važiuoju pajodinėti. Klube pališiu po dušu ir persirengsiu. Vakare paskambinsiu tau iš Čikagos.

Nežinau, ar jis įtarė, kad aš beveik visą naktį nesudėjau bluosto. Aleksas į miegamąjį atėjo valanda vėliau nei aš. Į lovą jis atsigulė itin atsargiai, matyt, įsitikinęs, kad aš jau miegu. Jis net nepabučiavo manęs, nors apsikeitimas bučiniais jau buvo tapęs mūsų naktiniu ritualu.

Nuvežusi Džeką į lopšelį, aš, kaip visada, užsukau į kavinę. Joje su drauge sėdėjo ir Sintija Greindžer – ta pati moteris, kuri praėjusią savaitę mane užkalbino. Pamačiusi mane, ji priėjo ir pasiūlė sėstis prie jų. Nors šis sumanymas manęs pernelyg nemasino, sutikau. Sintija man iš karto patiko. Be to, tai buvo palanki proga sužinoti, ką apie Žoržetos mirtį ir apie tai, kad jos lavoną radau aš, kalba vietos žmonės.

Pareiškusi užuojautą dėl to, ką man teko patirti Olandų gatvės name, Sintija prasitarė, kad didžioji miestelio bendruomenės dalis įsitikinusi, jog Žoržetos mirtis vienaip ar kitaip yra susijusi su Tedu Kartraitu.

– Žmonės visada kalbėjo, kad Tedas panašus į nusikaltėlį, – paaiškino man Sintija. – Aš jokiu būdu neteigiu, kad jis ir yra nusikaltėlis, tačiau nė kiek neabejoju, jog jo žavinga išvaizda slepia iš tiesų apsukrų tipą. Girdėjau, kad praėjusio penktadienio popietę į Tedo biurą buvo užsukę ir žmonės iš prokuratūros.

Tai išgirdusi, pajutau palengvėjimą, bet, kaip visai netrukus paaiškėjo, be reikalo. Prokuroras įtaria, kad su Žoržetos Grouv žmogžudyste susijęs Tedas Kartraitas. Vadinasi, galėjau ir klysti, manydama, kad detektyvas Volšas dėl jos įtaria mane. Galbūt jiems abiem aš iš tiesų atrodau tik chuliganų išpuolio auka, poniutė iš Niujorko, kuriai nepasisekė net du kartus – iš pradžių įsigijau tokį namą, o paskui dar aptikau žmogžudystės auką.

Li Vuds, moteris, su kuria Sintija sėdėjo kavinėje, iš Manhatano į Mendamą buvo atsikrausčiusi tik praėjusiais metais. Pasirodė, kad viena iš jos draugių, Džina Simons, buvo mano klientė. Jos butas, kurį aš padėjau įrengti dar prieš ištekėdama už Lario, Li buvo padaręs neprastą įspūdį.

– Tai jūs ir esate Selija Kelog, – kreipėsi ji į mane. – Man nepaprastai patiko, kaip jūs pakeitėte Džinos namus, o ji pati iki šiol tiesiog apsvaigusi iš laimės. Nieko sau atsitiktinumas. Aš kaip tik ruošiuosi atnaujinti mūsų butą ir paprašiau Džinos duoti man jūsų telefono numerį. Kai juo paskambinau, jūsų asistentė man pasakė, jog jūs dabar auginate vaiką, tad naujų užsakymų nebepriimate. Nejaugi tai yra tiesa?

– Na, ilgai taip netruks. Anksčiau ar vėliau aš vis tiek čia įsikursiu.

Aš ir vėl buvau Selija Kelog, interjero dizainerė. Ir jaučiausi taip gerai. Sintija ir Li man net rekomendavo namų tvarkytoją, kurios ilgalaikis darbdavys buvo beišsikraustantis į Šiaurės Karoliną. Aš padėkojau ir užsirašiau jos telefono numerį. Staiga, mums pakilus nuo staliuko, mane apėmė keista nuojauta, kad esu stebima. Atsisukusi išvydau prie gretimo stalelio sėdintį vyrą.

Tai buvo detektyvas Volšas.

40

Antradienį trečią valandą Džefris Makingslis paprašė savo sekretorės Anos pasirūpinti, kad telefonu jo niekas netrukdytų. Prokuroras buvo gerokai suirzęs ir sunkiai nusėdėjo vienoje vietoje. Vidurdienį į jo kabinetą užsukęs Polas Volšas pranešė, kad visą rytą praleido sekiodamas paskui Seliją Nolan. „Kai Selija Nolan pamatė mane kavinėje, jai gerokai atvipo žandikaulis, – dalijosi jis įspūdžiais. – Ji nuvažiavo į Bedminsterį įsigyti jojiko drabužių, o aš – iš paskos. Selija Nolan nieko nepastebėjo. Iš parduotuvės ji išėjo nešina krūva dėžių. Jau pamaniau, kad ponią Nolan ištiks širdies smūgis, kai ji pamatė, jog šalia jos automobilio stovi ir manasis, o jame, žinoma, ir aš. Žinojau, kad ji važiuos pasiimti vaiko iš darželio, tad ją paleidau, tačiau rytoj vėl ketinu painiotis jai po kojomis."

Tai pasakęs, jis į mane pažvelgė tiesiog prašydamas nušalinti jį nuo šios bylos, tačiau kol kas aš to nedarysiu, nusprendė Džefris. Šiuo metu nei Žoržetos Grouv žmogžudystės tyrimas, nei Senojo Malūno tako namo byla net nejuda iš vietos.

O tie vadinamieji „grasinimai", kuriuos žmonės girdėjo tą vakarą, kai Tedas Kartraitas kalbėjosi su Žoržeta Grouv „Juodojo arklio" užeigoje? Vargu ar tai būtų galima laikyti grasinimais ar perspėjimais, juk Tedas tik atsakė į žodinį Žoržetos išpuolį. Žinoma, tai jokiu būdu nereiškia, jog aš manau, kad Tedas yra nekaltas, svarstė Džefris. Toli gražu.

Džefris išsitraukė bloknotėlį, kurį visur nešiodavosi, ir atvertė švarų puslapį. Tyrimo pradžioje Džefriui kur kas geriau sekdavosi dėlioti mintis, jei visus su byla susijusius faktus jis apmąstydavo vienumoje.

Kas galėjo norėti nužudyti Žoržetą? Du žmonės, ir vienas iš jų buvo Tedas. Kitas žmogus buvo Henris Palis. Džefris užsirašė abu vardus ir juos pabraukė. Trečiadienio rytą Tedas praleido jodinėdamas. Gali būti, kad tądien jis išsuko iš kelio ir nujojo taku, kuris vingiuoja to Olandų gatvės namo link. Tedas galėjo kurį laiką palūkuriuoti ir vėliau nusekti paskui Žoržetą į namą – moteris juk tikėjosi sulaukti Selijos Nolan, tad namo durų neužrakino.

Džefris suprato, kad ši teorija turi vieną spragą – kaip Tedas galėjo žinoti, kad tą rytą Žoržeta aprodys namą Selijai Nolan? Be abejo, apie tai jam galėjo užsiminti naujas draugužis Henris, tačiau vis tiek sunku atsakyti į klausimą, kodėl Tedas nė nesuabejojo, kad Žoržeta į tą namą atvažiuos viena. Juk Žoržeta galėjo drauge atsivežti Seliją Nolan. Kaip Tedas galėjo sužinoti, kad taip neįvyko? O jei tos dvi moterys vis dėlto būtų tenai atvažiavusios drauge, ar Tedas būtų jas abi ir nužudęs? Vargu, padarė išvadą Džefris.

Henris Palis yra tas žmogus, kurį su abiem nusikaltimais susieti lengviausia, pagalvojo Džefris, apibraukdamas užrašų knygelėje Henrio vardą. Henris jau patvirtino, jog žinojo, kad Žoržeta buvo sutarusi pasimatyti su Selija Nolan Olandų gatvės name. Jis galėjo ten patykoti, tada nusekti paskui Žoržetą, nužudyti ją ir pasprukti iš nusikaltimo vietos dar prieš pasirodant Selijai Nolan. Henrį nužudyti Žoržetą galėjo paskatinti ne tik pinigai, bet ir baimė būti demaskuotam. Jei Žoržeta būtų išsiaiškinusi, kad Henris Palis prisidėjo prie išpuolio Nolanų namuose, jam būtų grėsusi laisvės atėmimo bausmė. Henris tai gerai žinojo.

Henris turėjo motyvą ir galimybę nužudyti Žoržetą, padarė išvadą Džefris. Gali būti, kad jis nusiaubė Nolanų namą tikėdamasis sutrikdyti Žoržetą ir vildamasis, jog Nolanai paduos ją į teismą, o galiausiai viskas baigsis tuo, kad jo verslo partnerė sėdės gilioje finansinėje duobėje. Henris žinojo, kad Žoržeta taip ir neišdrįso atskleisti visos tiesos apie namą Selijai Nolan. Bet Žoržeta, apsilankiusi Olandų gatvės name ir išvydusi raudonais dažais aptaškytas grindis, ėmė uždavinėti klausimus. Džefris dar kartą pabraukė Henrio vardą.

Henris Palis neneigė ketvirtadienį ryte buvęs netoli to Olandų gatvės namo, kuriame buvo nužudyta Žoržeta, prisiminė Džefris. Vienas iš tos pačios gatvės namų ketvirtadienį buvo aprodomas nekilnojamojo turto agentams. Jo durys buvo atrakintos devintą valandą ryto. Andželo kalbinami nekilnojamojo turto agentai prisiminė, kad maždaug penkiolika po devynių šiame name matė ir Henrį Palį. Tą Olandų gatvės namą, kuriame buvo įvykdyta žmogžudystė, Selija Nolan pasiekė be penkiolikos minučių dešimtą. Vadinasi, Henris turėjo penkiolika ar dvidešimt minučių nusigauti mišku iki to kito namo, nušauti Žoržetą, grįžti į tą vietą, kur buvo palikęs automobilį, ir išvažiuoti.

Bet jei Henris ir yra žudikas, kas gi nusiaubė Nolanų namą? Ką jis pasamdė? Pats Henris vargu ar būtų sugebėjęs iškrėsti tokią šunybę, svarstė Džefris. Tos dažų skardinės buvo nelengvos. O namas išterliotas gana aukštai – Henris negalėjo ten užtėkšti dažų, jis pernelyg žemo ūgio. Negana to, raižiniai ant durų padaryti įgudusia ranka.

Vis dėlto daugiausia klausimų Džefriui kėlė Žoržetos rankinėje rasta Selijos Nolan nuotrauka. Kodėl ji buvo ten palikta? Kodėl nuo jos buvo nuvalyti visi pirštų atspaudai? Žoržeta, be abejo, galėjo pati išsikirpti šią nuotrauką iš laikraščio, pagalvojo jis. Gal ji norėjo turėti nuolatinį priminimą apie tai, kaip Seliją Nolan sukrėtė tas chuliganų išpuolis. Bet Žoržeta nebūtų valiusi pirštų atspaudų. Tai tyčia padarė kažkas kitas.

O ta laikraščio iškarpa, kurią Selija Nolan rado kitą dieną po išpuolio? Ta sena Bartonų šeimos nuotrauka, kurią ji ketino paslėpti? Suprantama, Selija tenorėjo išvengti viešumo, šurmulio, tačiau tuo metu jai gerokai didesnį rūpestį turėjo sukelti faktas, kad kažkoks negerų kėslų turintis žmogus netrukdomas vaikštinėjo po jai priklausančią teritoriją. Gali būti, kad ta moteris tiesiog dar nebuvo spėjusi visko apgalvoti. Ji buvo ką tik radusi tą nuotrauką. Apie ją dar nebuvo spėjęs sužinoti net jos vyras.

Dvi nuotraukos. Viena – Bartonų šeimos, kita – Selijos Nolan. Viena tyčia priklijuota prie baslio. Nuo kitos buvo kruopščiai nuvalyti visi pirštų atspaudai – bet kuris nors vieną serialo apie policininkus dalį pažiūrėjęs žmogus žino, kad tokie dalykai detektyvams pro akis nepraslysta.

Žvilgtelėjęs į savo užrašų knygelę, Džefris išvydo keverzonėmis išmargintą puslapį. Įskaitomi tebuvo trys žodžiai: „Tedas", „Henris" ir „nuotraukos". Suskambo telefonas. Džefris buvo paprašęs Anos trukdyti jį tik jei skambutis bus iš tiesų svarbus.

– Klausau, Ana, – ištarė jis pakėlęs ragelį.

– Jums skambina seržantas Erlis. Tvirtina, kad labai svarbiu klausimu. Jis murkia taip, lyg būtų ką tik kanarėlę prarijęs katinas.

– Sujunk. – Išgirdęs tylų spragtelėjimą, Džefris vėl prabilo: – Sveikas, Klaidai. Kas atsitiko?

– Džefri, aš vis svarsčiau, kas galėjo pasidarbuoti Mažosios Lizės name.

Nejaugi jis tikisi, kad tai išgirdęs pulsiu klausinėti, pagalvojo Džefris.

– Klaidai, ką tu nori pasakyti?

– Aš ne noriu, o jau sakau. Tada ėmiau ir uždaviau sau klausimą: kas gi dar, išskyrus nekilnojamojo turto agentus, galėjo netrukdomas pasinaudoti tais raudonais dažais? Na, pats žinai, tais, kurie buvo gauti sumaišius raudonus „Benjamin Moore" dažus su degintos umbros spalvos dažais.

Jis kažką atkapstė, pagalvojo Džefris. Na, pritarimo šūksniais aš jo tikrai neskatinsiu. Suprasdamas, kad Klaidas laukia jo susižavėjimo kupino atsako, Džefris neprataarė nė žodžio.

Nesulaukęs norimos reakcijos, Erlis šiek tiek luktelėjęs vėl prabilo, tik jau šiurkštesniu balsu:

– Aš prisiminiau tą sodininką, Čarlį Hačą. Juk jis galėjo į tą Olandų gatvės namą patekti bet kuriuo paros metu, ir niekas to nebūtų pastebėjęs. Čarlis Hačas buvo atsakingas už tai, kad tie namai blizgėtų: valydavo dulkes, šluodavo. Taigi žinojo ir apie sandėliuke laikomas dažų skardines.

Džefrio kantrybė ėmė sekti.

– Na, prie reikalo, – ėmė raginti seržantą.

– Žodžiu, praėjusio penktadienio popietę su juo šiek tiek pasišnekučiavau. Vos Čarlis atidarė duris, pajutau, kad jis labai nerimauja. Džefri, ar pameni, kaip karšta buvo to penktadienio popietę?

– Pamenu. Kodėl tau pasirodė, kad Čarlis Hačas nerimauja?

Dabar, pagaliau iš tiesų sulaukęs prokuroro dėmesio, seržantas Erlis nė neketino leistis skubinamas.

– Pirmiausia man į akį krito tai, kad Čarlis vilkėjo šiltas velvetines kelnes. Man tai iškart sukėlė įtarimą. Be to, jis avėjo, – na, bent jau jam taip atrodė, – puošnius batus. Tiksliau, ištampytus įsispiriamus batus. Kai atkreipiau į tai dėmesį, jis ėmė mane tikinti, kad tuo metu, kai aš įsukau į kiemą, jis jau buvo nusirengęs ir ėjo į dušą. Esą išvydęs mane pagriebė po ranka pasipainiojusias velvetines kelnes ir įsispyrė į tuos batus, kad būtų greičiau. Bet aš šia pasakaite nepatikėjau. Man iš karto pasidarė smalsu, kurgi jo darbinės kelnės ir batai.

Tai išgirdęs, Džefris stipriau suspaudė telefono ragelį. Ant Čarlio Hačo kelnių ir batų galėjo likti dažų žymių, pagalvojo jis.

– Taigi šį rytą aš nuvažiavau prie Čarlio Hačo namų, tikėdamasis sulaukti šiukšlių atvažiuojančio vyruko. Žinojau, kad nuo praeito mano apsilankymo, tai yra nuo penktadienio popietės, Čarlio šiukšlės dar nebuvo išvežtos. Pagalvojau, kad Čarlis gali būti pakankamai kvailas ir išmesti visus įkalčius į savo paties šiukšlių konteinerį. Šiukšliavežės man teko laukti apie pusvalandį. Kai ji pagaliau pasirodė, aš palaukiau, kol šiukšlininkas paėmė maišus ir pasišalino iš Čarliui priklausančios teritorijos. Jis jau ketino mesti tuos šiukšlių maišus į mašiną. Bent jau man atrodo, kad nuo tos akimirkos tie maišai oficialiai tapo apleista privačia nuosavybe. Aš paprašiau šiukšlininko, arba kaip jis pats save vadina, buitinių atliekų specialisto, atrišti Čarlio maišus. Jis juos atrišo ir spėk, ką gi mums pavyko rasti viename iš dviejų maišų po krūva senų megztinių ir marškinėlių? Ogi džinsus su raudonų dažų dėme, kairį sportbatį su raudonų dažų pėdsakais ant pado ir galiausiai nedideles mielas iš medžio išdrožtas figūrėles su inicialais Č ir H ant dugno. Pasirodo, laisvalaikiu Čarlis drožinėja. Visi šie daiktai dabar guli mano kabinete.

Mendamo policijos komisariate prie savo stalo sėdintis Džefrio Makingslio pašnekovas plačiai nusišypsojo. Jis nė neketino prokurorui užsiminti apie tai, kad šiandien ketvirtą ryto, kai lauke buvo dar tamsu, jis buvo vėl nuvažiavęs prie Čarlio Hačo namų ir visus tuos daiktus sukišo į tą patį maišą, kuriame juos anksčiau rado. Maiše, tarp senų Čarlio Hačo išmestų drabužių, įkalčiai gulėjo tol, kol juos iš ten dar kartą ištraukė prie Čarlio namų pasirodęs šiukšlininkas. Viskas vyko būtent taip, kaip Klaidas ir buvo suplanavęs – įkalčiai buvo dar kartą rasti stebint patikimam liudytojui. Ponui buitinių atliekų specialistui.

– Šiukšlininkas dalyvavo tau kraustant maišus ir žinojo, kad tie maišai priklausė būtent Čarliui Hačui? – pasiteiravo Džefris. Prokuroro balsas rodė, kad jis nuoširdžiai nustebęs. Klaidas Erlis neabejojo, kad kaip tik tokios reakcijos jis ir nusipelnė.

– O kaipgi, – atsakė detektyvas. – Taip ir buvo. Jis nusinešė tuos maišus prie šiukšliavežės, kurią buvo pastatęs priešais Čarlio Hačo namą. Apsidrausdamas aš liepiau jam atidžiau apžiūrėti porą medinių figūrėlių ir įsitikinti, kad ant jų iš tikrųjų išraižyti inicialai Č ir H.

– Klaidai, tu ir pats puikiai supranti, kokią pažangą padarei, – atsakė Džefris. – Gerai padirbėjai. Kur Čarlis dabar?

– Turbūt dirba pas ką nors sode.

– Nusiųsime jo drabužius į valstijos laboratoriją. Jie, žinoma, patvirtins, kad Čarlio kelnės suteptos tais pačiais dažais, kuriuos naudojo ir Nolanų namuose siautėję vandalai. Bet tai gali užtrukti dieną ar dvi, o aš laukti nesu nusiteikęs. Manau, įrodymų mums ir taip netrūksta. Aš kreipsiuosi į teisėją dėl leidimo suimti jį už chuliganizmą ir mes nieko nelaukdami tai padarysime. Klaidai, nė nežinau, kaip tau dėkoti.

– Džefri, mano galva, kažkas pasamdė Čarlį sudarkyti Senojo Malūno tako namą. Tas vyrukas nepanašus į žmogų, kuris ką nors panašaus galėtų sumąstyti pats.

– Aš tau pritariu. – Džefris padėjo ragelį ir spustelėjo vidinio telefono mygtuką. – Ana, užsuk pas mane. Noriu padiktuoti kreipimąsi.

Kai telefonas vėl suskambo, Ana prie Džefrio darbo stalo iš nekantrumo sėdėjo kaip ant adatų.

– Ana, atsiliepk, – paprašė jos Džefris. – Ir pasirūpink, kad aš tą suėmimo orderį gaučiau kuo greičiau.

Skambino Klaidas Erlis.

– Su mumis ką tik susisiekė pagalbos telefono operatorė. Šoko apimta Šiphilo gatvėje gyvenanti moteris jai pranešė šiaurinėje savo sklypo pusėje aptikusi samdomą sodininką Čarlį Hačą. Ta moteris tvirtina, kad jam buvo šauta į galvą. Greičiausiai jis negyvas.

41

Antradienį pusę pirmos Henris Palis išskubėjo iš savo kabineto. Netrukus „Juodojo arklio" užeigoje jis turėjo susitikti su Tedu Kartraitu. Tedas pats jam paskambino ir primygtinai siūlė drauge papietauti. Vos įžengęs pro užeigos duris, Henris nužvelgė visą salę – juk prie vieno iš staliukų galėjo sėdėti ir detektyvas Šelis ar detektyvas Ortisas. Savaitgalį ir Mortas Šelis, ir Andželas Ortisas buvo užsukę į Henrio kabinetą pasitikslinti, ką Žoržeta jam pasakė patį paskutinį vakarą. Jiems itin rūpėjo, ar Henris Palis bent numano, ką Žoržeta galėjo turėti omenyje tardama tuos Robinos nugirstus žodžius: „Dieve mano, niekas neturi sužinoti, kad aš ją atpažinau."

Pasakiau jiems, kad neturiu supratimo, ką gi Žoržetai pavyko atpažinti, prisiminė Henris. O jie abu elgėsi taip, lyg meluočiau.

Kaip paprastai, beveik prie visų užeigos staliukų sėdėjo žmonės. Henriui gerokai palengvėjo, kai jis įsitikino, kad nei Šelio, nei Ortiso čia vis dėlto nėra. Tedas Kartraitas jau buvo įsitaisęs prie vieno iš kampe pastatytų staliukų. Nors Tedas buvo išsirinkęs vietą, kur galėjo sėdėti nusukęs veidą į sieną, Henris jį iš karto atpažino – Tedą išdavė balti plaukai. Greičiausiai pirmą viskio taurę jis jau bebaigiąs gerti, pagalvojo Henris, besiirdamas pro lūkuriuojančius žmones.

– Tedai, kaip tau atrodo, ar geras sumanymas susitikti čia? – pasiteiravo Henris ir, atsitraukęs kėdę, taip pat atsisėdo.

– Sveikas, Henri. Iš pradžių atsakysiu į tavo klausimą: taip, man atrodo, kad šis sumanymas yra tiesiog genialus, – prabilo Tedas. – Juk tu esi sklypo 24-ojoje gatvėje dalininkas. Vadinasi, nieko neturėtų stebinti tai, kad susitinki su žmogumi, kuris tą sklypą norėtų įsigyti. Žinoma, būtų buvę smagu, jei Žoržeta – o vėliau dar ir prokuroras – nebūtų radę to popiergalio apie mūsų bendradarbiavimo sąlygas. Bet ką jau dabar padarysi.

– Matau, kad dėl tų mano užrašų kremtiesi kur kas mažiau nei anądien, – atsakė Henris ir staiga apsižiūrėjo, kad greta jo jau kuris laikas stovi padavėjas. – Prašyčiau taurės „Merlot" vyno.

– Na, jei jau atėjote, atneškite man to paties, – užsisakė Tedas. Kai padavėjas ištiesė ranką norėdamas paimti nuo stalo viskio taurę, Tedas gerokai suirzo. – Aš dar nebaigiau, nelieskite, – suurzgė.

Tedas alkoholio pamažu niekada nesiurbčiodavo, tačiau tokia sparta neįprasta net jam, pagalvojo Henris. Matyt, jis nėra toks ramus, koks bando apsimesti.

Tedas pažvelgė į priešais sėdintį Henrį.

– Aš jaučiuosi šiek tiek geriau ir pasakysiu kodėl. Aš pasisamdžiau advokatą. Ir šiandien mes drauge pietaujame ne vien tam, kad parodytume žmonėms, jog tikrai neturime ko slėpti. Norėjau pasiūlyti tau taip pat pasisamdyti advokatą. Prokuratūra dega noru ištirti šią bylą, o viena iš versijų, kurią jie neabejotinai tirs, bus tokia, kad mudu sutarėme atsikratyti Žoržetos. Jie stengsis įrodyti, kad vienas iš mūsų arba ją nušovė, arba pasamdė ką nors tai padaryti.

Henris spoksojo į Tedą, kol padavėjas atnešė jiems gėrimus. Gurkštelėjęs „Merlot", jis, atsargiai rinkdamas žodžius, kreipėsi į Tedą:

– Aš nė nepagalvojau, kad policija gali mane įtarti dėl Žoržetos žmogžudystės. Ką gi, turiu būti atviras – dėl jos mirties aš pernelyg nesielvartauju. Kadaise Žoržeta man iš tiesų patiko, tačiau bėgant metams ji darėsi vis nesukalbamesnė, tu ir pats gerai žinai. Bet aš niekada nesugebėčiau ko nors nuskriausti, ne toks žmogus esu. Aš net nesu rankose laikęs ginklo.

– Ar tu čia savo ginamąją kalbą repetuoji? – atkirto Tedas. – Jei taip, veltui švaistai laiką. Henri, aš gerai pažįstu tokius žmones kaip tu. Tu gi veidmainis. Ar tu esi prikišęs nagus prie Senojo Malūno tako namo? Manęs tai nė kiek nenustebintų.

– Gal užsisakome valgio? – pasiūlė Henris. – Šią popietę esu sutaręs aprodyti klientams keletą namų. Keista, kad po Žoržetos mirties mūsų verslas tiesiog atsigavo. Į mūsų agentūrą nei iš šio, nei iš to užsuko keli žmonės, kurie norėtų įsikurti šiose apylinkėse.

Abu vyrai nutilo ir nepratarė vienas kitam nė žodžio, kol padavėjas atnešė užsakytus žlėgtainius. Tada, lyg tęsdamas ką tik nutrūkusį pokalbį, Henris prabilo:

– Tedai, aš įkalbėjau Žoržetos sūnėną parduoti tą sklypą 24-ojoje gatvėje. Taigi būčiau dėkingas, jei su manimi būtų atsiskaityta taip, kaip mudu ir tarėmės. Jei neklystu, mes kalbėjome apie šimtą tūkstančių dolerių.

Šakutė, kurią laikė Tedas, sustingo pakeliui į jo burną.

– Tu *gi* juokauji, – pasakė jis.

– Ne, nejuokauju. Tu man buvai davęs žodį ir aš tikiuosi, kad jo laikysiesi. Mes buvome dėl to sutarę.

– Mes buvome sutarę, kad tu įkalbėsi Žoržetą parduoti.

– Taigi. Vadinasi, susitarimas vykdomas – tas sklypas parduodamas. Žinai, aš lyg ir tikėjausi, kad tu staiga panorėsi nesumokėti man pinigų, kuriuos buvai pažadėjęs. Savaitgalį paskambinau Žoržetos turto paveldėtojui Tomui Medisonui ir atkreipiau jo dėmesį į tai, kad nors tavo pasiūlymas gana neblogas, pastaraisiais metais į mus buvo kreipęsi ir keli kiti galimi šio sklypo pirkėjai. Pasisiūliau su jais susisiekti ir pasidomėti, ar yra galimybė atnaujinti derybas.

– Tu blefuoji, – atsakė Tedas. Buvo matyti, kad jis jau niršta.

– Tedai, aš tikrai neblefuoju. O štai tu tikėjaisi mane apmausiąs. Tu drebi iš baimės, nes gali būti suimtas dėl Žoržetos žmogžudystės. Tu jodinėjai netoli to Olandų gatvės namo, kuriame buvo įvykdytas nusikaltimas. Esi garbingas Valstybinės šaulių asociacijos narys ir turi leidimą laikyti šaunamąjį ginklą. Žoržetos mirties išvakarėse tu su ja susivaidijai – čia pat, „Juodojo arklio" užeigoje. Tai ką aš turėčiau daryti – skambinti kitiems galimiems sklypo 24-ojoje gatvėje pirkėjams ar tikėtis, kad per dvidešimt keturias valandas mane pasieks tavo čekis? – Henris atsistojo nelaukdamas atsakymo. – Tedai, aš tikrai turiu bėgti į agentūrą. Dėkui už pietus. Tiesa, gal patenkinsi mano smalsumą? Kaip tau sekasi su Robina? Vis dar su ja susitikinėji ar nusprendei, kad tai, kas vyko pernai, vertėtų palikti praeityje?

42

Lorena Smit buvo ta persigandusi moteris, dėl kurios skambučio pagalbos telefonu ant kojų sukilo ne tik policija, bet ir greitosios pagalbos medikai, medicinos ekspertai, žiniasklaida ir prokuratūros tyrėjų komanda. Taip pat pats Moriso apygardos prokuroras Džefris Makingslis.

Lorena, penkiasdešimties metų sulaukusi aštuoniolikmečių dvynukių motina, šiaip taip atgavo žadą. Netrukus ji jau kalbėjo su tyrėjais savo pusryčių kambaryje viename senovinių Šiphilo gatvės namų.

– Čarlis čia pasirodė apie pirmą valandą, – kreipėsi ji į Džefrį Makingslį, Polą Volšą, Andželą Ortisą ir Mortą Šelį. – Jis čia užsuka kiekvieną antradienį nušienauti pievelės.

– Ar persimetėte su juo bent žodžiu? – pasiteiravo Džefris.

– Taip, šiandien su juo kalbėjausi. Šiaip su juo tesusidurdavau kartą per mėnesį, ne dažniau. Paprastai jis tiesiog atvažiuodavo, išsikraudavo įrankius ir imdavosi darbo. Po poros savaičių jis išraus... ketino išrauti visus vienmečius augalus ir norėjo pradėti sodinti rudenines gėles. Prieš pradėdami tokius darbus, mes juos dažniausiai aptardavome. O šiaip, kai jis tik atvažiuodavo nupjauti žolės, aš retai kada jį kalbindavau.

Lorena žinojo, kad kalba per greitai ir per daug. Gurkštelėjusi kavos ji liepė sau nurimti ir tik atsakinėti į prokuroro klausimus.

– Kodėl gi šiandien jūs panorote su juo pasikalbėti?

– Aš buvau suirzusi dėl to, kad jis vėlavo. Čarlis pas mus turi atvažiuoti devintą valandą, o šiandien aš buvau pasikvietusi draugų papietauti. Sėdėdami vidiniame kieme mes visą laiką turėjome klausytis Čarlio žoliapjovės riaumojimo. Neapsikentusi priėjau ir pasakiau jam, kad atvažiuotų rytoj ir pabaigtų visus darbus, kurių šiandien nebespėjo atlikti.

– Ką jis atsakė?

– Jis lyg ir nusijuokė, o tada pasakė man: „Žinote, ponia Smit, ir aš kartais būnu pavargęs ar mieguistas, tad siūlau jums naudotis mano paslaugomis tol, kol jos vis dar teikiamos." Kažką panašaus.

– Kas nutiko tada?

– Tada suskambo jo mobilusis telefonas. – Lorena Smit akimirką patylėjo ir pridūrė: – Tiksliau, vienas iš jo mobiliųjų telefonų.

– Jis turėjo net du? – pasiteiravo Polas.

– Aš taip pat buvau nustebusi. Jis išsitraukė vieną mobilųjį telefoną iš liemenės kišenės, tačiau skambutis nenutilo. Tada jis ėmė paskubomis naršyti po kelnių kišenę ir išsitraukė dar vieną telefoną.

– Galbūt jūs netyčia nugirdote skambinusio žmogaus vardą?

– Ne. Beje, man susidarė įspūdis, kad mano akivaizdoje jis nenorėjo kalbėti telefonu. Čarlis paprašė savo pašnekovo šiek tiek luktelėti ir tada pasakė man: „Ponia Smit, aš susikrausiu savo daiktus ir netrukus iš čia dingsiu."

– Tai įvyko apie pusę dviejų?

– Na, vėliausiai be penkių minučių pusę dviejų. Tada aš grįžau į vidų. Papietavome su draugais ir aš su jais atsisveikinau maždaug penkiolika minučių po dviejų. Automobilius jie buvo palikę priešais namą, tad aš nė nenumaniau, jog kitapus namo, prie garažo, vis dar stovi Čarlio furgonas. Kai pagaliau jį pamačiau, iš karto išėjau Čarlio ieškoti.

– Ponia Smit, kiek buvo praėję laiko nuo tada, kai išvažiavo jūsų draugai? – pasiteiravo Andželas Ortisas.

– Tik kelios minutės. Aš iš karto pamačiau, kad vidiniame namo kieme jo nėra, tad nusprendžiau apžiūrėti aptvertą teritoriją, kur yra mūsų baseinas ir teniso aikštelės. Iš vienos pusės šią teritoriją esame apsodinę buksmedžiais – norėjome apsisaugoti nuo pašalinių akių, nes ten mums priklausanti žemė ribojasi su Slėnio gatve. Kaip tik tarp dviejų buksmedžių aš Čarlį ir radau. Jis gulėjo ant nugaros, į mane spoksojo jo plačiai atmerktos akys, o dešinė veido pusė buvo pasruvusi krauju. – Lorena Smit perbraukė ranka sau per kaktą tarsi bandydama šiuos vaizdus ištrinti iš atminties.

– Ponia Smit, paskambinusi pagalbos telefonu, jūs pasakėte, kad Čarlis *greičiausiai* negyvas. Ar būta kokios nors priežasties manyti, kad tada, kai jį aptikote, Čarlis vis dar galėjo būti gyvas?

– Kažin ar tuo metu aš suvokiau, ką kalbu.

– Suprantama. Ponia Smit, norėčiau pasitikslinti vieną faktą. Sakėte, kad Čarlis Hačas patarė jums naudotis jo paslaugomis tol, kol jos vis dar teikiamos. Ar numanote, kodėl jis tai pasakė?

– Čarlis labai greitai įsižeisdavo. Jis puikiai atlikdavo savo darbą, tačiau man niekada neatrodė, kad tas darbas jam iš tiesų patiko. Juk žinote, kai kurie sodininkai negali atsidžiaugti augalais. O Čarlis tik dirbo darbą. Gal dėl mano pasipiktinimo jis ketino pas mus nebegrįžti.

– Suprantu, – stodamasis atsakė Džefris. – Vėliau mes dar paprašysime jūsų patvirtinti šiuos liudijimus parašu, o kol kas norėčiau padėkoti jums už tai, kad mums taip padedate. Tokia pagalba visada gerokai palengvina mūsų darbą.

– Mamyte, kas atsitiko? Ar tau viskas gerai?

Į kambarį įskubėjo dvynukės. Mergaitės, kaip ir jų mama, turėjo kaštonų spalvos plaukus ir buvo grakštaus, atletiško kūno sudėjimo. Lorena atsistojo ir priglaudė abi prie jos pribėgusias dukreles. Mergaitės buvo gerokai išsigandusios.

– Kai pamatėme policijos mašinas ir tokią daugybę žmonių, pamanėme, kad tau kažkas atsitiko, – prabilo viena.

– Poniai Smit iš tiesų pasisekė, kad ji nesišnekučiavo su Čarliu tuo metu, kai į jį kažkas šovė, – kreipėsi į Džefrį Mortas Šelis, kai jie žingsniavo prieškambariu laukujų durų link. – Ką tu apie tai manai?

– Aš manau, jog žmogus, sumokėjęs Čarliui už Senojo Malūno tako sudarkymą, ėmė nerimauti. Jis persigando susiprotėjęs, kad mes įbauginsime Čarlį ir jis anksčiau ar vėliau prasitars, kas jį pasamdė.

Nusikaltimo vietos tyrėjų grupėje dirbanti detektyvė Lola Spaulding rūpinosi įkalčiais. Prie vyrų ji pribėgo, kai tik jie išėjo iš namo.

– Džefri, jo piniginė guli furgone. Neatrodo, kad kas nors būtų ją lietęs. Mobiliojo telefono rasti mums kol kas nepavyko. Bet jo kišenėje aptikome šį tą, kas tave turėtų sudominti. Apie pirštų atspaudus dar nieko nežinome.

Nuotrauka, kurią Lola Spaulding laikė rankose, buvo iškirpta iš laikraščio – kaip ir ta, kuri buvo palikta Žoržetos Grouv rankinėje. Iš nuotraukos žvelgė maždaug trisdešimties metų iš tiesų stulbinančio grožio moteris. Ji mūvėjo jojikės kelnes, buvo apsisiautusi medžiokliniu paltu, o rankose laikė sidabrinį trofėjų.

– Nuotrauką radome Čarlio Hačo liemenės kišenėje, – paaiškino Lola. – Ar numanote, kas ši moteris gali būti?

– Taip, – atsakė Džefris. – Tai Lizos Barton motina, Odrė. Ši nuotrauka yra viena iš daugelio nuotraukų, kurios praėjusią savaitę pasirodė laikraščiuose šalia straipsnių apie vandalų išpuolį.

Džefris grąžino nuotrauką detektyvei ir nuskubėjo link geltonos policijos juostos, turinčios apsaugoti nusikaltimo vietą nuo žurnalistų. Odrė Barton gyveno Senojo Malūno tako name, svarstė jis. Paaiškinimas to, kas čia vyksta, yra vienaip ar kitaip susijęs su tuo namu. Du žmones nužudęs pamišėlis palieka tas nuotraukas – arba jis su mumis žaidžia, arba maldauja, kad mes jį kuo greičiau sustabdytume.

„Ką gi tu nori mums pasakyti? – mintyse žudiko paklausė Džefris, besiartindamas prie vis ryškiau žybsinčių fotoaparatų. – Ir ką gi mums reikia padaryti, kad ši žmogžudysčių grandinė nutrūktų?"

43

Kai apsipirkusi Bedminsteryje važiavau namo, vis žvilgčiojau į už-
pakalinio vaizdo veidrodėlį, nerimaudama dėl to, kad detektyvas
Volšas gali mane vis dar sekti. Vis dėlto nusprendžiau, kad nebe-
seka, nes juodo „Chevrolet" taip ir neišvydau. Pasiėmiau iš darže-
lio Džeką. Namie nuprausiau jam veidelį ir rankas, tada nuvežiau į
namą už gatvės kampo pažaisti su neverkiančiu Biliu.

Susipažinau su Bilio mama, Karolina Braun. Ji man iš karto pati-
ko. Karolina buvo maždaug mano metų, tamsiais banguotais plau-
kais, rudomis akimis. Ji man pasirodė iš tiesų geras ir šiltas žmogus.
„Pastarąją savaitę Bilis su Džeku taip susidraugavo – juos darosi vis
sunkiau vieną nuo kito atplėšti, – pasakė ji man. – Džiaugiuosi, kad
jis turi netoliese gyvenantį draugą. Šioje gatvėje daugiau nėra pana-
šaus amžiaus vaikų."

Pakvietusi berniukus prie pietų stalo, Karolina pasiūlė man
drauge išgerti puodelį kavos – betgi aš atsiprašiusi paaiškinau, kad
turiu paskambinti keliems žmonėms. Vakar lygiai tokius pat žo-
džius buvau ištarusi norėdama kuo greičiau atsikratyti Marselos
Viljams, bet šįkart sakiau tiesą. Aš norėjau pasikalbėti su daktaru
Moranu. Kalifornijoje dabar buvo dešimta valanda – pats metas su
juo susisiekti. Norėjau paskambinti ir Ketlinai. Dabar, kai Martinas
jau buvo pamažu beprarandantis sveiką protą, Ketlina, neskaitant
daktaro Morano, buvo vienintelis žmogus, kuriam aš galėjau išsipa-
sakoti. Be to, daktaras buvo įsitikinęs, kad aš privalau Aleksui apie
save pasakyti visą tiesą, o Ketlina nė akimirkos nesuabejojo, kad
mano praeitis turi būti kuo giliau palaidota.

Atsisveikindamas Džekas mane paskubomis pabučiavo ir aš, pa-
žadėjusi grįžti ketvirtą valandą, išvažiavau namo. Vos įžengusi pro du-
ris, nubėgau prie telefono. Blyksinčią atsakiklio lemputę buvau paste-
bėjusi dar tada, kai mudu su Džeku buvome trumpam grįžę į namus,
tačiau tąkart žinutės išklausyti neišdrįsau, nes netoliese buvo sūnus.
Juk žinutę galėjo palikti tas Lizei Borden skambinantis žmogus.

Balso žinutę buvo palikęs detektyvas Volšas. Jis pranešė norįs pasitikslinti kelis faktus iš mano parodymų ir užsiminė, kad greičiausiai aš, kalbėdama apie laiką, šiek tiek susipainiojau. Anot detektyvo Volšo, žmogus, nežinantis kelio nuo manojo namo iki Olandų gatvės, nebūtų sugebėjęs šio atstumo įveikti taip greitai. „Ponia Nolan, aš puikiai suprantu, kokia sukrėsta jūs tąkart buvote, – kalbėjo jis švelniu, tačiau sarkazmo persmelktu balsu. – Viliuosi, kad jums jau pavyko atsigauti po patirto šoko, tad galbūt jūs jau šiek tiek geriau gaudotės. Apie tai ir norėčiau su jumis pasikalbėti."

Spustelėjau mygtuką ir ištryniau detektyvo Volšo žinutę. Deja, iš savo atminties taip lengvai to, ką jis siekė pasakyti, ištrinti negalėjau. O detektyvas Volšas norėjo pasakyti, kad neabejoja, jog aš jam melavau arba kalbėdama apie laiką, kada nusigavau į namą Olandų gatvėje, arba sakydama, kad nežinojau kelio iki savo namų.

Dabar aš dar labiau nekantravau pasikalbėti su daktaru Moranu. Jis ne kartą buvo man užsiminęs, kad galiu jį trukdyti bet kuriuo metu, nesvarbu, dieną ar naktį. Bet nuo vestuvių dar nė karto nebuvau jam skambinusi. Nenorėjau pripažinti, kad daktaras Moranas buvo teisus – aš neturėjau tekėti už Alekso visko jam nepapasakojusi.

Jau buvau beglaudžianti prie ausies virtuvėje stovinčio telefono ragelį, tačiau netrukus padėjau jį atgal ir išsitraukiau iš kišenės mobilųjį telefoną. Kai gyvenome mano bute, komunalinių paslaugų ir telefono sąskaitos būdavo siunčiamos mano finansininkui. Aleksas buvo pasakęs, kad įsikrausčius į šį namą visos sąskaitos bus siunčiamos į jo darbovietę. Įsivaizdavau, kaip Aleksas, žvelgdamas į jam atsiųstą sąskaitą už telefono ryšio paslaugas, ima ir pasiteirauja, kodėl ir kam aš skambinau į Kaliforniją. O mano mobiliojo telefono sąskaita vis dar buvo siunčiama mano finansininkui.

Daktaras Moranas atsiliepė po antrojo signalo.

– Selija, – prašneko jis tuo įprastu šiltu ir drąsinančiu balsu, – jau kurį laiką apie tave vis pagalvodavau. Kaip tau sekasi?

– Nelabai kaip, daktare.

Papasakojau jam apie viską: kad Aleksas nupirko tą namą, apie vandalų išpuolį, apie Žoržetos mirtį, apie keistus skambučius ir galiausiai apie mane gerokai bauginantį detektyvo Volšo elgesį.

Kuo daugiau klausimų man uždavė daktaras Moranas, tuo liūdnesnis darėsi jo balsas.

– Selija, tu turi pasitikėti Aleksu ir kuo greičiau atskleisti jam visą tiesą, – pasakė jis.

– Aš negaliu. Ne dabar. Juk vis dar per anksti. Tiesą aš jam papasakosiu tik tada, kai galėsiu įrodyti, kad visa tai, ką apie mane kalba žmonės, yra melas.

– Selija, jei tas detektyvas stengiasi rasti įrodymų, kad tu esi susijusi su agentės mirtimi, yra nemaža tikimybė, jog jie ims kapstytis po tavo praeitį ir sužinos, kas tu esi. Tu privalai kuo greičiau pasisamdyti advokatą, apsaugoti save.

– Bet aš pažįstu tik verslo srityje dirbančius advokatus, tokius kaip Aleksas.

– Ar tas advokatas, kuris tave gynė, kai buvai maža, vis dar dirba?

– Nežinau.

– Ar pameni jo pavardę? Jei ne, aš rasiu ją užrašytą tavo medicininėje kortelėje.

– Tai buvo Bendžaminas Flečeris. Man jis nepatiko.

– Bet tu vis dėlto buvai išteisinta. Turint galvoje tavo patėvio liudijimus, tas advokatas pasidarbavo tikrai neblogai. Ar turi po ranka verslo telefonų knygą?

– Taip, turiu.

– Tai pažiūrėk, ar ten yra nurodytas jo telefonas.

Telefonų knygas laikėme telefono stalelio stalčiuje. Išsitraukiau verslo telefonų knygą ir atsiverčiau advokatų telefonų puslapius.

– Radau, – atsakiau daktarui Moranui. – Jis dirba Česteryje. Tik dvidešimt minučių kelio nuo mano namų.

– Selija, mano galva, turėtum su juo pasimatyti. Visą informaciją, kurią jam suteiksi, jis privalės laikyti paslaptyje – tai užtikrina įstatymas. Blogiausiu atveju jis rekomenduos tau labiau tinkantį advokatą.

– Daktare, aš jam paskambinsiu. Pažadu.

– Ir nepamiršk retsykiais paskambinti man.

– Gerai, nepamiršiu.

Atsisveikinusi su daktaru Moranu, iš karto surinkau Ketlinos telefono numerį. Nuo pat mūsų bendravimo pradžios Ketlina suprato, kad motina ar mama man ją vadinti būtų pernelyg sunku. Ketlina nepakeitė – ir negalėjo pakeisti – man motinos, bet ji man buvo iš tiesų brangi. Mudvi pasikalbėdavome telefonu bent keletą kartų per mėnesį. Išgirdusi apie nusipirktą namą, Ketlina nusiminė. Ji tuoj pat pritarė mano minčiai, kad gal man pavyktų įkalbinti Aleksą persikraustyti į kitus namus.

– Žinai, Selija, jei jau kalbame apie Mendamą, – pasakė ji, – nepamiršk, kad tavo motinos giminės buvo kilę iš tų apylinkių. Vienas iš jų net kovojo Amerikos nepriklausomybės kare, priklausė Vašingtono armijai. Net jei negali apie tai garsiai kalbėti, tu esi iš ten kilusi.

Kol Ketlina kalbėjo, girdėjau, kad netoliese kažką šneka ir Martinas.

– Tai Selija, – riktelėjo jam Ketlina. Nuo atsakymo, kurį netrukus išgirdau, man sustingo kraujas.

– Jos vardas yra Liza, – atsiliepė Martinas. – Tą kitą vardą ji pati susigalvojo.

– Ketlina, – sušnabždėjau, – negi jis *kalba* apie tai ir prie svetimų žmonių?

– Jo būklė labai pablogėjo, – pašnibždomis atsakė Ketlina. – Aš niekada nežinau, ką jis po akimirkos pasakys. Mano kantrybė visiškai išseko. Buvau jį nuvežusi į tikrai gerus slaugos namus vos už pusės mylios. Tą pačią akimirką, kai suprato, jog tuose slaugos namuose mes lankomės dėl to, kad aš svarstau galimybę jį ten apgyvendinti, Martinas ėmė ant manęs rėkti. Kai grįžome namo, pravirko lyg vaikas. Paskui kurį laiką jis buvo lyg ir visiškai sąmoningas, meldė mane palikti jį namuose.

Ketlina kalbėjo viltį praradusio žmogaus balsu.

– Ak, Ketlina... – atsidusau. Tada primygtinai paprašiau, kad ji kuo greičiau susirastų pagalbininką, kuris galėtų apsigyventi jų namuose, ir pasakiau, jog džiaugiuosi galėdama apmokėti visas išlaidas. Man pasirodė, jog baigiant pokalbį Ketlinos nuotaika jau buvo šiek tiek geresnė. Be abejo, apie tai, kas vyksta mano gyvenime, aš jai neužsiminiau. Buvo akivaizdu, kad rūpesčių Ketlinai ir taip netrūksta. Bet aš niekaip negalėjau išmesti iš galvos minties, kad Martinas gali netyčia užsiminti apie mano praeitį kam nors, kas skaitė apie Mažąją Lizę Borden. Tuomet žmogus galėtų nuspręsti pasidalyti stulbinančia naujiena su savo draugais ar prasitarti apie tai kokiame interneto pokalbių kambaryje.

Jau įsivaizdavau, kas būtų pasakyta: „Netoli manęs gyvena toks seniokas. Jis turi įdukrą. Na, jis dabar serga Alcheimerio liga, bet niekaip nenustoja tvirtinęs, kad jo įdukra yra Mažoji Lizė Borden – ta pati mergaitė, kuri kadaise nušovė savo motiną."

Man buvo likusi tik viena išeitis ir aš ja nusprendžiau pasinaudoti. Surinkau Bendžamino Flečerio telefono numerį. Atsiliepė jis pats. Prisistačiau esanti Selija Nolan ir, paaiškinusi, jog jį man rekomendavo draugė, pasiteiravau, ar mudu galėtume susitikti.

– Selija, kas jums mane rekomendavo? – paklausė kvatodamas, lyg jam būtų sunku tuo patikėti.

– Tai aš norėčiau aptarti per mūsų susitikimą.

– Ką gi, ar galime pasimatyti rytoj?

– Taip. Man būtų patogu tarp devintos ir dešimtos valandos ryto, nes tada mano sūnus darželyje.

– Aišku. Tai tada devintą. Ar turite mano adresą?

– Turiu tokį, kokį radau telefonų knygoje.

– Tas pats. Tai iki pasimatymo rytoj.

Kitame laido gale išgirdau spragtelėjimą. Dėdama telefono ragelį svarsčiau, ar tik nebūsiu padariusi klaidos. Nors, bėgant metams, Bendžaminas Flečeris šiek tiek prikimo, pokalbio metu atmintyje iškilęs jo atvaizdas buvo kaip niekada ryškus. Priešais aš vis dar mačiau tą gremėzdišką vyrą, tikrą milžiną. Kas kartą, kai Flečeris užsukdavo į nepilnamečių prieglaudą su manimi pasimatyti, išvydusi tokį didžiulį vyrą netekdavau žado ir tarsi susisukdavau į gumulėlį.

Kurį laiką aš dar pastovėjau virtuvės viduryje, svarstydama, ką man dabar daryti. Po dar vienos bemiegės nakties nusprendžiau, kad kol mes šiuose namuose gyvename, man derėtų pasirūpinti jų jaukumu. Juk Aleksas to tikrai vertas. Senąjį savo butą jis pardavė su visais jame buvusiais baldais – pasiliko tik pianiną. Aleksas vis kartodavo, kad kai įsikraustysime į naujus namus, jis su malonumu suteiks galimybę man, savo žmonai ir neprilygstamajai interjero dizainerei, pačiai nuspręsti, kokie jie turėtų būti.

Man reikėtų paieškoti lentynų bibliotekai ir kelių valgomajam skirtų baldų, be to, užsakyti užuolaidas. Bent jau pirmame namo aukšte aš turėsiu pasitvarkyti. Puikiai supratau, kad Aleksas neklysta – net jei rasime kitus namus, į juos mums gali pavykti persikraustyti tik po kelių mėnesių.

Vis dėlto noro važiuoti į miestą aš neturėjau. O jei ir būčiau nusiteikusi apsilankyti keliose parduotuvėse, nebuvo jokių abejonių, kad, pavažiavusi vos keletą metrų ir žvilgtelėjusi į užpakalinio vaizdo veidrodėlį, vėl būčiau išvydusi detektyvo Volšo mašiną. Šiokios tokios veiklos aš vis dėlto ėmiausi – paskambinau tai namų tvarkytojai, kurią man buvo rekomendavusi Sintija Greindžer. Sutarėme, kad ji užsuks jau kitą savaitę.

O tada aš padariau tai, dėl ko visai netrukus pakliuvau į tikrą košmarą. Aš paskambinau į Vašingtono slėnio jojimo klubą, paprašiau prie telefono pakviesti Zaką, o kai jis atsiliepė, pasiteiravau, ar šiandien antrą valandą mudu galėtume pajodinėti dar kartą.

Zakas sutiko. Aš užbėgau į antrą aukštą, užsitempiau jojikės kelnes, apsiaviau batus, apsirengiau palaidinę ilgomis rankovėmis – drabužius, kuriuos ką tik buvau įsigijusi. Traukdama iš spintos jojikės švarką, dar pagalvojau, kad jis labai jau panašus į tą, kurį kadaise turėjo mano motina. Gerai pagalvojus, Zakas Viletas buvo paskutinis žmogus, su kuriuo mano tėvas prieš mirtį kalbėjosi. Viena vertus, sužinojusi, kad tėvas stengėsi įveikti arklių baimę vien tam, kad galėtų jodinėti drauge su mama, aš jį dar labiau pamilau. Kita vertus, jaučiau ir pyktį – kodėl gi jis nujojo vienas, be Zako? Atsakymo į šį klausimą aš jau nebesužinosiu. Nebesužinosiu ir to, kas tądien įvyko iš tikrųjų.

Štai tada man ir toptelėjo išganinga mintis – greičiausiai mano motina bandė sužinoti, kokiomis aplinkybėmis žuvo tėvas. Vargu ar ji galėjo kaltinti Zaką Viletą dėl to, kad tėvas jo nesulaukė ir išjojo vienas, ar dėl to, kad jis nurisnojo pavojingu keliu. Kodėl gi tada, kai iki jos pačios mirties buvo likusi mažiau nei minutė, ji Tedui Kartraitui išrėkė būtent Zako vardą?

Nuojauta man kuždėjo, kad praleidusi daugiau laiko su Zaku aš anksčiau ar vėliau prisiminsiu tikslius žodžius, kuriuos tąnakt man pavyko nugirsti.

Į klubą nuvažiavau antrą valandą dešimt minučių. Nužvelgęs mane nuo galvos iki kojų, Zakas pritariamai linktelėjo – šįkart buvau pasirinkusi tinkamus drabužius. Kol jojome takeliu, galvojau apie tai, kiek daug džiaugsmo mano motinai suteikdavo tokios jodinėjimo popietės. Taip, vis prisimindama mamą, aš pamažu atgavau dar vaikystėje įgytus jojimo įgūdžius – jodinėti man vėl buvo taip pat įprasta kaip ir kvėpuoti. Nors šiandien Zakas buvo tylesnis, jo nuotaika buvo iš tiesų gera. Kai jau grįžome arklidžių link, jis atsiprašė už tai, kad buvo nekalbus, ir pridūrė, jog man sekėsi puikiai. Zakas paaiškino esąs mieguistas dėl to, kad šįnakt jam taip ir nepavyko sumerkti akių, nes apačioje gyvenančios kaimynės vaikai linksminosi iki paryčių.

Kai atsakiau Zakui, kad greičiausiai jam su tokiais triukšmingais kaimynais gyventi nelengva, jis šyptelėjo ir paaiškino, jog netrukus tų kaimynų nebeturės, nes ketina persikraustyti į naują namą. Kai risnodami atviru lauku tolumoje išvydome klubo pastatą, Zakas paragino žirgą ir ėmė joti sparčiau. Sausainiukas pasileido jam iš paskos ir taip belenktyniaudami mes atjojome prie arklidžių.

Kai nulipome nuo žirgų, Zakas įbedė į mane įtarų žvilgsnį.

– Jūs esate nemažai jodinėjusi, – pareiškė. – Kodėl man apie tai neužsiminėte?

– Aš juk sakiau – mano draugė turėjo ponį.

– Aha. Ką gi, tikriausiai nesate nusiteikusi švaistyti pinigus, tai gal iš pradžių išsiaiškinkime, kokie jūsų jojimo įgūdžiai yra iš tiesų, o jau tada pradėkime pamokas.

– Gerai, Zakai, – atsakiau paskubomis.

Tedai, tu man sakei, kad Zakas...

Staiga man ausyse suskambo motinos balsas – šiuos žodžius aš nugirdau tą naktį, kai mane pažadino jos riksmas.

Ką Tedas buvo sakęs? Stengdamasi neišsiduoti, kas man ką tik nutiko, sumurmėjau Zakui, kad paskambinsiu jam, ir nužingsniavau tiesiai prie automobilio.

Važiuodama Šiphilo gatve, negalėjau nepastebėti, kad kažkas nutiko viename iš stovinčių prie sankryžos namų. Pro jį buvau pravažiavusi prieš daugiau nei valandą, bet tuomet jokio šurmulio ten nebuvo. Dabar priešais namą buvo pristatyta policijos automobilių, keletas televizijos kanalams priklausančių furgonų, o po namo kiemą vaikštinėjo policijos pareigūnai. Šis reginys man didelio malonumo neteikė, tad, įjungusi dešinio posūkio signalą, spustelėjau greičio pedalą, tikėdamasi kuo greičiau įsukti į Slėnio gatvę. Deja, ši gatvė buvo uždaryta, o netoliese buvo pastatytas lavoninės automobilis, žmonės būriavosi prie namo teritoriją juosiančios gyvatvorės. Nė negalvodama, kur šis kelias mane nuves, nuvažiavau tiesiai – norėjau, kad man iš akių kuo greičiau dingtų ir policijos mašinos, ir visa kita, kas susiję su mirtimi.

Namo grįžau be penkiolikos minučių ketvirtą. Norėjau kuo greičiau nusiprausti ir persirengti, tačiau Džeką būtinai turėjau pasiimti sutartu laiku, nevėluodama nė minutės. Taigi, vis dar vilkėdama jojikės drabužius, nuskubėjau į kitą gatvės galą, padėkojau Karolinai ir, pasiūliusi Biliui netrukus užsukti pas mus į svečius pajodinėti poniu, parsivedžiau Džeką namo.

Kai suskambo durų skambutis, mes buvome vos įžengę pro duris ir gėrėme limonadą virtuvėje. Mano širdis nusirito į kulnus. Duris aš vis dėlto atidariau, nors gerai žinojau, kad už jų laukia ne kas kitas, o detektyvas Volšas.

Aš neklydau. Bet šįkart jis buvo ne vienas. Išvydau ir prokurorą, o jis netrukus man pristatė kitus du priešais mane stovinčius nepažįstamus vyrus – detektyvą Ortisą ir detektyvą Šelį.

Visi keturi vyrai išpūtę akis nužvelgė mane nuo galvos iki kojų. Kodėl mano išvaizda juos taip apstulbino, sužinojau visai netrukus. Mintyse jie visi mane lygino su iškirpta iš laikraščio mano motinos nuotrauka, kurią buvo radę Čarlio Hačo liemenės kišenėje.

44

Vėlyvą antradienio rytą Driu Peri nuvažiavo į Moriso apygardos teismo rūmus norėdama panaršyti po archyvus. Iš pradžių Driu vis neapleido mintis, kad ji tik gaišta laiką. Lizos Barton įvaikinimo dokumentai buvo įslaptinti. Įslaptintos buvo ir jos teismo proceso stenogramos. Nieko kito Driu ir nesitikėjo, tačiau vylėsi, kad galbūt jai pavyks palaužti teismo rūmų darbuotojus prabilus apie žmonių teisę žinoti įstatymą, kurį ji, būdama „Star-Ledger" darbuotoja, žinojo labai gerai.

– Ką jūs, – išklausęs Driu atkirto teismo rūmų tarnautojas. – Nepilnamečių ir įvaikinimo bylos su šiuo įstatymu neturi nieko bendro.

Kai Driu jau žingsniavo teismo rūmų išėjimo link, prie jos pripuolė miela senyvo amžiaus moteris ir prisistatė esanti Elena Obrin.

– Jūs esate Driu Peri, – prabilo ji. – Turiu prisipažinti, kad su nekantrumu laukiu kiekvieno „Star-Ledger" numerio, kuriame pasirodo jūsų skiltis „Nepapasakotos istorijos". Aš tuos straipsnius tiesiog ryte ryju. Ar ir dabar rašote vieną iš jų?

– Noriu parašyti straipsnį apie Lizos Barton bylą, – prisipažino Driu. – Tikėjausi, kad man pavyks čia rasti kokių vertingų dokumentų, bet taip nieko ir nepešiau.

– O, kokia puiki būtų istorija! – iš susižavėjimo šūktelėjo Elena Obrin. – Teismo rūmuose dirbu jau trisdešimt metų, tačiau nieko panašaus į tą bylą man neteko matyti.

Trisdešimt metų, susimąstė Driu. Vadinasi, ji dirbo čia jau tada, kai ši byla buvo nagrinėjama. Laikrodis rodė lygiai dvyliktą.

– Elena, o jūs gal pietauti susiruošėte? – pasiteiravo Driu.

– Taip, ketinau užsukti į teismo rūmų kavinę – maistas ten visai neblogas.

– Tai jei neturite kitų planų, gal galėčiau prie jūsų prisidėti?

Praėjus penkiolikai minučių, kirsdama mišrainę, Elena jau dalijosi prisiminimais apie tai, kas vyko po Lizos Barton suėmimo.

– Turbūt suprantate, kaip mums buvo smalsu, – paaiškino ji. – Tuo metu mano sūnus buvo paauglys. Juk žinote, kaip nelengva būna su tokio amžiaus vaikais. Kas kartą, kai mudu su juo vaidydavomės, jis man atkirsdavo: „Mama, būk atsargi, nes vieną dieną tau baigsis taip, kaip ir tai Odrei Barton."

Elena pažvelgė į priešais sėdinčią Driu tikėdamasi, kad pašnekovė, išgirdusi tokį jos sūnaus juokelį, ims kikenti. Taip ir nesulaukusi jokio atsako, todėl šiek tiek sutrikusi, ėmė pasakoti toliau:

– Žodžiu, tą pačią naktį Liza buvo nuvežta į vietinę policijos nuovadą, tai yra į Mendamo nuovadą. Pareigūnai ją nufotografavo ir paėmė pirštų atspaudus. Nė vienas Lizos veido raumenėlis nė nesujudėjo – ji buvo šalta kaip ledas. Nė karto nepasiteiravo nei apie savo motiną, nei apie patėvį. Patikėkite manimi, aš gerai žinau, kad tuomet Lizai dar niekas nebuvo pasakęs, jog jos mama mirusi. Tada Liza buvo nuvežta į nepilnamečiams skirtą sulaikymo įstaigą ir ten ją ištyrė valstijos psichiatras. – Elena atsilaužė gabalėlį duonos ir aptepė jį sviestu. – Vis pažadu sau, kad duonos nevalgysiu, bet ji tokia gardi, tiesa? Tie vadinamieji mitybos specialistai vis rašo apie dietas, tačiau jų nuomonė kinta dažniau nei oras, pastebėjote? Kai buvau maža, kas rytą suvalgydavau po kiaušinį. Mama buvo įsitikinusi, kad toks valgis yra pati geriausia dienos pradžia. Staiga mitybos žinovai paskelbė, kad valgyti kiaušinius nėra sveika. Esą juose pilna cholesterolio. Valgysi – užversi kojas nuo širdies smūgio. O dabar kiaušiniai vėl grįžo į madą. Tie patys žinovai, matai, jau tvirtina, kad valgydamas mažiau angliavandenių žmogus gali sulaukti net ir šimto metų, o pamiršti mums reikėtų ne kiaušinius, bet makaronus ir duoną. Dar kiti, priešingai, pataria valgyti kuo daugiau angliavandenių turintį maistą. Valgyk žuvį drąsiai, bet tik ne tada, kai laukiesi, nes joje yra gyvsidabrio. Mūsų kūnai jau turbūt nebesupranta, kas čia dedasi.

Nors ir nuoširdžiai pritarė tam, apie ką kalbėjo Elena, Driu stengėsi kuo greičiau grįžti prie tos pokalbio temos, kuri ją šiuo metu domino labiau.

– Iš to, ką teko skaityti, susidariau įspūdį, kad pirmus kelis mėnesius po tos nakties Liza neprataré nė žodžio. Ar tai tiesa?

– Taip, tiesa. Vienos mano draugės pažįstamo pažįstamas dirbo toje sulaikytiems nepilnamečiams skirtoje įstaigoje. Anot jo, Liza retsykiais ištardavo Zako vardą ir tada imdavo purtyti galvą, jos kūnas drebėdavo. Ar girdėjote apie airių raudas?

– Taip, tai mirusiųjų gedėjimas rypuojant, lyg verksmas, – atsakė Driu.

– Taigi. Aš esu airė, mano močiutė retsykiais apie tai užsimindavo. Žodžiu, vienos mano draugės teigimu, psichiatras yra ne kartą sakęs, kad Liza šitaip raudojo gedėdama.

Tai svarbu, pagalvojo Driu. Labai svarbu. Į užrašų knygelę ji užsirašė Zako vardą.

– Lizą apžiūrėjo keli valstijos psichiatrai, – toliau pasakojo Elena. – Jei jie būtų padarę išvadą, kad Liza nekelia pavojaus nei sau, nei aplinkiniams, jie būtų ją išsiuntę į prieglaudą. Bet Liza vis dėlto liko toje sulaikytų nepilnamečių įstaigoje. Buvo pasklidęs gandas, kad ji išgyvena gilią depresiją. Baiminantis, kad ko nors nepasidarytų, Liza kelis mėnesius buvo atidžiai stebima.

– Galutinis teismo sprendimas buvo priimtas praėjus šešiems mėnesiams nuo Lizos motinos mirties, – prabilo Driu. – Ką ji tiek laiko veikė toje sulaikytų nepilnamečių įstaigoje?

– Jai buvo teikiama psichologinė pagalba. Socialinis darbuotojas rūpinosi, kad Liza ir toliau mokytųsi. Na, o kai ji buvo išteisinta, Vaiko teisių apsaugos tarnyba stengėsi surasti Lizai naujus namus. Kol jie svarstė, kur ji turėtų būti apgyvendinta, Liza gyveno prieglaudoje. Rasti žmones, kurie sutiktų gyventi po vienu stogu su tokiu vaiku, nebuvo lengva – juk Liza nužudė žmogų, o dar vieną bandė nužudyti, tačiau nesėkmingai. Tada pasirodė kažkokie giminės ir ją įvaikino.

– Ar ką nors apie juos žinote?

– Ne, viskas buvo daroma paslapčia. Manau, kad ir kas tie žmonės buvo, jie šventai tikėjo, kad Liza gali gyventi normalų gyvenimą tik palaidojusi savo praeitį. Teismas tam pritarė.

– Bet kuris žmogus, gyvenantis šioje ir gretimose valstijose, Lizą būtų atpažinęs vos pažvelgęs į jos veidą, – atsakė Driu. – Matyt, tie žmonės gyveno tikrai toli nuo čia.

– Iš to, ką esu girdėjusi, man susidarė įspūdis, kad jie nebuvo artimi Lizos giminaičiai. Odrė ir Vilas Bartonai buvo vienturčiai. Taip keista gerai pagalvojus. Odrės giminė čia įsikūrė dar prieš Amerikos nepriklausomybės karą. Mergautinė Lizos motinos pavardė buvo Saton. Moriso apygardos archyvuose ši pavardė minima kone kiekviename puslapyje. Vis dėlto pamažu bent jau šiose apylinkėse gyvenusi Odrės giminė išmirė. Dievas težino, kas buvo tie Lizą priglaudę giminaičiai. Apie tai galiu pasakyti ne daugiau nei jūs. Lizos man visada buvo gaila. Kita vertus, ar esate mačiusi „Blogio sėklą"? Tai filmas apie vaiką, kuris neturėjo sielos. Jei neklystu, jis taip pat nužudė savo motiną.

Išgėrusi paskutinį šaltos arbatos gurkšnį, Elena žvilgtelėjo į laikrodį.

– Naujojo Džersio valstija mane šaukia, – paskelbė ji. – Driu, negaliu nė apsakyti, kaip malonu man buvo su jumis pasišnekučiuoti. Sakėte, kad ketinate apie šią bylą parašyti straipsnį. Gal būtų geriau, jei mano pavardės jame neminėtumėte. Na, pati suprantate. Jie nenori, kad mes pliurptume apie tai, ką sužinome čia dirbdami.

– Aš jus puikiai suprantu, – atsakė Driu. – Nežinau, kaip jums atsidėkoti. Elena, jūs net neįsivaizduojate, kaip man pagelbėjote.

– Patikėkite, aš nepapasakojau jums nieko, ko nebūtų galėjęs papasakoti bet kuris kitas čia dirbantis žmogus, – kuklindamasi atsakė Elena.

– Netiesa. Kai kalbėjote apie Satonus, man į galvą atėjo viena gera mintis. Elena, prieš grįždama į darbą, aš noriu jūsų dar kai ko paklausti: gal žinote, kur laikoma informacija apie šiose apylinkėse įvykusias santuokas?

Pasidomėsiu bent trimis Lizos giminaičių kartomis, nusprendė Driu. Nuojauta man kužda, kad greičiausiai Lizą įsivaikino tolimi motinos, o ne tėvo giminės. Man reikia išsiaiškinti, už ko Satonų moterys buvo ištekėjusios. Sužinojusi visas pavardes, galėsiu atkapstyti jų palikuonis ir sužinoti, ar bent vienas iš jų turi trisdešimt ketverių metų dukterį. Kas žino, gal man ir pasiseks.

Šio straipsnio ašis yra Liza Barton, todėl aš privalau ją rasti, sumokėjusi už pietus nusprendė Driu. Turiu pasirūpinti ir dar vienu dalyku. Reikėtų sudaryti kompiuterinį suaugusios Lizos Barton atvaizdą. Be to, privalau sužinoti, kas yra Zakas ir kodėl tada, kai nesugebėjo pratarti jokio kito žodžio, Liza kartojo šį vardą.

45

Aš privalėjau susikaupti ir apsiginti. Šie keturi vyrai negali taip įsiveržti į mano namus ir pažerti krūvą klausimų apie mirtį tos moters, su kuria aš mačiausi vos kartą. Nė vienas iš šių prokuratūros darbuotojų nežino, kad aš esu Liza Barton, ir neturi sužinoti. Žoržetos žudike jie mane laiko vien dėl to, kad būdama tame Olandų gatvės name nesurinkau pagalbos numerio ir, negana to, į savo namus grįžau įtartinai greitai.

Kai ėjau atidaryti durų, Džekas, žinoma, tipeno man iš paskos. Dabar jis buvo įsitvėręs į mano ranką. Nežinau kodėl – ar norėdamas išgirsti, kad viskas bus gerai, ar, priešingai, norėdamas tuo įtikinti mane. Pagalvojusi apie tai, kaip mano sūnų traumuoja policininkų vizitai, gerokai įtūžau. Šis pyktis man ir suteikė jėgų pulti.

Pirmiausia kreipiausi į Džefrį Makingslį:

– Pone Makingsli, gal malonėsite paaiškinti, kodėl visą šį rytą man iš paskos sekiojo detektyvas Volšas?

– Ponia Nolan, man tikrai gaila, kad jums tenka tai patirti, – atsakė Džefris Makingslis. – Ar galėtume užsukti pas jus porai minučių? Na, man turbūt vertėtų paaiškinti, kas čia dedasi. Ar pamenate tą Bartonų šeimos nuotrauką, kurią man parodėte? Tą, kurią radote arklidėse, pritvirtintą prie gardo kuolo? Ant jos aptikome tik jūsų pirštų atspaudus. Turbūt ir pati suprantate, kad tai gana keista. Prieš perduodama tą nuotrauką man, jūs ją nuplėšėte nuo kuolo, tačiau kažkas turėjo ją ten priklijuoti, tiesa? Nuo žiniasklaidos mes esame nuslėpę vieną su Žoržetos mirtimi susijusį faktą – Žoržetos rankinėje taip pat radome iš laikraščio iškirptą nuotrauką. Tai buvo jūsų nuotrauka – ta pati, kurioje jūs alpstate. Ant jos irgi nebuvo jokių pirštų atspaudų. Šiandien jau kito nusikaltimo vietoje mes radome Odrės Barton nuotrauką.

„Nusikaltimo vietoje? Mano mamos nuotrauką?!" – vos susitvardžiau nesurikusi. Taip, mano nervai buvo visiškai pašliję. Susikaupiau ir, stengdamasi kalbėti kuo ramesniu balsu, atsakiau:

– O kuo čia dėta aš?

Aš vis dar stovėjau tarpduryje, tad Džefris Makingslis, matyt, jau buvo spėjęs suprasti, kad aš neketinu nei atsakinėti į klausimus, nei kviesti juos į vidų. Iš pradžių jis kalbėjo itin mandagiai, tarsi atsiprašinėdamas. Bet dabar prabilo griežtai:

– Ponia Nolan, prieš kelias valandas buvo nušautas sodininkas, kuris dirbo ir tame Olandų gatvės name, kuriame buvo nužudyta Žoržeta. Mes turime įrodymų, kad būtent jis buvo nusiaubęs jūsų namą. Odrės Barton nuotrauką radome jo kišenėje, bet aš nuoširdžiai abejoju, kad jis ją ten įkišo pats. O pasakyti aš noriu štai ką – ir Žoržetos Grouv žmogžudystė, ir ši žmogžudystė yra kažkaip susijusios su jūsų namu.

– Ponia Nolan, ar jūs pažinojote Čarlį Hačą? – tiesiai paklausė detektyvas Volšas.

– Ne, nepažinojau. – Pažvelgiau jam tiesiai į akis. – Kodėl jūs šįryt buvote kavinėje ir kodėl sekėte mane iki Bedminsterio?

– Ponia Nolan, – prabilo detektyvas Volšas, – aš manau, kad yra dvi galimybės. Arba jūs nepripažįstate to, kad, aptikusi Olandų gatvės name Žoržetos kūną, iš ten išvažiavote gerokai anksčiau, arba kelias namo jums buvo taip gerai žinomas, kad jūs kas kartą sugebėdavote pasukti į reikiamą gatvę ir dėl to pagalbos numerį surinkote praėjus tiek nedaug laiko.

Man dar nespėjus prasižioti, į pokalbį įsiterpė Džefris Makingslis:

– Ponia Nolan, Žoržeta Grouv šį namą pardavė jūsų vyrui. Čarlis Hačas jį sudarkė. Jūs šiame name gyvenate. Žoržeta turėjo jūsų nuotrauką. Čarlis Hačas turėjo Odrės Barton nuotrauką. Jūs pati aptikote Bartonų šeimos nuotrauką. Akivaizdu, kad tarp visų šių įvykių egzistuoja sąsajos, ir jos mums gali padėti ištirti dvi žmogžudystes. Dėl to mes ir esame čia.

– Ponia Nolan, ar jūs tikrai niekada nebuvote sutikusi Čarlio Hačo? – paklausė detektyvas Volšas.

– Aš net nesu girdėjusi apie šį žmogų. – Buvau gerokai įtūžusi, ir griežtas mano balso tonas tai išdavė.

– Mamyte... – Džekas trūktelėjo mano ranką. Žinojau, kad jį išgąsdino ir mano balsas, ir detektyvo Volšo kaltinimai.

– Viskas gerai, Džekai, – atsakiau. – Šie malonūs žmonės tik norėjo mums pasakyti, kad džiaugiasi galėdami pasveikinti naujakurius. – Nežiūrėdama nei į detektyvą Volšą, nei į kitus du vyrus, kreipiausi tiesiai į Džefrį Makingslį: – Aš atvažiavau čia praėjusią savaitę ir radau nusiaubtus namus. Sutariau pasimatyti su Žoržeta Grouv, moterimi, kurią buvau mačiusi vos vieną kartą, ir, atvykusi į mūsų susitikimo vietą, vos nesuklupau ant jos lavono. Manau, ligoninėje mane apžiūrėjęs gydytojas galėtų paliudyti, kokios būklės aš pas jį buvau atvežta. Nežinau, kas čia vyksta, bet turiu vieną vertingą patarimą – kodėl gi jums nepradėjus ieškoti žmonių, kurie tuos nusikaltimus ir įvykdė? Turėtumėte kuo greičiau palikti ir mane, ir mano šeimą ramybėje.

Jau buvau beužverianti duris, bet detektyvas Volšas įkišo į tarpdurį koją.

– Ponia Nolan, paskutinis klausimas. Kur jūs buvote šią popietę, tarp pusės dviejų ir dviejų?

Į šį klausimą galėjau atsakyti ilgai nesvarstydama:

– Antrą valandą turėjau būti jojimo pamokoje Vašingtono slėnio jojimo klube. Į klubą nuvažiavau penkios minutės po antros. Pone Volšai, gal patikrinkite, per kiek laiko galima įveikti šį atstumą? Tai padaręs ir sužinosite, kada aš turėjau išvažiuoti iš namų.

Trinktelėjau jam per koją durimis, o kai jis pagaliau ją patraukė, ėmiau rakinti spyną. Staiga man toptelėjo siaubinga mintis. Tas ties Šiphilo ir Slėnio gatvių sankirta stovintis namas, prie kurio zujo policija... Nejaugi jis yra kaip nors susijęs su mano namus nusiaubusio sodininko mirtimi? Jei taip, atsakydama į detektyvo Volšo klausimą prisipažinau, kad šiandien važinėjausi netoli žmogžudystės vietos.

46

Antradienį į agentūrą Henris Palis grįžo ketvirtą valandą.

– Kaip sekėsi? – pasiteiravo Robina.

– Tikriausiai jau galime pradėti rengti pardavimo sutartį. Kaip žinai, tą namą Miuleriai apžiūrėjo jau trečią kartą. Šįkart, kaip ir aną sykį, buvo atvažiavę ir jo tėvai. Akivaizdu, kad galutinį sprendimą, ar pirkti tą namą, priims tėvas. Tikriausiai jis ir sumokės. Namo savininkas ten taip pat buvo, jis pasivedė mane į šalį ir bandė įkalbėti sumažinti mokestį už savo paslaugas.

– Gerai tave pažįstu, todėl nė neabejoju, kad sugebėjai viską sumauti, – atsakė Robina.

Henris nusišypsojo.

– Taip ir buvo, bet vilties prarasti vis tiek nereikėtų. Neabejoju, kad su namo savininku pasikalbėjo ponas Miuleris, greičiausiai jis ir inicijavo tas derybas dėl agentūros paslaugų įkainių. Ponas Miuleris puikiai supranta, kad dėl sumažintų mano įkainių sumažėtų ir suma, kurią jis turėtų sumokėti už namą. Tas vyrutis ginčijasi dėl kiekvieno vargano cento.

Henris perėjo per agentūros priimamąjį ir atsistojo prie Robinos darbo stalo.

– Robina, nepamenu, ar jau esu tau sakęs, bet šiandien atrodai gana provokuojamai. Nemanau, kad Žoržetai būtų patikęs šis nedaug ką pridengiantis nertinis. Kita vertus, vargu ar jai būtų patikęs ir tavo draugužis... na, jei Žoržeta būtų apie jį žinojusi. Ką pasakysi?

– Henri, aš neturiu jokio noro apie tai kalbėtis, – abejingai atsakė Robina.

– O kaipgi kitaip. Aš tiesiog garsiai mąstau, ir tiek. Mane vis kamuoja mintis, kad greičiausiai Žoržeta jus jau buvo spėjusi susekti ir jai ši naujiena tikrai nepatiko. Na, gal aš ir klystu – juk Žoržeta nė neįtarė apie tai, kad judu su Tedu susitikinėjote ir pernai. Jei ji būtų sužinojusi, būtų išmetusi tave iš darbo.

– Su Tedu aš susipažinau dar prieš įsidarbindama čia. Jokie intymesni santykiai mūsų tikrai nesiejo. Nors ir pažinojau Tedą, Žoržetai visada buvau lojali.

– Robina, juk tu telefonu bendraudavai su visais žmonėmis, kurie paskambindavo į agentūrą paklausti, kokį nekilnojamąjį turtą mes jiems galėtume pasiūlyti. Tu esi tas žmogus, kuris pasitikdavo netikėtai į agentūrą užsukusius galimus klientus. Aš, žinoma, pripažįstu, kad pastaruoju metu tikrai nepersidirbdavau, tačiau niekas taip ir nesužinos, ką čia veikei tu. Ar Tedas tau mokėjo už tai, kad atbaidytum visus galimus agentūros klientus?

– Turi mintyje kyšį? Kažką panašaus į tuos pinigus, kuriuos gaudavai tu už pažadą įkalbėti Žoržetą parduoti sklypą 24-ojoje gatvėje? – sarkastiškai atkirto Robina. – Ne, nieko panašaus nebuvo.

Staiga prasivėrė į pagrindinę Rytų gatvę išeinančios agentūros durys. Robina ir Henris nustėro išvydę rūškaną seržanto Klaido Erlio veidą.

Erlis sėdėjo policijos mašinoje, kuri pirmoji įsuko į Šiphilo gatvę ir vėliau kaukdama įlėkė į Lorenos Smit namo kiemą. Išklausęs isterišką Lorenos Smit paaiškinimą, kur guli tas lavonas, kurį ji ką tik aptiko, Erlis įpareigojo drauge atvažiavusį policijos pareigūną pasirūpinti ponia Smit, o pats nuskubėjo į nurodytą vietą. Jis perbėgo pievą ir, pasukęs už baseino, iš karto išvydo be gyvybės ženklų ant žemės gulintį sodininko lavoną.

Tą akimirką Erlis suprato, kad vis dėlto turėtų gailėtis dėl to, ką padarė. Pirma jam neatrodė svarbu, kad šiukšlių maišą ant žemės paliko tyčia, norėdamas pakankinti Čarlį Hačą. Na ir kas, kad vakar po darbo namo grįžęs Čarlis, be abejo, iš karto pastebėjo tą maišą ir netrukus sužinojo, jog jame nebėra nei džinsų, nei sportbačių, nei medinių figūrėlių. Bet žiūrėdamas į kruviną Čarlio veidą Erlis suprato, kad šitaip nutiko dėl jo kaltės. Čarlis persigando ir paskambino tam žmogui, kuris jį buvo pasamdęs nusiaubti namą. O tas žmogus nusprendė, kad Čarlis jam kelia pavojų, mintyse svarstė Erlis. Vargšas Čarlis. Neatrodė kaip blogas vyrukas. Bet nenustebčiau sužinojęs, kad tai buvo ne pirmas jo nusižengimas įstatymams. Matyt, jam tikrai gerai sumokėjo.

Atsargiai, stengdamasis neužminti žolės aplink Čarlio lavoną, Erlis ėmė žvalgytis. Žoliapjovę Čarlis paliko už namo, atkreipė dėmesį seržantas. Gali būti, kad jis čia atėjo norėdamas su kažkuo pasimatyti. Kaipgi jis sutarė dėl šio susitikimo? Džefris iš karto pasirūpins, kad būtų peržiūrėtas Čarlio telefono skambučių sąrašas. Ir jo banko sąskaita, be abejo. Kita vertus, gali būti, kad susuktą pinigų pluoštą jiems pavyks rasti paslėptą Čarlio spintoje ar dar kur nors.

Tas Senojo Malūno tako namas tikrai prakeiktas, svarstė Erlis. Čarlis jį nusiaubė ir dabar guli negyvas. Žoržeta jį pardavė ir dabar jau palaidota. Tai poniutei Nolan, rodos, namas taip pat neblogai nervus patampė. Kada gi tai baigsis? -

Netrukus pasirodė ir kiti policijos ekipažai. Klaidas pasirūpino, kad būtų uždaryta Šipilo gatvė, geltona juosta apjuosė nusikaltimo vietą ir pastatė prie namo vartų policijos pareigūną, paliepęs į namo teritoriją neįleisti leidimo neturinčių mašinų. „O tai reiškia, kad į vidų neįleidžiami ir žurnalistai", – įsakmiu balsu paaiškino jis.

Klaidui patiko vadovauti. Jį gerokai erzino tai, kad vos pasirodžius prokuratūros darbuotojams vietos policijai iš karto atitekdavo antraeilis vaidmuo. Žinoma, Džefris Makingslis, kitaip nei daugelis kitų, nepamiršdavo pranešti Klaidui, kaip reikalai, tačiau vietos pareigūnai prokuratūros dievams niekada neprilygdavo.

Į nusikaltimo vietą atvykęs Džefris Klaidui pratarė vos porą pasisveikinimo žodžių. Na, panašu, jog daugiau jokių padėkų už tai, kad radau dažais suteptus Čarlio drabužius, taigi tikrai puikų savo darbą, jau nebesulauksiu, pagalvojo Klaidas.

Kai lavonas buvo išvežtas, darbų ėmėsi nusikaltimo vietos tyrėjų grupė. Klaidas jau buvo bevažiuojąs į policijos komisariatą, tačiau netikėtai apsigalvojo ir atvyko prie pagrindinėje Rytų gatvėje įsikūrusios Grouv nekilnojamojo turto agentūros. Pažvelgęs pro agentūros durų stiklą, išvydo prie darbo stalo sėdinčią Robiną Kapenter ir su ja besišnekučiuojantį Henrį Palį. Klaidas norėjo pats pirmas jiems pranešti apie Čarlio Hačo mirtį ir pasiteirauti, ar bent vienas iš jų su juo bendravo.

Nenustebčiau sužinojęs, kad Čarlis turėjo reikalų su Henriu Paliu, lenkdamas durų rankeną pagalvojo Klaidas. Man tas vyrutis nepatinka, konstatavo jis mintyse.

– Džiaugiuosi, kad radau jus abu, – įžengęs į vidų prabilo Klaidas. – Ar pažįstate Čarlį Hačą? Sodininką, kuris rūpinosi Olandų gatvės namu ir jo teritorija?

– Esu jį porą kartų matęs, – atsakė Henris.

– Šią popietę, tarp pusės dviejų ir dviejų, tuo metu, kai dirbo viename iš Šiphilo gatvės namų, Čarlis Hačas buvo nušautas.

Robina pašoko nuo kėdės, jos veidas tuoj išbalo.

– Čarlis! Negali būti!

Abu vyrai apstulbo.

– Čarlis buvo mano brolis, – suaimanavo Robina. – Jis *negali* būti miręs.

47

Antradienio popietę Zakas nusprendė apsilankyti gretimame Mendamo mieste. Penktą valandą jis pastatė savo automobilį priešais Kartraito kotedžų korporacijos pardavimo biuro duris. Įėjęs į vidų,

Zakas išvydo prie darbo stalo sėdinčią daugmaž trisdešimties metų moterį, pardavimo vadybininkę. Darbo diena jau buvo besibaigianti, tad vadybininkė tvarkė stalą ketindama netrukus užrakinti biurą. Ant vardo kortelės, pastatytos ant šios moters stalo, buvo parašyta „Eimė Stak".

– Sveika, Eime! – riktelėjo Zakas, stovėdamas priešais stalą. – Jei neklystu, jau ketini sprukti iš šio biuro? Ką gi, ilgai netrukdysiu.

Ant sienų buvo prikabinėta įvairių kotedžų maketų ir dailininko eskizas, vaizduojantis, kaip šie namai atrodys įrengti. Zakas ėmė vaikštinėti nuo vieno maketo prie kito, atidžiai apžiūrinėdamas kiekvieną detalę. Ant agentės stalo padėtuose lankstinukuose buvo pateikta daug informacijos apie kiekvieno tipo namą: kainos, matmenys, kitos ypatybės. Zakas pasiėmė vieną lankstinuką ir ėmė balsu skaityti apie pačius brangiausius namus.

– Keturių aukštų kotedžas, keturi paprasti miegamieji, vienas didelis miegamasis, moderni virtuvė, trys židiniai, keturi vonios kambariai, skalbykla ir džiovykla, dvivietis garažas, privatūs vidinis ir namo kiemai, visos komunalinės ir telekomunikacijų paslaugos. – Zakas linksėdamas nusišypsojo. – Na, atrodo, pasirinkdamas šitokį neprašaučiau pro šalį, – pareiškė. Numetęs lankstinuką ant stalo, jis nužygiavo prie didžiausio maketo ir bakstelėjo į jį pirštu. – Eime, aš suprantu, kad dabar nekantrauji pasimatyti su savo vyru ar vaikinu, bet būčiau labai dėkingas, jei pagailėtum tokio mielo vyruko kaip aš ir kuo greičiau nuvežtum mane į tą žemės sklypą, kuriame ir stovi šis kotedžas.

– Žinoma, aš su malonumu jums pagelbėsiu, pone... – Eimė ėmė dvejoti. – Rodos, jūs dar neprisistatėte.

– Ne, neprisistačiau. Esu Zakas Viletas, o jūs, jei nepasiskolinote šios kortelės iš kolegės, esate Eimė Stak.

– Taip, atspėjote. – Eimė atitraukė pirmąjį darbo stalo stalčių ir ėmė jame ieškoti raktų žiedo. – Šio kotedžo adresas – Pounio aveniu aštuoni. Turiu jus perspėti – tai vienas prabangiausių mūsų namų. Į jo kainą įeina viskas, net baldai, tad ji yra nemaža.

– Viena gera naujiena po kitos, – maloniu balsu atsakė Zakas. – Nekantrauju jį apžiūrėti.

Žingsniuodama per kvartalą, Eimė atkreipė Zako dėmesį į tai, kad namo aplinka baigiama tvarkyti ir jos nuotraukos netrukus pasirodys visoje šalyje platinamo sodininkystės žurnalo puslapiuose. Ji taip pat pabrėžė, kad prie namo vedantis kelias bus šildomas, tad žiemą tikrai neapledės.

– Ponas Kartraitas apie viską pagalvojo, – didžiuodamasi savo viršininku paaiškino ji. – Jis yra vienas iš tų statybų įmonių vadovų, kurie patys rūpinasi kiekviena smulkmena ir akių nuo statybų aikštelės neatitraukia nė akimirkai.

– Tedas yra geras mano draugas, – ėmė pasakoti Zakas. – Mudu vienas kitą pažįstame jau keturiasdešimt metų. Kai buvome maži, drauge jodinėdavome po arklides užsikorę ant nepabalnotų žirgų. – Zakas apsižvalgė. Kai kuriuose dailiuose raudonų plytų namuose žmonės jau buvo įsikūrę. – O automobiliai čia tikrai prabangūs, – prabilo jis. – Smagi kaimynystė. Manau, puikiai čia priprasiu.

– Tai žinoma, – patikino jį Eimė. – Čia įsikūrė iš tiesų malonūs žmonės, su jais bendrą kalbą lengvai rastumėte. – Žengusi dar keletą žingsnių, Eimė vėl prabilo: – Štai ir aštuntasis namas. Kaip matote, šis namas pačiame kampe, jis vienas iš tų, kuriais mūsų statybos bendrovė itin didžiuojasi.

Kol Eimė įkišo į spyną raktą, atidarė duris ir galiausiai palydėjo Zaką į pirmo aukšto svetainę, Zako šypsena vis platėjo.

– Sienos nišoje įtaisytas židinys, baras – ir kas gi man čia galėtų nepatikti? – pasigirdo retorinis Zako klausimas.

– Kai kurie žmonės kitoje pusėje esančiame kambaryje įrengia sporto salę. Be abejo, greta jo yra vonios kambarys, kuriame rasite ir sūkurinę vonią. Namo planas iš tiesų patogus, – entuziastingu pardavimo agentų balsu paaiškino Eimė.

Zakas primygtinai reikalavo, kad į kiekvieną aukštą būtų kylama liftu. Kiekvienu namo kampeliu jis džiaugėsi taip, kaip gali džiaugtis tik kalėdines dovanas išvyniojantys vaikai.

– Šildomas lėkščių stalčius! Ak, Eime! Pamenu, kaip mama, norėdama, kad maistas kuo ilgiau išliktų šiltas, dėdavo lėkštes ant dujinės viryklės degiklių. Ji nusidegindavo pirštus iki pūslių... Oi, du svečiams skirti miegamieji! – ėmė kvatoti Zakas. – Artimų giminaičių aš neturiu, bet jei jau turėsiu šiuos du miegamuosius, privalėsiu atkapstyti visus po Ohajo valstiją išsibarsčiusius gimines ir pasikviesti juos praleisti savaitgalio.

Netrukus jie nusileido liftu į apačią ir išėjo į lauką. Zakas prabilo Eimei berakinant laukujes duris:

– Man jis tinka. Toks, koks yra. Su visais baldais.

– Puiku! – šūktelėjo iš nuostabos Eimė. – Ar pradinį įnašą norėtumėte sumokėti jau dabar?

– Nejaugi Tedas Kartraitas jums nepranešė, kad dėl šio kotedžo mes jau esame sutarę? – apstulbęs atsakė Zakas. – Kadaise aš išgelbėjau jam gyvybę. Sužinojęs, kad aplinkybės mane privertė kuo greičiau išsikraustyti iš savo namų, Tedas pasiūlė man pačiam išsirinkti vieną iš jo statomų kotedžų. Jis niekada nepamiršta atsidėkoti. Nė neabejoju, kad jūs be galo didžiuojatės dirbdama pas tokį žmogų.

48

Alekso skambučio sulaukiau praėjus vos kelioms akimirkoms nuo tada, kai atsisveikinau su prokuroru ir jo palydovais. Jis skambino iš Čikagos oro uosto.

– Rytoj vėl turėsiu grįžti į Čikagą bent porai dienų, – paaiškino jis. – Bet taip ilgiuosi jūsų abiejų, kad noriu šią naktį praleisti namuose. Gal paskambink Sju ir paklausk, ar ji galėtų šįvakar prižiūrėti Džeką? O mudu drauge pavakarieniautume „Grand Cafe".

Su Moristaune įsikūrusia „Grand Cafe" buvo susiję daugybė prisiminimų. Mano tėvai ten dažnai lankydavosi, o savaitgaliais pasiimdavo ir mane. Žinojau, kad ten su Aleksu laiką praleisčiau nuostabiai.

– Neblogas pasiūlymas, – atsakiau. – Džekas šiandien tiek prisižaidė su draugu, kad į lovą eis anksti. Gerai, aš paskambinsiu Sju. Aš vis dar vilkėjau jojikės drabužius. Surinkau Sju telefono numerį. Ji sutiko pas mus užsukti. Paskambinau į restoraną ir užsakiau vakarui staliuką. Leidusi Džekui šiek tiek pajodinėti Žvaigžde, netrukus padėjau jam įsitaisyti priešais televizorių ir, paleidusi „Mapetų" vaizdo įrašą, užlipau į antrą namo aukštą. Nors čia gyvenome jau savaitę, aš prausiausi tik rytais ir tik duše. Šįkart, įžengusi į vonios kambarį, kurį tėtis buvo specialiai įrengęs mamai, nusprendžiau pasimėgauti gilia angliško stiliaus sūkurine vonia. Vyliausi, kad mirkstant vonioje man pavyks pamiršti vėl mane iš vėžių išmušusius šios dienos įvykius. Nutiko tiek daug. Mane sekė detektyvas Volšas. Aš pravažiavau pro tą pačią vietą, kur buvo nužudytas tas sodininkas, ir greičiausiai tuo pat metu, kai įvyko ta nelaimė. O kai atsisakiau į namus įsileisti prokurorą ir jo palydovus, prokuroras, visą laiką buvęs toks malonus, užsirūstino ir ėmė su manimi bendrauti formaliai, šaltai. Rytoj manęs laukia susitikimas su Bendžaminu Flečeriu.

Ką gi aš turėčiau papasakoti Aleksui? O gal man derėtų išvis apie nieką neužsiminti ir šį vakarą drauge su juo praleisti ramiai, nesijaudinant? Rytoj ryte jis turės grįžti į Čikagą. Gali būti, kad per kelias ateinančias dienas prokuratūros darbuotojams pavyks rasti abiejų žmogžudyščių kaltininkus ir jie paliks mane ramybėje. Stengiausi save įtikinti, kad taip ir bus. Tik ši mintis man ir padėjo neprarasti sveiko proto.

Pasidžiaugusi keliomis ramybės akimirkomis vonioje, įsisupau į chalatą, pavalgydinau Džeką, išmaudžiau jį ir galiausiai paguldžiau į lovą. Tada grįžau į didįjį miegamąjį ketindama išsirinkti drabužius šiam vakarui. Staiga man prieš akis šmėstelėjo tai, ką mačiau prieš daugelį metų, tik šįkart mane aplankę prisiminimai nebuvo malonūs. Tada užsukau į šį miegamąjį norėdama palinkėti mamai saldžių sapnų. Mama ir Tedas ketino tą vakarą drauge vakarieniauti restorane. Miegamojo durys buvo praviros – pamačiau, kaip mama vaikšto po kambarį raizgydama chalato diržą. Tada iš savo vonios kambario išėjo ir Tedas. Jis bandė užsirišti kaklaraištį. Tedas apkabino mamą iš nugaros ir, timptelėjęs chalatą, apnuogino jos pečius. Mama atsigrężė. Bučinys, kurį ji padovanojo Tedui, buvo toks pats aistringas kaip ir tie bučiniai, kuriais ją netrukus apibėrė Tedas.

O po kelių dienų mama išvarė Tedą iš namų.

Kas nutiko? Kodėl ji taip netikėtai nusivylė Tedu? Nuo tos dienos, kai pradėjo susitikinėti su Tedu, iki pat jų santykių pabaigos mama nuolat įkalbinėjo mane susidraugauti su Tedu. „Liza, aš žinau, kad tu labai mylėjai savo tėvelį ir kad jo labai ilgiesi, tačiau Tedą, nors ir kitaip, tu taip pat gali mylėti. Tėvelis nudžiugtų sužinojęs, kad Tedas mumis rūpinasi", – tokie buvo jos argumentai.

Puikiai pamenu, ką aš jai atsakiau: „Tėvelis norėjo gyventi kartu su mumis ir niekada niekada nesiskirti."

Džekas gyvena kitaip. Be abejo, savo tėvo jis nė neprisimena, o Aleksą myli iš tikrųjų nuoširdžiai.

Aš turiu tamsiai žalią šantungo šilko kelnių kostiumėlį, kuris, nors ir neįmantrus, atrodo prabangiai. Nusprendžiau tą vakarą jį apsirengti. Gyvendami Niujorke, mudu su Aleksu buvome įpratę bent keletą kartų per savaitę drauge pavakarieniauti ne namie. Auklė ateidavo man dar tebesekant Džekui pasakas. Jai pasirodžius, mes išsiruošdavome į mėgstamiausią airišką barą „Pas Nearį", o jei panorėdavome makaronų patiekalų, eidavome į „Il Tennille". Kartais vakarieniaudavome ir su draugais, tačiau dažniausiai tik dviese.

Ką gi, praėjusią savaitę persikraustę gyventi čia, mudu visiškai pamiršome, kad esame neseniai susituokusi pora, svarsčiau braukydama blakstienas tušo šepetėliu ir rausvindama lūpas. Išsitrinkusi galvą, nusprendžiau plaukų nerišti – žinojau, kad Aleksui labiausiai patinka tokia šukuosena. Įsisegiau mėgstamiausius – smaragdų ir aukso – auskarus. Juos man Laris buvo padovanojęs pirmųjų vestuvių metinių proga. Laris... Kaip gaila, kad tie keleri iš tiesų laimingi mūsų santuokos metai nublanksta prisiminus pažadą, kurį Laris iš manęs išgavo gulėdamas mirties patale.

Negirdėjau, kaip Aleksas įėjo į kambarį. Staiga pajutau jo rankas, apsivijusias mano kūną. Išgirdęs mano aiktelėjimą, Aleksas nusijuokė ir atgrężė mane į save. Netrukus jo lūpos surado mano lūpas, o aš atsakiau į bučinį, nekantriai laukdama, kol jis mane dar stipriau apkabins.

– Pasiilgau tavęs, – ištarė jis. – Tiems kvailiems liudijimams ir galo nematyti. Turėjau grįžti namo, nesvarbu, kad tik vienai nakčiai.

Ranka perbraukiau per Alekso plaukus.

– Aš taip džiaugiuosi, kad grįžai, – atsakiau.

Į miegamąjį įbėgo Džekas.

– Su manimi tai nepasisveikinai, – pasipiktino.

– Maniau, jau miegi, – juokdamasis atsakė Aleksas, tada pakėlė Džeką ir priglaudė jį prie krūtinės. Dabar jo stiprios rankos buvo apkabinusios mus abu. Man buvo taip gera. Atrodė, nieko blogo ir nebuvo nutikę. Keletą valandų aš net sugebėjau apsimesti, kad taip ir yra.

Kai sėdėjome „Grand Cafe", prie mūsų staliuko vis prieidavo pasisveikinti žmonės. Paaiškėjo, kad tai Alekso draugai, su kuriais jis susipažino Pypako jojimo klube. Visi jie pareiškė nuoširdžiai mus užjaučiantys tiek dėl chuliganų išpuolio, tiek dėl to, kad man teko aptikti Žoržetos lavoną. Aleksas visiems pasakydavo, kad mudu ketiname suteikti savo namui vardą, norime vėl pradėti vadinti jį Viršukalvės namu. Kiekvienam iš priėjusiųjų jis vis pažadėdavo: „Kai Selija pavers mūsų namus meno kūriniu, mes surengsime kokteilių vakarėlį, apie kurį legendos sklis dar kelis šimtmečius."

Kai pagaliau prie stalo likome vieni, Aleksas nusišypsojo ir ištarė:

– Juk negali manęs smerkti dėl to, jog aš tikiu, kad viskas bus gerai.

Tada aš jam ir papasakojau apie prokuroro ir jo kolegų apsilankymą, apie tai, kad mane sekioja detektyvas Volšas, kuris yra įsitikinęs, jog iš to Olandų gatvės namo aš grįžau per greitai.

Mačiau, kaip įsitempė Alekso veido raumenys ir pamažu jo skruostus išmušė raudonis.

– Negaliu patikėti – pasirodo, vienintelis šiuo metu tiems žmonėms rūpintis dalykas yra tas, kad, ištikta šoko, tu sugebėjai greitai grįžti namo. Negi jie neturi ką daugiau veikti?

– Negana to, – atsakiau ir papasakojau Aleksui apie sodininko žmogžudystę ir apie tai, kad greičiausiai būsiu pravažiavusi pro žmogžudystės vietą kaip tik tuo metu, kai ji buvo įvykdyta. – Aleksai, aš nežinau, ką man daryti. – Dabar aš jau kone šnibždėjau. – Jie tvirtino, kad visa tai yra kažkaip susiję su mūsų namu, bet aš galėčiau tau prisiekti, kad jie visi į mane žiūrėjo taip, lyg dėl Žoržetos mirties būčiau kalta tik aš.

– Ak, Selija, juk tai visiška nesąmonė, – bandė prieštarauti Aleksas, tačiau netrukus pastebėjo mano akyse besikaupiančias ašaras. – Mieloji, – prabilo, – rytoj į Čikagą išskrisiu vėlesniu lėktuvu. Ryte aš nuvažiuosiu į Moristauną ir pasikalbėsiu su prokuroru. Jis neturi jokios teisės leisti savo detektyvams sekioti tau iš paskos. Jis taip pat neturi jokios teisės pasirodyti prie mūsų namų slenksčio ir klausinėti tavęs, kur buvai tuo metu, kai buvo nužudytas tas sodininkas. Rytoj mes su juo išsiaiškinsime visiems laikams.

Viena vertus, aš savo vyrui buvau labai dėkinga. Jis yra pasiryžęs dėl manęs įsivelti į mūšį, pagalvojau. Kita vertus, ką gi Aleksas pagalvos, kai kitą kartą pasirodžius detektyvui Volšui ar Džefriui Makingsliui aš atsisakysiu atsakinėti į jų klausimus ir pareikšiu, kad nenoriu suteikti jiems jokios informacijos, kurią jie vėliau galėtų panaudoti prieš mane teisme? Aš jau melavau jiems apie šaunamąjį ginklą, pasakiau, kad Žoržeta man buvo paaiškinusi, kaip nusigauti į Olandų gatvės namą.

Juk aš negaliu atsakinėti net į pačius paprasčiausius klausimus. Ką gi aš pasakyčiau, jei jie manęs paklaustų: „Ponia Nolan, ar prieš gimtadienį kada nors lankėtės Mendame? Ar, neskaitant praėjusio ketvirtadienio, kada nors esate važiavusi Olandų gatve?“ Jei pasakyčiau tiesą, jie iš karto apipiltų mane tūkstančiais kitų klausimų.

– Selija, tau neverta nerimauti. Juk tai pats tikriausias absurdas, – pasakė Aleksas. Jis palinko į priekį ir ištiesė ranką tikėdamasis sugniaužti mano delną, tačiau aš savo ranką atitraukiau ir ėmiau kuistis po rankinę ieškodama popierinės nosinaitės.

– Nuoširdžiai atsiprašau, jei judviem sutrukdžiau. Selija, atrodote iš tiesų nusiminusi.

Pažvelgiau į Marselą Viljams. Jos balsas buvo lipšnus ir nuoširdus, tačiau akys degė smalsumu. Nėra jokių abejonių, Marsela tiesiog nesitvėrė džiaugsmu, kad jai pavyko mus užtikti kaip tik šią akimirką, kai buvome tokie susirūpinę.

Šalia Marselos stovintis vyras buvo Tedas Kartraitas.

49

Kai antradienį pusę penkių suskambo Džefrio Makingslio telefonas, jis buvo ką tik įžengęs į savo kabinetą. Atsiliepęs Džefris išgirdo seržanto Erlio balsą – jis skambino norėdamas pranešti ką tik sužinojęs, kad Robina Kapenter Čarliui Hačui buvo pusiau sesuo.

– Aš jau pranešiau žurnalistams, kad penktą valandą įvyks spaudos konferencija, – atsakė jam Džefris. – Paprašyk Robinos Kapenter užsukti į mano kabinetą šeštą. Bet ne, gal geriau tu pats ją čia atvežk.

Viskas vyko taip, kaip Džefris ir tikėjosi – spaudos konferencija prilygo tardymui.

– Mažiau nei per savaitę Moriso apygardoje buvo įvykdytos dvi žmogžudystės, abi – daugiau nei milijono dolerių vertuose namuose. Ar šios žmogžudystės yra susijusios? – pasiteiravo „Daily Record" žurnalistas.

– Čarlis Hačas dirbo sodininku tame Olandų gatvės name. Čarlio Hačo namų šiukšles išvežantis vyras tvirtina, kad seržantas Erlis konfiskavo vieną iš šiukšlių maišų, kuriuos buvo ištraukęs iš Čarlio Hačo šiukšlių konteinerio. Pasak šiukšlininko, seržantas pasiėmė džinsus, sportbačius ir drožinius, kuriuos jie rado tame maiše. Ar Čarlis Hačas buvo įtariamas dėl Žoržetos Grouv žmogžudystės? – šį klausimą uždavė žurnalistas iš „New York Post".

– Ar šios dvi žmogžudystės yra susijusios su chuliganizmu Senojo Malūno take, Mažosios Lizės name? Kokios versijos šiuo metu tiriamos? – atsakymo reikalavo neetatinis „Asbury Park Press" žurnalistas.

Džefris kostelėjo. Jis prabilo atidžiai rinkdamas žodžius:

– Čarlis Hačas, sodininkas, buvo nušautas šią popietę, tarp pirmos valandos keturiasdešimt minučių ir antros valandos. Mes manome, kad jis savo žudiką pažinojo ir greičiausiai buvo sutaręs su juo susitikti. Šūvio niekas neišgirdo, tad policijai apie jį iš karto nebuvo pranešta. Turint omenyje, kad tuo metu gretimame Slė-nio gatvės name ūžė žoliapjovė, tai suprantama. – Tuo savo kalbą Džefris ir ketino baigti, tačiau, kurį laiką pasvarstęs, pakeitė nuo-monę ir nusprendė negalįs išeiti iš šios spaudos konferencijos ne-suteikęs žurnalistams kokios nors papildomos informacijos. – Mes manome, kad Čarlio Hačo ir Žoržetos Grouv mirtys yra susijusios. Gali būti, kad tam tikrą reikšmę šioje istorijoje turi ir išpuolis Se-nojo Malūno tako name. Šiuo metu tiriamos kelios pastarųjų sa-vaičių įvykių versijos ir žiniasklaida apie tyrimą bus nuolatos in-formuojama.

Džefris Makingslis buvo nusivylęs ir susierzinęs – grįždamas į savo kabinetą jis negalėjo atsikratyti minties, kad dėl visko kaltas Klaidas Erlis. Galėčiau lažintis, kad Klaidas tą šiukšlių maišą pagrie-bė taip ir nesulaukęs, kol jis atsidurs už privačios teritorijos ribų, mintyse seržantą koneveikė prokuroras. Greičiausiai Čarlis sužino-jo, kas nutiko, ir jį ištiko panika. Pastebėjęs, kad Čarlis elgiasi įtarti-nai, Klaidas galėjo sulaukti, kol tos šiukšlės bus išvežtos į šiukšlyną, o tada po jas knistis. Jei jis būtų taip ir padaręs, mes būtume kurį laiką pasiklausę Čarlio pokalbių telefonu ir sužinoję, kam jis dirba. Dabar nebūtų to vargo dėl šiukšlininko, kuris negali nulaikyti liežu-vio už dantų.

Įdomu, ką gi bendro su šiomis istorijomis turi ta seksuali Grouv agentūros administratorė, kuri tvirtina esanti Čarlio Hačo sesuo, svarstė Džefris.

Šeštą valandą, lydima seržanto Klaido Erlio, į Džefrio kabinetą įžengė Robina Kapenter. Kabinete jau lūkuriavo ne tik prokuroras, bet ir Polas Volšas, Andželas Ortizas bei Mortas Šelis. Džefris ne-abejojo, jog jo kolegos jau spėjo pastebėti, kad Robina yra viena iš tų moterų, kurios iš vyrų sugeba išsireikalauti viską, ko tik užsigei-džia. Keista, Robiną mes kalbinome ir praėjusią savaitę, kai buvo aptiktas Žoržetos Grouv lavonas. Tąkart ji buvo gana tyli, uždara, bet staiga tapo kone pagrindine viso šio nevykusio veiksmo filmo žvaigžde. Na, porą žmonių šios žvaigždes spindesys tikrai apakino, pridūre jis mintyse, pastebejęs, kad Andželas Ortisas nebesugeba atitraukti akių nuo Robinos.

– Panele Kapenter, leiskite man pareikšti užuojautą del brolio mirties. Nuoširdžiai apgailestauju del to, ką jums šiuo metu tenka patirti.

– Dekui, pone Makingsli. Vis delto nenorečiau jūsų suklaidinti. Man tikrai gaila del to, kas nutiko Čarliui, tačiau turiu jums prisipažinti, kad apie jį aš sužinojau tik prieš metus.

Robina papasakojo, kad jos motina, kaip paaiškejo, būdama vos septyniolikos susilauke kūdikio. Ji motinystes teisių atsisake ir pasiraše leidimą kūdikį įsivaikinti vienai bevaikei porai.

– Mano motina mire prieš dešimt metų. Vieną dieną prie mano tevo durų slenksčio pasirode Čarlis ir prisistate esąs jo žmonos sūnus. Jis atsineše ne tik gimimo liudijimą, bet ir kelias nuotraukas, kuriose buvo nufotografuota ant rankų kūdikį laikanti mano motina. Taigi jokių abejonių del to, kas jis toks, mums nebegalejo kilti. Mano tevas buvo vedęs antrą kartą, tad Čarlis jam mažiausiai rūpejo. Tiesą sakant, nors Čarlis buvo man pusiau brolis, geriau jį pažinusi, susidomejimą praradau ir aš. Jis visą laiką skųsdavosi. Čarlis vis guosdavosi, kiek daug jam teko sumoketi žmonai, kai jie nusprende skirtis. Kartodavo, kad nekenčia sodininkavimo, bet, kartą į šį darbą įklimpęs, jau nebesugebejo iš jo išsikapstyti. Jis neapkente didžiosios dalies žmonių, su kuriais jam tekdavo dirbti. Čarlis nebuvo iš tų, su kuriais norisi susidraugauti.

Visą šį laiką Džefris atidžiai klausesi. Kai Robina nutilo, pasiteiravo:

– Ar dažnai su juo bendraudavote?

– Atvirai kalbant, aš su juo būčiau mielai nutraukusi bet kokį ryšį. Retsykiais jis man paskambindavo ir pakviesdavo drauge išgerti kavos. Su žmona jis buvo išsiskyręs ne taip seniai, tad vis nerado sau vietos.

– Panele Kapenter, mes turime įrodymų, kad Čarlis Hačas sudarkė Senojo Malūno tako namą.

– To negali būti, – paprieštaravo Robina. – Kam Čarliui reikėjo taip daryti?

– Tai mes ir stengiamės sužinoti, – atsakė Džefris. – Ar Čarlis kada nors buvo užsukęs pas jus į darbą?

– Ne, niekada.

– Ar Žoržeta žinojo, kad jis buvo jūsų giminaitis?

– Ne. Aš nemačiau reikalo kalbėti su ja apie Čarlį.

– O ar pati Žoržeta ir Henris palaikė ryšį su Čarliu?

– Greičiausiai. Juk kartais žmonės, norintys parduoti savo namus, jau būna išvykę, o namą ir jo teritoriją prižiūrėti vis tiek reikia. Čarlis dažniausiai sodininkaudavo, o žiemą žmonės jį samdydavo nukasti nuo kelių sniegą. Jei jau Žoržeta turėdavo parduoti kokį namą, ji visada pasirūpindavo, kad jis atrodytų nepriekaištingai. Taigi, jei Čarlis dirbo viename iš namų, kurio pardavimu rūpinosi Žoržeta, gali būti, kad ji Čarlį pažinojo. Vis dėlto per tuos metus, kol dirbau pas Žoržetą, nė karto negirdėjau jos minint Čarlio vardo.

– Vadinasi, tą patį galima pasakyti ir apie Henrį Palį? – pasiteiravo Džefris. – Jis irgi galėjo susipažinti su Čarliu gerokai anksčiau, ne vien praėjusią savaitę?

– Žinoma.

– Panele Kapenter, kada jūs paskutinį kartą kalbėjotės su savo broliu?

– Daugiau nei prieš tris mėnesius.

– Kur jūs buvote šią popietę, tarp pirmos keturiasdešimt ir antros?

– Agentūroje. Henris pietavo drauge su Tedu Kartraitu. Jis į agentūrą grįžo šiek tiek po pirmos. Tada aš nubėgau į kavinukę kitoje gatvės pusėje ir, nusipirkusi sumuštinį, grįžau. Pusę dviejų į agentūrą turėjo užsukti vienas iš Henrio klientų – Henris buvo sutaręs, kad aprodys jam namą.

– Ar tas susitikimas įvyko?

Kurį laiką padvejojusi, Robina vis dėlto prabilo:

– Taip, įvyko, tačiau ponas Miuleris, mūsų klientas, paskambino į agentūrą ir pranešė, kad su Henriu galės pasimatyti tik apie pusę trijų.

– Vadinasi, iki pat pusės trijų su jumis agentūroje buvo ir Henris Palis?

Robina vėl ėmė dvejoti. Netrukus jos akyse pradėjo kauptis ašaros. Robina įsikando į lūpą, kad ji nustotų virpėti.

– Negaliu patikėti, kad Čarlis negyvas. Nejaugi dėl to, kad... – Staiga ji nutilo.

Po kelių tylos akimirkų Džefris nusprendė prabilti. Jis kalbėjo lėtai, apgalvodamas kiekvieną žodį:

– Panele Kapenter, jei jums žinoma kokia nors informacija, kuri mums pagelbėtų tiriant šią bylą, jūs privalote ją atskleisti. Tai yra jūsų pareiga. Apie ką jūs pradėjote kalbėti?

Ilgiau tvardytis Robina nebesugebėjo.

– Henris bandė mane šantažuoti, – paaiškino raudodama. – Prieš įsidarbindama pas Žoržetą, aš kurį laiką susitikinėjau su Tedu Kartraitu. Be abejo, sužinojusi, kaip Žoržeta Tedo neapkenčia, nusprendžiau jai apie tai neprasitarti. Kai apie tai prabyla Henris, ima atrodyti, kad aš ketinau pakenkti Žoržetai. Bet tai yra tikras melas. O tiesa tokia, kad šiandien agentūroje Henrio nebuvo nuo pirmos valandos penkiolikos minučių iki beveik ketvirtos valandos. Vos tik jis grįžo, agentūroje pasirodė seržantas Erlis ir pranešė mums apie Čarlio mirtį.

– Ar teisingai jus supratau – jo susitikimas su klientu buvo perkeltas iš pusės antros į pusę trijų? – pasitikslino Džefris.

– Taip.

– Dėkoju jums, panele Kapenter. Žinau, kad apie tai kalbėti jums nebuvo lengva. Būčiau dėkingas, jei luktelėtumėte dar porą minučių. Netrukus jūsų parodymai bus išspausdinti ir jūs galėsite patvirtinti juos parašu. Tada seržantas Erlis jus su malonumu parveš namo.

– Dėkui.

Džefris pažvelgė į savo pagalbininkus, kurie iki šiol tyliai kažką užsirašinėjo į savo užrašų knygeles.

– Ar kas nors turite klausimų panelei Kapenter?

– Tik vieną, – atsakė Polas Volšas. – Panele Kapenter, koks jūsų mobiliojo telefono numeris?

50

Driu Peri telefonas suskambo trečią valandą penkiolika minučių. Redaktorius Kenas Šarkis pranešė apie vietiniu policijos radijo ryšiu pasklidusią žinią. Nušautas Čarlis Hačas – sodininkas, dirbęs tame pačiame Olandų gatvės name, kuriame buvo nužudyta Žoržeta Grouv. Į žmogžudystės vietą Kenas jau buvo spėjęs nusiųsti kitą žurnalistą, o Driu paskambino norėdamas, kad ji dalyvautų Džefrio Makingslio spaudos konferencijoje, kurią, be abejo, jis turėjo anksčiau ar vėliau surengti.

Driu pasakė Kenui spaudos konferencijoje dalyvausianti, tačiau nė žodžiu neužsiminė apie tai, ką jai pavyko sužinoti. Driu jau buvo radusi duomenis apie tris Lizos Barton motinos pusės giminių kartas. Lizos motina ir senelė buvo vienturtės. Jos prosenelė turėjo tris seseris. Viena iš jų taip niekada ir neištekėjo. Dar viena tapo Džeimso Kenedžio žmona ir mirė nesusilaukusi palikuonių. Trečioji sesuo ištekėjo už vyro, vardu Viljamas Kelogas.

Mergautinė Selijos Foster Nolan pavardė yra Kelog. Aprašydamas išpuolį jos naujuose namuose apie tai užsiminė vienas Niujorko laikraščių žurnalistų, prisiminė Driu. Savo straipsnyje aš ją pristačiau tik kaip finansininko Lorenso Fosterio našlę. Jei neklystu, apie jos praeitį išsamiau parašė kažkas iš „New York Post". Esą su Lorensu Fosteriu ji susipažino įrengdama jo namus, dirbo įkūrusi savo dizaino įmonę „Selijos Kelog interjerai".

Driu nusileido į teismo rūmų kavinę ir užsisakė puodelį arbatos. Kavinė buvo pustuštė, ir Driu dėl to nudžiugo. Ji norėjo pamąstyti – jau buvo bepradedanti suvokti, koks neįtikėtinai svarbus jos atradimas ir kur jis veda.

Įbedusi akis į tolį, Driu spaudė rankose arbatos puodelį. Gal tik sutapimas, kad Selijos mergautinė pavardė yra Kelog, svarstė ji. Bet ne, aš tokiais atsitiktinumais nesu linkusi patikėti. Selija Nolan yra *lygiai tokio pat* amžiaus, kokio dabar turėtų būti ir Liza Barton. Įdomu, ar tai, kad Aleksas Nolanas nupirko būtent tą namą, taip pat yra atsitiktinumas? Tikimybė – viena iš milijono, tačiau taip *galėjo* nutikti. Jei Aleksas Nolanas iš tiesų tą namą nupirko norėdamas nustebinti savo žmoną, tai reikštų ne ką kita, o tai, kad Selija Nolan nėra jam papasakojusi tiesos apie savo praeitį. Dieve mano, sunku įsivaizduoti, kaipgi Selija Nolan jautėsi tada, kai per gimtadienį vyras ją atvežė prie to namo ir ji turėjo apsimesti esanti maloniai nustebusi.

Lyg to nebūtų pakakę, tą dieną, kai jų šeima atsikraustė į tą namą, ji dar išvydo tą užrašą ant pievelės, dažais aptaškytą namą, lėlę, laikančią pistoletą, ir, be abejo, ant durų išraižytus kaukolę ir sukryžiuotus kaulus. Nieko nuostabaus, kad tąkart, išvydusi atlekiančius žurnalistus, Selija Nolan prarado sąmonę.

Įdomu, ar tie įvykiai visiškai išmušė ją iš pusiausvyros, svarstė Driu. Žoržetos Grouv lavoną aptiko Selija Nolan. Ar gali būti, jog tas namas ir žiniasklaida Seliją taip įsiutino, kad ji nusprendė nužudyti Žoržetą?

Tokia galimybė Driu nežavėjo.

Šiek tiek vėliau vykusioje spaudos konferencijoje Driu nepratarė nė žodžio – tai jai buvo nebūdinga. Išgirdusi, kad seržantas Klaidas Erlis konfiskavo nužudytam sodininkui priklausiusius džinsus, sportbačius ir drožinius, Driu padarė tik vieną išvadą. Netrukus paaiškės, kad Čarlis Hačas įvykdė tą išpuolį Senojo Malūno tako name.

Driu pagavo save besvarstančią, kad Selijai Nolan praverstų tvirtas alibi. Jau geriau ji sugebėtų paaiškinti, ką veikė tas trisdešimt šios popietės minučių – tarp pirmos valandos keturiasdešimt ir antros valandos dešimt. Bet kuo toliau, tuo labiau jai atrodė, kad greičiausiai jokio alibi Selija Nolan neturės.

Nors darbo diena buvo ilga, pasibaigus spaudos konferencijai, Driu vis tiek nuvažiavo į laikraščio redakciją. Panaršius internete, jai pavyko aptikti nemažai straipsnių apie Seliją Kelog. Vienas iš jų buvo interviu, prieš septynerius metus pasirodęs žurnale „Architectural Digest". Kai gerai žinomas dizaineris, pas kurį Selija Nolan dirbo, išėjo į pensiją, Selija užėmė jo vietą. Žurnale Selija buvo pavadinta pačia originaliausia ir talentingiausia naujosios kartos dizainere.

Straipsnyje Selija buvo pristatyta kaip Martino ir Ketlinos Kelogų dukra. Ji neužsiminė, kad tie žmonės buvo jos įtėviai, atkreipė dėmesį Driu. Straipsnyje buvo paminėta, kad ji užaugo Santa Barbaroje. Toliau skaitydama interviu, Driu pagaliau rado, ko ieškojo: kai įstojusi į Taikomųjų menų institutą Selija išvažiavo gyventi į Rytus, Kelogai įsikūrė Neiplse, Floridoje.

Jų telefono numerio paieška informacijos knygoje užtruko vos kelias akimirkas. Radusi numerį, Driu užsirašė jį į knygelę. Kol kas jiems skambinti šiek tiek per anksti, pagalvojo. Be jokių abejonių, jie paneigtų, kad jų įdukra yra Liza Barton. Pirma aš turiu gauti kompiuteriu sudarytą suaugusios Lizos Barton atvaizdą. Be to, reikia apsispręsti, ar man vertėtų papasakoti apie savo įtarimus Džefriui Makingsliui. Jei aš neapsirinku, gerokai svarbiau ne tai, kad Liza Barton grįžo namo, o tai, kad yra nemaža tikimybė, jog ji visiškai prarado sveiką protą ir dabar siaučia po miestą skersdama vieną žmogų po kito. Net Lizos advokatas buvo užsiminęs, kad nenustebtų, jei vieną dieną Liza grįžtų ir ištaškytų Tedui Kartraitui smegenis.

Dar turiu kuo greičiau sužinoti, kas yra Zakas. Dėl šio vardo Lizą sulaikytų nepilnamečių įstaigoje ištikdavo priepuoliai. Gali būti, kad ji iki šiol jaučia jam pagiežą.

51

Išvydęs mane Tedas Kartraitas gerokai suglumo – tai pastebėjau tą pačią akimirką, kai buvau jam pristatyta. Jis niekaip negalėjo atitraukti akių nuo mano veido. Matyt, žvelgdamas į jį, Tedas matė ne mane. Jis matė mano motiną. Jau buvau pastebėjusi, kad šįvakar – pati nežinau dėl ko – buvau iš tiesų į ją panaši.

– Malonu su jumis susipažinti, ponia Nolan, – ištarė jis.

Tai buvo garsus, skambus, įsakmus savimi pasitikinčio žmogaus balsas. Tas pats balsas, kuris virto šaižiu spiegimu bloškiant į mane mamą.

Visus šiuos dvidešimt ketverius metus, nuo pat tos dienos, aš šį balsą išgirsdavau kas kartą, kai pamėgindavau save įtikinti, kad jau esu jį pamiršusi, ir kas kartą, kai, praradusi viltį pamiršti jį visiems laikams, stengdavausi prisiminti paskutinius žodžius, kuriuos Tedas ir mano motina rėkė vienas kitam, kol manęs dar nebuvo kambaryje. Deja, tų žodžių prisiminti man taip ir nepavyko.

Visą šį laiką mano mintyse skambėjo tik tie žodžiai, kuriuos išrėkiau pati: „Paleisk mano mamą!"

Pažvelgiau į jį. Neturėjau nė menkiausio noro spausti jo ištiestos rankos, tačiau negalėjau leisti, kad kiltų klausimų, kodėl su Tedu elgiuosi nemandagiai. „Kaip laikotės?" – sumurmėjau ir tuojau pat atsigręžiau į Aleksą. Mano vyras, neturėdamas nė menkiausio supratimo, kas čia dedasi, pasielgė taip, kaip, įsivyravus nejaukiai tylai, būtų pasielgęs bet kuris kitas žmogus. Jis išliko mandagus ir stengėsi užmegzti įprastą pokalbį – ėmė man pasakoti, kad Tedas taip pat esąs Pypako jojimo klubo narys ir jie dažnai ten atsitiktinai susitinką.

Be abejo, Marsela nesitvėrė kailyje nepasiteiravusi, kodėl aš vis šluostau nosine tebeašarojančias akis.

– Selija, ar galėčiau jums kuo nors pagelbėti? – kreipėsi ji į mane.

– Žinoma, galite. Pavyzdžiui, būtų puiku, jei nustotumėte kištis ne į savo reikalus, – atšoviau.

Besišypsantis Marselos veidas sustingo. Tedas nutempė Marselą į šalį taip ir nespėjusią man nieko atsakyti.

Pažvelgusi į Aleksą iš karto supratau, koks jis sutrikęs.

– Selija, kas čia dabar? Nebuvo jokios priežasties elgtis taip nepagarbiai.

– Buvo, – atsakiau. – Mudu kalbėjomės apie asmeninius reikalus. Nors ir matė, kad aš susisielojusi, ta moteris vis tiek nesusitvardė ir atskubėjo čia pasiteirauti, kas gi mane taip nuliūdino. O dėl pono Kartraito jaudintis taip pat neverta – juk ir pats skaitei tą ilgą interviu, kuriame jis su tokiu pasimėgavimu pasakojo apie šiurpią to namo istoriją. To paties namo, kuriame tu taip nekantrauji įsikurti.

– Selija, aš gerai prisimenu, apie ką jis iš tikrųjų pasakojo žurnalistams, – paprieštaravo Aleksas. – Jis tik atsakė į keletą pateiktų klausimų. Tik tiek. Tedo Kartraito aš gerai nepažįstu, tačiau klube jis labai gerbiamas. O Marsela iš pažiūros tenorėjo tau pagelbėti. Dieve mano, juk vakar, sužinojusi, kad aš nebeturiu laiko, ji parvežė tave namo.

Tu man sakei, kad Zakas viską matė!

Man ausyse aidėjo mamos balsas. Esu tikra, kad tąnakt ji sušuko šiuos žodžius. Išgirdusi Tedo balsą, aš įsitikinau, kad visa tai, ką man pavyko prisiminti per šią savaitę, vyko iš tiesų. Nėra jokių abejonių, kad tada mano mama tikrai ištarė Zako vardą. O štai dabar man pavyko prisiminti ir dar keletą žodžių: „Tu man sakei, kad Zakas viską matė!"

Ką gi Tedas darė tuo metu, kai jį stebėjo Zakas?

– Ak, ne! – suvaitojau balsu.

– Selija, kas nutiko? Tu išbalusi lyg vaiduoklis.

Nejaugi tardama tuos žodžius mama galvoje turėjo būtent tai? Savo žūties dieną mano tėvas nesulaukė Zako ir išjojęs vienas atsitiktinai pasuko ne tuo taku. Tokią istoriją ir man, ir visiems kitiems pasakojo Zakas. Negana to, jis man gyrėsi, kad yra senas Tedo Kartraito draugas. Gal tą pačią dieną tuo vingiuotu taku jodinėjo ir Tedas? Ar jis kaip nors prisidėjo prie to nelaimingo atsitikimo? Gal tuo metu, kai jis įvyko, ten buvo ir Zakas?

– Selija, kas nutiko? – dar kartą pasiteiravo Aleksas.

Jutau, kaip man palengva iš veido išteka kraujas. Karštligiškai sukau galvą, kokį gi pasiaiškinimą dabar iš manęs turėtų išgirsti Aleksas. Bent jau dalį tiesos aš galėjau jam pasakyti.

– Prieš pasirodant Marselai, aš ketinau tau pasakyti, jog šiandien kalbėjau su mama. Ji man pranešė, kad tėčio būklė iš tiesų prasta.

– Paūmėjo Alcheimerio liga?

Linktelėjau.

– Ak, Selija, man taip gaila. Ar mes galime ką nors padaryti?

Tas „mes" man buvo pati geriausia paguoda.

– Aš liepiau Ketlinai kuo greičiau pasamdyti žmogų, kuris drauge su juo galėtų praleisti visą dieną. Pasakiau, kad išlaidas apmokėsiu.

– Leisk man tai sutvarkyti.

Dėkodama papurčiau galvą.

– Ne, tai nėra būtina, bet žinodama, kad tu visada pasirengęs man padėti, aš tave myliu dar labiau.

– Selija, aš tau ant lėkštelės galėčiau atnešti nors ir visą pasaulį, tik tark žodį. – Jis palinko artyn, ištiesė rankas. Mūsų pirštai susinėrė.

– Man reikia tik nedidelės to pasaulio dalies, – atsakiau, – tos, kurioje žmonės gyvena laimingai ir paprastai, tos, kurioje galėčiau leisti dienas su tavimi ir Džeku.

– Ir kada nors gimsiančiu Džilu, – šypsodamasis pratęsė Aleksas.

Padavėjas atnešė sąskaitą. Kai pakilome nuo stalo, Aleksas pasiūlė man drauge prieiti prie Marselos ir Tedo stalelio palinkėti jiems gero vakaro.

– Juk užglaistydami tą nesusipratimą tikrai nenukentėtume, – pratarė jis. – Marsela yra mūsų kaimynė ir ji linkėjo tau gero. Be to, ėmę lankytis Pypako jojimo klubo renginiuose, mes kas kartą ten sutiksime ir Tedą. To mums išvengti tikrai nepavyks.

Ketinau Aleksui piktai atkirsti, tačiau paskutinę akimirką apsigalvojau. Jei Tedas mane atpažino, jis gali pradėti nerimauti, kad man pavyks prisiminti tai, ką tą naktį jam suriko mano motina. Kita vertus, jei aš priverčiau Tedą susimąstyti, tačiau jis manęs neatpažino, aš vis dar turiu galimybę išgauti iš jo kokią nors reakciją.

– Puikus sumanymas, – atsakiau.

Aš jau buvau pastebėjusi, kad Marsela ir Tedas į mus vis žvilgčioja, tačiau kai pasukome į jų pusę, Marsela ir Tedas ėmė žiūrėti vienas į kitą, bandydami apsimesti, kad dėl kažko įtemptai diskutuoja. Priėjau prie jų staliuko. Savo milžiniškame delne Tedas gniaužė puodelį espreso kavos – jo veik nebuvo matyti. Kairę ranką jis buvo padėjęs ant stalo ir balta staltiese bėgiojo jo ilgi, stori pirštai. Aš gerai žinojau, kokios stiprios šios rankos – visą jų jėgą pajutau tada, kai Tedas bloškė į mane mamą taip, lyg ji būtų besvoris žaisliukas.

Nusišypsojau Marselai, nors iš visos širdies jos neapkenčiau. Aš nė akimirkos nebuvau pamiršusi, kad kai Tedas jau buvo vedęs mano motiną, Marsela nuolatos su juo flirtuodavo. Gerai prisiminiau ir tai, kad po mano motinos žūties Marsela iš karto stojo Tedo pusėn ir nepamiršo su visais pasidalyti nuomone, kurią buvo susidariusi apie mane.

– Marsela, aš nuoširdžiai gailiuosi dėl to, kas pirma įvyko, – kreipiausi į ją. – Šiandien aš išgirdau labai blogą naujieną apie savo tėvą. Jis rimtai negaluoja. – Pažvelgiau į Tedą. – Aš lankau jojimo pamokas pas žmogų, kuris, kaip pats tvirtina, yra geras jūsų bičiulis. Jo vardas Zakas. Jis yra iš tiesų nuostabus mokytojas. Man labai pasisekė, kad jį atradau.

Vėliau, kai jau buvome grįžę namo ir ruošėmės eiti gulti, Aleksas man pasakė štai ką:

– Selija, tu šįvakar taip gražiai atrodei, tačiau dėl kai ko aš vis dėlto nuogąstauju. Pamatęs, kaip tu išbalai, pagalvojau, kad tuoj nualpsi. Jau esu pastebėjęs, kad pastaruoju metu neišsimiegi. Ar tu nerimauji vien dėl tėvo ligos, ar ir dėl to detektyvo Volšo?

– Detektyvas Volšas man geriau jaustis tikrai nepadeda, – atsakiau.

– Pas prokurorą rytoj užsuksiu iš pat ryto, devintą valandą. Iš prokuratūros turėsiu važiuoti tiesiai į oro uostą, tačiau būtinai tau paskambinsiu ir papasakosiu, kaip man sekėsi.

– Gerai.

– Tu gerai žinai, kad migdomieji man nelabai patinka. Bet dabar manau, kad viena piliulė tau tikrai nepakenktų. Išsimiegojus viskas atrodo kitaip.

– Pritariu, – pasakiau. Netrukus, patylėjusi porą sekundžių, pridūriau: – Pastaruoju metu aš tikrai buvau nekokia žmona.

Aleksas mane pabučiavo ir pasakė:

– Mūsų laukia dar daug dienų. – Tada dar kartą pabučiavo.

Migdomieji pradėjo veikti. Kai pabudau, buvo jau beveik aštuonios. Vos atplėšusi akis suvokiau, kad besapnuodama prisiminiau ir kitus žodžius, kuriuos tą naktį mama sušuko Tedui.

Tu prasitarei, kai buvai girtas.

52

Trečiadienio rytą Džefris Makingslis į savo kabinetą įžengė lygiai pusę devynių. Nuojauta kuždėjo, kad jo laukia ne tik ilga, bet ir sunki diena. Abi jo senelės – ir ta, kuri turėjo škotiško kraujo, ir ta, kuri buvo kilusi iš Airijos, – ne kartą sakė, kad viskas gyvenime kartojasi tris kartus. Ypač mirtys.

Iš pradžių Žoržeta Grouv, tada Čarlis Hačas. Prietaringoji keltiškos Džefrio prigimties pusė žinojo – smurtinės mirties šmėkla vis dar klajoja po Moriso apygardą ir anksčiau ar vėliau ji pasiglemš trečią auką.

Polas Volšas buvo įsitikinęs, kad Žoržetą nužudė Selija Nolan. Ji esą buvo trumpam praradusi protą. Be to, jis manė, kad Selija turėjo ne tik motyvą, bet ir galimybę nužudyti Čarlį. Tačiau Džefris neabejojo, kad Selija tėra nelemtų aplinkybių auka.

Todėl kai Ana pranešė, kad Aleksas Nolanas nekantrauja su juo pasimatyti, Džefris nudžiugo turėsiąs galimybę pasikalbėti su Selijos Nolan vyru. Kita vertus, prokuroras norėjo būti tikras, kad vėliau jo žodžiai nebus iškraipyti.

– Ar Mortas Šelis savo kabinete? – pasiteiravo jis Anos.

– Jis ką tik pražingsniavo pro mane su kavos puodeliu.

– Pasakyk jam, kad tučtuojau baigtų gerti kavą ir ateitų į mano kabinetą. O pono Nolano paprašyk dar penkias minutes palaukti ir tada palydėk jį į mano kabinetą.

– Gerai.

Ana jau buvo spėjusi nusigręžti, bet Džefris vėl prabilo:

– Jei tavęs ko teirautųsi Polas Volšas, nesakyk jam, kad Aleksas Nolanas čia. Aišku?

Ana kilstelėjo antakius ir prie lūpų priglaudė smilių. Džefris žinojo, kad Anai Polas ne itin patinka. Praėjus mažiau nei minutei, jo kabinete pasirodė ir Mortas Šelis.

– Dovanok, kad neleidau tau baigti gerti kavos. Pas mus užsuko Selijos Nolan vyras, tad man prireikė pokalbio liudytojo, – paaiškino jam Džefris. – Jo akivaizdoje į užrašų knygelę nieko nesižymėk. Numanau, kad šis pokalbis nebus draugiškas.

Kai tik Aleksas Nolanas įžengė į kabinetą, tapo aišku, kad jis gerokai įpykęs ir nusiteikęs bartis. Jis paskubomis atsakė į Džefrio pasisveikinimą ir, vos tik jam buvo pristatytas Mortas Šelis, griežtu balsu paklausė:

– Kodėl vienas iš jūsų detektyvų sekioja paskui mano žmoną?

Džefris pripažino, kad, būdamas Selijos Nolan vyras, irgi pasipiktintų. Suprantama, Polas turi teisę sutelkti dėmesį į Seliją Nolan, tačiau akivaizdžiai ją sekdamas jis iš tiesų persistengė. Polui atrodė, jog, žinodama, kad visą laiką yra sekama, Selija Nolan galiausiai pratrūks ir prisipažins nužudžiusi Žoržetą. Bet tokiu savo elgesiu jis tik sukėlė priešiškumą ir dabar Selijos Nolan vyras, beje, advokatas, buvo pasirengęs pulti.

– Pone Nolanai, prašom sėstis. Leiskite jums viską paaiškinti, – atsakė Džefris. – Jūsų naujasis namas buvo nusiaubtas. Agentė, pardavusi jums tą namą, buvo nužudyta. Mes turime įrodymų, kad vyras, kuris buvo nužudytas vakar, įvykdė tą išpuolį jūsų namuose. Aš esu pasiryžęs atskleisti jums visas kortas. Naujojo savo šeimos namo istoriją tikriausiai gerai žinote: šiame name prieš dvidešimt ketverius metus Liza Barton nušovė savo motiną ir sunkiai sužeidė patėvį. O įsikraustę į tą namą jūs kitą dieną savo arklidėse priklijuotą prie kuolo radote Bartonų šeimos nuotrauką.

– Tą, kurioje jie visi trys paplūdimyje Spring Leike? – pasiteiravo Aleksas.

– Taip. Ant jos palikti tik jūsų žmonos pirštų atspaudai. Nieko keisto, juk prieš atiduodama tą nuotrauką man jūsų žmona turėjo ją nuplėšti.

– Palaukite, bet juk taip negali būti, – ėmė prieštarauti Aleksas. – Juk žmogus, kuris nuotrauką ten pakabino, taip pat turėjo ant jos palikti pirštų atspaudus.

– Tai va. Apie tai ir kalbu – visi pirštų atspaudai nuo tos nuotraukos buvo nuvalyti. Žoržetos Grouv rankinėje mes radome jūsų žmonos nuotrauką – tą, kurioje ji alpsta. Ji buvo iškirpta iš „Star-Ledger". Ant jos taip pat nebuvo jokių pirštų atspaudų. Galiausiai Čarlis Hačas, sodininkas, kuris buvo nužudytas vakar. Namas, kurio kieme rastas jo lavonas, yra visai netoli Vašingtono slėnio jojimo klubo, kuriame jodinėti mokosi ir jūsų žmona. Čarlio Hačo liemenės kišenėje mes radome Odrės Barton nuotrauką. Ant jos, kaip ir ant kitų nuotraukų, pirštų atspaudų taip pat nebuvo.

– Aš vis dar nesuprantu, kuo čia dėta mano žmona, – atkirto Aleksas.

– Gal ir niekuo. Bet visa tai tikrai kažkaip susiję su jūsų namu, o mūsų pareiga – sužinoti kaip. Aš galiu jus patikinti, kad šio tyrimo mastas milžiniškas. Šiuo metu mes apklausiame daugybę žmonių.

– Selijai pasirodė, kad jūs itin sureikšminate faktą, jog, aptikusi Žoržetos Grouv lavoną, ji namo parvažiavo gana greitai. Pone Makingsli, aš nė neabejoju, kad jūs esate girdėjęs apie tai, jog, veikiami milžiniško streso, kai kurie žmonės tampa fiziškai stipresni ir sugeba padaryti netikėčiausių dalykų. Gerai prisimenu, kad vienas vyras pakėlė automobilį puolęs gelbėti po ratais pakliuvusio savo vaiko. Mano žmona yra jauna moteris, kuri, išvydusi suniokotus savo naujuosius namus, patyrė didžiulį stresą. Po dviejų dienų name, kuriame anksčiau niekada nebuvo, Selija aptiko lavoną moters, kurios beveik nepažinojo. Ji neturėjo nė menkiausio supratimo, ar Žoržetos Grouv žudikas vis dar slepiasi tame pačiame name. Selija buvo transo būsenos, apimta gal iš tikrųjų jai grėsusio mirtino pavojaus nuojautos. Nejaugi jūs atmetate galimybę, kad tuo metu Selijai galėjo pagelbėti pasąmonė? Nejaugi netikite, kad kelią namo ji galėjo prisiminti nevalingai, paklusdama savo instinktams?

– Suprantu, ką jūs norite pasakyti, – geranorišku balsu prabilo Džefris. – Bet faktas, kad mes radome du lavonus, tad privalome apklausti visus žmones, galinčius mums suteikti bent kiek naudingos informacijos ir taip pagelbėti tiriant šias bylas. Mes žinome, kad ponia Nolan pravažiavo pro namą Šiphilo gatvėje, kurio teritorijoje buvo nušautas Čarlis Hačas. Žinome, kad tai ji turėjo padaryti kaip tik tuo metu, kai šis nusikaltimas buvo įvykdytas. Dėl to mes jau apklausėme jojimo klubo atstovus. Jie patvirtino, kad klube jūsų žmona pasirodė maždaug aštuonios minutės po dviejų. Gali būti, kad vykdama į klubą ji pastebėjo tuo pačiu keliu važiuojančią ir kokią kitą įtartiną mašiną. O gal kokį nors tuo keliu einantį žmogų. Vakar ji jau paliudijo mums, kad Čarlio Hačo niekada nebuvo sutikusi. Mes tik norime įsitikinti, kad jūsų žmona iš tiesų nepastebėjo nieko, kas galėtų pagelbėti mums tirti bylą. Nejaugi toks mūsų noras jums atrodo nepagrįstas?

– Esu tikras, kad Selija jums pagelbės kuo galės, – atsakė Aleksas. – Neverta nė kalbėti, kad ji neturi ko slėpti. Dieve mano, juk šio miesto ji beveik nepažįsta. Pirmą kartą ji čia apsilankė praėjusį mėnesį, per savo gimtadienį, o antrą – praėjusią savaitę, mūsų įsikraustymo dieną. Bet dėl vieno aš tikrai nenusileisiu – detektyvas Volšas privalo liautis sekioti paskui mano žmoną. Aš nepakęsiu, jei prie jos dar bus taip priekabiaujama, jei ji nebus gerbiama. Praėjusį vakarą mes drauge vakarieniavome restorane ir Selija pratrūko raudoti. Be abejo, dėl tokios jos būklės aš kaltinu ir save – kaipgi galėjau pirkti namą su ja nė nepasitaręs...

– Turiu pripažinti, kad mūsų laikais ir tarp mūsų amžiaus žmonių tokių drąsių poelgių pasitaiko nedaug, – įsiterpė Džefris.

Aleksas kreivai šyptelėjo.

– Na, gal labiau idealistinių nei drąsių. Pastarieji keleri metai Selijai iš tiesų buvo nelengvi. Pirmasis jos vyras prieš mirdamas ligos patale išgulėjo beveik metus. Prieš aštuonis mėnesius Seliją buvo partrenkęs limuzinas ir ji patyrė smarkų smegenų sutrenkimą. Jos tėvas serga Alcheimerio liga ir vakar ji sužinojo, kad jo liga progresuoja labai greitai. Selija buvo pritarusi sumanymui persikraustyti iš didmiesčio į šias apylinkes, labai to laukė, tačiau laiko namo paieškoms vis nerasdavo. Norėjo, kad aš tuo pasirūpinčiau. Kai pamačiau tą namą, kuris mums dabar priklauso, pagalvojau, kad ji tikrai nudžiugs. Juk tokio namo mes abu ir norėjome – dailaus, erdvaus, seno, tačiau puikios būklės, su keliais dideliais kambariais ir, be abejo, sklypu.

Džefris pastebėjo, kad kalbant apie savo žmoną Alekso akys spindi.

– Selija man buvo pasakojusi apie vieną namą, kuriame ji lankėsi prieš metus ir kuris jai labai patiko. Man pasirodė, kad šis namas kaip tik toks. Ar aš turėjau Seliją atsivežti čia ir parodyti jai šį namą prieš pasirašydamas sutartį? Be abejo. Ar aš turėjau išklausyti šio namo istoriją? Be abejo. Vis dėlto aš čia atėjau ne svarstyti, ką galėjau padaryti kitaip, ir ne aiškintis, kodėl mes gyvename tame name. Aš čia atėjau dėl kitos priežasties – norėdamas įsitikinti, kad nuo šiol su mano žmona jūsų pareigūnai elgsis pagarbiai. – Aleksas atsistojo ir ištiesė ranką. – Pone Makingsli, ar pažadate, kad detektyvas Volšas daugiau nebesiartins prie mano žmonos?

Džefris irgi pakilo nuo stalo.

– Taip, pažadu, – atsakė. – Bet taip jau nutiko, kad jūsų žmona pravažiavo pro Šiphilo gatvės namą, kurio teritorijoje buvo nužudytas Čarlis Hačas, todėl mes vis dar turime užduoti jai keletą klausimų. Vis dėlto aš pats tuo pasirūpinsiu.

– Ar mano žmona yra įtariamoji?

– Atsižvelgiant į šiuo metu turimus įkalčius – ne.

– Ką gi, tada aš patarsiu žmonai su jumis pasikalbėti.

– Dėkui. Tai mums labai pagelbėtų. Aš pabandysiu su ja susitikti dar šiandien, tačiau šiek tiek vėliau. Pone Nolanai, ar prisidėsite prie mūsų?

– Ne, aš vėl keletui dienų išvykstu į Čikagą. Turiu užduoti keletą klausimų žmonėms, susijusiems su palikimo byla. Buvau grįžęs tik šiai nakčiai ir tuoj pat turėsiu išvykti.

Į Džefrio kabinetą Ana įslinko, vos Aleksas užvėrė duris.

– Dailus vyrukas, – prabilo ji. – Visos penkiasdešimtmečio dar nesulaukusios mergaitės klausinėjo manęs, ar jis vienišas. Patariau joms apie tai nė negalvoti. Man pasirodė, kad iš jūsų kabineto jis išėjo gerokai ramesnis.

– Panašu, kad taip ir buvo, – pritarė Džefris, nors vis dar abejojo, ar su Selijos Nolan vyru elgėsi iš tiesų sąžiningai. Jis pažvelgė į Mortą Šelį. – Mortai, ką manai?

– Aš pritariu visai tavo šnekai. Įtariamąja Selijos Nolan nepavadinčiau, tačiau akivaizdu, kad ji mums kažko vis dar nepasakė. Kai vakar ji atidarė duris vilkėdama tuos jojikės drabužius, man net top-telėjo mintis, kad gal ji ir pozavo tai nuotraukai, kurią mes radome Čarlio Hačo kišenėje.

– Aš pagalvojau lygiai tą patį. Bet, žinoma, pradėjus lyginti po-nią Nolan ir Odrę Barton, skirtumo nepastebėti neįmanoma. Selija Nolan yra gerokai aukštesnė, jos plaukai tamsesni, veido bruožai irgi kitokie. Taip jau atsitiko, kad tąkart ponia Nolan vilkėjo lygiai tokius pat drabužius kaip ir Odrė Barton toje nuotraukoje – joji-kės švarką, kelnes, batus. Net jos šukuosena šiek tiek priminė Odrės Barton.

Skirtumo nepastebėti neįmanoma, dar kartą pakartojo sau min-tyse Džefris, tačiau Selija Nolan jam kažkodėl vis tiek pernelyg jau priminė Odrę Barton. Ir tikrai ne dėl to, kad jos abi buvo kerinčio grožio moterys, vilkinčios jojikių drabužius.

53

Trečiadienį ryte Tedas Kartraitas nusprendė užsukti į Kartraito kote-džų korporacijos pardavimo biurą Madisone. Į biuro priimamąjį, už kurio buvo įrengtas ir jo kabinetas, Tedas įžengė pusę vienuoliktos.

– Laba diena, Kalėdų Seneli! Kaip laikosi Šiaurės ašigalis? – iš-vydusi Tedą iš džiaugsmo suspigo Eimė Stak.

– Eime, – susierzinęs prabilo Tedas, – aš neturiu supratimo, ką tai reiškia, ir net nenoriu turėti. Manęs laukia labai sunki diena, bet aš vėl turėjau gaišti laiką ir atsibelsti dar kartą pasikalbėti su Kri-su Braunu. Man niekaip nepavyksta tam vyrukui išaiškinti, kad už viršvalandžius aš jo komandai daugiau nemokėsiu.

– Pone Kartraitai, aš tikrai atsiprašau, – gailiu balsu prabilo Eimė. – Bet man niekaip nepavyksta išmesti iš galvos minties, kad ne kiekvienas žmogus galėtų būti toks dosnus. Taip, jūs esate tam žmogui dėkingas už išgelbėtą gyvybę, bet... Tuo vis tiek sunku pa-tikėti.

Tedas, kuris jau buvo bepražygiuojąs pro Eimės darbo stalą, staiga sustojo.

– Apie ką tu kalbi? – sukluso.

Eimė pažvelgė į Tedą mėgindama nuryti gerklėje įstrigusį gniužulą. Nors dirbti pas Tedą Eimei labai patiko, darbo metu ji sau atsipalaiduoti niekada neleisdavo. Visas užduotis, kurias jai skirdavo Tedas Kartraitas, Eimė stengdavosi atlikti tiksliai taip, kaip norėdavo jis. Retsykiais Tedas pralinksmėdavo, net pajuokaudavo. Bet dabar nuojauta Eimei pakuždėjo, kad šiandien, prieš pradedant laidyti juokelius, vertėjo išsiaiškinti, ar Tedas geros nuotaikos. Dažniausiai Tedas priekaištų dėl darbo Eimei neturėdavo, tačiau kelis kartus, kai ji vis dėlto padarė klaidų, pasipylę sarkastiški Tedo juokeliai buvo ją gerokai išmušę iš pusiausvyros.

Dabar Tedas laukė, kada Eimė pasiaiškins, kodėl erzina jį dėl pono Vileto.

– Atsiprašau, – ištarė Eimė. Ji nujautė, kad jos žodžiai, nesvarbu, ką ji pasakys, pono Kartraito jau nebepradžiugins. Gal jis suirzo sužinojęs, kad ponas Viletas ėmė viešai kalbėti apie priežastis, dėl kurių jam tie apartamentai buvo padovanoti? – Ponas Viletas man nė neužsiminė, kad tai paslaptis. Ir nepagalvojau, jog niekas neturi žinoti apie tai, kad jūs dovanojate ponui Viletui kotedžą už kadaise išgelbėtą gyvybę.

– *Jis išgelbėjo man gyvybę ir aš jam dovanoju kotedžą! Taip tau pasakė Zakas Viletas?*

– Taip, bet jei tai netiesa, greičiausiai mes jau praradome vienus klientus. Prieš porą minučių man skambino ta porelė iš Baskinridžo, Metjusai. Tie patys, kurie jau buvo apžiūrėję tą namą. Aš jiems pasakiau, kad kotedžas jau parduotas.

Tedas Kartraitas vis dar tebespoksojo į Eimę. Jo veidas, kuris dažniausiai būdavo švelniai rausvo atspalvio, ėmė balti. Atrodė, kad išsprogusios, Eimę kiaurai veriančios akys netrukus išvirs iš akiduobių.

– Prieš kurį laiką man skambino ir ponas Viletas. Jis pasakė ketinąs į naujuosius namus įsikraustyti dar šį savaitgalį, – toliau kalbėjo Eimė, stengdamasi save įtikinti, kad dėl to ji yra mažiausiai kalta. –

Aš pasiūliau jam porą mėnesių luktelėti, kol bus parduoti visi baldais apstatyti kotedžai, tačiau jis atsakė, kad tai neįmanoma.

Tedas, kuris iki šiol stovėjo palinkęs ties Eime, atsitiesė ir kurį laiką spoksojo netardamas nė žodžio.

– Aš pakalbėsiu su ponu Viletu, – netrukus sušnibždėjo.

Dirbdama pardavimo vadybininke Kartraito kotedžų korporacijoje Eimė ne kartą buvo mačiusi įsiūčio apimtą savo viršininką. Tedas dažnai padūkdavo dėl vėluojančių statybos darbų ar staiga padidėjusių išlaidų. Betgi jai dar nebuvo tekę matyti, kad raudonas Tedo veidas būtų perbalęs iš pykčio.

Staiga Tedas nusišypsojo.

– Eime, turiu prisipažinti, kad porai minučių Zakui pavyko apmauti ir mane, ne tik tave. Ak, koks pokštas. Niekam tikęs pokštas, turiu pasakyti. Su Zaku jau daugelį metų esame geri draugai. Praėjusią savaitę mes susilažinome dėl „Yankees" ir „Red Sox" rungtynių rezultato. Jis yra vienas ištikimiausių „Red Sox" komandos aistruolių. Aš palaikau „Yankees". Mudu susilažinome iš šimto dolerių, tačiau jau prasidėjus rungtynėms Zakas pridūrė, kad jei jo komanda nuo manosios atsiplėš dešimčia bėgimų, aš jam būsiu skolingas kotedžą. – Tedas sukikeno. – Aš tik nusijuokiau, bet Zakas, matyt, nusprendė pasižvalgyti. Gaila, kad iššvaistė tiek tavo laiko.

– A, laiko tai iššvaistė, – atsakė Eimė. Ji buvo gerokai pasipiktinusi. Vien dėl to, kad vakar teko vedžioti Zaką po namą, Eimė pavėlavo į pasimatymą su naujuoju vaikinu. Prie vakarienės stalo jai teko klausytis nesibaigiančių skundų dėl to, jog jie turi valgyti paskubomis, kitaip pavėluos į kiną. – Jau vien iš to, kaip ponas Viletas buvo apsirengęs, turėjau suprasti, kad tokį būstą jis vargu ar galėtų įpirkti. Pone Kartraitai, nemeluosiu: man pikta, kad dėl jo kaltės mes greičiausiai praradome rimtų ketinimų turėjusį pirkėją.

– Tuojau pat paskambink Metjusams, – paliepė Tedas. – Jei jie apie namą klausė šįryt, gali būti, kad dar ne per vėlu. Pasistenk dėl manęs ir apžvelk juos. Jei pavyks, aš tau skirsiu šiokią tokią premiją. Na, o apie Zaką Viletą niekam neprasitarkime, gerai? Apsijuoksime, jei kas sužinos, kad jam pavyko taip lengvai mus apmulkinti.

– Sutarta, – pritarė Eimė, gerokai pradžiugusi Tedui prakalbus apie premiją. – Bet kai kalbėsitės su ponu Viletu, prašom perduoti jam, kad man ši jo išdaiga anaiptol nebuvo juokinga. Bent jau mano nuomone, taip pokštauti su tokiais gerais draugais kaip jūs jam nederėtų.

– Taigi, Eime, nederėtų, – švelniu balsu atkartojo Tedas. – Tikrai nederėtų.

54

Su Aleksu atsisveikinti vėl turėjome paskubomis. Į oro uostą jis ketino važiuoti tiesiai iš prokuratūros. Tas Alekso pažadas „išsiaiškinti visiems laikams" man teikė viltį, kita vertus, ir gerokai gąsdino. Jei jie nustotų mane tardyti, būtų nuostabu. O jei ne? Jei jie nuspręs toliau manęs klausinėti įvairiausių dalykų, o aš atsisakysiu su jais bendradarbiauti? Tada jau tapčiau pagrindine įtariamąja. „Priversk juos palikti mane ramybėje", – sušnibždėjau bučiuodama Aleksą.

Jo veido išraiška tarsi sakė: „Gali tuo neabejoti", ir aš šiek tiek nusiraminau. Be to, buvau sutarusi šiandien susitikti su Bendžaminu Flečeriu. Galvojau, ar pasisakyti jam, kas esu. Šios paslapties išduoti Flečeris vis tiek negalėtų, nes taip elgtis jį įpareigoja įstatymai. Jis sugebės geriausiai patarti, kaip aš turėčiau bendrauti su policija ar prokuratūra, bet tik jei žinos visą tiesą. Galutinį sprendimą, kaip elgtis, vis dėlto ketinau priimti kalbėdama su juo akis į akį.

Džeką prie mokyklos išleidau po aštuonių penkiolika. Šiandien važiuoti į kavinę neketinau – tik jau ne tada, kai ten manęs gali laukti detektyvas Volšas. Taigi, užuot išgėrusi kavos, pasukau kapinių link. Jau kurį laiką ketinau aplankyti savo tėvų kapus, tačiau vis nuogąstavau, kad jei kas nors pastebės mane kapinėse, kils klausimų, ką čia veikiu. Šįkart aplink žmonių nebuvo, tad aš pasinaudojau proga ir keletą akimirkų vis dėlto praleidau stovėdama greta bendro motinos ir tėvo kapo.

Jų paminklas labai paprastas, su šonuose iškaltais lapeliais. „Meilė yra amžina", – skelbia jis, o greta išraižytos mano tėvų gimimo ir mirties datos. Šiose kapinėse palaidotos kelios mano giminės kartos, bet mirus tėvui motina įsigijo šį plotelį ir pati užsakė dabar jame stovintį paminklą. Gerai pamenu tėvo laidotuves. Buvau septynerių. Vilkėjau baltą suknelę ir rankose gniaužiau ilgakotę rožę, kurią man buvo liepta padėti ant karsto dangčio. Aš jau suvokiau, kad tėčio nebėra, tačiau mano sielvartas buvo toks didelis, kad net nesugebėjau pravirkti. Stengiausi negirdėti nei kunigo maldos, nei tų žodžių, kuriuos aplinkui stovintys žmonės šnibždėjo jam atsakydami.

Mintyse įsivaizdavau, kaip ieškau tėčio, bandau išgirsti jo balsą, paimti jį už rankos ir priversti likti čia, su mumis. Mama ištvėrė mišias, vėliau iš pažiūros rami stovėjo greta duobės, tačiau kai ant tėčio karsto gėlę padėjo paskutinis žmogus, ji pratrūko. „Grąžinkite man vyrą! Grąžinkite man mano vyrą!" – suklupusi ėmė raudoti ji.

Ar gali būti taip, kad atmintis manęs neapgauna? Aš lyg ir pamenu, kad Tedas buvo bebėgąs prie jos, tačiau, žengęs porą žingsnių, apsigalvojo.

Tikiu, kad meilė amžina. Dabar, stovėdama prie kapo, aš ne tik kalbėjau maldą už savo tėvus, bet ir meldžiau jų pagalbos. Padėkite man, prašau, padėkite man. Suteikite man jėgų tai ištverti. Lydėkite mane šiuo sunkiu keliu. Aš nežinau, ką man daryti.

Iki Bendžamino Flečerio kontoros Česteryje buvo galima nuvažiuoti per dvidešimt minučių. Sutarėme, kad aš atvyksiu devintą. Iš kapinių tiesiai ten ir nuvažiavau. Pastačiusi automobilį netrukus susiradau skanėstų parduotuvę. Užsisakiau puodelį karštos juodos kavos ir bandelę.

Šaltas sausas oras liudijo, kad artėja ruduo. Vilkėjau raštuotą megztinį, o kaklą buvau pridengusi plačiu prinokusio apelsino ar cinamono atspalvio šaliku. Megztinis mane saugojo nuo šalčio. Kelias pastarąsias dienas šviečiant saulei jau buvo galima sužvarbti. Ryški, nuotaiką kelianti megztinio spalva šiek tiek pagyvino ir mano veidą, kuris buvo papilkėjęs nuo mane nuolatos kankinančio nerimo.

Likus minutei iki devintos aš jau lipau laiptais, vedančiais į antrame aukšte įsikūrusią Bendžamino Flečerio kontorą. Pravėrusi duris išvydau nedidelį prieškambarį. Jame stovėjo aptriušęs darbo stalas, matyt, skirtas sekretorei, jei tik Flečeris tokią išvis kada nors turėjo. Apibraižytos sienos prašyte prašėsi nudažomos. Medinės prieškambario grindys buvo praradusios spalvą ir dėmėtos. Priešais sekretorės stalą pristumti prie sienos stovėjo du krėslai. Tarp jų buvo įspraustas nedidelis stalelis, ant kurio dulkėjo milžiniška apiplyšusių žurnalų krūva.

– Ar tik nebūsite Selija Nolan? – iš kabineto ataidėjo balsas.

Vos tik jį išgirdau, mano delnai ėmė prakaituoti. Supratau, kad ateidama čia padariau klaidą. Norėjau apsigręžti ir kuo greičiau nudundėti laiptais žemyn. Per vėlu. Tas milžinas jau stovėjo užėmęs visą tarpdurį tiesdamas man ranką. Flečerio šypsena buvo tokia pat dirbtinė ir plati kaip pirmąją mūsų pažinties dieną, kai, pažvelgęs į mane, jis ištarė: „Ak, tai tu esi ta maža mergaitė, kuri prisivirė tiek daug košės?"

Kodėl aš to neprisiminiau anksčiau?

Flečeris priėjo ir, paėmęs mane už rankos, ištarė:

– Tokioms žavioms į bėdą pakliuvusioms damoms aš visada esu pasirengęs padėti. Prašom užeiti, nedvejokite.

Kitos išeities neturėjau, tad nusekiau jam iš paskos į tą sujauktą kambarėlį, kuris, kaip paaiškėjo, buvo jo darbo kabinetas. Flečeris, šiaip ne taip įspraudęs savo sėdimąją į krėslą, įsitaisė kitoje darbo stalo pusėje. Nors kabineto langas buvo pravertas, visas jo veidas buvo nusėtas prakaito lašais. Marškiniai, kuriuos Flečeris vilkėjo, kaip man pasirodė, buvo nauji, užsivilkti šįryt. Vis dėlto atraitotos rankovės ir atsegtos pirmosios sagos liudijo, kad mano spėjimas gali pasitvirtinti – Flečeris ne tik atrodo, bet greičiausiai ir yra pensinio amžiaus advokatas, kuris savo kontoros durų visiems laikams neužveria vien dėl to, kad daugiau neturi kur išeiti iš namų.

Tačiau jis nebuvo kvailas. Supratau iškart, kai, nenoromis atsisėdusi į pasiūlytą krėslą, išgirdau pirmuosius Flečerio žodžius.

– Selija Nolan, gyvenanti pirmajame Senojo Malūno tako name, Mendame, – prabilo jis. – Įspūdingas adresas.

Kai tarėmės dėl susitikimo, aš pasakiau tik savo vardą ir telefono numerį – nieko kito.

– Taip, įspūdingas, – pritariau. – Dėl to aš pas jus ir atėjau.

– Skaičiau apie jus. Tą namą jums padovanojo vyras, tai buvo staigmena. Nieko sau staigmena, turėčiau pasakyti. Jūsų išrinktasis nelabai ką supranta apie moterų mąstysenos ypatumus. Kai atvykote čia įsikurti, išvydote nuniokotą savo namą. O praėjus porai dienų aptikote lavoną moters, kuri jums tą namą pardavė. Jūsų gyvenimas toli gražu nėra nuobodus. Taigi, iš kur jūs apie mane sužinojote ir dėl ko čia atvykote?

Man nė neprabilus, Flečeris kilstelėjo ranką.

– Oi, mes pradėjome ne nuo to galo. Už valandą imu tris šimtus penkiasdešimt dolerių, į šią sumą papildomos išlaidos nėra įskaitomos, už jas reikia mokėti atskirai. Na, o išganingąją frazę „Advokate, padėk man, nes aš nusidėjau savo mintimis ir darbais" galėsite ištarti tik sumokėjusi dešimt tūkstančių dolerių. Tada jau galėsime pasirašyti sutartį.

Nepratarusi nė žodžio išsitraukiau čekių knygelę ir išrašiau čekį. Flečeris nė nenujautė, kad susižinodamas visą šią informaciją jis man gerokai pagelbėjo. Dabar galėjau ir neprasitarti, kad esu Liza.

Stengdamasi išlaikyti ribą tarp to, ką norėjau jam pasakyti, ir to, ką nusprendžiau laikyti paslaptyje, tariau:

– Džiaugiuosi, kad manimi pasidomėjote. Vadinasi, suprantate, kaip jaučiasi žmogus, kurį prokuratūra bet kurią akimirką gali apkaltinti dėl Žoržetos Grouv žmogžudystės.

Atrodė, kad Flečerio akys taip ir liks primerktos, tačiau netikėtai jo akių vokai pakilo.

– Kodėl prokuratūrai galėtų kilti toks sumanymas?

Papasakojau jam apie tas tris nuotraukas, ant kurių nebuvo jokių pirštų atspaudų, apie tai, kad, aptikusi Žoržetos lavoną, namo grįžau per greitai, ir galiausiai apie tai, kad pravažiavau pro namą Šiphilo gatvėje kaip tik tuo metu, kai ten buvo nužudytas sodininkas.

– Pirmą kartą Žoržetą Grouv išvydau tik kraustymosi dieną, anksčiau nebuvau jos mačiusi, – paaiškinau. – Apie tą sodininką pirmą kartą išgirdau tik tada, kai apie jį manęs pasiteiravo prokuroras. Bet aš žinau, jog jie yra įsitikinę, kad aš su tais nusikaltimais kažkaip susijusi, ir tik todėl, kad gyvenu tame name.

– Tikriausiai to namo istorija jums jau yra žinoma, – atsakė Flečeris.

– Taigi. Bet aš norėjau pasakyti, kad dėl tų nuotraukų prokuratūros darbuotojai nusprendė, jog visa ši istorija yra kažkaip susijusi su namu, kuriame kadaise gyveno Bartonai. – Nė neįsivaizduoju, kaip sugebėjau ištarti savo pavardę lyg niekur nieko, dar tuo pačiu metu žiūrėdama tiesiai Flečeriui į akis.

Tada prabilo Flečeris, ir nuo jo žodžių mane nukratė šiurpas.

– Aš visada buvau įsitikinęs, kad vieną dieną tas vaikas, Liza, sugrįš čia ir ištaškys smegenis savo patėviui Tedui Kartraitui. Keista, kad tie didvyriai iš prokuratūros prikibo prie jūsų – vargšės naujakurės, kuriai gimtadienio proga teko įsikurti tame name. Selija, pažadu jums – mes juos sudorosime. Žinote, kas nutiks, jei to nepadarysime? Aš jums paaiškinsiu kas. Jie be paliovos uždavinės klausimus, stengsis suklaidinti, ims savaip interpretuoti atsakymus ir galiausiai jus taip supainios, kad praėjus kuriam laikui jūs imsite ir pati *patikėsite* nužudžiusi tuos žmones vien dėl to, kad jums nepatiko jūsų naujasis namas.

– Manote, neturėčiau atsakinėti į klausimus? – pasiteiravau.

– Taip ir manau. Aš pažįstu Polą Volšą. Jis padarytų viską, kad tik išgarsėtų. Ar esate skaičiusi filosofinę literatūrą?

– Koledžo laikais lankiau filosofijos paskaitas.

– Greičiausiai Tomo Moro veikalų nesate skaičiusi, tiesa? Jis buvo teisininkas, Anglijos lordas kancleris. Parašė „Utopiją“. Aiškiai pasakė: „Danguje teisininkų nėra.“ Nors Polas Volšas yra detektyvas, šis posakis tinka ir jam. Dėl šlovės jis paaukotų viską ir yra pasiruošęs sudraskyti visus, kurie mėgins stoti jam skersai kelio.

– Tai išgirdusi pasijutau tikrai geriau, – kandžiai atsakiau.

– Na, būdamas mano metų žodžių nešvelnini. Pavyzdžiui, pirmadienio popietę pas mane buvo užsukusi moteriškaitė iš „Star-Ledger". Tokia Driu Peri. Ji šiuo metu rašo straipsnį, kuris pasirodys jos kuruojamoje skiltyje „Nepapasakotos istorijos". Visi neseniai išėję straipsniai apie jūsų namą paskatino ją parašyti straipsnį apie Lizą Barton. Kuo galėjau, tuo jai padėjau. Lizą ji lyg ir pateisina, tačiau aš jai tiesiai pasakiau – tokiam vaikui užuojautos švaistyti neverta. Liza puikiai suprato, ką daro, kai, nukreipusi pistoletą į Tedą Kartraitą, nesustodama spaudė gaiduką. Lizos motiną Tedas mergino prieš jai ištekant už Vilo Bartono, tuo metu, kai ji buvo ištekėjusi, ir, žinoma, kai ji jau našlavo.

„Aš išspjausiu tave iš savo burnos", – vis kartojau mintyse Biblijos ištrauką. Norėjau kuo greičiau pašokti nuo kėdės, čiupti nuo Flečerio darbo stalo čekį, kurį ką tik buvau išrašiusi, ir suplėšyti jį į mažiausius skutelius. Bet žinojau, kad jis man reikalingas. Užuot padariusi tai, ką padaryti taip norėjau, pasakiau:

– Pone Flečeri, esu advokato žmona. Keletą faktų apie įstatymo garantuojamą advokato kliento teisę į privatumą aš žinau, tad, prieš pasirašydami sutartį, turime sutarti dėl vieno svarbaus dalyko. Aš neturiu jokio noro samdyti advokato, pasakojančio paskalas apie savo klientės šeimą, nesvarbu, kad su ta kliente jūs dirbote bene prieš ketvirtį amžiaus.

– Selija, tiesa nėra paskalos, – atsakė jis, – tačiau aš suprantu, ką sakote. Taigi jei Džefris Makingslis, Polas Volšas ar koks kitas jų pulkelio narys bandys jus kalbinti, iš karto siųskite juos pas mane. Aš jumis gerai pasirūpinsiu. Tiesa, dar vienas dalykas – jokiu būdu nepagalvokite, kad aš Mažajai Lizei jaučiu neapykantą. Savo mamytės nužudyti ji tikrai neketino, o tas nususėlis Tedas Kartraitas gavo tai, ko ir buvo nusipelnęs.

55

Lena Santini, buvusi nužudyto Čarlio Hačo žmona, sutiko su detektyvu Andželu Ortisu pasimatyti vienuoliktą valandą Čarlio namuose Mendame. Ši liekna, nedidelio ūgio, maždaug keturiasdešimt penkerių metų moteris, kurios ugniniai plaukai tikrai nebuvo padovanoti gamtos, atrodė iš tiesų susikrimtusi dėl savo buvusio vyro likimo.

– Negaliu patikėti, kad kažkas norėjo jį nušauti. Kam? Už ką? Jis nieko nėra nuskriaudęs. Aš ne savęs gailiuosi – man tikrai skaudu dėl to, kas nutiko Čarliui, – paaiškino ji. – Negaliu apsimetinėti, kad mus siejo koks itin glaudus ryšys. Susituokėme prieš dešimt metų. Prieš tai aš jau buvau kartą ištekėjusi, bet ta santuoka taip pat nutrūko. Mano pirmasis vyras gėrė. Mudviem su Čarliu galėjo ir geriau pasisekti. Esu padavėja ir neblogai uždirbu, o darbas man patinka.

Juodu sėdėjo svetainėje. Lena išpūtė cigaretės dūmą.

– Tik pasidairykite po šią vietą, – sumurmėjo ji mostelėjusi ranka. – Tokia netvarka, kad kūnas pagaugais eina. Kai mudu su Čarliu gyvenome drauge, mūsų namai taip ir atrodydavo. Aš vis kartodavau, kad įmesdamas savo apatinius ir kojines į skalbinių pintinę užtruktum mažiau nei milisekundę, bet ne – Čarlis visada juos nušveisdavo ant grindų. Spėkite, kas gi juos surinkdavo? Sakydavau: „Čarli, užkandus tau tereikia praplauti lėkštę, stiklinę, peilį ir įkišti juos į indaplovę." Bet to jis vis tiek niekada nepadarydavo. Čarlis viską palikdavo ten, kur sėdėdavo – ant stalo, ant kilimo. Ir nuolat skųsdavosi. Patikėkite manimi, verkšlenančių žmonių čempionate jis būtų užėmęs garbingą pirmąją vietą. Galėčiau lažintis, kad jei jam būtų pavykę laimėti loterijoje dešimt milijonų dolerių, jis vis tiek būtų širdęs, kad kažkas kitas prieš savaitę laimėjo dešimt kartų tiek. Galiausiai aš nebeištvėriau ir prieš metus mes išsiskyrėme. – Lenos veidas prašviesėjo. – Žinote, bet Čarlio rankos vis dėlto buvo auksinės. Tie jo drožiniai traukdavo akį. Vis kartodavau, kad jis galėtų pradėti verslą, prekiauti drožiniais, tačiau argi jis manęs klausys.

Retsykiais užsimanydavo ką nors išdrožti, ir tiek. Dabar jau nieko nepadarysi, tegu ilsisi jis ramybėje. Tikiuosi, danguje jam kaip tik. – Jos lūpos trumpam šyptelėjo. – Tai būtų pokštas, jei šventasis Petras įpareigotų Čarlį rūpintis rojaus sodu, tiesa?

Andželas Ortisas sėdėjo ant paties Čarlio krėslo krašto ir įdėmiai klausėsi. Jis nusprendė, kad pagaliau atėjo metas ir klausimams.

– Ar išsiskyrusi su Čarliu dažnai su juo matydavotės?

– Ne itin. Mes pardavėme namą, kuriame gyvenome, ir pasidalijome bendras santaupas. Man atiteko baldai, o jam – automobilis. Viską pasidalijome sąžiningai, po lygiai. Retsykiais jis man paskambindavo ir mudu susitikdavome drauge išgerti kavos. Prisimindavome senus gerus laikus. Retsykiais jis, matyt, nueidavo į vieną kitą pasimatymą.

– Gal žinote, ar jis palaikė ryšį su savo pusiau seserimi Robina Kapenter?

– A, ta! – Lenos antakiai pakilo kone iki lubų. – Dar viena įdomi istorija. Čarlio įtėviai buvo geri žmonės. Jie jam linkėjo tik gero. Jo tėvas mirė prieš aštuonerius metus. O motina, gulėdama mirties patale, įdavė Čarliui kelias kūdikystės nuotraukas ir pasakė jam tikrąją jo pavardę. Jūs nė neįsivaizduojate, kaip jis nekantravo pasimatyti su savo tikraisiais tėvais. Matyt, tikėjosi, kad jo gimdytojai bus pasiturintys. Sunku net apsakyti, kaip tikrovė jį nuvylė. Jo tikroji motina jau buvo mirusi, o jos vyras apie Čarlį nenorėjo ir girdėti. Vis dėlto jam pavyko susipažinti su savo seserimi Robina. Nuo tada ji ir tampė Čarlį už virvučių, lyg jis būtų skudurinė lėlė.

Andželas įsitempė, jo nugara išsitiesė, tačiau netrukus, nenorėdamas išsiduoti, kad jam labai parūpo Lenos pasakojimas, jis pasistengė atpalaiduoti raumenis.

– Vadinasi, jie dažnai matydavosi?

– O kaipgi! „Čarli, ar galėtum mane pavėžėti į miesto centrą? Čarli, gal nuvežtum mano automobilį pataisyti?"

– Ji jam mokėjo?

– Ne, tačiau bendraudamas su ja Čarlis jautėsi svarbus. Tikriausiai jūs su ja jau kalbėjotės. Ji yra viena iš tų moterų, nuo kurių vyrai

nesugeba atplėšti akių. – Lena pasižiūrėjo į Andželą. – Jūs esate iš-
vaizdus vyrukas. Ar ji jau spėjo jus apžavėti?

– Ne, – pasigirdo nuoširdus detektyvo atsakymas.

– Tai tik laiko klausimas. Žodžiu, retsykiais ji pasikviesdavo
Čarlį drauge pavakarieniauti Niujorke. Jis dėl to jautėsi esąs didis
žmogus. Robina nenorėjo, kad kas nors iš tų žmonių, su kuriais ji
bendrauja, sužinotų, jog Čarlis jai buvo pusiau brolis. Taip pat ne-
norėjo, kad šių apylinkių žmonės pastebėtų juos drauge – ji turėjo
pinigingą vaikiną. Ak, tiesa, dar vienas dalykas. Čarlis jai užsiminė,
kad retsykiais, kai jo klientai išvyksta, jis pasilieka nakvoti jų na-
muose. Juk tie žmonės Čarlį samdydavo rūpintis jų namais, tad jų
sodininkas ir namų raktus turėdavo, ir apsaugos kodus žinodavo –
galėdavo įeiti ir išeiti kada panorėjęs. Robina drįso paprašyti Čarlio
leisti jai tuose namuose pabūti su vaikinu. Jūs *įsivaizduojate*?

– Ponia Santini, ar girdėjote, kad praėjusią savaitę Mendame
buvo nusiaubtas vienas iš Senojo Malūno tako namų?

– Mažosios Lizės namas? Aišku, girdėjau, visi girdėjo.

– Mes manome, kad Čarlis buvo susijęs su tuo nusikaltimu.

– Jūs turbūt juokaujate, – apstulbo Lena. – Čarlis nieko pana-
šaus nebūtų iškrėtęs. Niekų kalba.

– Ar jis būtų pasiryžęs tam už užmokestį?

– Kas galėtų prašyti padaryti tokią kvailystę? – Lena užgesino
cigaretę į peleninę ir iš atplėšto ant stalo gulinčio cigarečių pakelio
išsitraukė dar vieną. – Jei jau taip sakote, vienintelis žmogus, kuris
būtų sugebėjęs įkalbėti Čarlį padaryti tokią kvailystę, yra Robina.

– Robina Kapenter mums tvirtino, kad su Čarliu nebendravo
jau tris mėnesius.

– Tai kodėl gi jie visai neseniai drauge vakarieniavo Niujorke,
56-ojoje Vakarų gatvėje įsikūrusiame restorane „Pas Patsę"?

– Gal pamenate tikslią jų susitikimo datą?

– Buvo šeštadienis – tas pats savaitgalis, kai buvo švenčiama
Darbo diena. Puikiai viską pamenu, nes tą patį savaitgalį buvo ir
Čarlio gimtadienis. Aš paskambinau jam ir pasiūliau ta proga drau-
ge pavakarieniauti, tačiau jis paaiškino, kad tą vakarą Robina jį

vedasi į restoraną „Pas Patsę". – Staiga Lenos akys žybtelėjo. – Jei daugiau nieko neketinote klausti, norėčiau šį pokalbį baigti. Žinote, šį namą Čarlis paliko man. Turint omenyje, kokios dabar nekilnojamojo turto kainos, jo vertė, žinoma, nėra itin didelė. Šįryt paprašiau jūsų susitikti čia, nes norėjau pasiimti keletą Čarlio drožinių. Ketinau įdėti juos į Čarlio karstą. Tačiau jie visi dingo.

– Jie pas mus, – atsakė Andželas. – Deja, tie drožiniai yra įkalčiai, todėl pas mus ir liks.

56

Į Grouv nekilnojamojo turto agentūrą detektyvas Mortas Šelis įžygiavo po pažastimi pasikišęs Žoržetai Grouv priklausiusį iškarpų albumą. Jis, kaip ir visi kiti bylos tyrėjų grupės nariai, įskaitant ir patį Džefrį, buvo atidžiai peržiūrėjęs kiekvieną šio albumo puslapį. Bet niekas taip ir nesuprato, ką Žoržeta galėjo atpažinti bevartydama šį albumą. Nuotraukos į albumą buvo klijuojamos jau daugelį metų, jose buvo Žoržeta, dalyvaujanti miesto bendruomenės šventėse, atsiimanti apdovanojimus ar besišypsanti greta ne itin žinomų įžymybių, kurioms ji padėjo įsigyti namus šiose apylinkėse.

– Gal ji ir buvo pasidėjusi šį iškarpų albumą ant savo stalo, tačiau jame tikrai nėra nuotraukos to žmogaus, kurį Žoržetai pavyko atpažinti, – tokia buvo Džefrio išvada.

Bet albumas mums vis tiek pravertė, pagalvojo Mortas Šelis. Jį grąžindamas turiu gerą dingstį dar kartą pasišnekučiuoti su Robina ir Henriu. Robina, sėdėdama prie darbo stalo, į laukujes agentūros duris žvilgtelėjo vos išgirdusi, kad kažkas jas daro. Vis dėlto plati darbinė šypsena nuo Robinos veido dingo vos pamačius, kas tas netikėtas agentūros svečias.

– Užsukau tik grąžinti iškarpų albumo, kaip ir buvau pažadėjęs, – saldžiu balsu ištarė Mortas. – Dėkui, kad buvote man jį paskolinusi.

– Tikiuosi, iš jo buvo naudos, – atsakė Robina. Ji žvilgtelėjo į dokumentus, gulinčius ant darbo stalo. Robinos kūno kalba liudijo, kad ji pernelyg užsiėmusi ir nenori būti atitraukta nuo darbų.

Mortas elgėsi taip, lyg jam priklausytų visas pasaulio laikas. Jis priėjo prie sofos, stovinčios priešais Robinos stalą, ir, nelaukdamas paraginimo, ant jos klestelėjo.

Robina pervėrė jį žvilgsniu, rodydama, kad Mortas jau spėjo jai įkyrėti.

– Jei turite kokių klausimų, aš su malonumu į juos atsakysiu.

Mortas šiaip taip atplėšė savo stambų kūną nuo sofos.

– Sofa patogi, bet, mano manymu, šiek tiek per minkšta. Kartą atsisėdus, labai jau sunku pakilti. Gal aš geriau pagriebsiu kėdę ir atsisėsiu arčiau jūsų.

– Hm, na... Atleiskite man. Žinau, kad jau buvome vienas kitam pristatyti, tačiau niekaip neprisimenu jūsų vardo.

– Šelis. Kaip ir tas poetas. Mortas Šelis.

– Pone Šeli, aš vakar buvau užsukusi į prokuratūrą ir ponui Makingsliui papasakojau viską, kas galėtų jums bent kiek pagelbėti tirti bylą. Man rodos, daugiau neturiu ką pasakyti, tad dabar, kol agentūra dar atidaryta, man reikia atlikti daugybę įvairių darbų.

– Panele Kapenter, nemažai darbų turiu ir aš, patikėkite. Dabar pusė pirmos. Ar jau pietavote?

– Ne. Turiu sulaukti, kol grįš Henris. Jis išvykęs susitikti su klientu.

– Jis gana užsiėmęs žmogus, tiesa?

– Taip, tikriausiai.

– O kas nutiktų, jei, tarkim, jis grįžtų tik ketvirtą valandą? Ar užsisakytumėte maisto į agentūrą? Juk iki pat ketvirtos valandos nesėdėtumėte nepietavusi?

– Ne. Aš pakabinčiau ant agentūros durų lentelę, kad tuoj grįšiu, ir nubėgčiau į kitą gatvės pusę ko nors nusipirkti.

– Panele Kapenter, ar vakar taip ir padarėte?

– Jau sakiau jums: vakar nusipirkusi pietus grįžau į agentūrą, nes Henris buvo sutaręs pasimatyti su klientu.

– Taip, tačiau jūs mums *nepasakėte,* kad vakar prieš antrą valandą taip pat buvote pakabinusi tą lentelę. Apie tai man prasitarė miela senučiukė, kuri dirba užuolaidų parduotuvėje pačiame šios gatvės gale. Pasak jos, vakar penkios minutės po antros lentelė ant agentūros durų kabėjo – ji matė ją eidama pro šalį.

– Ką jūs čia šnekate? Ak, aš puikiai suprantu, kokias išvadas bandote padaryti. O tiesa yra tokia, kad dėl visų pastarojo meto įvykių man ėmė skaudėti galvą. Vakar buvau nubėgusi į vaistinę nusipirkti aspirino. Agentūra buvo užrakinta vos kelias minutes.

– Aha. Tiesa, jei jau pradėjome šnekučiuotis, turbūt man vertėtų paminėti ir tai, kad mano partneris, detektyvas Andželas Ortisas, buvo susitikęs su... kaip čia ją pavadinus... buvusia jūsų pusiau broliene.

– Lena?

– Tikrai, Lena. Jūs mums tvirtinote, kad su Čarliu nesikalbėjote tris mėnesius. O Lena sako, kad prieš mažiau nei dvi savaites judu drauge vakarieniavote Niujorke, restorane „Pas Patsę". Tai katra gi iš jūsų neklysta?

– Aš. Daugmaž prieš tris mėnesius Čarlis man paskambino tuo metu, kai aš niekaip negalėjau užvesti automobilio. Jis pasisiūlė man pagelbėti, o vėliau, kai mašinos užvesti jam taip ir nepavyko, nutempė ją pas mechaniką. Tą patį vakarą jis užsiminė norįs, kad aš jį gimtadienio proga pasikviesčiau į tą restoraną, o aš juokaudama atsakiau, kad taip ir sutarsime. Paskui jis man paskambino ir paliko balso žinutę apie šį susitarimą. Po kurio laiko aš jam atskambinau ir palikau žinutę, kad jokio susitarimo tarp mūsų nebuvo. Tas vargšas vyrukas, matyt, pagalvojo, kad aš tikrai ketinau drauge su juo pavakarieniauti.

– Ar šiuo metu artimiau bendraujate su kokiu nors vyru?

– Ne, nebendrauju. Sakydamas „su kokiu nors" jūs greičiausiai turite galvoje Tedą Kartraitą? Vakar aš jums jau minėjau – nors mes buvome nuėję į kelis pasimatymus, dabar jis yra tik draugas. Taškas.

– Panele Kapenter, paskutinis klausimas. Buvusi jūsų pusiau brolio žmona tvirtina, kad jūs prašėte Čarlio leisti jums ir jūsų turtingam vaikinui praleisti keletą naktų tuose namuose, kuriuose Čarlis dirbdavo. Na, tuo metu, kai jų šeimininkai būdavo kur nors išvažiavę. Ar tai tiesa?

Robina Kapenter atsistojo.

– Gana, pone Šeli. Perduokite ponui Makingsliui, kad jei jis pats ar kuris nors iš jo liokajų norės manęs dar ko nors paklausti, jums teks kreiptis tiesiai į mano advokatą. Rytoj aš jums pranešiu jo pavardę.

57

Trečiadienį ryte Driu Peri surinko redakcijos telefono numerį ir paprašė sujungti ją su Kenu Šarkiu.

– Man pavyko aptikti kai ką labai svarbaus, – pranešė ji, kai Kenas atsiliepė. – Nusiųsk į teismo rūmus kokį kitą žurnalistą.

– Gerai. Nori apie tai pakalbėti?

– Ne telefonu.

– Supratau. Nepamiršk man duoti žinią, kas ir kaip.

Vieno Driu draugo, Kito Logano, sūnus Bobas dirbo policijos kompiuterių laboratorijoje. Driu paskambino Kitui, apsikeitė su juo keletu malonių žodžių ir, pažadėjusi, kad kada nors netrukus jie tikrai pasimatysią, paprašė duoti Bobo namų telefono numerį. „Kitai, aš ketinu paprašyti Bobo padaryti man paslaugą, bet į darbą jam skambinti nelabai noriu", – paaiškino Driu.

Bobas gyveno Moristaune. Kai suskambo namų telefonas, jis jau buvo beišeinąs į darbą.

– Žinoma, Driu. Aš galėčiau pasendinti nuotrauką, – pažadėjo jis. – Jei į mano pašto dėžutę ją atsiųstum dar šiandien, rezultatą turėčiau rytoj vakare. Tikriausiai neverta priminti, kad nuotraukos kokybė turi būti iš tiesų gera.

Apie netikėtai iškilusią problemą Driu mąstė tepdama uogienę ant skrudintos duonos riekės ir po truputį siurbčiodama kavą.

Beveik visose nuotraukose, kurios pasirodė laikraščiuose po chuliganų išpuolio, Liza buvo drauge su tėvais. Vienoje jie visi trys buvo įamžinti Spring Leiko paplūdimyje, kitoje – Pypako jojimo klube, tada, kai Odrė Barton gavo apdovanojimą. Dar kitoje nuotraukoje visi trys buvo nufotografuoti per kažkokį vakarėlį golfo klube. Bet visų jų kokybė buvo nekokia. Odrė su Tedu santuokoje pragyveno šiek tiek ilgiau nei metus, toptelėjo Driu. Matyt, vietiniame laikraštyje „Daily Record" apie jų vestuves tikrai buvo rašoma.

Kurį laiką pasvarsčiusi, iš kur gauti kitų nuotraukų, Driu atsistojo ir į skrudintuvą įkišo dar vieną duonos riekę. „Kodėl gi ne?" – paklausė savęs balsu. Juk yra dar vienas žmogus, kuris gali turėti keletą Lizos nuotraukų. Kai praėjusią savaitę kalbėjausi su Marsela Viljams, ji užsiminė apie tai, kaip piktai motinos vestuvių dieną į Tedą spoksojo Liza. Išvažiavusi iš namų aš pirmiausia užsuksiu pas Marselą. Gal man iš pradžių vertėtų jai skambtelėti, įsitikinti, kad mudvi neprasilenksime? Žinodama, kad ketinu pas ją užsukti, Marsela liktų namuose. Jei ne, ji gali užšokti ant savo šluotos ir išskristi kapstytis po kitų žmonių nešvarius baltinius.

Stiklinėse indaujos duryse Driu išvydo savo atspindį. Tebežiūrėdama į jį, iškišo liežuvį ir ėmė greitai kvėpuoti. Su tokiais kirpčiukais atrodau kaip tikras aviganis, pagalvojo ji. Ką gi, laiko lakstyti po grožio salonus neturiu, tad teks apsikirpti pačiai. Koks skirtumas, ar lygiai aš juos nukirpsiu? Plaukai tokie jau yra – jie atauga. *Daugumos* žmonių plaukai atauga, pagalvojo ji ir ėmė tyliai kikenti, prisiminusi redaktorių Keną Šarkį.

Spragtelėjo skrudintuvas – duonos riekė jau paskrudinta. Kaip visada, ruda buvo tik viena riekės pusė. Driu ją apsuko ir įkišo atgal. Naujas skrudintuvas yra dar vienas dalykas, kuriuo man reikia pasirūpinti, pagalvojo ji lenkdama skrudintuvo rankenėlę. Ko gero, su šia užduotimi teks gerokai pavargti.

Pasidėjusi priešais antrą skrebutį, Driu toliau mintyse dėliojo dienos darbus. Privalau sužinoti, kas yra Zakas. Galbūt vertėtų šiandien užsukti ir į policijos komisariatą pasikalbėti su Klaidu Erliu? Apie tai, kas Selija Nolan yra iš tikrųjų, aš neketinu nė prasitarti, bet galbūt būtų verta pradėti apie ją kalbą ir pažiūrėti, kuo toks mūsų pokalbis baigtųsi? Klaidas mėgsta klausytis savo balso. Būtų įdomu sužinoti, ar jis bent įtaria, kad Selija Nolan gali būti ir greičiausiai yra Liza Barton.

„Gali būti arba greičiausiai yra" – šie žodžiai buvo patys svarbiausi. Gal Kelogai ir yra tolimi giminaičiai, gal jie ir turi Selijos amžiaus įdukrą, tačiau net jei tai būtų tiesa, jokiu būdu negalima tvirtinti, kad Selija ir yra Liza. Ir dar vienas svarbus faktas, pagalvojo Driu. Tą naktį, kai Tedas Kartraitas surinko pagalbos telefono numerį, atsiliepė būtent Erlis. Jis gali žinoti, ar į šį reikalą buvo įsivėlęs koks nors Zakas. Kad ir kas jis būtų, tuo metu tas Zakas turėjo padaryti kažką tikrai ypatinga. Kitaip nuo jo vardo Lizos nebūtų kamavę priepuoliai.

Apsisprendusi dėl dienos planų, Driu apsitvarkė virtuvėje, – tiek, kiek reikėjo apsitvarkyti išgėrus puodelį kavos ir sukrimtus porą skrebučių, – ir nuskubėjo į antrą aukštą. Įėjusi į miegamąjį, ji pataisė ant lovos užtiestą antklodę ir pasuko vonios link. Išlindusi iš dušo, Driu įsisupo į platų kilpinį chalatą. Prisiartinusi prie lango, įkvėpė gaivaus oro ir, įvertinusi padėtį, nusprendė, kad šiandien būtų geriausia vilkėti sportinį kostiumą. Sportinis kostiumas, kurį vilkėdama aš taip nė karto ir nesportavau, pagalvojo Driu. Ką gi, tobulų žmonių nėra, netrukus pasiguodė.

Devintą valandą ryto ji paskambino Marselai Viljams. Galėčiau lažintis, kad ji jau kokią valandą mina treniruoklio pedalus, pagalvojo Driu, pasigirdus trečiam telefono signalui. Gal ji duše?

Marsela pakėlė telefono ragelį iškart, kai įsijungė jos telefono atsakiklis.

– Luktelėkite! – šūktelėjo ji, skambant balso įrašui.

Atrodo, Marsela gerokai suirzusi, pagalvojo Driu. Gal ji iš tiesų buvo duše?

Balso įrašas baigėsi.

– Ponia Viljams, jus trukdo Driu Peri, žurnalistė iš „Star-Ledger". Tikiuosi, paskambinau ne per anksti.

– Ak, ponia Peri, ne, tikrai ne. Aš jau kokią valandą praleidau ant treniruoklio. Telefonas suskambo, kai jau lipau iš dušo.

Driu įsivaizdavo, kaip Marsela įsisupusi į rankšluostį šlepsi skambančio telefono link, palikdama ant kilimo balutes, ir pralinksmėjo. Dabar ji nė kiek neabejojo, kad Marselai paskambino pačiu laiku.

– Šiuo metu rašau straipsnį skilčiai „Nepapasakotos istorijos", kuri „Star-Ledger" pasirodo kiekvieną sekmadienį, – paaiškino Driu.

– Žinau tą skiltį. Visada nekantriai jos laukiu, – įsiterpė Marsela.

– Dabar rašau straipsnį apie Lizą Barton. Žinau, kad gerai pažinojote jos šeimą. Norėjau pasiteirauti, ar galėčiau pas jus užsukti pasikalbėti, užduoti keletą klausimų apie Bartonų šeimą, na, gal daugiau apie Lizą.

– Man būtų garbė, jei iš manęs interviu paimtų tokia žurnalistė kaip jūs.

– O gal turite ir kokių Bartonų šeimos nuotraukų?

– Taip, aišku, turiu. Juk, žinote, aš buvau tikrai gera tos šeimos draugė. Kai Odrė ir Tedas susituokė, jų namo sode buvo surengtas pobūvis. Tąkart aš padariau daugybę nuotraukų, tik turiu jus iš anksto perspėti dėl vieno dalyko – nė vienoje iš tų nuotraukų Liza nesišypso.

Šiandien man tikrai sekasi, pagalvojo Driu.

– Ar jums tiktų vienuolikta valanda?

– Net labai. Tiesa, pusę pirmos aš esu sutarusi su kai kuo drauge papietauti.

– Valandos tikrai užteks. Ponia Viljams...

– Ak, Driu, prašom vadinti mane Marsela.

– Oi, kokia jūs maloni. Marsela, gal jums pavyktų prisiminti, ar Odrė ir Vilas Bartonai turėjo draugą, vardu Zakas?

– Ak! Aš žinau, kas yra Zakas. Zakas buvo Vilo Bartono jojimo mokytojas. Vilas lankė jojimo pamokas Vašingtono slėnio jojimo klube. Paskutinę dieną, savo žūties dieną, Vilas jojo nelaukdamas Zako ir pasuko ne tuo keliu. Dėl to ir įvyko tas nelaimingas atsitikimas. Driu, aš čia stoviu ir varvu. Pasikalbėkime apie visa tai vienuoliktą valandą.

Pasigirdo spragtelėjimas, tačiau Driu nepajudėjo iš vietos tol, kol įkyrus mechaninis balsas priminė jai, kad reikėtų arba surinkti kitą telefono numerį, arba padėti telefono ragelį. Nelaimingas atsitikimas, pagalvojo Driu. Zakas buvo Vilo Bartono jojimo mokytojas. Ar Vilas žuvo dėl jo kaltės? Gal Zakui nederėjo leisti joti Vilui vienam, nelydimam?

Dar vienas klausimas Driu kilo tada, kai ji jau lipo laiptais. Tarkime, Bartono žūtis *nebuvo* nelaimingas atsitikimas. Jei taip, kada gi Lizai pavyko sužinoti tiesą?

58

Pirmą valandą Tedas Kartraitas pasuko už Vašingtono slėnio jojimo klubo kampo ir skubiai nužingsniavo arklidžių link.

– Kur Zakas? – kreipėsi jis į vieną iš arklininkų, Manį Peiganą.

Manis šukavo baikščią kumelę, kurią entuziastingas šeimininkas buvo gerokai nuvarginęs.

– Nurimk, mergyte, nurimk, – pašnibždomis ją ramino.

– Gal tu kurčias? Klausiu, kur Zakas? – suriko Tedas.

Suirzęs Manis jau buvo beatkertąs Tedui, kad susirastų Zaką pats, tačiau pažvelgęs į jį nusprendė to nedaryti. Tedas, kurį Manis pažinojo tik iš matymo, drebėjo iš įsiūčio.

– Man atrodo, jis dabar pietauja štai ten, prie stalo lauke, – atsakė Manis ir mostelėjo į nedidelę giraitę per šimtą jardų nuo arklidžių.

Po akimirkos Tedas dideliais žingsniais jau lėkė nurodytos vietos link. Kai jis pasiekė iškylų stalą, Zakas jau buvo įpusėjęs valgyti sumuštinį su rūkyta dešra. Tedas atsisėdo priešais jį.

– Kas, po velnių, manaisi esąs? – kreipėsi jis į Zaką. Šįkart grėsmingus žodžius jis ištarė pašnibždomis.

Zakas prabilo tik kai dar kartą atsikando sumuštinio ir gurkštelėjo limonado.

– Su draugais taip nekalbama, – atsakė jis ramiu balsu.

– Kaip tau šovė į galvą nusibelsti į man priklausančius kotedžus ir aiškinti mano pardavimo vadybininkei, kad aš tau ketinu vieną iš jų padovanoti?

– Ar ji jau pasakė, kad aš ketinu ten persikraustyti šį savaitgalį? – pasiteiravo Zakas. – Klausyk, Tedai, butas, kuriame aš gyvenu dabar, pavirto tikru pragaru. Namo savininkės vaikai kas vakarą siautėja su gaujomis. Nuo jų būgnijimo man vieną dieną sprogs ausų būgneliai. O tu? Ta miela viečiukė yra tik viena iš daugelio, kurios tau šiuo metu priklauso. Esu tikras, kad tu ir pats nori man ją padovanoti.

– Tik pamėgink įkelti koją į tą namą! Aš iš karto iškviesiu policiją.

– Ir kodėl gi man atrodo, kad to tikrai nepadarytum? – svajingai žvelgdamas į tolį paklausė Zakas.

– Zakai, tu mane šantažuoji jau daugiau nei dvidešimt metų. Jei nesiliausi, aš pats padarysiu tam galą.

– Tedai, juk tai yra pats tikriausias grasinimas. Bet aš numanau, kad grasinti tu man tikrai nenori. Gal man tikrai derėtų pabendrauti su policija. Bent jau man atrodo, jog visus šiuos metus dariau viską, kad tik apsaugočiau tave nuo kalėjimo. Be abejo, jei apie viską būčiau prabilęs dar anais laikais, greičiausiai dabar jau būtum atlikęs bausmę ir kaip tik bandytum kabintis į gyvenimą iš naujo – neturėdamas nei kelių tiesimo įmonės, nei tiltų statybos bendrovės, nei kotedžų korporacijos, nei biurų ar sporto klubų kompleksų. Nieko neturėdamas. Būtum kokios prevencinės programos dalyvis ir važinėtum po mokyklas pasakodamas vaikams apie nusikalstamumo žalą.

– Už šantažą taip pat baudžiama, – įsiutęs atkirto Tedas.

– Tedai, tas namas, palyginti su viskuo, ką tu turi, tėra lašas jūroje, tačiau man jis taptų tikra paguoda. Aš jau senstu, man vis dažniau sopa, skauda. Kad ir kaip mėgčiau dirbti su žirgais, negaliu neigti, kad toks darbas baisiai vargina. Be to, ir sąžinė man vis neduoda ramybės. Tarkime, netyčia nuklysčiau iki Mendamo policijos komisariato ir užsukęs prasitarčiau, kad žinau daug įdomių dalykų apie tą nelaimingą atsitikimą, kuris toli gražu nebuvo nelaimingas. Beje, pasakyčiau jiems ir tai, kad turiu įrodymų, tačiau juos galiu pateikti

tik jei man bus pažadėta neliečiamybė. Jei neklystu, apie tokį atsitik-
tinumą jau esame su tavimi kalbėję.

Tedas atsistojo. Jo smilkinius vagojančios venos buvo išsprogu-
sios. Įsikibęs į stalo kraštą, lyg tai būtų vienintelis būdas susilaikyti ir
nepulti mušti kitoje stalo pusėje sėdinčio Zako, Tedas iškošė:

– Būk atsargus, Zakai. Būk labai atsargus. – Šie neapykanta per-
smelkti žodžiai nuskambėjo lyg galandamo peilio garsas.

– Aš ir esu atsargus, – linksmai atkirto Zakas. – Todėl jei man
kas nors netyčia nutiktų, visi įrodymai, apie kuriuos kalbėjome, iš
karto bus surasti. Ką gi, turiu grįžti. Netrukus mokysiu joti tikrai
mielą ponią. Ji gyvena tavo senajame name. Tame pačiame, kuriame
tu buvai pašautas. Ta ponia yra gana paslaptinga – ji vis tikina mane,
kad yra tik porą kartų jodinėjusi poniu, tačiau ji meluoja. Ji neprasta
jojikė. Tiesa, dar vienas įdomus dalykas – kažkodėl ji domisi tuo
mums abiem labai gerai žinomu nelaimingu atsitikimu.

– Kalbėjai su ja apie tai?

– Ak, žinoma, kalbėjau, bet tik apie gerus dalykus. Tedai, ap-
mąstyk viską. Gal tu net užsimanysi įpareigoti savo pardavimo va-
dybininkę Eimę pasirūpinti, kad šį šeštadienį atvažiavęs į savo nau-
juosius namus rasčiau pilną šaldytuvą? Toks dėmesingumas mane,
naują kotedžo gyventoją, turėtų pamaloninti, nemanai?

59

Trečiadienį antrą valandą Polas Volšas, Andželas Ortisas ir Mortas
Šelis susirinko Džefrio Makingslio darbo kabinete dar kartą aptarti
su byla susijusių naujienų. Mažosios Lizės žmogžudysčių byla – taip
ją jau buvo spėjusi pavadinti žiniasklaida. Visi detektyvai į kabinetą
įžygiavo nešini popieriniais maišeliais, kuriuose buvo sumuštinių,
kavos ir limonado.

Džefrio paprašytas, pirmasis prabilo Andželas Ortisas. Jis trum-
pai atpasakojo savo pokalbį su Lena Santini, buvusia Čarlio Hačo

žmona. Paminėjo ir tai, ką ji atskleidė apie Robinos Kapenter ir Čarlio santykius.

– Nori pasakyti, vakarykštis Robinos Kapenter pasakojimas buvo melas? – paklausė Džefris. – Nejaugi jai atrodo, kad mes visiški kvaileliai?

– Aš kalbėjau su Robina Kapenter ir šįryt, – prabilo Mortas Šelis. – Ji vis dar laikosi tos versijos, kad su Čarliu nebuvo kalbėjusi mažiausiai tris mėnesius. Tvirtina, kad pavakarieniauti gimtadienio proga buvo Čarlio idėja, ne jos, ir kad buvo palikusi jam balso žinutę, jog jokios vakarienės nebus. Ji tvirtai neigia tą vakarą buvusi restorane „Pas Patsę".

– Mums reikia gauti Robinos bei Čarlio nuotraukas ir parodyti jas restorano „Pas Patsę" administratoriui, barmenams ir visiems padavėjams, – atsakė Džefris. – Mūsų įtarimai jau pakankamai svarūs, todėl leidimą peržiūrėti jos telefono pokalbių sąrašus iš teisėjo turėtume gauti. Mums dar reikia gauti leidimą peržiūrėti jos kredito kortelės ir kelių mokesčių kortelės operacijų sąrašus. Teisėjas jau suteikė mums leidimą peržiūrėti Čarlio Hačo telefono skambučių suvestinę. Ją turėtume gauti dar šiandien. Vertėtų peržiūrėti ir jo operacijų sąrašus – ir kredito kortelės, ir kelių mokesčių kortelės. Meluoja arba Robina, arba buvusi Čarlio žmona. Mums tik reikia sužinoti katra.

– Lena Santini man nepanaši į melagę, – paprieštaravo Andželas Ortisas. – Kalbėdama apie Robiną ji citavo Čarlio žodžius. Tiesa, ji teiravosi, ar galėtų porą tų medinių statulėlių įdėti į Čarlio karstą. Pasakiau jai, kad nieko nebus.

– Dar gerai, kad ji nepanoro į karstą įdėti kaukolės ar sukryžiuotų kaulų, kuriuos Čarlis išraižė ant Nolanų namo durų, – pasišaipė Mortas Šelis. – Va ten tai buvo tikras meno kūrinys. Vakar nustebau pamatęs, kad tie raižiniai vis dar puošia Nolanų duris.

– Teisybė. Kai Selija Nolan užtrenkė duris mums priešais nosį, turėjome laiko jais pasigrožėti, – ramiu balsu paantrino Polas Volšas. – Džefri, jei neklystu, tu ketini su Selija Nolan pasimatyti ir šiandien.

– Ne, šiandien ne, – nukirto Džefris. – Kai šiandien jai paskambinau, Selija Nolan liepė man visais klausimais kreiptis į jos advokatą Bendžaminą Flečerį.

– Bendžaminą Flečerį! – šūktelėjo Mortas Šelis. – Jis atstovavo Mažajai Lizei! Kas gi čia dedasi? Kodėl Selija Nolan nusprendė kreiptis būtent į jį?

– Na, kartą jis jai jau pagelbėjo, tiesa? – pašnibždomis pasiteiravo Polas Volšas.

– Kam pagelbėjo?

– Lizai Barton, kam gi dar? – pasigirdo Polo atsakymas.

Džefris, Mortas ir Andželas apstulbę žiūrėjo į jį. Be galo patenkintas, kad jie neteko žado, Polas nusišypsojo.

– Galėčiau lažintis, kad Selija Nolan yra ta pati kuoktelėjusi dešimtmetė, kuri kadaise šaudė į savo motiną ir patėvį. Grįžusi į savo brangiuosius namus, ji vėl pamažu praranda sveiką protą.

– Tu visiškai kuoktelėjai, – atkirto Džefris. – Be to, tik dėl tavo kaltės Selija Nolan pasisamdė advokatą. Jei nebūtum nuolatos klausinėjęs, kaipgi jai pavyko taip greitai grįžti namo iš to Olandų gatvės namo, dabar ji ne advokatus samdytųsi, o su mumis bendradarbiautų.

– Aš pasidomėjau Selijos Nolan praeitimi. Ji įvaikinta. Jai trisdešimt ketveri – lygiai tiek, kiek dabar būtų ir Lizai Barton. Vakar visi apstulbome išvydę ją vilkinčią tuos jojikės drabužius. O aš galiu jums paaiškinti kodėl. Taip, pripažįstu, Selija Nolan yra aukštesnė nei Odrė Barton. Jos plaukai tamsesni, tačiau drįstu teigti, kad tik dėl dažnų vizitų pas kirpėją, – pats mačiau, kad ties šaknimis Selijos Nolan plaukai yra šviesūs. Tad peršasi viena išvada – Odrė Barton yra Selijos Nolan motina.

Apie minutę Džefris sėdėjo netardamas nė žodžio. Jis niekaip negalėjo patikėti tuo, kuo, deja, buvo priverstas patikėti – gali būti, kad Polas teisus.

– Kai išvydau Seliją Nolan vilkinčią jojikės drabužius, man kilo daugybė klausimų. Uždaviau juos tam tikriems žmonėms ir sužinojau, kad šiuo metu Selija Nolan lanko jojimo pamokas Vašingtono slėnio jojimo klube. Jos mokytojas yra Zakas Viletas – tas pats žmogus, kuris prieš pat mirtį mokė jodinėti ir Vilą Bartoną. O Vilas Bartonas, kaip visi žinome, mirė dėl to, kad jodinėdamas nukrito nuo žirgo, – toliau dėstė Polas. Jam vis sunkiau sekėsi nuslėpti pasitenkinimą tuo, kad jo žodžiai visiems kabinete sėdintiems vyrams daro didžiulį įspūdį.

– Jei Selija Nolan yra Liza Barton, ar gali būti taip, kad ji kaltina Zaką Viletą dėl savo tėvo mirties? – tyliai pasiteiravo Mortas Šelis.

– Pasakysiu štai ką: būdamas Zako Vileto vietoje nenorėčiau ilgam likti vienu du su ta poniute, – atsakė Polas.

– Polai, darydamas tokias prielaidas – kol kas tik prielaidas – tu nekreipi dėmesio į faktą, kad Senojo Malūno tako namą nusiaubė Čarlis Hačas, – prabilo Džefris. – Nejaugi nori pasakyti, kad Selija Nolan ir Čarlis Hačas buvo pažįstami?

– Ne, nenoriu. Pripažįstu, kad greičiausiai ir su Žoržeta Selija Nolan susipažino tik praėjusį antradienį – tada, kai persikraustė gyventi į tą namą. Aš noriu pasakyti ką kita: išvydusi sudarkytą pievelę, pistoletą laikančią lėlę, kaukolę su sukryžiuotais kaulais ir dažais aptaškytas savo namo sienas, Selija vėl neteko nuovokos. Ji panoro atkeršyti visiems žmonėms, dėl kurių kaltės turėjo tai patirti. Juk būtent Selija Nolan aptiko Žoržetos lavoną. Be to, jei ta moteris iš tikrųjų yra Liza Barton, iš karto tampa aišku, kodėl jai tąkart pavyko taip greitai pasiekti savo namus. Lizos Barton senelė gyveno netoli Olandų gatvės. Selija Nolan prisipažino pravažiavusi pro namą, kuriame dirbo Čarlis Hačas, ir kaip tik tuo metu, kai Čarlis tenai buvo nužudytas. Net nuotraukos, kurias mums pavyko aptikti, yra nuorodos, kurios turi mums padėti ją atpažinti.

– Vis dėlto ši teorija tampa lengvai paneigiama, kai imame kalbėti apie Čarlio Hačo žmogžudystę. Vargu ar būtų galima apkaltinti tokiu nusikaltimu Seliją Nolan. Kaip ji galėjo sužinoti, kad namą nusiaubė būtent Čarlis Hačas? – pasiteiravo Andželas.

– Šiukšlininkas jau buvo spėjęs ne vienam žmogui papasakoti, kad Klaidas Erlis konfiskavo Čarlio Hačo šiukšlių konteineryje rastus dažais suteptus sportbačius, džinsus ir drožinius, – atsakė Polas.

Džefris ieškojo argumentų pagrįsti nuojautai, kad Polas klysta.

– Nori pasakyti, kad Selija Nolan, net jei ji yra Liza Barton, stebuklingu būdu nugirdo šiukšlininko šnekas, išsiaiškino, kur dirba Čarlis Hačas, žmogus, kurio ji niekada nebuvo sutikusi, tada kažkaip sugebėjo įtikinti Čarlį pasimatyti su ja prie gyvatvorės, visai šalia kelio, nušovė jį ir lyg niekur nieko nuvažiavo į jojimo pamoką?

– Bet dėl kažkokios priežasties ji važiavo tuo keliu, ir kaip tik tuo metu, – nenusileido Polas.

– Taip, važiavo. Ir jei tu nebūtum spaudęs jos prie sienos, gal šiuo metu Selija Nolan, besikalbėdama su manimi, užsimintų tąkart pastebėjusi kokią kitą mašiną ar keliu einantį žmogų. Polai, tu nori visą kaltę suversti vien Selijai Nolan, ir aš suprantu, kad tokia naujiena akimirksniu taptų sensacija. „Mažoji Lizė vėl žudo" – taip trimituotų žiniasklaida. Tačiau patikėk manimi, Čarlį Hačą kažkas tikrai pasamdė. Aš nė akimirkos nepatikėjau Klaido pasakomis. Kažkodėl viskas įvyko labai jau patogiu laiku ir kaip tik taip, kaip Klaidas norėjo. Galėčiau lažintis, kad po šiukšles Klaidas buvo spėjęs pasiknaisioti dar tada, kai jos gulėjo Čarliui Hačui priklausančioje teritorijoje. Nenustebčiau sužinojęs, kad, radęs įkalčius, Klaidas juos pasiėmė, o Čarlis tai sužinojo. Tuomet Klaidui tereikėjo grįžti prie namo, vėl įkišti įkalčius į šiukšlių konteinerį ir susirasti patikimą liudytoją, kuris galėtų patvirtinti, kad šiukšlių maišą Klaidas praplėšė tik tada, kai jis jau buvo išneštas iš privačios teritorijos. Jei persigando Čarlis Hačas, gal panika apėmė ir jį pasamdžiusį žmogų. Be to, aš manau, kad Žoržeta Grouv buvo nužudyta tik dėl to, jog jai pavyko sužinoti, kas Čarlį pasamdė.

– Džefri, Selija Nolan galėjo pasisamdyti tave – būtum buvęs pats geriausias jos advokatas. Ta Selija patraukli moteris, tiesa? Aš jau pastebėjau, kaip tu į ją žiūri. – Pajutęs stingdantį prokuroro žvilgsnį, Polas suprato, kad šios ribos peržengti jam nevertėjo. – Atleisk, – sumurmėjo po nosimi, – tačiau aš savosios įvykių versijos neketinu atsisakyti.

– Aš manau, kad ištyrus šią bylą tau būtų geriau pereiti dirbti į kitą skyrių, – atsakė Džefris. – Polai, tu esi protingas žmogus

ir galėtum būti geras detektyvas, tačiau tau niekaip nepavyksta at-
sikratyti vienos ydos: kas kartą, kai susikuri savą įvykių versiją, tu
ją įsikimbi lyg kaulą graužiantis šuva. Tuomet neatsižvelgi į jokius
kitus argumentus, niekada neatsižvelgi. Turiu pasakyti, kad man
jau darosi bloga – ir nuo šios tavo savybės, ir nuo tavęs. O dabar
man beliko pranešti, kuo dar turime pasirūpinti. Kaip jau sakiau,
šiandien mes turėtume gauti Čarlio Hačo telefono pokalbių suves-
tinę. Mortai, parašyk kreipimąsi į teisėją – mums reikia gauti ne tik
Robinos Kapenter, bet ir Henrio Palio bei Tedo Kartraito pokalbių
suvestines. Nepamiršk, kad mums rūpi ir namų, ir darbo telefonai.
Man reikia pastarųjų dviejų mėnesių duomenų – kam jie skambino
ir kas skambino jiems. Priežasčių juos įtarinėti yra daug, tad mums
neturėtų atsakyti. Aš taip pat turiu gauti Robinos Kapenter ir Čar-
lio Hačo kredito ir kelių mokesčių kortelių operacijų sąrašus. Aš
pats kreipsiuosi į atitinkamas institucijas, kad mums būtų suteik-
ta teisė išslaptinti Lizos Barton įvaikinimo dokumentus. – Džefris
pažvelgė į Polą. – Gal aš ir klystu, tačiau manau, kad Selija Nolan,
net jei ji iš tiesų yra Liza Barton, tėra ne itin sėkmingai susiklos-
čiusių aplinkybių auka. Niekada neabejoju, jog dar vaikystėje Liza
Barton nukentėjo tik dėl to, kad stojo skersai kelio Tedui Kartraitui.
Matyt, kažkas panašaus vyksta ir dabar. Akivaizdu, kad kažkas, tik
dar neaišku, kas ir kodėl, daro viską, kad Selija Nolan pamažu taptų
pagrindine įtariamąja dėl abiejų žmogžudysčių.

60

Išėjusi iš Bendžamino Flečerio kontoros, dar kurį laiką tiesiog va-
žinėjau po miestą svarstydama, ar man reikėjo prisipažinti, kad esu
Liza Barton. O gal tas susitikimas iš viso neturėjo įvykti? Mane įsiu-
tino Flečerio žodžiai, esą mama susitikinėjo su Tedu tuo metu, kai
buvo ištekėjusi už tėčio. Šie žodžiai mane žeidė, nesvarbu, kad žino-
jau, jog greičiausiai mama mylėjo Tedą už jo tekėdama.

Stengiausi save įtikinti, kad pasamdydama Flečerį išlošiau bent jau dėl vienos priežasties – jis tikrai nemėgsta Polo Volšo. Vadinasi, kaip įmanydamas stengsis mane nuo jo apsaugoti. Be to, dabar man bus gerokai lengviau paaiškinti Aleksui, kodėl neketinu bendradarbiauti su prokuratūra. Aš ramia širdimi galėsiu pasakyti, jog Lizos Barton advokatą pasamdžiau dėl to, kad visi aplinkui vykstantys dalykai yra kažkaip susiję su ta byla. Atsižvelgiant į aplinkybes, toks mano poelgis neturėtų nieko nustebinti.

Žinojau, kad anksčiau ar vėliau turėsiu pasakyti Aleksui tiesą, nesvarbu, kad dėl to galiu jo netekti. Bet kol kas to daryti nenorėjau. Jei tik man pavyktų prisiminti, ką tiksliai tą naktį mama suriko Tedui. Tada suprasčiau, kodėl jis ją taip bloškė. Gal man net pavyktų atsakyti į klausimą, ar aš tyčia į jį šaudžiau.

Visuose piešiniuose, kuriuos aš įteikdavau daktarui Moranui, šautuvas kybodavo ore. Jo nelaikydavo jokia ranka. Pirmą kartą tas ginklas iššovė netyčia, vien dėl to, kad į mane atsitrenkė mama, – tuo neabejojau. Bet aš norėjau rasti būdą įrodyti, kad tuo metu, kai šaudžiau į Tedą, buvau transo būsenos.

Man gali pagelbėti tik vienas žmogus – Zakas. Šitiek laiko aš nė neabejojau, kad mano tėtis žuvo per nelaimingą atsitikimą. Dabar, mintyse bedėliodama tuos mamos žodžius, kuriuos man jau pavyko prisiminti, vis dar nebuvau tikra dėl jų tikrosios prasmės:

Tu man prasitarei, kai buvai girtas... Tedai, tu man sakei, kad Zakas viską matė...

Ką Tedas pasakė mano mamai? Ir ką matė Zakas?

Buvo dar tik dešimta ryto. Paskambinusi į „Daily Record" redakciją, sužinojau, kad visi senų laikraščio numerių mikrofilmai laikomi apygardos bibliotekoje, Rendolfo gatvėje. Pusę vienuoliktos jau stovėjau bibliotekos vestibiulyje. Paprašiau man atnešti laikraščių mikrofilmus – visus numerius, kurie pasirodė prieš dvidešimt sep-. tynerius metus, taip pat ir tuos, kurie buvo išleisti gegužės 9-ąją – tą dieną, kai žuvo tėtis.

Vos pradėjusi skaitinėti gegužės 9-osios numerius, supratau, kad žinia apie tėčio mirtį laikraščiuose galėjo pasirodyti tik kitą dieną.

Bet straipsnių antraštes aš vis tiek nusprendžiau peržiūrėti. Viena iš jų skelbė, kad tos dienos popietę Džokio klonyje įvyks šaudymo varžybos. Jose ketino dalyvauti dvidešimt senovinių ginklų savininkų, tarp jų buvo tikimasi išvysti ir vieną žinomiausių Moriso apygardos senovinių ginklų kolekcininkų Tedą Kartraitą.

Pažvelgiau į Tedo nuotrauką. Tada jam dar nebuvo keturiasdešimties, jo plaukai vis dar buvo juodi. Nuotraukoje jis atrodė kaip didžiuoklis, kuriam niekas nėmaž nerūpi. Jis žiūrėjo tiesiai į objektyvą, o rankoje gniaužė senovinį ginklą, kuriuo ketino naudotis per artėjančias varžybas.

Paskubomis trūktelėjau mikrofilmą ir ėmiau žiūrinėti kitos dienos laikraščio numerį. Pirmame puslapyje radau straipsnį apie savo tėtį. „Per nelaimingą atsitikimą žuvo žinomas architektas Vilas Bartonas", – skelbė antraštė.

Greta buvo išspausdinta ir tėčio nuotrauka. Tokį jį ir pamenu. Jo akys buvo šiltos, rūpestingos – į jas bežiūrint atrodydavo, kad tėtis tuoj ims ir nusišypsos pačia plačiausia, pačia nuoširdžiausia šypsena. Aristokratiška nosis ir burna, sodrios geltonos spalvos plaukų kupeta. Dabar jam būtų šiek tiek daugiau nei šešiasdešimt. Nors ir žinojau, kad kankinti savęs tokiomis mintimis neverta, vis tiek pagavau save bemąstančią, kaip mano gyvenimas būtų susiklostęs, jei tėtis gyventų, jei tos siaubingos nakties niekada nebūtų buvę.

Straipsnyje apie tėvo žūtį buvo rašoma lygiai tas pats, ką man jau buvo papasakojęs Zakas. Keli žmonės buvo nugirdę tėčio ir Zako pokalbį. Jie patvirtino, kad tėtis, užuot palaukęs, kol Zakas iškrapštys kumelės kanopoje įstrigusį akmenį, pats vienas nurisnojo taku. Vis dėlto niekas nematė, kaip tėtis pasuko keliuku, ties kuriuo buvo pastatytas pavojaus ženklas. Visi lyg sutarę kartojo, jog greičiausiai nelaimingas atsitikimas įvyko dėl to, kad tėčio žirgas netikėtai pasibaidė, o mano tėtis, pasak straipsnio autoriaus, buvo nepatyręs jojikas ir nesugebėjo jo sutramdyti.

Nuo to, ką perskaičiau toliau, man trumpam aptemo akys. „Tuo pačiu metu gretimu taku risčia jojo ir vienas iš arklininkų – Herbertas Vestas. Šis vyras tvirtina girdėjęs skardų į šūvį panašų garsą.

Jo spėjimu, greičiausiai tuo metu ponas Bartonas jau buvo pasiekęs vietą, kur jojimo takas išsišakoja. Viena iš atšakų ir veda pražūtingo skardžio link."

„Skardų į šūvį panašų garsą."

Ėmiau sukti mikrofilmą ir sustojau ekrane išvydusi to paties numerio sporto naujienų puslapį. Vienoje iš nuotraukų buvo įamžintas Tedas Kartraitas. Vienoje rankoje jis laikė iškovotą apdovanojimą, o kitoje – automatinį dvidešimt antro kalibro revolverį. Tedas laimėjo šaudymo varžybas. Straipsnyje buvo minima, kad pergalę jis ketina atšvęsti su draugais prie pietų stalo Pypako klube, o vėliau dar kurį laiką pajodinėti. „Taip įtemptai ruošiausi šaudymo varžyboms, kad keletą savaičių taip ir neturėjau progos normaliai pajodinėti", – teigė jis žurnalistui.

Mano tėvas žuvo trečią valandą po pietų – iki to laiko Tedas jau galėjo būti ir papietavęs, ir spėjęs pasibalnoti žirgą. Tuo metu jis galėjo joti vienu iš tų takų, kurie susikerta su Vašingtono slėnio jojimo klubo takais. Ar gali būti, kad tąkart jis atsitiktinai susidūrė su mano tėvu, tuo pačiu vyru, kuris iš Tedo paviliojo mano motiną? Gal tuo metu tėtis kaip tik bandė suvaldyti savo žirgą?

Taip galėjo nutikti, tačiau kol kas aš tegalėjau spėlioti. Tiesą man galėjo atskleisti tik vienas žmogus – Zakas Viletas.

Abu straipsnius aš išsispausdinau – ir tą, kuriame buvo rašoma apie nelaimingą atsitikimą, ir tą, kuris buvo iliustruotas prizą spaudžiančio Tedo nuotrauka. Jau buvo metas iš darželio pasiimti Džeką. Išėjusi iš bibliotekos, sėdau į automobilį ir nuvažiavau prie Šventojo Juozo mokyklos.

Džekas buvo susikrimtęs, todėl nesunkiai atspėjau, kad šis rytas jam buvo nekoks. Kalbėti apie tai, kas atsitiko, jis atsisakė. Bet kai mudu parvažiavome namo ir atsisėdome prie pietų stalo, Džekas vis dėlto prabilo:

– Vienas vaikas iš mano grupės pasakė, kad aš gyvenu name, kuriame mergaitė nušovė savo mamą. Mamyte, ar tai tiesa?

Negalėjau nepagalvoti apie tą dieną, kai Džekas sužinos, kad ta mergaitė esu aš. Giliai įkvėpiau ir atsakiau:

– O aš iš visokių gandų supratau, kad ta mergaitė šiuose namuose kurį laiką gyveno su savo mama ir tėčiu, ir ji buvo labai laiminga. Jos tėtis anksti mirė, o praėjus kuriam laikui vieną naktį kažkas norėjo nuskriausti jos mamą ir ta mergaitė mėgino ją išgelbėti.

– Jei kas nors norės nuskriausti tave, aš tave išgelbėsiu, – pažadėjo Džekas.

– Branguti, žinau, kad išgelbėsi. Jei tavo draugas dar kartą paklaus tavęs apie tą mergaitę, pasakyk jam, kad ji buvo labai drąsi. Ir paaiškink, kad jai savo mamos išgelbėti nepavyko, tačiau ji tikrai stengėsi tai padaryti.

– Mamyte, neverk.

– Džekai, aš ir nenoriu verkti, – atsakiau. – Tik man labai gaila tos mažos mergaitės.

– Man jos irgi gaila, – pareiškė Džekas.

Paklausiau Džeko, ar jis neprieštarautų, jei šįvakar pas mus užsuktų Sju ir pabūtų su juo, kol jodinėsiu. Pamačiusi, kad jis dvejoja, paskubomis pridūriau:

– Sju moko jodinėti *tave*, o aš lankau jojimo pamokas, kad nuo tavęs neatsilikčiau.

Toks paaiškinimas Džekui įtiko, tačiau po kurio laiko, baigęs valgyti sumuštinį, jis atsistojo, stumtelėjo savo kėdę į šoną, priėjo prie manęs ir ištiesė rankas.

– Ar galiu truputį pasėdėti tau ant kelių? – paklausė.

– Aišku. – Užsikėliau jį ant kelių ir stipriai apkabinau. – Kas mano, kad tu esi mažas nuostabus berniukas? – paklausiau jo.

Šį žaidimą jau ne kartą buvome žaidę. Džekas šyptelėjo ir atsakė:

– Tu.

– Kas tave myli iki begalybės?

– Tu, mamyte. Tu.

– Koks gi tu protingas, – nusistebėjau. – Net negaliu patikėti, kad toks stebuklingai protingas.

Džekas ėmė juoktis.

– Mamyte, aš tave myliu.

Glausdama Džeką, prisiminiau tą naktį, kai mane partrenkė limuzinas. Prieš prarasdama sąmonę tuomet spėjau pagalvoti viena – kas gi nutiks Džekui, jei aš mirsiu? Su šia mintimi pabudau ir ligoninėje. Oficialiais jo globėjais būtų tapę Ketlina ir Martinas, tačiau tuo metu Ketlinai jau buvo septyniasdešimt ketveri, o Martinui pačiam reikėjo nuolatinės globos. Net jei dar dešimtį metų Ketlina būtų stipri, jai sulaukus aštuoniasdešimt ketvirtojo gimtadienio, Džekui tebūtų keturiolika. Štai kodėl, išvydusi Aleksą ir supratusi, kad jis grįš į mano butą ir visą naktį praleis su Džeku, aš pajutau palengvėjimą. Visus šiuos šešis mėnesius mane guodė mintis, kad dabar Džeko globėjas yra Aleksas. Žinodama, kad Džekas saugus, saugi jaučiausi ir aš. Tačiau kas gi nutiktų, jei, sužinojęs apie mane tiesą, Aleksas mus paliktų? Kas tada pasirūpintų Džeku?

Džekas užsnūdo mano glėbyje. Žinojau, kad popiečio miegas truks neilgai, tik kokias dvidešimt minučių. Įdomu, ar būdamas šalia mano mažylis jaučiasi taip pat saugiai, kaip šalia tėčio jaučiausi aš tą dieną, kai milžiniška banga mus išmetė į krantą? Mintyse kreipiausi į savo tėtį, prašydama pagelbėti man sužinoti tiesą, kas jam nutiko. Ausyse vis skambėjo Bendžamino Flečerio žodžiai apie mano mamą ir Tedą Kartraitą. Prisiminiau, kaip per tėčio laidotuves mama suklupo ir ėmė raudoti: „Grąžinkite man vyrą! Grąžinkite man mano vyrą!"

Tu prasitarei, kai buvai girtas. Tu nužudei mano vyrą. Tedai, tu man sakei, kad Zakas viską matė!

Štai kokius žodžius tą naktį mama suriko Tedui! Aš dėl to buvau visiškai tikra, kaip ir dėl to, kad dabar glėbyje laikau savo mažąjį sūnelį. Pagaliau man pavyko aptikti visas dėlionės dalis. Dar ilgą laiką sėdėjau netardama nė žodžio, stengdamasi iki galo suvokti visą tų mamos žodžių prasmę. Dabar žinojau, kodėl mano mama išvijo Tedą iš namų. Dabar jau žinojau, kodėl ji taip jo bijojo ir kam Tedas nedvejodamas ryžosi bandydamas išgelbėti savo paties gyvybę.

Kodėl mano mama nesikreipė į policiją? Šis klausimas man nedavė ramybės. Nejaugi ji bijojo mano reakcijos? Gal baiminosi, jog, sužinojusi, kad mano tėtis buvo nužudytas dėl to, jog kitas vyras norėjo mano mamos, aš ją pasmerksiu?

Atvykus Sju, išskubėjau į paskutinę jojimo pamoką su Zaku Viletu.

61

Kad ir kaip Driu nepatiko Marsela, ji buvo priversta pripažinti, jog Marsela yra neišsenkantis naudingos informacijos šaltinis. Marselai pavyko įsiūlyti Driu ne tik puodelį kavos, bet ir daniškų tešlainių.

Driu užsiminė Marselai girdėjusi, esą Odrė susitikinėjo su Tedu ir tuo metu, kai buvo ištekėjusi už Vilo, tačiau Marsela tai kategoriškai neigė.

– Odrė mylėjo savo vyrą, – paaiškino ji. – Vilas buvo ypatingas vyrukas, tikras džentelmenas. Ir Odrei tai labai patiko. Kita vertus, su Tedu niekada nebūdavo liūdna. Na, neliūdna ir dabar. Ar Odrė būtų palikusi Vilą dėl Tedo? Ne. Ar ji būtų sutikusi tapti jo žmona, jei būtų buvusi laisva? O kaipgi – Odrė tą ir padarė. Tačiau Tedo pavardės jos pase nebuvo. Tikriausiai ji pasiliko Barton pavardę norėdama įtikti Lizai. – Marsela padėjo ant stalo krūvą nuotraukų, kurios, jos manymu, galėjo sudominti Driu. – Vilas Bartonas ir mano buvęs vyras mėgo vienas kitą, – paaiškino ji. – Mano ir Vilo nuomonės šiuo kone vieninteliu klausimu buvo visiškai skirtingos. O kai mirė Vilas, pas Odrę ėmė lankytis Tedas. Retsykiais mudu prie jų prisidėdavome, drauge išgerdavome kokteilių. Manau, Odrė bandė slėpti nuo Lizos, kad jos ir Tedo santykiai tampa rimti, tad mudu su vyru besisukiodami aplink juos lyg ir padėjome jai. Fotografuoti aš visada mėgau, o kai Lizą apėmė tas noras pašaudyti, surinkau visas nuotraukas į krūvą. Porą atidaviau ir žurnalistams.

Tai aišku, kad atidavei, pagalvojo Driu. Ji ėmė sklaidyti nuotraukas, stengdamasi kuo geriau įsižiūrėti į Vilo ir Odrės Bartonų veidus, nufotografuotus iš arti. Paslėpti jaudulį nuo tiriančių Marselos akių Driu darėsi vis sunkiau.

Aš paprašysiu Bobo kompiuteriu pasendinti Lizą Barton, pagalvojo ji. Tačiau rezultatas, kurį jis gaus, aiškus jau dabar. Selija Nolan *yra* Liza Barton. Selijos bruožai primena jos tėvų bruožus. Ji yra panaši ir į motiną, ir į tėvą.

– Ar panaudosite visas šias nuotraukas? – pasiteiravo Marsela.

– Tai priklausys nuo to, kiek gausiu vietos savo straipsniui. Marsela, ar jūs kada nors buvote susitikusi su tuo Zaku, Vilo Bartono jojimo mokytoju?

– Ne. Kam gi man. Sužinojusi, kad Vilas paslapčia mokėsi jodinėti, Odrė įsiuto. Vilas jai aiškino tą kitą klubą pasirinkęs tik dėl to, kad jodinėdamas Pypako klube būtų atrodęs kaip tikras kvailys. Jis žinojo, jog greičiausiai iš jo neišeis vykęs jojikas, bet vis tiek norėjo išmokti joti vien tam, kad galėtų palaikyti draugiją žmonai. O aš manau, jog jam ne itin patiko tai, kad Odrė taip dažnai jodinėdavo su Tedu.

– Gal žinote, ar Odrė kaltino Zaką dėl to, kas nutiko jos vyrui?

– Negalėjo kaltinti. Visi arklidžių darbuotojai paliudijo, kad Vilas nekantravo kuo greičiau išjoti ir nepaisė Zako prašymo dar kurį laiką jo palaukti.

Kai Driu jau buvo bepakylanti nuo sofos, suskambo Marselos namų telefonas. Marsela puolė kelti ragelio. Kai ji po kurio laiko grįžo, buvo akivaizdu, kad išgirsta naujiena ne itin maloni.

– Va taip dažniausiai ir būna, – kreipėsi ji į Driu. – Turėjau pietauti su Tedu Kartraitu, tačiau jis man ką tik pranešė, kad visą rytą praleido derėdamasis su rangovais ir dabar turi kuo greičiau sutvarkyti vieną itin svarbų reikalą. Gal taip ir geriau. Man pasirodė, kad šiandien Tedas vėl nekokios nuotaikos, o tokiu metu šalia jo geriau jau nebūti, gerai žinau.

Atsisveikinusi su Marsela, Driu nuvyko į apygardos biblioteką. Nuėjusi į archyvus, Driu paprašė atnešti jai keletą senų „Daily Record" numerių mikrofilmų, tarp jų ir to numerio, kuris pasirodė praėjus dienai po Vilo Bartono mirties. Bibliotekos darbuotoja šyptelėjo.

– Ši diena šiandien labai jau populiari. Tą patį mikrofilmą prieš valandą buvau išdavusi kitai moteriai.

Selija Nolan, toptelėjo Driu. Greičiausiai ji jau kalbėjosi su Zaku Viletu ir nusprendė, kad apie tą nelaimingą atsitikimą dar daug ko nežino.

– Nejaugi tai buvo Selija Nolan, gera mano pažįstama? – kreipėsi ji į bibliotekininkę. – Mudvi vykdome tą patį projektą.

– O kaipgi, tikrai ji, – patvirtino bibliotekos darbuotoja. – Ji net išsispausdino porą to laikraščio numerio straipsnių.

Porą, vartydama gegužės 10-osios numerį mintyse atkartojo Driu. Įdomu, kodėl gi porą.

Praėjus vos penkioms minutėms, spausdintuvas jau spausdino pranešimą apie Vilo Bartono mirtį. Norėdama įsitikinti, kad tikrai nieko svarbaus nepražiopsojo, Driu peržvelgė ir kitus to paties laikraščio straipsnius. Atsivertusi sporto naujienų puslapį, Driu, kaip ir Selija Nolan, sumojo, kad tuo metu, kai žuvo Vilas Bartonas, tose pačiose apylinkėse galėjo klaidžioti ir Tedas Kartraitas – ir dar ginkluotas.

Gerokai nerimaudama dėl to, kokios būklės dabar yra Selija Nolan, Driu užsuko į dar vieną vietą – Mendamo policijos komisariatą. Seržantas Klaidas Erlis, kaip Driu ir tikėjosi, ne tik buvo savo tarnybos vietoje, bet ir mielai sutiko atsakyti į jos klausimus.

Gerokai viską pagražindamas, seržantas išsamiai papasakojo Driu apie savo pokalbį su Čarliu Haču. Be abejo, nepamiršo ir to, jog tąkart jam iš karto pasirodė įtartina, kad Čarlis mūvi velvetines kelnes. „Tas draugužis nenorėjo, kad aš jį pamatyčiau mūvintį raudonais dažais aptaškytas kelnes“, – paaiškino jis Driu.

Istoriją Klaidas baigė pasakojimu, kaip, dalyvaujant šiukšlininkui, jis atrado įkalčius Čarliui Hačui priklausiusiame šiukšlių maiše. Kai jis nutilo, Driu iš karto pamėgino pakeisti pokalbio temą.

– Atrodo, visi šie įvykiai kažkaip susiję su Mažosios Lizės byla, tiesa? – pasakė ji lyg niekur nieko. – Turbūt tą naktį tu vis dar puikiai pameni.

– Tai jau taip, Driu. Tai jau taip. Kartais man priešais akis vis dar iškyla tas vaizdas: ant užpakalinės sėdynės sėdi vaikas ir ramiu balsu dėkoja man už atneštą antklodę.

– Tąkart tu ir vairavai, ar ne?

– Taigi.

– Ar jums bevažiuojant Liza ištarė bent žodį?

– Ne, nė vieno.

– O kur tu ją nuvežei?

– Čia. Tada pranešiau Lizai Barton apie pateikiamus kaltinimus.

– *Tu pranešei Lizai apie pateikiamus kaltinimus!*

– O ką gi tu tikėjaisi išgirsti? Kad daviau jai saldainių? Aš paėmiau jos pirštų atspaudus, o paskui ji buvo nufotografuota.

– Ar vis dar turi tuos pirštų atspaudus?

– Kai nepilnamečiai pripažįstami nekaltais, mes privalome visus jų pirštų atspaudus sunaikinti.

– Tai ar sunaikinai, Klaidai?

Klaidas pamerkė Driu akį.

– Tarp mūsų kalbant, ne, aš jų nesunaikinau. Jie vis dar yra ten, kur ir anksčiau – jos byloje. Pasilikau lyg kokį suvenyrą.

Driu prisiminė, kaip atsikrausčiusi į Mendamą Selija Nolan bandė pabėgti nuo ją fotografuojančių žurnalistų. Driu jos nuoširdžiai gailėjo, tačiau žinojo, kad šį tyrimą privalo tęsti. Du žmonės jau nužudyti. Jei Selija Nolan iš tiesų yra Liza Barton, šiuo metu ji kaip tik svarsto, kad galbūt jos tėvo mirtis ir nebuvo atsitiktinė. Gali būti, kad ir jai pačiai šiuo metu gresia nemažas pavojus.

Na, o jei Selija Nolan yra žudikė, ji turi būti sustabdyta, mintyse konstatavo Driu.

– Klaidai, privalai šį tą padaryti, – prabilo Driu. – Kuo greičiau, nedelsdamas nė akimirkos, perduok tuos pirštų atspaudus Džefriui Makingsliui. Aš manau, kad Liza grįžo į Mendamą, ir gali būti, kad ji čia grįžo atkeršyti visiems ją įskaudinusiems žmonėms.

62

Kad kažkas atsitiko, supratau iškart, kai prie arklidžių pasisveikinau su Zaku. Jis atrodė įsitempęs, budrus. Žinojau, kad Zakas jau kurį laiką bando mane perprasti, tačiau nenorėjau, kad jis imtų manęs saugotis. Privalėjau jį prašnekinti. Jei jis iš tiesų buvo to „nelaimingo" atsitikimo liudytojas, turėjau rasti būdą priversti jį papasakoti, kas iš tiesų nutiko mano tėvui.

Padėjęs man pabalnoti žirgą, Zakas abu mūsų ristūnus nuvedė prie paties miško pakraščio.

– O gal jokime link sankirtos, kur Vilas Bartonas patyrė tą nelaimę? – pasiūliau Zakui. – Man būtų smalsu pamatyti tą vietą.

– Tas nelaimingas atsitikimas jums tikrai rūpi, tiesa? – atsakė Zakas.

– Aš daug apie jį skaičiau. Žinote, gana įdomu, kad vienas iš arklininkų teigė tąkart girdėjęs šūvį. Herbertas Vestas. Gal žinote, ar jis vis dar čia dirba?

– Dabar jis profesionalus žokėjus, dirba Monmuto parko hipodrome.

– Zakai, prieš kiek laiko buvo išjojęs Vilas Bartonas, kai į balną sėdote jūs? Prieš tris minutes? Penkias?

Zakas jojo šalia manęs. Vėjas jau buvo spėjęs išsklaidyti danguje pakibusius debesis, tad ši vėsi popietė buvo gana saulėta – kaip tik tokia, kokia labiausiai tinka jodinėti. Ruduo jau buvo arti – medžių lapai pamažu keitė spalvą. Žalsvoje lapijoje margavo ir geltoni, ir oranžiniai, ir gelsvai rusvi atspalviai. Medžių viršūnės žėrinčio mėlio dangaus fone sudarė spalvingą skliautą. Žirgų kanopos smigo į sudrėkusią dirvą. Jos kvapas priminė man tas dienas, kai Pypako jojimo klube mama vedžiodavo mano ponį, o aš ant jo sėdėdavau. Retsykiais į klubą mus nuveždavo tėtis. Laukdamas, kol parjosime takeliu, skaitinėdavo laikraštį arba knygą.

– Sakyčiau, buvo praėjusios penkios minutės, – atsakė Zakas. – Ką gi, jaunoji ponia, manau, mums atėjo metas pasikalbėti atvirai. Kodėl jūs užduodate tiek daug klausimų apie tą nelaimingą atsitikimą?

– Kodėl gi mums apie tai nepasikalbėjus prie tos sankirtos, juk liko vos keli žingsniai, – pasiūliau Zakui.

Nusprendžiau nebeslėpti, kad balne jaučiuosi puikiai, ir paraginau žirgą švelniai spustelėdama šonus. Žirgas pasileido risčia. Man iš paskos nujojo ir Zakas. Jojimo kelių sankirtą pasiekėme tik po šešių minučių. Abu trūktelėjome vadeles ir sustabdėme žirgus.

– Zakai, turiu jums prisipažinti, – prabilau. – Aš atidžiai skaičiavau laiką nuo tos akimirkos, kai mudu palikome arklides. Mes išjojome lygiai po dviejų dešimt. Dabar yra devyniolika minučių po antros, o mudu, kaip žinote, kurį laiką jojome iš tiesų greitai. Peršasi išvada, kad tąkart jūs negalėjote nuo Vilo Bartono atsilikti tik keturiomis ar penkiomis minutėmis, tiesa?

Pamačiau, kad Zakas kietai sučiaupė lūpas.

– Zakai, būsiu su jumis atvira, – pasakiau. Be abejo, atvira ketinau būti tik iki tam tikros ribos. – Vilo Bartono motina buvo mano senelės sesuo. Amžinojo atilsio ji atgulė tvirtai įsitikinusi, kad tai, kas nutiko jos sūnui, nebuvo nelaimingas atsitikimas. Herbertas Vestas prisiekinėjo tąkart girdėjęs šūvį. Šūvis žirgą tikrai būtų pabaidęs, juk taip? O ypač jei žirgu jojo nervingas raitelis – juk jis galėjo per stipriai timptelėti žąslus ir dažnai trūkčioti vadeles. Jums taip neatrodo? Kalbu apie tai, kad galbūt beieškodamas Vilo Bartono jūs išvydote jį bešuoliuojantį tuo pavojingu taku, nebesuvaldantį savo žirgo, ir supratote, kad jam pagelbėti nebegalėsite. Gali būti, kad jūs pamatėte ir tą šūvį paleidusį žmogų. Ir visai gali būti, kad tas žmogus buvo Tedas Kartraitas.

– Aš visiškai nesuprantu, apie ką jūs kalbate, – atsakė Zakas. Bet Zako kakta buvo nusėta prakaito lašeliais ir jis nesustodamas gniaužė kumščius – to nepastebėti aš negalėjau.

– Zakai, jūs jau sakėte man, kad esate geras Tedo Kartraito draugas. Jūs neturite jokio noro pakliūti į bėdą ir man tai suprantama. Bet tiesa ta, kad Vilas Bartonas tada neturėjo žūti. Mano giminė yra gana pasiturinti. Aš turiu oficialų įgaliojimą, suteikiantį teisę įteikti jums milijoną dolerių, jei jūs nueitumėte į policijos komisariatą ir papasakotumėte, kas iš tikrųjų tąkart čia įvyko. Jūs nusikaltote tik tuo, kad neatskleidėte visos tiesos. Abejoju, kad po tiek metų kas nors imsis jus teisti dėl tokio nusikaltimo. Priešingai, jūs taptumėte didvyriu, žmogumi, kuris, paklausęs savo sąžinės, ištaisė kadaise padarytą klaidą.

– Sakote, milijoną dolerių?

– Pervestume į jūsų sąskaitą banke.

Plonos Zako lūpos šyptelėjo.

– Ar suma padidėtų, jei aš policijai paliudyčiau matęs, kaip Tedas Kartraitas, sėdėdamas ant savo žirgo, iš pradžių pats nustūmė Bartono žirgą to tako link, o paskui paleido šūvį, kuris taip išgąsdino Vilo Bartono žirgą, kad jis iš karto pasileido šuoliais?

Pajutau, kad mano širdis ėmė greičiau plakti. Pasistengiau prabilti kuo ramesniu balsu:

– Suma padidėtų dešimčia procentų. Šimtu tūkstančių dolerių. Ar taip ir buvo?

– Tai negi ne. Kaip tik taip. Tedas Kartraitas šovė senoviniu revolveriu, kurio kulkos neįprastos, retos. Paleidęs tą šūvį, jis iš karto apsisuko ir nulėkė tuo taku, kuris veda Pypako link.

– Ką gi jūs tada darėte?

– Vilas Bartonas jau buvo nusiritęs nuo šlaito, aš girdėjau jo riksmą. Žinojau, kad jam pagelbėti nebeįmanoma. Matyt, buvau sukrėstas. Aš nujojau kitu taku ir dar pajodinėjau aplinkui, apsimesdamas, kad ieškau Bartono. Po kurio laiko kažkas pamatė jo lavoną dauboje. Aš jau buvau spėjęs susirasti fotoaparatą ir grįžti prie tos pačios sankirtos. Norėjau apsidrausti, kad man nieko nenutiktų. Visa tai įvyko gegužės 9-ąją. Prieš grįždamas pačiupau tos dienos laikraštį, kuriame buvo straipsnis apie Tedą Kartraitą. Buvo išspausdinta ir Tedo nuotrauka. Rankose jis laikė automatinį dvidešimt antro kalibro revolverį – tą patį, kurį ketino naudoti dalyvaudamas šaudymo varžybose. Padėjau tą nuotrauką greta kulkos, kuri buvo įstrigusi medžio kamiene, ir viską nufotografavau. Tada, naudodamas įrankį žirgų pasagoms galąsti, atsargiai ją iš ten iškrapščiau. Tūtelę taip pat radau – pačiame jojimo tako viduryje. Tada prisiartinau prie skardžio ir ėmiau fotografuoti visa, kas tuo metu vyko apačioje: policijos ir greitosios pagalbos automobilius, veterinarus, atvykusius apžiūrėti žirgo. Visų jų pastangos, be abejo, buvo bergždžios. To vargšo vyruko likimas paaiškėjo tą pačią akimirką, kai jis nuslydo nuo skardžio.

– Ar parodysite man tas nuotraukas? Ar vis dar turite tą kulką? O tūtelę?

– Nuotraukas aš jums galėsiu parodyti, tačiau jos liks pas mane iki to laiko, kol gausiu pinigus. O kulką bei tūtelę aš irgi vis dar turiu.

Nė neįsivaizduoju, kam man to reikėjo, tačiau Zakui aš uždaviau ir dar vieną klausimą:

– Zakai, nejaugi pinigai yra vienintelė priežastis, dėl kurios jūs man tai pasakojate?

– Pagrindinė, – atsakė jis. – Tačiau yra ir dar viena. Man, švelniai tariant, nepatinka, kad Tedas Kartraitas ne tik išsisuko ir nebuvo nubaustas, bet dar ir turi įžūlumo ateiti čia man grasinti.

– Kada aš galėčiau apžiūrėti visus įkalčius?

– Šiandien, kai grįšiu namo.

– Jei auklė sutiks prižiūrėti mano sūnų, aš pas jus galėsiu užsukti apie devintą. Toks laikas jums tiktų?

– Tiktų. Vėliau aš jums duosiu savo adresą. Tik nepamirškite vieno dalyko – parodysiu tik nuotraukas. Ir jas, ir kulką, ir tūtelę policijai atiduosiu tik tada, kai man jau bus pažadėta neliečiamybė ir, be abejo, kai mane jau bus pasiekę jūsų pinigai.

Į arklides grįžome tylėdami. Vis bandžiau įsivaizduoti, kaip turėjo jaustis mano tėtis – tada, kai išvydo į jį nukreiptą Tedo Kartraito šautuvą, ir jau vėliau, po šūvio, kai niekaip negalėjo suvaldyti savo žirgo, milžiniškais šuoliais lekiančio tiesiai mirčiai į nasrus. Neabejojau, kad jausmas turėjo būti panašus į tą, kuris mane apėmė išvydus, kaip Tedas bloškė į mane mamą ir ėmė artintis.

Zako mobilusis telefonas suskambo mums nulipus nuo žirgų. Priglaudęs telefoną prie ausies, Zakas man mirktelėjo.

– Klausau, – prabilo. – Kas yra? Ak, sakai, tas kotedžas su baldais vertas septynių šimtų tūkstančių dolerių? Ir tu nenori, kad aš jame gyvenčiau? Tačiau esi pasiruošęs man tą sumą atiduoti grynaisiais? Deja, tu jau pavėlavai. Aš sulaukiau geresnio pasiūlymo. Viso labo.

– Jausmas buvo tikrai geras, – prisipažino Zakas, ant voko keverzodamas savo namų adresą. – Tai pasimatysime devintą valandą. Važiuojant gatve mano namo numerį sunkoka įžiūrėti, tad geriau iš karto dairykitės namo, šalia kurio būriuojasi vaikigaliai ir iš kurio sklinda būgnų dundesys.

– Rasiu, – atsakiau.

Žinojau, kad jei Tedas Kartraitas atsidurtų teisiamųjų suole, jo advokatai bandytų įtikinti prisiekusiuosius, jog Zakas buvo papirktas, jog už Tedui nepalankų liudijimą jam buvo sumokėta. Iš dalies jie būtų teisūs, tačiau kaipgi daiktiniai įrodymai, kuriuos Zakas tiek metų saugojo? Vargu ar jiems pavyktų juos paneigti. Kita vertus, kuo gi šis Zakui pažadėtas piniginis atlygis skiriasi nuo lengvatų, kurias policininkai suteikia svarbiems bylų liudytojams?

Tik aš pasiūliau gerokai daugiau, nei paprastai siūlo jie.

63

Ketvirtą valandą prie Džefrio Makingslio kabineto durų lūkuriavo seržantas Klaidas Erlis ir Driu Peri.

– Nežinau, ar jam patiks, kad mudu atėjome drauge, – sumurmėjo Klaidas.

– Klausyk, Klaidai. Aš esu žurnalistė. Tai medžiaga mano straipsniui ir savo teisę į ją aš tikrai apginsiu.

Ana sėdėjo prie savo darbo stalo. Ji matė sutrauktą Klaido Erlio veidą ir patyliukais dėl to džiaugėsi. Kai Klaidas skambindavo Džefriui, Ana jį pristatydavo kaip teisuolį šerifą. Ji žinojo, kad Klaido pomėgis nepaisyti jam nenaudingų įstatymų Džefrį siutina. Anai buvo tekę spausdinti Džefrio raštus, tad ji jau žinojo, kad Klaido istorija apie tai, kaip jam pavyko surasti Čarlio Hačo kaltę įrodančius įkalčius, prokurorui kelia nemenką įtarimą. Džefris nerimavo dėl to, ar jis turės galimybę pasinaudoti tais įkalčiais teisme.

– Tikiuosi, naujiena, kurią ketinate pranešti prokurorui, yra gera, – draugiškai į Klaidą kreipėsi Ana. – Jis šiandien nekokios nuotaikos.

Klaido pečiai nusileido ir Driu spėjo tai pastebėti. Staiga suskambo vidinis prokuratūros telefonas. Skambino Džefris.

– Įleisk juos, – paprašė Anos.

– Leisk man kalbėti pirmai, – sušnibždėjo Driu, kai Klaidas atidarė jai Džefrio kabineto duris.

– Driu, Klaidai, kas yra? – prabilo Džefris.

– Gal aš prisėsiu. Dėkui, kad pasiūlei, – sarkastiškai atkirto Driu. – Džefri, savo tikslą jau pasiekei – mes supratome, koks tu užsiėmęs. Bet patikėk manimi, mūsų apsilankymas tave tikrai pradžiugins. Aš tau noriu pasakyti kai ką iš tiesų svarbaus, tačiau prieš tai turi man pažadėti, kad ši informacija nepasieks žurnalistų. Šiuo atveju aš turiu būti vienintelė žurnalistė, su kuria bus bendraujama. Šią vertingą informaciją ketinu suteikti vien dėl to, kad tokia yra mano pareiga. Gali būti, kad šiuo metu vienam žmogui gresia mirtinas pavojus, tad nieko nedaryti aš negaliu.

Džefris palinko į priekį, sunertas rankas dėdamas ant darbo stalo.

– Nagi, – paragino.

– Aš manau, kad Selija Nolan yra Liza Barton, ir Klaido dėka tau gali pavykti šį mano spėjimą įrodyti.

Džefris atrodė taip, lyg viena koja stovėtų karste. Į jį bežiūrėdama, Driu suprato iš karto du dalykus: tokią galimybę Džefris greičiausiai jau yra svarstęs, o jei ji vis dėlto pasitvirtintų, prokuroras tikrai nesijaustų pats laimingiausias. Driu išsitraukė iš rankinės tas Lizos nuotraukas, kurias jai buvo davusi Marsela.

– Ketinau pasinaudoti kompiuterine programa ir porą jų pasendinti, – tęsė ji. – Bet tai nėra būtina. Džefri, žvilgtelėk į jas ir tada pagalvok apie Seliją Nolan. Ji yra abiejų savo tėvų atvaizdas.

Džefris paėmė nuotraukas ir pasidėjo jas ant stalo.

– Ir kas gi tau yra pažadėjęs jas pasendinti?

– Vienas draugas.

– Galėčiau lažintis, kad tas draugas dirba policijos komisariate. Aš šį reikalą galiu sutvarkyti gerokai greičiau.

– Tačiau arba jas, arba kopijas turėsi man atiduoti. Aš norėsiu gauti ir pasendintos Lizos nuotraukų kopijas, – neketino nusileisti Driu.

– Driu, tu ir pati žinai, kad tokie pažadai žurnalistams retai kada duodami. Na, bet tu čia atėjai baimindamasi, kad gali būti nužudytas dar vienas žmogus. Aš tau lyg ir esu skolingas, tad gali būti tikra, kad dėl to sutarėme. – Tada Džefris pažvelgė į Klaidą. – O ko atėjai tu?

– Na, supranti... – buvo bepradedąs aiškinti Klaidas.

– Džefri, – seržantui nespėjus pabaigti sakinio įsiterpė Driu, – Klaidas čia atėjo dėl to, kad yra tikimybė, jog Selija Nolan ne tik nužudė du žmones, bet ir ketina pasikėsinti į dar vieno žmogaus gyvybę – žmogaus, kuris iš dalies yra kaltas dėl jos tėvo žūties. Pats pažiūrėk, ką man šiandien pavyko rasti bibliotekoje. – Kol Džefris paskubomis skaitė straipsnius, Driu vėl prabilo: – Aš iš karto atskubėjau pas Klaidą. Juk tą naktį, kai Liza nužudė motiną ir bandė nužudyti patėvį, Klaidas ją suėmė.

– Aš išsaugojau jos pirštų atspaudus, – staiga įsiterpė Klaidas Erlis. – Turiu juos čia.

– Tu išsaugojai jos pirštų atspaudus, – atkartojo Džefris. – Jei neklystu, viename iš įstatymų yra nuostata, kad jei nepilnametis išteisinamas, visa su jo byla susijusi medžiaga turi būti sunaikinta. Įskaitant ir pirštų atspaudus.

– Pasilikau juos kaip suvenyrą, – ėmė gintis Klaidas. – Ir dėl to dabar galėsi greitai išsiaiškinti, ar Selija Nolan yra Liza Barton, ar ne.

– Džefri, – į prokurorą kreipėsi Driu, – jei aš esu teisi, jei Selija iš tiesų yra Liza, gali būti, kad ji nekantrauja visiems atkeršyti. Man teko imti interviu iš advokato, kuris jai atstovavo prieš dvidešimt ketverius metus. Jis tvirtino, kad visiškai nenustebtų, jei vieną dieną Liza grįžtų čia ir ištaškytų Tedui Kartraitui smegenis. Negana to, viena iš teismo senbuvių papasakojo man tikrai įdomų gandą. Buvo kalbama, kad gyvendama suimtų nepilnamečių įstaigoje, tuo metu, kai vis dar buvo neatsigavusi po patirto šoko, Liza retsykiais ištardavo Zako vardą ir tuoj imdavo kratytis ištikta priepuolio. Gali būti, kad šiuose straipsniuose ir slypi atsakymas, kodėl Liza taip reaguodavo į šį vardą. Šią popietę aš paskambinau į Vašingtono slėnio jojimo klubą ir paprašiau prie telefono pakviesti Zaką. Bet man paaiškino, kad Zakas moko joti Seliją Nolan.

– Viskas aišku. Dėkui jums abiem, – atsakė Džefris. – Klaidai, tu gi žinai, ką aš manau apie tavo įprotį vengti tų įstatymų, kurie tau kliudo, tačiau tikrai džiaugiuosi, kad tau užteko drąsos man prisipažinti, jog išsaugojai tuos pirštų atspaudus. Driu, ši istorija yra tik tavo. Duodu žodį.

Kai Driu ir seržantas išėjo iš kabineto, Džefris dar ilgai sėdėjo prie darbo stalo, atidžiai apžiūrinėdamas Lizos Barton nuotraukas. Tai Selija, pagalvojo jis. Ir mes tai galime patikrinti, tereikia palyginti Lizos Barton pirštų atspaudus su tais, kuriuos Selija Nolan paliko ant arklidėse rastos nuotraukos. Žinau, tų pirštų atspaudų, kuriuos išsaugojo Klaidas, kaip įrodymo teisme negalėsiu panaudoti. Kita vertus, man bent jau pavyks sužinoti, su kuo turiu reikalą. Tikiuosi, tai įvyks prieš mums randant dar vieną žmogžudystės auką.

Nuotrauka buvo priklijuota prie ponio gardo baslio.

Nors Džefris vis dar bukai žiūrėjo į nuotraukas, jo mintys klajojo visai kitur. Nejaugi būtent tai jis ir bus praleidęs pro akis?

Pirmaisiais studijų metais per kriminologijos paskaitas mums ne kartą buvo sakyta, kad dažniausiai atimti žmogaus gyvybę ryžtamasi arba dėl meilės, arba dėl pinigų, prisiminė jis.

Džefris spustelėjo vidinio telefono mygtuką.

– Ar Mortas Šelis čia?

– Taip, aš jį matau. Sėdi prie savo stalo. Klaido veido išraiška liudijo, kad po pokalbio jam gerokai palengvėjo, – atsakė Ana. – Matyt, žemyn galva jūs jo vis dėlto nepakabinote.

– Atsargiau, už tokius žodžius žemyn galva pakabinsiu tave, – atsakė Džefris. – Prašau, pakviesk Mortą į mano kabinetą.

– Pasakėte „prašau". Matyt, esate geros nuotaikos.

– Gal ir esu.

Vos išvydęs Mortą Šelį, Džefris paliepė:

– Mesk į šalį viską, kad ir ką dabar darytum. Reikia, kad kuo skubiau pasidomėtum vienu žmogumi ir kuo daugiau sužinotum.

Džefris parodė Mortui vardą, kurį buvo užrašęs į savo delninį kompiuterį.

Morto akys išsiplėtė iš nuostabos.

– Manai?

– Dar nežinau, ar manau ir ką manau, tačiau paskirk dirbti tiek žmonių, kiek tik prireiks. Aš noriu žinoti visiškai viską – net kada šis vyrukas prarado pirmąjį pieninį dantį ir kuris dantis tai buvo.

Kai Mortas pakilo nuo kėdės, Džefris įdavė jam straipsnių kopijas, kurias jam atnešė Driu.

– Perduok šias kopijas Anai.

Tada Džefris spustelėjo vidinio telefono mygtuką ir pasakė:

– Ana, prieš dvidešimt septynerius metus Vašingtono slėnio jojimo klube žuvo žmogus. Šį įvykį turėjo tirti arba Mendamo policijos nuovada, arba mes. Jei ta byla nebuvo sunaikinta, aš noriu kuo greičiau ją išvysti. Visą informaciją rasi straipsnių kopijose, kurias tau netrukus paduos Mortas. Tiesa, dar paskambink į tą jojimo klubą ir paprašyk prie telefono pakviesti Zaką Viletą. Aš noriu kuo greičiau su juo pasikalbėti.

64

Grįžusi namo po jojimo pamokos pamačiau, kad mūsų ponio gardas tuščias. Niekur nebuvo ir Džeko su aukle. Matyt, juodu su Sju jodinėja Žvaigžde po apylinkes. Pasinaudodama proga tuoj paskambinau savo finansų patarėjui. Norėjau įsitikinti, kad sąskaitoje turiu bent milijoną šimtą tūkstančių dolerių, kuriuos būtų galima panaudoti bet kuriuo metu.

Po Lario mirties jau buvo praėję dveji metai, tačiau mąstyti apie tokius didelius pinigus man vis dar buvo neįprasta. Visais finansų klausimais mane tebekonsultavo buvęs Lario finansų patarėjas Karlas Vinstonas. Dažniausiai aš jo siūlymams pritardavau. Karlas yra atsargus. Tokia pati esu ir aš. Bet iš Karlo balso supratau, kad mano prašymas būti pasiruošus bet kurią akimirką pervesti į kito žmogaus sąskaitą tokią sumą jam sukėlė nuostabą.

– Šie pinigai nebus skirti labdarai, – paaiškinau jam. – Jų taip pat lyg ir negalima priskirti prie išlaidų, tačiau, patikėkite manimi, šie pinigai turi būti išleisti.

– Selija, tai jūsų pinigai, – atsakė Karlas. – Ir jūs tikrai galite tai sau leisti. Bet nors ir esate turtinga moteris, aš turiu jus perspėti, kad milijonas šimtas tūkstančių dolerių nėra mažai.

– Karlai, už tai, ką gausiu sumokėjusi šiuos pinigus, aš sutikčiau pakloti ir dešimt kartų didesnę sumą, – atsakiau.

Tai buvo tiesa. Jei Zakas iš tiesų turi įrodymų, kad dėl mano tėvo mirties kaltas tik Tedas, ir jei Tedas bus teisiamas, aš mielai atsistosiu ant liudytojų pakylos ir prisipažinsiu prisiminusi, ką tą naktį Tedui sušuko mama. Pirmą kartą pasaulis būtų priverstas išklausyti ir *mano* versiją, mano pasakojimą apie tai, kas įvyko tą naktį. Vos ištarusi priesaikos žodžius, aš paliudyčiau, kad blokšdamas į mane mamą Tedas norėjo ją nužudyti ir, negana to, jei būtų galėjęs, tą pačią naktį *būtų nužudęs* ir mane. Paliudyčiau, nes žinau, kad taip ir buvo. Tedas mylėjo mano mamą, tačiau save mylėjo kur kas labiau. Jis negalėjo leisti, kad vieną dieną mano mama nueitų į policiją ir papasakotų, apie ką jis prasitarė būdamas girtas.

Aleksas paskambino tuo metu, kai aš jau buvau bepradedanti galvoti apie vakarienę. Jis buvo apsistojęs „Ritz-Carlton", Čikagos viešbutyje, kurį labiausiai mėgo.

– Selija, aš taip ilgiuosi ir tavęs, ir Džeko. Jau dabar matau, jog man čia teks užtrukti net iki penktadienio popietės, tad pagalvojau, kad mudu galėtume šį savaitgalį praleisti Niujorke. Nueitume į teatrą. Ar ta tavo auklė sutiktų su Džeku pabūti šeštadienio vakarą?

O sekmadienio popietę galėtume visi trys nueiti į kokį spektaklį, kuris patiktų Džekui. Ką pasakytum apie tokį sumanymą?

Sumanymas buvo nuostabus – aš taip ir pasakiau Aleksui.

– Užsakysiu kambarį „Carlyle" viešbutyje, – pasisiūliau. Tada giliai įkvėpiau ir išbėriau: – Aleksai, buvai užsiminęs, jog tau atrodo, kad kažkas tarp mūsų negerai. Tu buvai teisus. Aš turiu tau kai ką pasakyti. Tai išgirdęs tu galbūt nebepuoselėsi man tų jausmų, kuriuos puoselėji dabar, bet jei taip nutiktų, aš tavo sprendimą tikrai gerbčiau.

– Dieve mano, Selija. Aš niekada nenustosiu tau jausti to, ką jaučiu dabar.

– Na, viskas paaiškės visai netrukus. Aš tik norėjau tave perspėti. Myliu tave.

Padėjusi ragelį pastebėjau, kad mano ranka dreba. Bet neabejojau, kad mano sprendimas teisingas. Bendžaminui Flečeriui taip pat pasakysiu teisybę. Įdomu, ar išgirdęs tokią naujieną jis vis dar norės man atstovauti. Na, jei ir nenorės, susirasiu kokį nors kitą advokatą.

Aš nė nenumaniau, kas galėjo nužudyti Žoržetą ar tą sodininką, tačiau vieną dalyką gerai žinojau – norint mane pavadinti žudike, nepakaks fakto, kad aš esu Liza Barton. Įtarimą detektyvams sukėliau vien dėl to, kad buvau priversta visą laiką išsisukinėti. Zakas Viletas man padės išsivaduoti iš šio košmaro.

Dabar tiesą apie save Aleksui atskleis jau nebe žudikė, o neteisingai apkaltintas žmogus. Aš melsiu Alekso atleisti man už tai, kad nepatikėjau jam šios paslapties, tačiau taip pat prašysiu man pagelbėti. Prašysiu Alekso, kad jis mane palaikytų – juk jis yra mano vyras.

– Mamyte, ar tu laiminga? – paklausė Džekas, kai aš jį išlipusį iš vonios šluosčiau rankšluosčiu.

– Džekai, aš visada būnu laiminga, kai tu šalia, – atsakiau. – Bet dabar atrodo, kad pamažu mane ima džiuginti ir kitkas. – Tada pasakiau Džekui, kad kurį laiką jam teks pabūti su Sju. Paaiškinau, kad turiu keletą neatidėliotinų darbų.

Sju mūsų namuose pasirodė pusę devynių.

Zakas gyveno Česteryje. Jau buvau spėjusi žemėlapyje susirasti ir pasižymėti į jo gatvę vedantį kelią. Jis gyveno nedidelių namų rajone – tokius namus dažniausiai dalijasi du savininkai. Jo namą – trys šimtai penkiasdešimt aštuntąjį – radau gana lengvai, bet vietą automobiliui pavyko rasti tik kitame kvartale. Kelias buvo apšviestas, tačiau gatvės žibintus temdė išsikerojusios palei šaligatvį pasodintų medžių šakos. Vakaras buvo vėsus, tad skubėdama Zako namų link nesutikau nė vieno žmogaus.

Dėl vieno dalyko Zakas buvo teisus. Iš jo namo po visą gatvę sklido būgnų dundesys. Užlipusi prieangio laiptais, išvydau dvejas duris. Vienos buvo tiesiai priešais mane, o kitos šone. Kurį laiką pasvarsčiusi, nusprendžiau, kad pastarosios greičiausiai veda į antrame aukšte esantį Zako butą. Priėjusi prie jų, pastebėjau, kad virš durų skambučio užrašytas vardas. Gerai įsižiūrėjusi pamačiau raidę Z. Spustelėjau skambutį. Kurį laiką pastovėjau prie durų, tačiau atsako taip ir nesulaukiau. Tada paspaudžiau jį dar kartą ir priglaudžiau ausį prie durų. Bet būgnų dundesys stelbė visus garsus ir aš negalėjau suprasti, ar tas durų skambutis veikia.

Ėmiau svarstyti, ką gi man dabar daryti. Buvo dar tik devynios. Pagalvojau, gal Zakas išėjo pavakarieniauti ir nespėjo laiku grįžti. Nulipau žemyn, atsistojau vidury šaligatvio ir pakėliau galvą į viršų. Antro aukšto languose, bent jau tuose, kuriuos buvo įmanoma pamatyti stovint gatvėje, šviesa nedegė. Tikėti tuo, kad gal Zakas apsigalvojo ir nusprendė su manimi nepasimatyti, aš nenorėjau. Kol tarėmės, aš pastebėjau, kaip jis trokšta tų pinigų. Tada man į galvą toptelėjo dar viena mintis – gal Tedas jam pasiūlė daugiau? Jei taip ir atsitiko, aš pasiūlysiu dukart tiek, nusprendžiau.

Jokio noro stoviniuoti šalia to namo aš neturėjau, tačiau pražiopsoti namo grįžtančio Zako taip pat nenorėjau. Grįžau į automobilį, nuvažiavau atgal prie Zako namo ir nusprendžiau palūkuriuoti jo stovėdama gatvėje. Eismas nebuvo intensyvus, o toms kelioms retsykiais pravažiuojančioms mašinoms juk negalėjau per daug trukdyti.

Nežinau, kodėl nusprendžiau geriau įsižiūrėti į automobilį, pastatytą priešais Zako namą. Pamačiau jame sėdintį Zaką. Vairuotojo pusės langas buvo pravertas, o pats Zakas, atrodė, snaudė. Matyt, jis norėjo mane pasitikti, pagalvojau artindamasi prie Zako automobilio.

– Labas vakaras, Zakai, – ištariau. – Jau maniau, paliksite mane nieko nepešusią.

Taip ir nesulaukusi jokio atsako, paliečiau jo petį. Zakas sukniubo ant vairo. Pajutau, kad mano delnas tapo glitus. Žvilgtelėjau žemyn ir pamačiau, kad jis visas suteptas krauju. Man sulinko keliai ir aš įsitvėriau į Zako automobilio dureles, kad nepargriūčiau. Suvokusi, ką padariau, paskubomis apšluosčiau duris savo nosinaite. Tada puoliau prie savo automobilio. Važiuodama namo, įnirtingai tryniau ranką į kelnes stengdamasi nušluostyti kraują. Mano galva buvo tuščia. Neabejojau tik tuo, kad man reikia kuo greičiau iš ten dingti.

Kai grįžau, Sju svetainėje žiūrėjo televizorių. Ji sėdėjo atgręžusi man nugarą. Koridoriuje šviesa nebuvo įjungta.

– Sju! – šūktelėjau. – Tik dabar prisiminiau, kad buvau pažadėjusi paskambinti mamai. Aš nusileisiu po poros minučių.

Užlipusi į antrą aukštą, puoliau į vonios kambarį, nusirengiau ir, įlipusi į dušą, atsukau vandenį. Atrodė, skęstu Zako kraujyje. Įmečiau į dušo kabiną ir savo kelnes. Vanduo aplink mano kojas įgavo rausvą atspalvį.

Nemanau, kad elgiausi racionaliai. Žinojau tik tiek, kad man reikia kuo greičiau gauti tvirtą alibi. Paskubomis apsirengiau ir nusileidau žemyn.

– Žmogus, su kuriuo turėjau susitikti, taip ir nepasirodė, – paaiškinau Sju.

Žinojau, kad Sju pastebėjo, jog žemyn aš nusileidau vilkėdama kitus drabužius. Bet ji pradžiugo, kai sumokėjau už visas tris valandas, kurias ji šiandien turėjo praleisti su Džeku. Jai išėjus, nužingsniavau į virtuvę, įsipyliau į puodelį stipraus viskio ir kurį laiką sėdėjau tenai, galvodama, ką man dabar daryti. Zakas buvo miręs, o aš neturėjau supratimo, ar jau sunaikinti įrodymai, kuriuos jis man buvo pažadėjęs parodyti.

Man nereikėjo pabėgti. Gerai žinojau, kad nereikėjo. Bet juk Žoržeta, sužinojusi, kad mano tėtis panoro mokytis jodinėti, rekomendavo jam Zaką. O Zakas leido mano tėčiui išjoti vienam. Kas gi būtų, jei jie sužinotų, kad aš esu Liza Barton? Jei aš būčiau paskambinusi policijai, kaipgi vėliau jiems paaiškinčiau, kodėl aptikau dar vieno su tėvo mirtimi susijusio žmogaus lavoną?

Ištuštinau puodelį, užlipau į viršų, nusirengiau ir, vos įlipusi į lovą, suvokiau, kad manęs laukia dar viena bemiegė nerimo ir galbūt visiškos nevilties naktis. Nors ir žinojau, kad to daryti nereikėtų, išgėriau migdomųjų. Apie vienuoliktą valandą per miegus susivokiau, kad skamba telefonas. Atsiliepusi išgirdau Alekso balsą.

– Selija, turbūt buvai gerai įmigusi. Atleisk, kad pažadinau. Tik norėjau pasakyti, jog mano jausmai tau tikrai niekada nepasikeis, kad ir ką pasakytum. Niekada ir nė truputėlio.

Beprotiškai norėjau miego, tačiau girdėti jo balsą, jo žodžius buvo tikrai gera.

– Aš tikiu tavimi, – sušnibždėjau.

Tada, kaip buvo galima pajusti iš balso, šypsodamasis Aleksas pasakė:

– Man būtų visiškai nesvarbu net jei tu staiga prisipažintum esanti Mažoji Lizė Borden. Labanakt, mieloji.

65

Zakarijaus Judžino Vileto lavonas buvo rastas šeštą valandą ryto. Jį aptiko šešiolikametis būgnininkas Tonis Koriganas, pravarde Repas, kuris, kaip ir kiekvieną rytą, buvo beišvažiuojąs dviračiu iš savo namų dalyti laikraščių.

– Maniau, senasis Zakas šiek tiek įkaušęs, – pasakojo jis Džefriui ir Andželui, kurie į įvykio vietą atskubėjo iš karto, kai Česterio policija pranešė jiems apie pagalbos skambutį. – O tada pamačiau tą išdžiūvusį kraują. Fe. Maniau, apsivemsiu.

Nė vienas Koriganų šeimos narys neprisiminė matęs, kaip Zakas pastatė tą automobilį.

– Greičiausiai jau buvo sutemę, – paaiškino Sendė Korigan, Repo mama, tvarkinga keturiasdešimties metų moteris. – Taip sakau dėl to, kad vakar grįždama namo mačiau toje vietoje stovinčią kitą mašiną – visureigį. O grįžtu aš maždaug penkiolika minučių po septintos. Dirbu sesele Moristauno ligoninėje. Namo parvažiavau kartu su mergaitėmis. Iš mokyklos jos žygiuoja tiesiai pas vyro motiną. Baigusi darbą aš jas pasiimu ir mes grįžtame namo drauge.

Visos trys dukterys – dešimtmetė, vienuolikametė ir dvylikametė – sėdėjo greta motinos. Iš to, kaip jos atsakinėjo į Džefrio klausimus, buvo aišku, kad nieko neįprasto vakar nepastebėjo. Mergaitės lyg niekur nieko pralėkė pro mamos minėtą visureigį ir visą vakarą praleido žiūrėdamos televizorių.

– Namų darbus mes padarome drauge su močiute, – paaiškino vyriausioji.

Sendės vyras Styvas, dirbantis gaisrininku, namo buvo grįžęs dešimtą valandą vakaro.

– Aš iš karto įvažiavau į garažą. Į gatvę nė nežvilgtelėjau, – paaiškino jis. – Diena buvo sunki. Turėjome gesinti apleistą namą. Matyt, vaikėzai bus padegę. Dėkui Dievui, turiu keturis vaikus. Mes visada jiems kartojame, kad gali su savo draugais leisti laiką čia, mūsų namuose. Repas yra puikus būgnininkas. Jis visą laiką repetuoja.

– Zakas ketino šį savaitgalį iš čia išsikraustyti, – nė neklausta paaiškino Sendė Korigan. – Jis vis skųsdavosi dėl Repo būgnų. Žodžiu, aš buvau Zakui pasakiusi, kad kai jo nuomos sutartis pasibaigs, mes jos nepratęsime. Mums reikia daugiau vietos. Šis namas priklausė mano motinai. Į jį mes persikėlėme gyventi po jos mirties. Aš šiek tiek gailėjau Zako. Jis buvo tikras vienišius. Na, bet sužinojusi, kad jis ketina išsikraustyti, tikrai nudžiugau – to tai jau neslėpsiu.

– Vadinasi, svečių pas jį retai užsukdavo? – pasiteiravo Džefris.

– Niekada, – užjaučiamu balsu atsakė Sendė. – Namo jis grįždavo apie šeštą ar septintą ir vakare dažniausiai jau niekur nebeišeidavo. Savaitgaliais jam kartais tekdavo dirbti jojimo klube, o jei į darbą važiuoti nereikėdavo, Zakas visą laiką praleisdavo sėdėdamas viršuje. Vis dėlto tikraisiais Zako namais turbūt reikėtų vadinti darbą.

– Ar jis pasakė jums, kur ketino kraustytis?

– Taip. Zakas sakė, kad persikelia gyventi į Madisoną, į vieną iš Tedo Kartraito kotedžų.

– Kartraito? – šūktelėjo Džefris.

– Taip, Tedo Kartraito, statybų bendrovės savininko. Jis tuos kotedžus ir stato.

– Įdomu, ar dar liko kas nors, ko jis nestato? – irzliai pridūrė jos vyras.

– Tokie kotedžai turbūt kainuoja nemažus pinigus, – nerūpestingai atsakė Džefris. Jis nenorėjo, kad pašnekovai pajustų, kokia svarbi jam ši naujiena.

– Tuo labiau su baldais, – pritarė Sendė. – Zakas tvirtino, kad Tedas Kartraitas jam tą namą tiesiog padovanos. Esą kadaise Zakas išgelbėjo jam gyvybę ir taip Tedas jam atsidėkos.

– Pone Makingsli, vakar pas Zaką buvo užsukę du krovėjai, – prabilo Repas. – Jie norėjo supakuoti jo daiktus. Aš juos į jo butą įleidau apie trečią. Dar pasakiau, kad ir vienas vyras būtų susitvarkęs per kokią valandą. Zakas turėjo nedaug daiktų. Jie ten ilgai nesėdėjo – po kurio laiko išėjo nešini pora nedidelių dėžių.

– Ar jie davė tau savo vizitines korteles? – paklausė Džefris.

– Ne. Jie gi vilkėjo uniformas, turėjo sunkvežimį, visa kita. Negi kam nors šautų į galvą apsimesti krovėjais?

Tai išgirdę, Džefris ir Andželas susižvelgė.

– Ar galėtum tuos du vyrus apibūdinti? – paprašė Džefris.

– Vienas iš jų buvo aukštas, apkūnus. Jis dėvėjo akinius nuo saulės. O jo plaukai buvo juokingi, tokie šviesūs. Manau, dažyti. Jis buvo senas... na, vyresnis nei penkiasdešimties. Kitas krovėjas buvo žemo ūgio, gal trisdešimtmetis. Bet aš į juos per daug nežiūrėjau.

– Aišku. Na, jei dar ką nors prisiminsi, duok man žinią. Tavo mama turės mano vizitinę kortelę. – Džefris pažvelgė į Sendę. – Ponia Korigan, ar turite raktą nuo Zako buto durų?

– Žinoma.

– Ar galėčiau jį iš jūsų pasiskolinti? Nuoširdžiai dėkoju jums už pagalbą.

Nusikaltimo vietos tyrėjų grupė ieškojo pirštų atspaudų ant Zako buto durų ir durų skambučio.

– Aha, vieną atspaudą čia turime, – nudžiugo kriminalinių tyrimų laboratorijos darbuotojas Denis. – Ant automobilio durelių vieną taip pat radome. Tik to atspaudo kokybė nekokia, nes kažkas bandė jį nutrinti.

– Aš neturėjau progos tau šį tą pasakyti, – rakindamas Zako buto duris į Andželą kreipėsi Džefris. – Vakar penktą valandą vakaro telefonu kalbėjau su Zaku Viletu.

Atidarę duris, abu vyrai girgždančiais laiptais ėmė lipti į antrą aukštą.

– Ir koks tau jis pasirodė? – paklausė Andželas.

– Pasipūtęs. Labai jau pasitikintis savimi. Kai paklausiau, ar galėčiau pas jį užsukti, pasakė, kad jau kurį laiką svarsto galimybę skirti man šiek tiek laiko. Zakas pasakė, kad yra pasiruošęs papasakoti kai ką tokio, kas mane tikrai turėtų sudominti, tačiau prieš tai norėtų aptarti mūsų bendradarbiavimo sąlygas. Tada pasakė tikįs, jog mums trims tikrai pavyks susitarti.

– Mums *trims*? – atkartojo Andželas.

– Taip, mums trims: Selijai Nolan, Zakui ir man.

Užlipę laiptais, Džefris ir Andželas atsidūrė nedideliame siaurame koridoriuje.

– Įprastas traukinio tipo butas, – pratarė Džefris. – Į kambarius galima patekti tik iš koridoriaus.

Žengę porą žingsnių, jie kyštelėjo galvą į kambarį, kuris anksčiau lyg ir buvo naudojamas kaip svetainė.

– Kokia netvarka, – tarstelėjo Andželas.

Ir sofa, ir kėdės buvo visiškai supjaustytos. Iš aptrintų jų apmušalų kyšojo porolonas. Kilimas buvo suvyniotas ir pastatytas. Niekučiams skirtos lentynos riogsojo numestos ant antklodės.

Tylėdami abu vyrai apžiūrėjo virtuvę, vėliau – miegamąjį. Šie kambariai atrodė lygiai taip pat kaip svetainė. Visa tai, kas anksčiau gulėjo stalčiuose ar spintose, buvo sumesta ant rankšluosčių bei antklodžių, lovos čiužinys buvo skersai ir išilgai supjaustytas. Ant vonios kambario grindų gulėjo į krūvą sumestos nuo sienų nuluptos keraminės plytelės, daiktai iš vonios spintelės buvo suversti į kriauklę.

– Še tau ir krovėjai, – tyliai pratarė Džefris. – Ne krovėjai, o tikri griovėjai.

Abu vyrai grįžo į miegamąjį. Kampe suversti gulėjo dešimt ar dvylika nuotraukų albumų. Buvo akivaizdu, kad kai kurie puslapiai išplėšti.

– Greičiausiai pats pirmas nuotraukų albumas buvo parduotas dar tą pačią dieną, kai buvo išrastas fotoaparatas, – prabilo Andželas. – Turbūt taip niekada ir nesuprasiu, kodėl žmonės kraustosi iš proto dėl senų nuotraukų. Kai miršta seni žmonės, jų nuotraukas vaikai saugo kaip atminimą. Anūkai dar išsaugo kelias senelių nuotraukas, kad galėtų įrodyti, jog turėjo protėvius, o viso kito jų paveldo tiesiog atsikrato.

– Pavyzdžiui, medalių ir apdovanojimų, kuriuos jų seneliai taip brangino, – pritarė Džefris. – Įdomu, ar tiems vyrukams pavyko rasti tai, ko jie čia ieškojo?

– Pats laikas pasikalbėti su ponia Nolan? – paklausė Andželas.

– Dabar ji slepiasi už savo advokato nugaros. Bet gal Selija Nolan sutiks atsakyti į keletą mūsų klausimų, jei dalyvaus ir jis.

Prieš išeidami Džefris ir Andželas dar kartą stabtelėjo svetainėje.

– Tas apačioje gyvenantis vaikis sakė, kad krovėjai išsinešė porą nedidelių dėžių. Kaip manai, kas jose buvo?

– Ko čia dabar trūksta? – paklausė Džefris.

– Kas jau dabar bepasakys.

– Dokumentų, – paaiškino Džefris. – Apsidairyk – ar matai bent vieną sąskaitą, laišką ar šiaip kokią popieriaus skiautę? Mano galva, tie vyrai, kad ir kas jie būtų, taip ir nerado to, ką tikėjosi rasti. Gali būti, kad dabar jie naršo po tuos popierius, tikėdamiesi rasti sąskaitą, kuri Zakui buvo išrašyta už naudojimąsi kokiu seifu ar sandėliu.

– Kaip tau patinka šis meno kūrinėlis? – atkišęs paveikslą sulaužytais rėmais pasiteiravo Andželas. – Atrodo, anksčiau tai buvo veidrodis. Turbūt Zakas pats iškrapštė iš rėmų veidrodinį stiklą ir sukūrė šitą siaubą.

Tai buvo Zako Vileto karikatūra, iš visų šonų aplipinta dešimtimis nuotraukų, ant kurių puikavosi įvairūs ranka rašyti užrašai. Andželas balsu perskaitė pačioje karikatūros apačioje suraitytą palinkėjimą:

– „Zakui. Dvidešimt penktųjų tavo darbo metų Vašingtono slėnyje proga." Matyt, tąkart visi klubo darbuotojai buvo paprašyti atsinešti savo nuotraukas su kokiu nors sentimentaliu užrašu. Galėčiau lažintis, kad jie nepamiršo tam vargšeliui padainuoti ir „Nes jis yra geras vyrukas".

– Pasiimkime tą paveikslą, – atsakė Džefris. – Gal tarp tų nuotraukų mums pavyks rasti ką nors įdomaus. Ką gi, jau aštuonios ryto. Manau, tokiu metu į svečius jau galima užsukti. Apsilankysime ir pas ponią Nolan.

Arba Lizą Barton, patikslino jis mintyse.

66

– Mamyte, ar galiu šiandien pasilikti namie su tavimi? – paklausė Džekas.

Šis netikėtas prašymas mane gerokai suglumino. Bet po poros akimirkų jau žinojau, kodėl Džekas staiga panoro neiti į darželį.

– Tu verkei. Aš matau, kad verkei, – pareiškė jis.

– Ne, Džekai, – paprieštaravau. – Tiesiog mano akys pavargusios. Aš šiąnakt neišsimiegojau.

– Tu verkei, – paprastai paaiškino jis.

– Lažinamės? – Stengiausi apsimesti, kad tai tėra žaidimas. Džekas mėgo žaidimus. – Iš ko lažinamės? Na, sutarkime šitaip. Nuvežusi tave į darželį, aš grįšiu namo ir kurį laiką pasnausiu. Jei tada, kai atvažiuosiu tavęs pasiimti, mano akys bus pailsėjusios, gyvos, tu man būsi skolingas šimtą trilijonų dolerių.

– O jeigu jos nebus pailsėjusios ir gyvos, tu man būsi skolinga šimtą trilijonų dolerių. – Džekas ėmė juoktis. Dažniausiai tokios mūsų lažybos baigdavosi ledų porcija ar apsilankymu kino teatre.

Kai sukirtome rankomis, Džekas neprieštaraudamas leido man nuvežti jį į darželį. Man pavyko susitvardyti – vėl raudoti ėmiau tik grįžusi namo. Buvau pakliuvusi į pinkles, jaučiausi bejėgė. Gali būti, kad Zakas kam nors užsiminė ketinantis su manimi pasimatyti. Kas gi dabar manimi patikės, jei pasakysiu, kad Zakas tvirtino turįs įrodymų, jog mano tėvą nužudė Tedas Kartraitas? Kur tie įrodymai dabar? Jie jau turi įtarimų, kad aš nužudžiau Žoržetą ir tą sodininką. Aš paliečiau Zaką. Gali būti, kad ant jo automobilio liko mano pirštų atspaudų.

Jaučiausi be galo pavargusi, tad nusprendžiau padaryti tai, ką buvau pažadėjusi Džekui – numigti. Kažkas paskambino į duris, kai aš jau lipau laiptais į antrą aukštą. Sustingau. Kurį laiką stovėjau įsikibusi į laiptų turėklus. Iš pradžių pagalvojau, kad geriausia būtų bėgte bėgti į viršų, tačiau kai durų skambutis suskambo antrą kartą, ėmiau pamažu lipti žemyn. Žinojau, kad atidariusi duris išvysiu prokuratūros darbuotojus. Man tereikia pasakyti, kad su jais kalbėsiu tik kai šalia bus ir mano advokatas, priminiau sau.

Atidariusi duris, pajutau šiokį tokį palengvėjimą – su jais bent jau nebuvo detektyvo Volšo. Prieangyje stovėjo prokuroras Džefris Makingslis ir jaunas juodaplaukis detektyvas, kuris pirma su manimi elgėsi itin pagarbiai.

Akinius nuo saulės buvau palikusi virtuvėje, tad galėjau įsivaizduoti, ką jie pagalvojo pamatę mano raudonas, užtinusias akis. Bet man tai ne itin rūpėjo. Buvau pavargusi nuo slapstymosi, nuolatinės kovos. Spėliojau, ar jie čia atėjo manęs suimti.

– Ponia Nolan, žinau, kad esate pasisamdžiusi advokatą, tad iš karto noriu pasakyti, jog jokių klausimų apie Žoržetos Grouv ir Čarlio Hačo žmogžudystes aš jums nepateiksiu, – prabilo Džefris Makingslis. – Bet manau, kad jūs galėtumėte pagelbėti mums tiriant dar vieną įvykdytą nusikaltimą. Žinau, kad lankėte jojimo pamokas pas Zaką Viletą. Šį rytą buvo rastas Zako lavonas. Jis nušautas.

Aš tylėjau. Nebeturėjau jėgų apsimesti, kad esu nustebusi. Jie pamanys, jog kalbos dovaną praradau dėl to, kad ši naujiena mane labai sukrėtė. Na, jei nepadarys išvados, kad reaguoju taip, lyg apie Zako mirtį jau būčiau žinojusi.

Kurį laiką Džefris Makingslis laukė mano atsako. Supratęs, kad greičiausiai nesulauks, prokuroras vėl prabilo:

– Mums yra žinoma, kad vakar po pietų Zakas mokė jus jodinėti. Galbūt jis užsiminė ketinantis su kuo nors pasimatyti? Mums būtų naudinga bet kokia informacija.

– Su kuo nors pasimatyti? – atkartojau. Išgirdusi savo balsą supratau, kad mane tuoj ištiks isterija. Pridengiau burną delnais. – Aš turiu advokatą. – Šiaip ne taip sugebėjau prabilti ramesniu balsu: – Aš su jumis kalbėsiuosi tik dalyvaujant jam.

– Suprantu. Ponia Nolan, dar vienas, tikrai paprastas, klausimas. Ta Bartonų šeimos nuotrauka, kurią jūs radote priklijuotą prie ponio gardo kuolo... Ar jūsų vyras yra ją matęs?

Radusi tą nuotrauką arklidėse, aš įkišau ją į slaptą nišą savo darbo stale. Tada Džekas netyčia prasitarė apie ją Aleksui. Dar nebuvau pamiršusi, kaip Aleksas nusiminė sužinojęs, kad aš neketinu parodyti jam tos nuotraukos. Tai buvo vienas iš mudu su Aleksu atitolinusių įvykių.

Bent jau į šį klausimą aš galėjau atsakyti nesibaimindama.

– Tada, kai radau tą nuotrauką, mano vyras jau buvo išėjęs į darbą. Paskui aš tą nuotrauką atidaviau jums ir po poros minučių grįžo jis. Ne, pone Makingsli, jis jos nematė.

Prokuroras linktelėjo ir padėkojo. Jis jau buvo besigręžiąs eiti, bet vėl prašneko, šįkart keistu, atrodytų, užjaučiamu balsu:

– Selija, netrukus viskas susitvarkys. Patikėkite, viskas bus gerai.

67

Važiuojant į prokuratūrą, Džefris nepratarė nė žodžio. Andželas suprato, kad geriau prokuroro nekalbinti. Džefris buvo itin susirūpinęs ir Andželui atrodė, kad jis žino kodėl. Selija Nolan buvo beprarandanti savitvardą.

Prokuratūroje juos pasitiko nusikaltimo vietos tyrėjų grupė.

– Džefri, turime porą neblogų atspaudų, – patenkintas pranešė laboratorijos ekspertas Denis. – Ant durų skambučio buvo paliktas smiliaus atspaudas, o ant automobilio radome nykščio atspaudą.

– O Zako bute? Ar ten ką nors radote?

– Daug daug Zako pirštų atspaudų. Daugiau nieko. Girdėjau, ten lankėsi krovėjai. Jie neblogai pasidarbavo. Net juokinga, kad vargo užsimovę pirštines.

– Sakydamas, kad tai juokinga, norėjai pasakyti, kad tai neįprasta?

– Žinai, viršininke, gal ir norėjau. Ar kada esi matęs pirštines mūvintį krovėją?

– Deni, aš turiu dvejus pirštų atspaudus. Norėčiau, kad juos palygintum, – pasakė Džefris. Tada šiek tiek padvejojęs pridūrė: – Ir palygink juos su tais atspaudais, kuriuos radai ant Zako automobilio ir durų skambučio.

Kabinete Džefris nerado sau vietos. Jei paaiškės, kad tie Lizos Barton pirštų atspaudai, kuriuos išsaugojo Klaidas, sutampa su pirštų atspaudais, rastais ant arklidėse paliktos nuotraukos, jis turės nenuginčijamą įrodymą, kad Selija Nolan yra Liza Barton. Kita vertus, jei paaiškės, kad tie patys pirštų atspaudai sutampa su atspaudais, kuriuos Denis rado ant Zako Vileto automobilio ir durų skambučio, Džefris bus priverstas padaryti išvadą, kad Selija lankėsi ir ten, kur buvo nužudytas Zakas Viletas.

Pilnametystės nesulaukusios Lizos Barton atspaudai buvo gauti neteisėtai, priminė sau Džefris. Teisme aš jų panaudoti negalėčiau. Kita vertus, koks skirtumas, paprieštaravo pats sau. Aš *netikiu*, kad Selija Nolan gali būti kalta dėl Zako Vileto mirties.

Denis tyrimų rezultatus atnešė po pusvalandžio.

– Ką gi, prokurore, viskas sutampa, – prabilo jis. – Visi pirštų atspaudai to paties žmogaus.

– Dėkui, Deni.

Džefris beveik dvidešimt minučių prasėdėjo tyloje. Sukinėdamas rankoje pieštuką, jis svarstė būsimo savo sprendimo naudą ir žalą. Po kurio laiko Džefris tvirtai sugniaužė kumštį. Pasigirdo trakštelėjimas ir ant stalo nukrito lūžęs pieštukas.

Džefris pakėlė telefono ragelį. Šį kartą Anos pagalbos jis nepra- šė. Surinkęs informacijos telefono numerį, paklausė Bendžamino Flečerio advokatų kontoros telefono numerio.

68

Džimis Fraklinas dirbti detektyvu buvo pradėjęs visai neseniai. Ne- oficialiu Džimio globėju buvo paskirtas Andželas Ortisas, geras jo draugas. Ketvirtadienio rytą, nešinas mobiliuoju telefonu, kuriame buvo įmontuotas fotoaparatas, Džimis pravėrė Grouv nekilnojamo- jo turto agentūros duris. Kaip ir buvo liepęs detektyvas Ortisas, jis apsimetė klientu, besidominčiu galimybe įsigyti namą Mendamo apylinkėse.

Džimis buvo dvidešimt šešerių, tačiau jis, kaip ir Andželas, at- rodė gerokai jaunesnis, itin patraukios berniokiškos išvaizdos. Ma- loniai paaiškinusi, kad Mendame šiuo metu parduodami vos keli nauji namai, Robina pasiūlė Džimiui apžiūrėti kelis gretimų miestų namus.

Atsivertusi nekilnojamojo turto katalogą, Robina ėmė žymėti tuos puslapius, kuriuose buvo aprašyti namai, galintys sudominti Džimį. Tuo metu detektyvas Fraklinas apsimetė kalbantis telefonu. Iš tiesų jis fotografavo Robiną, stengdamasis padaryti kuo daugiau nuotraukų stambiu planu. Pasibaigus slaptai fotosesijai, Džimis nu- skubėjo į prokuratūrą ir visas nuotraukas persiuntė į savo kompiu- terį. Žinoma, prieš tai, kaip ir priklausė, jis susidomėjęs drauge su Robina peržvelgė visus pažymėtus katalogo puslapius.

Išvakarėse Džimis jau buvo spėjęs gauti ir Čarlio Hačo nuo- trauką. Ją įteikdama buvusi Čarlio žmona Lena paaiškino, kad šioje nuotraukoje jis vis dėlto ne itin gerai atrodo.

Padidinęs kelias Robinos nuotraukas bei tą, kurioje Čarlis ne itin gerai atrodo, Džimis išvažiavo į Manhataną. Automobilį jis pastatė 56-ojoje Vakarų gatvėje, visai šalia restorano „Pas Patsę".

Buvo dvylika valandų penkiolika minučių. Viliojantis pomidorų padažo ir česnakų kvapas priminė Džimiui, kad šįryt jis tik sukrimto riekelę prancūziškos duonos ir išgėrė kavos. Negana to, pusryčiavo šeštą ryto.

Pirma reikia sutvarkyti darbo reikalus, atsisėdęs prie baro pagalvojo jis. Pietaujančių žmonių minia restorano užtvindyti dar nebuvo spėjusi, tik vienas kitas klientas prie staliukų ramiai siurbčiojo alų. Džimis išsitraukė nuotraukas ir padėjo jas ant baro.

– Spanguolių sulčių, – paprašė kyštelėjęs barmenui savo pažymėjimą. – Gal kurį nors vieną iš jų esate matęs?

Barmenas ėmė žiūrinėti nuotraukas.

– Atrodo matyti. Ypač ta moteris. Gali būti, kad pražygiavo pro barą eidami prie savo staliuko. Tiksliai negaliu pasakyti.

Šnekučiuotis su restorano administratoriumi Džimiui sekėsi geriau. Jis atpažino Robiną.

– Ji retsykiais čia lankosi. Gal kada buvo užsukusi ir su juo. Jei neklystu, vieną kartą jie čia tikrai buvo drauge, tačiau dažniausiai ji čia ateina su kitu vyru. Luktelėkite, paklausiu padavėjų.

Administratorius ėmė bėgioti nuo vieno padavėjo prie kito, vėliau dingo antro aukšto salėje. Paskui plačiai šypsodamasis grįžo drauge su padavėju. Administratoriaus veido išraiška išdavė – misiją atlikti jam pavyko.

– Dominykas jums apie viską papasakos, – paaiškino jis Džimiui. – Jis čia dirba jau keturiasdešimt metų ir, patikėkite manimi, sykį išvydęs veidą, jo jau niekada nebepamiršta.

Dominykas paėmė nuotraukas.

– Ji čia kartais užsuka. Labai graži. Iš tų, kurių nepastebėti neįmanoma, žinote, tokia seksuali. Šitą vyruką mačiau tik vieną kartą. Jis čia buvo atėjęs su ja, jei neklystu, prieš porą savaičių, dar prieš Darbo dieną. Juos prisimenu dėl to, kad tą vakarą šitas vyras šventė gimtadienį. Ji buvo paprašiusi mūsų atnešti varškės torto gabalėlį, į kurį būtų įsmeigta žvakė. Tada įteikė jam voką, kuriame buvo nemaža suma. Pats mačiau, kaip jis skaičiavo pinigus pasidėjęs ant stalo. Dvidešimt šimtinių.

– Nebloga gimtadienio dovana, – pritarė Džimis.

– Tas vyrukas buvo tikras pasipūtėlis. Jis skaičiavo pinigus balsu: vienas šimtas, du šimtai, trys šimtai ir taip toliau. Sustojo tada, kai pasiekė du tūkstančius.

– Ar ji įteikė jam ir atviruką? – pasiteiravo Džimis.

– Kam gali rūpėti atvirukas, kai gauni tiek pinigų?

– Aš tik noriu žinoti, ar tie pinigai jam buvo įteikti gimtadienio proga, ar atsiskaitant už nedidelę paslaugą, kurios ji buvo paprašiusi. Sakėte, kad dažniausiai ji čia užsuka su kitu vyru. Gal žinote jo vardą ar pavardę?

– Ne.

– Ar galėtumėte jį apibūdinti?

– Žinoma.

Džimis išsitraukė užrašų knygelę ir ėmė užsirašinėti padrikus žodžius, kuriais padavėjas stengėsi apibūdinti Robinos palydovą. Tada, džiūgaudamas, kad šiandien jam taip gerai sekasi, Džimis nusprendė už puikiai atliktą darbą apdovanoti save ypatinguoju restorano „Pas Patsę" patiekalu – *linguine* makaronais.

69

Viršininko grasinimas išmesti iš darbo Polą Volšą gerokai sukrėtė, tad paskirtos užduoties jis ėmėsi itin entuziastingai. Namo šeimininkei Zakas tvirtino ketinantis išsikelti į kotedžą, kurį jam padavanojo Tedas Kartraitas. Polas turėjo sužinoti, ar tai buvo tiesa.

Ketvirtadienį pusę dešimtos ryto Polas kalbėjosi su Eime Stak. Neslėpdama įniršio Eimė išsamiai papasakojo detektyvui apie pokštą, kurį Zakas Viletas buvo iškrėtęs jai ir Tedui Kartraitui.

– Jis taip įtikinamai kalbėjo apie tai, kad Tedas Kartraitas nusprendė padovanoti jam vieną iš geriausių mūsų kotedžų. Negaliu patikėti, kad jam pavyko mane apmauti. Jaučiuosi kaip tikra kvailė.

– O Tedas Kartraitas? Ką jis pasakė išgirdęs apie Zako planus kraustytis į kotedžą?

– Iš pradžių jis manimi nepatikėjo. Jau net išsigandau, kad Tedas Kartraitas praras sąmonę – toks buvo įsiutęs. Bet po poros akimirkų jis ėmė juoktis ir paaiškino, kad jie buvo susilažinę, o Zakas elgėsi taip, lyg būtų laimėjęs.

– Trumpam pamirškime tas lažybas. Jums pasirodė, kad Tedas Kartraitas tokio pažado nebuvo davęs? – pasiteiravo Polas.

– Net jei kadaise Zakas ir būtų išgelbėjęs Tedui Kartraitui gyvybę, naują kotedžą jis matytų kaip savo ausis, – atsakė Eimė. Savo žodžiais ji nė trupučio neabejojo – ištarė juos lyg liudydama teisme.

– Ar vakar ponas Kartraitas čia praleido visą dieną?

– Ne. Jis pasirodė čia tarp devintos ir dešimtos ryto, tačiau netrukus vėl išėjo. Prieš išeidamas dar užsiminė man, kad ketina apie ketvirtą valandą grįžti, susitikti čia su rangovu, tačiau to taip ir nepadarė. Matyt, apsigalvojo.

– Na, tokią teisę jis turi, – su šypsena veide atsakė Polas. – Dėkui, panele Stak. Jūs man labai padėjote.

Vašingtono slėnio jojimo klube žinia apie Zako mirtį jau buvo pasklidusi. Zako bendradarbiams buvo sunku patikėti, kad kažkas galėjo norėti jį nušauti.

– Juk jis net musės nesugebėtų nuskriausti, – paaiškino Alonsas, liesas, daugybę metų klube išdirbęs vyras, Polo paklaustas, ar Zakas galėjo turėti priešų. – Zakas buvo labai tylus, uždaras. Čia aš dirbu jau penkiasdešimt metų ir man nė karto neteko matyti, kad Zakas būtų su kuo nors susiginčijęs.

– Gal kas nors ant jo griežė dantį?

Nė vienas iš Zako bendradarbių nieko panašaus nebuvo girdėjęs, tačiau netrukus Alonsas prisiminė, kad Manis Peiganas lyg ir sakė, jog vakar Zakas dėl kažko kivirčijosi su Tedu Kartraitu.

312

– Manis dabar yra jojimo žiede, išjodinėja žirgą. Aš jį pakvie-
siu, – pasisiūlė Alonsas.

Netrukus, vedinas žirgu, prie arklidžių atėjo ir Manis.

– Ponas Kartraitas kone rėkė ant manęs. Tokio įsiutusio žmo-
gaus aš dar niekada nebuvau matęs. Aš jam parodžiau, kur tas lauko
stalelis, prie kurio pietavo Zakas, ir ponas Kartraitas ten nudūmė.
Jie ėmė bartis – pats mačiau. Sakau jums, po kelių minučių, kai po-
nas Kartraitas jau skuodė savo automobilio link, žiūrint į jį atrodė,
kad netrukus jam iš ausų ims virsti dūmai.

– Tai vyko vakar per pietus?

– Taip.

Gavęs visus atsakymus, Polas kuo skubiau išvažiavo. Jam akyse
jau buvo pradėjusios kauptis ašaros – Polas buvo alergiškas arkliams
ir iš jojimo klubo norėjo nešdintis kaip įmanydamas greičiau.

70

– Jums skambina Bendžaminas Flečeris. Sako, jūs jam skambi-
note, – vidiniu telefonu pranešė Ana.

Džefris giliai įkvėpė ir pakėlė telefono ragelį.

– Sveikas, Benai, – ištarė maloniu balsu. – Kaip laikaisi?

– Sveikas, Džefri. Tikriausiai skambinai ne dėl to, kad norėjai
sužinoti, kaip aš laikausi. O šiaip, jei tau įdomu, laikausi neblogai,
tik sveikata galėtų būti ir geresnė.

– Žinoma, įdomu, tačiau tu teisus – aš skambinau dėl kitos prie-
žasties. Man reikia tavo pagalbos.

– Nesu tikras, ar taip jau labai noriu tau pagelbėti. Tas tavo gy-
vatukas, kurį kažkodėl vadini detektyvu, tas Volšas, dėl kažkokios
sunkiai paaiškinamos priežasties jaučia malonumą persekiodamas
mano naująją klientę.

– Taip, žinau ir už tai turėčiau atsiprašyti. Man tikrai gaila.

– Jei teisingai supratau, Volšui atrodo įtartina, kad mano klientė lėkdama nuo žudiko pernelyg greitai grįžo namo. Tokios prielaidos man ne itin patinka.

– Benai, aš tave puikiai suprantu, tačiau paklausyk manęs. Ar tu žinai, kad tavo naujoji klientė, Selija Nolan, iš tikrųjų yra Liza Barton?

Džefris ragelyje išgirdo staigų kvėptelėjimą, liudijantį, kad Flečeris neturėjo nė menkiausio įtarimo, jog Selija Nolan ir Liza Barton yra tas pats žmogus.

– Aš turiu nenuginčijamą įrodymą, – tęsė Džefris. – Pirštų atspaudus.

– Nuoširdžiai tikiuosi, kad tie pirštų atspaudai ne iš nepilnamečių įtariamųjų bylų, – griežtu balsu atsakė Flečeris.

– Benai, kol kas nesuk galvos dėl to, kaip aš tuos pirštų atspaudus gavau. Aš turiu pasikalbėti su Selija. Apie tas dvi praėjusią savaitę įvykdytas žmogžudystes aš jos neklausiu. Privalau su ja pasikalbėti apie kitką. Ar tau girdėta Zako Vileto pavardė?

– O kaipgi. Zakas Viletas buvo jos tėvo jojimo mokytojas. Sulaikytų nepilnamečių įstaigoje ji visą laiką kartodavo jo vardą. Nebuvo galima išpešti jokio kito žodžio. Kodėl klausi?

– Vakar vakare, tik dar neaišku, kokiu tiksliai laiku, jis buvo nušautas. Zako lavoną radome jo paties automobilyje. Greičiausiai Selija buvo sutarusi su Zaku susitikti. Mes radome jos pirštų atspaudus ant Zako mašinos durelių ir ant jo durų skambučio. Aš esu visiškai tikras, kad su šia žmogžudyste Selija Nolan neturi nieko bendro. Man reikia jos pagalbos. Turiu sužinoti, kodėl ji norėjo su juo pasimatyti ir kodėl vakar, kalbėdamas su manimi telefonu, Zakas užsiminė galbūt pas mane užsuksiąs drauge su Selija. Ar leisi man su ja pasikalbėti? Man neramu, nes gali būti, kad mirtinas pavojus gresia ir dar keliems žmonėms. Vienas iš tų žmonių galbūt yra pati Selija.

– Aš iš pradžių noriu pats su ja pasikalbėti. Tada ir žiūrėsime. Žinoma, jei Selija vis dėlto sutiks su tavimi pasimatyti, aš turėsiu dalyvauti jūsų pokalbyje. Dėl to negali būti jokios kalbos. Ir aš turėsiu teisę bet kurią akimirką jūsų pokalbį nutraukti – jei paprašysiu nebeklausinėti, tu ir turėsi nebeklausinėti. Dabar jai ir paskambinsiu.

Apie jos sprendimą pasistengsiu tau pranešti dar šiandien, – atsakė Flečeris.

– Pasistenk. Kuo greičiau tas susitikimas įvyks, tuo bus geriau. Aš su ja galiu susitikti bet kuriuo metu ir bet kurioje vietoje. Tik duok žinią.

– Gerai, Džefri. Tiesa, noriu tau pasakyti dar vieną dalyką. Tau dirba tiek žmonių. Padaryk man paslaugą ir pasistenk apsaugoti Seliją. Aš noriu būti tikras, kad tai žaviai damai nieko nenutiks.

– Jai nieko nenutiks. Tuo tai aš pasirūpinsiu, – pasigirdo rūstus Džefrio balsas. – Tačiau tu turi leisti man su ja pasikalbėti.

71

Mūsų lažybas laimėjo Džekas. Aš buvau priversta pripažinti, kad mano akys vis dar atrodo pavargusios, tačiau savo versijos neatsisakiau – vis dar tvirtinau, kad jos tokios ne dėl to, kad aš liūdžiu, o dėl to, kad man skauda galvą. Užuot sumokėjusi šimtą trilijonų dolerių, nusivedžiau Džeką į kavinę. Kai mudu papietavome, aš jam nupirkau porciją ledų. Akis visą laiką slėpiau po saulės akiniais – esą dėl galvos skausmo jos pernelyg jautriai reagavo į šviesą. Ar toks mano paaiškinimas Džeką įtikino? Nežinau. Vargu. Jis yra labai sumanus ir nuovokus berniukas.

Po pietų mudu nuvažiavome į Moristauną. Džekas jau buvo spėjęs išaugti visus pernai pirktus drabužius ir jam reikėjo naujų megztinių ir kelnių. Kaip ir daugumos vaikų, Džeko apsipirkimas nežavėjo, tad po parduotuves mudu vaikščiojome ieškodami tik pačių būtiniausių daiktų, kurie buvo įrašyti į mano pirkinių sąrašą. Mums bevaikštinėjant, suvokiau siaubingą dalyką – aš nesąmoningai ruošiuosi išsiskyrimui su Džeku. Jei aš būčiau suimta, sūnui bent jau netrūktų drabužių.

Grįžusi namo radau mirksinčią telefono atsakiklio lemputę – kažkas buvo palikęs dvi balso žinutes. Džeką sugundžiau pasiūlymu nusinešti naujus drabužėlius į viršų ir pačiam susidėti juos į komodą. Baiminausi, kad, spustelėjusi telefono atsakiklio mygtuką, vėl išgirsiu tą apie Lizę Borden kalbantį balsą. Aš klydau. Abi žinutes buvo palikęs Bendžaminas Flečeris. Jis prašė manęs kuo greičiau jam paskambinti.

Mane nori suimti, pagalvojau. Jie rado mano pirštų atspaudus. Greičiausiai Flečeris nori man pasakyti, kad aš turėčiau pasiduoti policijai. Rinkdama jo numerį du kartus suklydau. Galiausiai išgirdau kvietimo signalą.

– Pone Flečeri, čia Selija Nolan. Jūs man skambinote, – paaiškinau stengdamasi kalbėti kuo ramesniu balsu.

– Liza, klientas privalo išmokti pasitikėti savo advokatu. Kitaip nieko nebus, – atsakė Flečeris.

Liza. Paskutinį kartą šiuo vardu į mane buvo kreiptasi tada, kai buvau dešimties. Na, neskaitant tų kelių pirmų apsilankymų pas daktarą Moraną ir tų atvejų, kai, ligai aptemdžius protą, taip mane pavadindavo Martinas. Žinojau, kad vieną dieną kas nors netikėtai kreipsis į mane tikruoju vardu ir kaukė, po kuria tiek metų slėpiau savo veidą, anksčiau ar vėliau bus nuplėšta. Ne kartą buvau spėliojusi, kur, kada ir kaip tai įvyks. Tikrąjį mano vardą Flečeris ištarė taip, lyg juo į mane būtų kreipęsis visą laiką. Jei ne ramus jo balso tonas, greičiausiai būčiau patyrusi nemenką šoką. Juk Flečeris žinojo, kas aš esu iš tikrųjų.

– Vakar aš ilgai dvejojau, ar turėčiau jums apie tai pasakyti, – atsakiau. – Aš vis dar nesu tikra, kad galiu jumis pasitikėti.

– Liza, tu gali manimi pasitikėti.

– Kaip jūs sužinojote, kas aš esu? Vakar mane atpažinote?

– Ne, neatpažinau. Apie tai man prieš valandą pasakė Džefris Makingslis.

– Jums apie tai pasakė Džefris Makingslis!

– Liza, jis nori su tavimi pasikalbėti. Bet prieš leisdamas tau su juo susitikti aš turiu būti visiškai tikras, kad tas susitikimas tau nepakenks. Nesijaudink, jūsų pokalbyje aš taip pat dalyvaučiau, tačiau kol kas mudu turėtume aptarti visus dalykus, kurie, patikėk manimi, *tikrai* kelia susirūpinimą. Džefris man pasakė, kad rado tavo pirštų atspaudus ant durų skambučio ir ant automobilio durelių. Automobilio, kuriame buvo rastas lavonas. Be to, kaip aš minėjau, jis žino, kad tu esi Liza Barton.

– Ar tai reiškia, kad aš būsiu suimta? – paklausiau vos galėdama judinti lūpas.

– Aš darysiu viską, kad taip neatsitiktų. Ši situacija yra gana neįprasta – prokuroras man sakė tikįs, kad tu su ta žmogžudyste neturi nieko bendro. Bet su tavimi pasimatyti jis vis tiek nori. Džefris yra įsitikinęs, kad tu gali padėti jam išsiaiškinti, kas yra tikrasis žudikas.

Aš užsimerkiau. Atrodė, kad su palengvėjimu atsiduso kiekviena mano kūno ląstelė. Džefris Makingslis mano, kad aš su Zako mirtimi neturiu nieko bendro! Tai gal jis patikėtų manimi, jei pasakyčiau, kad Zakas matė, jog Tedas Kartraitas prisidėjo prie mano tėvo žūties? Jei taip ir nutiktų, galbūt – tik galbūt – ir bus taip, kaip Džefris Makingslis man žadėjo, gal viskas susitvarkys. Įdomu, ar tada, tardamas tuos žodžius, jis jau žinojo, kad aš esu Liza Barton.

Atskleidžiau Flečeriui visą tiesą apie tai, kas mane siejo su Zaku Viletu. Papasakojau jam apie mane kankinusią nuojautą, kad tėvo mirtis nebuvo atsitiktinė. Prisipažinau, kad jojimo pamokas pas Zaką pradėjau lankyti norėdama jį geriau pažinti. Pasakiau, kad vakar pasisiūliau sumokėti Zakui milijoną šimtą tūkstančių dolerių, jei jis sutiktų nueiti į policiją ir papasakoti, kodėl mano tėvas nusirito nuo to šlaito.

– Liza, ką Zakas pasakė išgirdęs tokį pasiūlymą?

– Zakas man prisiekė matęs, kaip Tedas Kartraitas, pats sėdėdamas ant žirgo, iš pradžių nustūmė mano tėvo žirgą to pavojingo tako link, o paskui iššovė, kad jį pabaidytų. Zakas išsaugojo ir kulką, ir tūtelę. Be to, jis tą į medį įstrigusią kulką net nufotografavo. Visą šį laiką jis saugojo tuos įkalčius. Vakar Zakas man prisipažino, kad Tedas Kartraitas ėmė jam grasinti. Tuo metu, kai mudu buvome drauge, jam kažkas paskambino. Nors pašnekovo vardo Zakas taip ir nepaminėjo, aš nė neabejoju, kad jam skambino Tedas, nes Zakas iš savo pašnekovo juokėsi, o vėliau atšovė jam, kad jo kotedže ir nenori gyventi, nes ką tik sulaukė geresnio pasiūlymo.

– Liza, dėl tokių naujienų Džefris Makingslis išvirs iš kojų. Bet aš privalau užduoti tau dar vieną klausimą. Kaip tavo pirštų atspaudai atsidūrė ant durų skambučio ir ant to automobilio durelių?

Papasakojau Bendžaminui Flečeriui, kaip, atvykusi į Zako namus sutartu laiku, likau stovėti už durų ir kaip jau vėliau, išvydusi jį automobilyje, persigandau ir parskubėjau namo.

– Ar kas nors žino, kad tu ten lankeisi?

– Ne, to nesakiau net Aleksui. Tiesa, vakar aš skambinau savo finansų patarėjui – paprašiau, kad būtų pasirengęs bet kurią akimirką pervesti Zakui pažadėtus pinigus į asmeninę banko sąskaitą. Jis tai galėtų patvirtinti.

– Ką gi, viskas aišku, – atsakė Flečeris. – Kokiu laiku galėtum atvykti į prokuratūrą?

– Iš pradžių turiu susisiekti su aukle, tačiau manau, kad ketvirta valanda man tiktų labiausiai. – Vargu ar kalbant apie apklausą Moriso apygardos prokuratūroje išvis įmanoma skirstyti laiką į labiau ir mažiau man tinkantį, pagalvojau.

– Vadinasi, pasimatysime ketvirtą valandą, – atsakė Flečeris.

Padėjusi telefono ragelį, už nugaros išgirdau Džeko balselį:

– Mamyte, tave suims?

72

Mendame įvykdytų žmogžudysčių tyrimą vykdė didžioji dalis prokuratūros darbuotojų. Trečią valandą pristatyti Džefriui savo darbo rezultatus buvo pasirengusi tyrėjų grupė, rinkusi informaciją apie Čarlio Hačo, Tedo Kartraito, Robinos Kapenter ir Henrio Palio pokalbius telefonu.

– Per pastaruosius du mėnesius Tedas Kartraitas Zakui Viletui skambino šešis kartus, – paskelbė tyrėja Lizė Reili. – Paskutinį kartą Tedas Kartraitas jam skambino vakar penkioliktą valandą šešios minutės.

– Tikėkimės, kad poniai Nolan pavyko nugirsti jų pokalbį, – prabilo Džefris. – Panašiu metu jos jojimo pamoka su Zaku jau turėjo artėti prie pabaigos.

– Per tą patį laikotarpį Tedas Kartraitas ir Henris Palis daugybę kartų kalbėjosi telefonu, – tęsė ataskaitą Nanas Niumanas, senas tyrimų skyriaus darbuotojas. – Tačiau Čarliui Hačui nė vienu iš savo telefonų Henris Palis nebuvo skambinęs.

– Henris Palis ir Tedas Kartraitas bendradarbiavo. Tą mes jau žinome. Jie bandė priversti Žoržetą Grouv parduoti savo sklypą 24-ojoje gatvėje, – atsakė Džefris. – Henris Palis yra tikras liurbis, bet mes vis dar nežinome, kur jis buvo tuo metu, kai buvo nužudytas Čarlis Hačas. Prieš išbraukdamas Henrį Palį iš įtariamųjų sąrašo, noriu būti tikras, kad nebeliko jokių neatsakytų klausimų. Paprašiau Henrio Palio atvykti pas mus drauge su advokatu. Mūsų susitikimas įvyks penktą valandą. Šeštą valandą čia, taip pat lydimas advokato, turi pasirodyti Tedas Kartraitas.

– Be to, jau žinome, kad Robina Kapenter negalima tikėti. Tvirtindama, kad niekada nesilankė restorane „Pas Patsę" drauge su savo broliu, Robina Kapenter melavo. Mes jau peržiūrėjome Čarlio Hačo turėtas kelių mokesčių kortelės transakcijų sąrašus. Savo gimimo dieną be dvidešimt septynios Čarlis Hačas įvažiavo į Niujorką. Jo buvusi žmona Andželui sakė tiesą. Restorano darbuotojų apklausa taip pat buvo sėkminga – radome liudytoją, tvirtinantį, kad tą vakarą Robina įteikė Čarliui Hačui voką su dviem tūkstančiais dolerių. Ar ne per didelis dosnumas dovanoti tokią dovaną gimtadienio proga? Taigi yra nemaža tikimybė, kad voką Robina Kapenter savo broliui įteikė atsilygindama už paslaugą, kurią Čarlis buvo pažadėjęs jai suteikti. Telefono pokalbių sąrašai liudija, kad paskutinį kartą Robina Kapenter Čarliui Hačui skambino praėjusį penktadienį. Greičiausiai su broliu ji susisiekdavo naudodama vis kitą išankstinio mokėjimo kortelę. Ji vylėsi, kad peržiūrėdami Čarlio Hačo pokalbių sąrašus jos nesuseksime. Gali būti, kad tokią pat kortelę ji liepė įsigyti ir Čarliui, nes moteris, kurios pievelę prieš pat mirtį pjovė Čarlis, teigė mačiusi jį laikantį du telefonus. Aš manau, kad į vieną iš jų Čarlis buvo įkišęs išankstinio mokėjimo kortelę. Nuojauta man kužda, kad kai ta moteris matė Čarlį kalbantį telefonu, jis susitarė su kažkuo pasimatyti šalia gyvatvorės. Be abejo, mes vis dar nežinome, ar tąkart Čarliui skambino būtent Robina, tačiau dėl vieno dalyko aš neabejoju – Čarlio Hačo lemtis paaiškėjo tą pačią akimirką, kai jį pasamdęs žmogus sužinojo, jog iš Čarlio šiukšlių konteinerio buvo ištraukti džinsai, sportbačiai ir jo mediniai drožiniai. Apklausiamas Čarlis greičiausiai būtų palūžęs ir jį pasamdęs žmogus tai gerai žinojo.

Tyrėjų grupės nariai gaudė kiekvieną prokuroro žodį. Džefrio dėstomų minčių jie klausėsi tikėdamiesi rasti galimybę įsiterpti, paminėti kokį reikšmingą faktą, kuris papildytų žmogžudysčių analizę.

– Tedas Kartraitas nekentė Žoržetos Grouv. Be to, jis gviešėsi jai priklausančio sklypo. Vadinasi, motyvą nužudyti Žoržetą Tedas Kartraitas turėjo, – toliau kalbėjo Džefris. – Mums žinoma, kad jis bendravo ir su Robina Kapenter, tiesa, vis dar neaišku nei kaip, nei kada, nei kur. Bet juodu susitikinėjo. Gal ir dabar susitikinėja. Be to, yra nemaža tikimybė, kad nuo pat Vilo Bartono mirties Tedas Kartraitas buvo šantažuojamas. Ar Zakas Viletas jam iš tiesų nedavė ramybės, gali pavykti sužinoti kalbantis su ponia Nolan. Jei viskas vyks taip, kaip aš tikiuosi, gali būti, kad lemiamas lūžis tiriant šias bylas įvyks jau po kelių dienų.

Vos Džefriui baigus sakinį, jo kabineto duris pravėrė Mortas Šelis. Abu vyrai apsikeitė žvilgsniais, ir Mortas atsakė į garsiai neužduotą Džefrio klausimą:

– Dabar jis yra ten, kur ir tvirtino būsiantis. Mūsų žmonės jį jau stebi.

– Pasistenkite nepamesti jo iš akių, – tyliai atsakė Džefris.

73

Šiuose teismo rūmuose vyko mano teismo procesas. Skubėdama rūmų koridoriumi, nenoromis prisiminiau tas dienas. Jos buvo siaubingos. Puikiai pamenu į mane įsmeigtą teisėjo žvilgsnį. Pamenu, kaip bijojau savo advokato, kaip juo nepasitikėjau, tačiau vis tiek turėjau sėdėti tik šalia jo. Pamenu, kaip klausiausi liudytojų, tvirtinančių, kad norėjau nužudyti savo mamą. Pamenu, kaip visą laiką stengiausi sėdėti tiesiai. Pastabų dėl laikysenos iš mamos sulaukdavau dažnai, tačiau sėdėti nesikūprinant man buvo nelengva – pagal amžių buvau gana didelio ūgio. Aukšta esu ir dabar.

Bendžaminą Flečerį išvydau pravėrusi prokuratūros duris. Turint galvoje, kaip advokatas atrodė, kai mudu susitikome jo kontoroje, šįkart jis buvo tvarkingai apsirengęs. Balti marškiniai buvo lyg ir standūs, o tamsiai mėlynas kostiumas – išlygintas. Kaklaraištis taip pat buvo savo vietoje. Kai įėjau į vidų, Flečeris paėmė mane už rankos ir kurį laiką laikė mano delną savajame.

– Atrodo, jog vienai dešimtmetei mergaitei esu skolingas atsiprašymą, – prabilo. – Bausmės aš jai padėjau išvengti, tačiau meluočiau, jei sakyčiau, kad tąkart Tedui Kartraitui nepavyko manęs apgauti. Jo įvykių versija skambėjo įtikimai.

– Žinau, – atsakiau, – tačiau svarbiausia, kad aš buvau išteisinta.

– Taigi, tokiu teismo sprendimu ne vienas abejojo. Dauguma žmonių, įskaitant ir teisėją, ir mane, manė, kad greičiausiai tu kalta. Kai pasibaigs dabar tave užpuolusios bėdos, aš pasistengsiu, kad visi žmonės sužinotų, ką tau teko patirti. Padarysiu viską, kad nuo šiol niekas nedrįstų abejoti tuo, jog tu buvai ir vis dar esi nesėkmingai susiklosčiusių aplinkybių auka.

Mano akys nušvito. Turbūt tai pastebėjo ir Bendžaminas Flečeris.

– Ir aš neimsiu jokio mokesčio, – pridūrė jis. – Patikėk, man širdis plyšta tariant tokius žodžius.

Aš nusijuokiau. Flečeris to ir laukė. Staiga stovėdama šalia jo pasijutau daug geriau. Aš visiškai pasitikėjau šiuo žmogumi. Neabejojau, kad šis augalotas septyniasdešimtmetis manimi pasirūpins.

– Aš esu Ana Maloj, pono Makingslio sekretorė. Leiskite man jus palydėti.

Šios moters, kuriai galėjo būti apie šešiasdešimt, veidas buvo itin malonus. Prokuroro kabineto link vedančiu koridoriumi ji skubėjo greitais, tvirtais žingsniais. Sekdama jai iš paskos, pagalvojau, kad greičiausiai ši moteris yra viena iš tų motiniškų sekretorių, tvirtai tikinčių, kad, palyginti su viršininku, jos viską išmano kur kas geriau.

Džefrio Makingslio kabinetas buvo koridoriaus gale, erdvus, bet jaukus. Džefriui aš jaučiau simpatiją, nesvarbu, kad netikėtai pasirodydamas prie mano namo durų jis buvo gerokai mane įsiutinęs. Išvydęs mus, prokuroras pakilo nuo kėdės ir, apėjęs stalą, sveikindamasis ištiesė ranką. Aptinusias akis ir išpurtusius vokus buvau paslėpusi po storu makiažo sluoksniu, tačiau iš prokuroro žvilgsnio supratau, kad jo apmauti man nepavyko.

Flečeris atsisėdo šalia manęs. Jis man priminė seną liūtą, pasiruošusį pulti priešininką kilus bent mažiausiam pavojui. Taip, jausdama tylų savo gynėjo palaikymą, aš pamažu ir papasakojau Džefriui viską, ką žinojau apie Zaką. Papasakojau jam apie panikos priepuolius, kurie mane apimdavo tada, kai, būdama dešimties, leidau dienas užrakinta sulaikytų nepilnamečių įstaigoje, apie tai, kad ištikta priepuolio kartodavau Zako vardą. Persakiau prokurorui ir tuos mamos išrėktus žodžius, kuriuos man pavyko prisiminti per šias dvi savaites: „Tu prasitarei, kai buvai girtas. Tu nužudei mano vyrą. Tedai, tu man sakei, kad Zakas viską matė!"

– Dėl to mano mama ir buvo išvariusi Tedą iš namų, – paaiškinau Džefriui. Jo kabinete sėdėjo ir detektyvas Ortisas bei stenografuotoja, tačiau į juos aš nekreipiau dėmesio. Dabar aš kalbėjau su žmogumi, kuris buvo davęs priesaiką ginti šios apygardos žmones. Norėjau, kad jis žinotų, jog mano mama suprato, kad Tedas Kartraitas yra pavojingas žmogus.

Džefris atidžiai klausėsi. Į mano monologą jis įsiterpė tik keletą kartų. Matyt, aš pamažu atsakinėjau į visus klausimus, kuriuos jis ketino man užduoti. Išklausęs mano pasakojimą apie tai, kaip aš, nusigavusi į Zako namus ir kurį laiką spaudžiusi durų skambutį, galiausiai aptikau Zako lavoną jo paties automobilyje, Džefris vis dėlto paprašė manęs patikslinti keletą smulkmenų.

Atsakiusi į prokuroro klausimus, pažvelgiau į Flečerį. Nors ir žinojau, kad šis mano sumanymas advokato nepradžiugins, paprašiau Džefrio Makingslio:

– Pone Makingsli, užduokite man tiek klausimų apie Žoržetą Grouv ar Čarlį Hačą, kiek tik jų turite. Turbūt dabar jau suprantate, kodėl iš Olandų gatvės parvažiavau taip greitai. Tuo keliu man ne kartą teko važiuoti tada, kai buvau dar visai maža. Visai netoli tos gatvės gyveno mano močiutė.

– Sustokime minutėlei, – įsiterpė Flečeris. – Mes buvome sutarę, kad tos kitos dvi bylos šio pokalbio metu nebus aptariamos.

– Aš noriu jas aptarti, – atsakiau. – Anksčiau ar vėliau visi sužinos, kad aš esu Liza Barton. – Pažvelgiau į Džefrį Makingslį. – Ar žurnalistai jau žino?

– Apie tikrąją jūsų tapatybę mums pranešė būtent žurnalistė, Driu Peri, – prisipažino Džefris. – Manau, ateityje jums tikrai vertėtų su ja pasimatyti. Jūsų atžvilgiu Driu nusiteikusi itin geranoriškai. – Kurį laiką patylėjęs, Džefris vėl prabilo: – Ar jūsų vyras žino, kad esate Liza Barton?

– Ne, nežino, – atsakiau. – Tai buvo klaida, aš gailiuosi, kad slėpiau nuo jo tiesą. Džeko tėvui, savo pirmajam vyrui, pažadėjau niekam apie savo praeitį nebeprasitarti. Be abejo, dabar turėsiu Aleksui viską papasakoti. Man teliks viltis, kad tokį išbandymą mūsų santykiai vis dėlto atlaikys.

Kitas keturiasdešimt minučių aš praleidau atsakinėdama į prokuroro klausimus apie Žoržetą Grouv, kurią buvau mačiusi vos vieną kartą, ir Čarlį Hačą, su kuriuo aš išvis nė karto nebuvau kalbėjusi. Net papasakojau apie tuos keistus skambučius.

Nuo kėdės pakilau be dešimties minučių penktą.

– Jei daugiau niekuo negaliu padėti, būčiau dėkinga, jei mūsų pokalbį dabar ir baigtume, – pasakiau. – Mano sūnelis tampa irzlus, kai aš kur nors užtrunku. Jei norėsite manęs dar ko nors paklausti, paskambinkite. Mielai atsakysiu į visus jūsų klausimus.

Džefris Makingslis, Bendžaminas Flečeris ir detektyvas Ortisas taip pat atsistojo. Pati nežinau kodėl, bet man pasirodė, kad visi trys vyrai elgiasi taip, lyg man grėstų kokia baisi nelaimė, lyg mane reikėtų nuo ko nors apsaugoti. Atsisveikinę mudu su advokatu išėjome iš prokuroro kabineto. Prie Džefrio sekretorės stalo sėdėjo moteris, kurios žilstelėję plaukai, atrodė, styro į visas puses. Ji buvo gerokai įsiutusi. Netrukus ją atpažinau. Ji buvo viena iš daugelio žurnalistų, atskubėjusių prie mūsų namų tą dieną, kai buvo įvykdytas tas išpuolis.

Ta moteris sėdėjo nugara į mane. Eidama pro šalį, išgirdau ją sakant:

– Džefriui apie Seliją Nolan papasakojau dėl to, jog maniau, kad jį perspėti yra mano pareiga. Ir kaip man už tai buvo atsidėkota? Išskirtinę teisę į informaciją aš mačiau kaip savo ausis. „New York Post" straipsniui apie Mažosios Lizės sugrįžimą skyrė visą trečiąjį puslapį ir dar svarsto, ar ši žinia neturėtų tapti pagrindine jų dienos naujiena. Negana to, jie ketina apkaltinti Lizą įvykdžius visas tris žmogžudystes.

Per stebuklą aš vis dėlto pasiekiau savo automobilį, ramiai atsisveikinau su Flečeriu ir parvažiavau namo. Sumokėjau Sju ir kelis kartus padėkojusi įtikinau ją, kad nereikia ruošti mums vakarienės. Sju norėjo pagelbėti, nes, jos žodžiais tariant, aš atrodžiau labai išblyškusi. Neverta nė klausti, buvau kaip drobė.

Džekas buvo labai vangus. Matyt, jau buvo spėjęs pasigauti kokią peršalimo ligą. O gal jį sargdino dėl mano kaltės namie nuolat tvyranti įtampa. Užsakiau mums picą. Jos belaukdami, mudu apsivilkome pižamas, aš dar įsisupau į chalatą.

Nusprendžiau, kad šįvakar, apklosčiusi Džeką, ir pati iš karto eisiu į lovą. Apie nieką kita galvoti aš nebesugebėjau, tik apie miegą. Telefonas čirškė ne vieną kartą. Skambino ponas Flečeris, šiek tiek vėliau – ir Džefris Makingslis. Telefono ragelio aš taip ir nepakėliau, tik išklausiau paliekamas balso žinutes. Jie abu skambino norėdami išreikšti užuojautą dėl to, ką man tenka patirti, prašė pernelyg nesijaudinti.

Aš negaliu nesijaudinti, pagalvojau. Rytoj mano pavardė mirguliuos straipsnyje, kuris visam pasauliui paskelbs apie Mažosios Lizės sugrįžimą. Kai jis pasirodys, aš vėl tapsiu Mažąja Lize, tik šįkart – visiems laikams.

Pagaliau atvežė picą. Pasikviečiau Džeką ir mudu abu sukrimtome po keletą gabalėlių. Džekas tikrai nekaip jautėsi. Į viršų jį nunešiau aštuntą valandą. „Mamyte, aš noriu miegoti su tavimi", – muistydamasis vis kartojo jis.

Aš sutikau. Užrakinau duris, įjungiau apsaugos sistemą ir paskambinau Aleksui. Ragelio jis nepakėlė, tačiau nieko kito aš ir nesitikėjau. Jis buvo užsiminęs, kad šįvakar su kažkuo vakarieniaus. Palikau jam balso pašto žinutę – pranešiau, kad išjungiau savo telefoną, nes šiandien anksčiau guluosi, ir paprašiau jo būtinai man paskambinti šeštą valandą ryto Čikagos laiku, nes turiu jam pasakyti kai ką labai svarbaus.

Išgėriau migdomųjų, įlipau į lovą ir, priglaudusi Džeką, netrukus užmigau.

Nežinau, kiek laiko buvo praėję, tačiau vis dar buvo tamsu. Pajutau, kaip kažkas pakėlė mano galvą. Tada išgirdau šnibždant kimų balsą: „Gerk, Liza. Gerk."

Bandžiau sučiaupti lūpas, bet tvirtos rankos jas vis tiek pražiodė. Ėmiau springti. Mano gerkle tekėjo kartus skystis, kuriame, matyt, plaukiojo ir migdomųjų tablečių trupiniai.

Girdėjau, kaip Džekas ėmė raudoti, kai kažkas paėmė jį ant rankų. Jo balsas ėmė tolti.

74

– Driu, iš mūsų žiniasklaida apie tai tikrai nesužinojo, – praradęs kantrybę atkirto Džefris. – Negi jau spėjai pamiršti, jog apie tai, kad Selija Nolan yra Liza Barton, žino ir Klaidas Erlis? Be to, gali būti, kad Lizą atpažino ir kiti žmonės. Gali būti, kad, ją atpažinę, dar pasakė ir kitiems. Tiesą sakant, aš manau, jog išpuolį Senojo Malūno tako name suplanavęs žmogus puikiai žinojo, kas yra Selija Nolan. Žinoma, „New York Post" nepraleis progos dar kartą prisiminti tą istoriją ir susieti visus senus įvykius su šiomis trimis žmogžudystėmis, tačiau tai tik paistalai. Kurį laiką dar pasisukiok aplink – gali būti, kad netrukus galėsiu tau papasakoti, kaip viskas yra iš tikrųjų, ir tu turėsi tikrų, o ne išgalvotų naujienų.

– Džefri, tu sakai tiesą? Neapgaudinėji manęs? – Driu pyktis atlėgo. Jos akys nušvito. Pamažu atsipalaidavo ir pirma tvirtai sučiauptos lūpos.

– Aš nepamenu, kad kada nors būtų buvę kitaip. – Džefrio balsas liudijo, kad jis, nors ir gerokai suirzęs, tokį akiplėšišką Driu elgesį pateisina.

– Sakai, man vertėtų dar kurį laiką pasisukioti aplink?

– Sakau, jog yra nemaža tikimybė, kad netrukus tau pavyks sužinoti daug svarbių naujienų.

Juodu stovėjo prie Džefrio kabineto durų. Džefris išėjo išgirdęs po visą pastatą aidintį gerokai pakeltą Driu balsą.

Po poros akimirkų prie jų atskubėjo ir Ana.

– Driu, jūs nė nenumanote, ką padarėte tai vargšei mergaitei, – ėmė plūstis ji. – Patikėkite manimi, jūs neįsivaizduojate, kaip persikreipė jos veidas, kai ji išgirdo jus šaukiančią apie Mažosios Lizės sugrįžimą. Juk ji, vargšelė, vis dar gyvena Mažosios Lizės name. Ta naujiena ją tiesiog sugniuždė.

– Jūs kalbate apie Seliją Nolan? – paklausė Driu.

– Ji praėjo pro pat jus, – piktai atkirto Ana. – Drauge su savo advokatu, ponu Flečeriu.

– Norite pasakyti, Liza... Selija vėl kreipėsi į jį? Jai atstovauja *jis*? – Džefris Anai paslapties apie tikrąją Selijos Nolan tapatybę nebuvo atskleidęs – deja, Driu tai suprato gerokai per vėlai. – Džefri, tai aš dar kurį laiką pasisukiosiu aplink, – su kaltės gaida balse pridūrė ji.

– Netrukus pas mane turi užsukti Henris Palis su savo advokatu, – į Aną kreipėsi Džefris. – Tada galėsi eiti namo. Dabar jau penkta.

– Na jau ne, – pasipriešino Ana. – Džefri, nejaugi Selija Nolan iš tiesų yra Liza Barton?

Išvydusi Džefrio žvilgsnį Ana suprato, kad ką tik prokurorui uždavė ne tik patį pirmą, bet ir patį paskutinį su Liza Barton susijusį klausimą.

– Kai ponas Palis čia pasirodys, aš jums pranešiu, – tegalėjo pasakyti. – Beje, nežinau, ar jums tai rūpi, tačiau aš gerai suprantu, kokia informacija yra iš tiesų konfidenciali.

– Net nežinojau, kad slaptą informaciją galima skirstyti į konfidencialią ir *iš tiesų* konfidencialią, – atsakė Džefris.

– O kaipgi, dar ir kaip *galima*, – atkirto Ana. – Pažiūrėkite, ar tik ten ne ponas Palis?

– Taip, ponas Palis, – atsakė Džefris, žvilgtelėjęs į koridoriumi skubantį vyrą. – O iš paskos seka ir jo advokatas. Palydėkite juos pas mane.

Buvo akivaizdu, kad advokatas neblogai padirbėjo kurpdamas protokolui skirtą Henrio Palio liudijimą. Henris jį perskaitė iš lapo.

Henris teigė, kad jaunesniuoju partneriu Žoržetos Grouv agentūroje dirba daugiau nei dvidešimt metų. Jis pripažino, kad tarp jųdviejų su Žoržeta dažnai kildavo ginčų ne tik dėl sklypo 24-ojoje gatvėje, bet ir dėl jo ketinimų pirma laiko išeiti į pensiją. Vis dėlto, Henrio teigimu, tie ginčai nereiškia, kad jį ir Žoržetą Grouv siejusi draugystė nebuvo nuoširdi ir tvirta. „Turiu pripažinti, jog suvokęs, kad Žoržeta ne tik naršė po mano darbo stalo stalčius, bet ir pasisavino dokumentus, patvirtinančius mano susitarimą su Tedu Kartraitu, aš gerokai nusivyliau", – abejingu balsu skaitė Henris.

Jis pripažino, kad pasakodamas apie savo apsilankymus Olandų gatvės name bylą tiriantiems pareigūnams keleto vizitų nepaminėjo. Bet tvirtino, jog taip įvyko vien dėl to, kad jis atsainiai žymisi būsimus susitikimus ir kai kuriuos apsilankymus buvo pamiršęs.

Henris pareiškė, kad maždaug prieš metus Tedas Kartraitas jam pasiūlė sandėrį. Jis pasisiūlęs sumokėti šimtą tūkstančių dolerių už tai, kad Henris įkalbėtų Žoržetą parduoti sklypą 24-ojoje gatvėje. Tada Tedas Kartraitas būtų galėjęs netrukdomas įgyvendinti savo planus kurti ten komercinę zoną. Henris tvirtino, kad toks pasiūlymas jo nesudomino ir bendradarbiauti jis nesutiko.

„Manęs buvo klausta, kur buvau tuo metu, kai buvo nužudytas Čarlis Hačas, sodininkas, – toliau iš lapo skaitė Henris. – Tądien darbo vietą aš palikau pirmą valandą penkiolika minučių ir nuvažiavau tiesiai į Marko Grenono nekilnojamojo turto agentūrą. Ten manęs jau laukė Tomas Medisonas, Žoržetos Grouv pusbrolis. Ponas Grenonas pranešė svarstantis galimybę įsigyti Grouv nekilnojamojo turto agentūrą. Su tragiškai žuvusiu Čarliu Haču keletą kartų mes gal ir buvome susitikę. Čarlis Hačas dirbo sodininku keliuose namuose, į kuriuos aš atsivesdavau savo klientus. Vis dėlto norėčiau atkreipti jūsų dėmesį į tai, jog tikrai neprisimenu, kad būčiau kada su juo kalbėjęs ar sveikinęsis. Užbėgdamas įvykiams už akių, norėčiau jau dabar šį tą pasakyti dėl dar vienos neseniai įvykdytos žmogžudystės, kuri taip pat gali būti susijusi su Bartonų šeima. Nužudytojo, Zako Vileto, aš niekada nebuvau sutikęs. Aš niekada nejodinėjau ir nelankiau jojimo pamokų."

Henris švytėjo iš pasitenkinimo. Jis neskubėdamas sulankstė popieriaus lapą, iš kurio skaitė, ir pažvelgė į Džefrį.

– Manau, į visus jūsų klausimus jau atsakiau.

– Beveik, – maloniu balsu atsakė Džefris. – Liko tik vienas. Jus ir Tedą Kartraitą siejo gana glaudus ryšys. Kaip jums atrodo, ar Žoržeta, žinodama, jog jūs palaikote ryšį su Tedu Kartraitu, kada nors būtų pritarusi jūsų pasiūlymui parduoti sklypą 24-ojoje gatvėje? Iš to, ką man teko apie ją girdėti, būčiau linkęs daryti išvadą, kad tai niekada nebūtų įvykę.

– Mano klientas į šį klausimą neatsakys, – paprieštaravo Henrio advokatas.

– Pone Pali, tuo metu, kai buvo nušauta Žoržeta Grouv, jūs leidote laiką netoli Olandų gatvės. Pinigai, kuriuos jūs uždirbote žuvus Žoržetai Grouv, yra gerokai didesni už tuos, kuriuos jums buvo pasiūlęs Tedas Kartraitas. Ką gi, daugiau klausimų šiandien neketinu užduoti. Pone Pali, nuoširdžiai dėkoju jums ir už tai, kad radote laiko čia užsukti, ir už jūsų pareiškimą.

75

Milžinišką koliažą, kurį Zakas buvo įspraudęs į veidrodžio rėmus, Džefris buvo palikęs viename iš kelių kabinetų kitame prokuratūros koridoriaus gale, kurie šiuo metu buvo nenaudojami. Šį nemažai sveriantį meno kūrinį, kuris turėjo priminti Zakui dvidešimt penkerių darbo metų jubiliejų, prokuratūros darbuotojai buvo užkėlę ant plataus, tvirto stalo.

Lizė Reili prokuratūroje buvo išdirbusi vos kelis mėnesius ir nekantriai laukė galimybės prisidėti prie žmogžudystės bylos tyrimo. Savosios valandos Lizė sulaukė – ji buvo įpareigota atidžiai peržiūrėti visus prie Zako Vileto karikatūros priklijuotus atvirukus bei nuotraukas ir perskaityti visus užrašus. Lizė žinojo, kad į nuotraukas turi sutelkti didžiausią dėmesį. Vienoje ar keliose iš jų galėjo būti nufotografuota medžio kamiene, tvoroje ar kad ir daržinės lentoje įstrigusi kulka. Ji jau buvo perspėta, kad toks vaizdas gali būti nufotografuotas iš labai arti. Taip pat nuotraukose galėjo būti pavaizduotas jojimo takas ar apie gresiantį pavojų perspėjantis greta tako pastatytas ženklas. Kiti Zako bute rasti daiktai šiuo metu taip pat buvo atidžiai tikrinami tikintis rasti kulką, tūtelę, o gal ir abu šiuos įkalčius.

Nuojauta Lizei kuždėjo, kad apžiūrint šį chaotišką meno kūrinį iš tiesų gali pavykti rasti ką nors vertinga. Jei tik turėdavo galimybę, Lizė visada apsilankydavo nusikaltimo vietoje – ieškoti įkalčių jai labai patiko. Į tą vietą, kur buvo rastas Zako Vileto lavonas, Lizė taip pat buvo nuvykusi – pasirodė ten, vos tik išvyko nusikaltimo vietos tyrėjų grupė.

Ji pritarė minčiai, kad koliažas yra ideali vieta paslėpti nuotrauką, kurioje įamžintas nedidelis objektas. Tokiame margumyne nuotrauką pastebėti gerokai sunkiau nei, pavyzdžiui, naršant stalčius ar verčiant dokumentų aplanką.

Atvirukai, nuotraukos ir lapeliai prie kamštinės lentos, kurią Zakas buvo panaudojęs kaip paveikslo pagrindą, buvo priklijuoti lipniąja juosta. Klijai buvo išdžiūvę, juosta apiplyšusi, tad ją nulupti nebuvo sunku. Netrukus visos koliažą sudariusios nuotraukos jau gulėjo šalia rėmų, sudėtos į nemažą krūvą. Iš pradžių, skaitant Zakui skirtus linkėjimus, Lizei sunkiai sekėsi sutramdyti juoką: „Tai ką, Zakai, linkiu tau dar dvidešimt penkerių metų!", „Išjodinėk juos visus, kaubojau!", „Ir toliau šuoliuok savo gyvenimo taku!"

Netrukus prie nuotaikingų linkėjimų Lizė priprato. Ji jau greičiau skaitė užrašus ir nuo kamštinės lentos lapelius ir atvirukus plėšė vieną po kito.

Po kurio laiko Lizei ėmė atrodyti, kad šis darbas beprasmis. Bet ji nesiliovė, kol rėmuose liko tik Zako karikatūra, pieštuku nupiešta ant storo kartono. Karikatūra, kitaip nei kitos koliažo dalys, prie kamštinės lentos buvo pritvirtinta ne lipniąja juosta, o keliomis vinimis. Gal vertėtų nuimti ir ją, pagalvojo Lizė. Nuplėšusi ir apvertusi karikatūrą, ji išvydo kitoje pusėje tvirtai priklijuotą pailgą voką. Lizė nusprendė, kad šį voką jai vertėtų atplėšti tik dalyvaujant liudytojui.

Netrukus ji jau skubėjo į kitą koridoriaus galą, prokuroro darbo kabineto link. Džefrio Makingslio kabineto durys buvo praviros. Kyštelėjusi galvą, Lizė išvydo ir prokurorą – jis rąžėsi stovėdamas priešais langą.

– Pone Makingsli, ar turėtumėte laiko į kai ką žvilgtelėti?

– Lize! Žinoma. Kas atsitiko?

– Šis vokas buvo pritvirtintas prie kitos Zako Vileto karikatūros pusės.

Džefris pasižiūrėjo į voką, į Lizę, tada vėl į voką.

– Jei šiame voke aš rasiu tai, ką tikiuosi rasti...

Nebaigęs sakinio Džefris puolė prie savo darbo stalo ir, kyštelėjęs ranką į stalčių, išsitraukė peilį laiškams atplėšti. Perpjovęs juo vieną kraštą, Džefris pavertė voką ir šiek tiek jį papurtė. Netrukus jo darbo stalu nusirito du nedideli metaliniai daiktai.

Tada Džefris ištraukė iš voko ranka rašytą laišką ir keletą nuotraukų. Vienoje buvo nufotografuota kaulėta ranka, rodanti į medžio kamiene įstrigusią kulką. Apatinėje tos pačios nuotraukos dalyje kyšojo laikraščio kampas, kuriame buvo aiškiai matyti data –

gegužės 9-oji. Ir metai. Tie patys, kuriais žuvo Vilas Bartonas. Kitoje nuotraukoje buvo įamžintas vienas iš to paties laikraščio puslapių – tas, kuriame, spausdamas rankose pistoletą, išdidžiai šypsojosi Tedas Kartraitas.

Ranka rašytas dviejų puslapių laiškas buvo tvarkingas, tačiau jame buvo palikta nemažai gramatinių klaidų. Laiško antraštė skelbė, kad jis skirtas „Tiems, kuriuos ši informacija tikrai sudomins". Jame Zakas išsamiai, nors gal ir pernelyg pompastiškai, aprašė, kaip tapo Vilo Bartono žūties liudytoju.

Zakas papasakojo matęs, kaip Tedas Kartraitas, sėdėdamas ant stipraus, gerai ištreniruoto žirgo, pastojo kelią mažai ką apie jojimą išmaniusiam Vilui Bartonui, kuris, savo nelaimei, tąkart jojo ant iš tiesų baikščios kumelės. Zakas tvirtino savo akimis matęs, kaip Tedas Kartraitas nustūmė Vilo Bartono kumelę link vingiuoto, itin pavojingo jojimo tako, o vėliau, išvydęs, kad iki skardžio liko vos keli žingsniai, tyčia iššovė iš savo ginklo. Šūvis pabaidė Vilo Bartono kumelę ir ji pasileido šuoliais. Netrukus ir kumelė, ir raitelis jau ritosi į prarają.

Džefris atsisuko į Lizę.

– Gerai padirbėjai. Ši informacija yra labai svarbi. Gali būti, kad mūsų byloje pagaliau įvyks lemiamas lūžis.

Lizė iš Džefrio kabineto išėjo plačiai šypsodamasi, negalėdama atsidžiaugti, kad prokuroras toks patenkintas dėl įkalčių, kuriuos aptiko ne kas kitas, o ji.

Džefris liko stovėti savo kabinete. Dabar jis neabejojo, kad visa tai, ką jam papasakojo Selija Nolan, yra tiesa. Tačiau savo mintyse Džefris skendėjo vos porą minučių. Netrukus į jo kabinetą įlėkė kitas tyrėjas, Nanas Niumanas.

– Viršininke, nepatikėsi, kas čia ką tik nutiko. Pas mane duoti parodymų buvo užsukęs Repas, tas Zako Vileto lavoną aptikęs vaikis. Kol mes šnekučiavomės, priimamajame pasirodė Tedas Kartraitas su advokatu. Repas kelis kartus žvilgtelėjo į Tedą, o tada, galima sakyti, tempte nusitempė mane į kitą koridoriaus galą ir žinai, ką pasakė? Džefri, Repas sako galįs prisiekti, kad Tedas Kartraitas yra ne kas kitas, o vienas iš tų krovėjais apsimetusių vyrų, kuriuos jis vakar įleido į Zako Vileto butą. Na, kaip vaikis sakė, be kvailo šviesių plaukų peruko Tedas Kartraitas atrodo kiek kitaip.

76

Tedas Kartraitas vilkėjo prabangų tamsiai mėlyną kostiumą, melsvus marškinius su sąsagomis, buvo pasirišęs mėlynos ir raudonos spalvų kaklaraištį. Tedo plaukai buvo gražiai pražilę, o laikysena – nepriekaištinga. Skvarbiomis mėlynomis akimis tirdamas aplinką, Tedas tvirtais, dideliais žingsniais artinosi prie Džefrio kabineto. Jo advokatas sekė iš paskos.

Tedą ir jo palydovą Džefris stebėjo ramiu žvilgsniu. Nuo kėdės prokuroras tyčia pakilo tik tada, kai ir Tedas, ir jo gynėjas jau stovėjo tiesiai priešais jo darbo stalą. Nė vienam iš svečių Džefris rankos neištiesė, tik mostelėjo siūlydamas prisėsti ant dviejų šalia stalo pastatytų kėdžių.

Į susitikimą kaip liudytojus Džefris buvo pakvietęs detektyvus Andželą Ortisą ir Polą Volšą. Juodu jau buvo spėję įsitaisyti šalia prokuroro. Įprastoje vietoje sėdėjo ir stenografuotoja. Prokuroro kabinete pasirodžiusius atvykėlius ji, kaip visada, pasitiko abejingu žvilgsniu. Kalbant apie Luizą Bentli prokuratūroje buvo juokaujama, kad nė vienas jos veido raumenėlis greičiausiai nekrustelėtų net dalyvaujant paties Džeko Skerdiko apklausoje.

Pirmasis prabilo Tedo Kartraito advokatas:

– Prokurore Makingsli, aš esu Luisas Bačas, pono Teodoro Kartraito advokatas. Prieš prasidedant apklausai, norėčiau pareikšti, kad mano klientą Zako Vileto mirtis nepaprastai sukrėtė. Prokuratūros darbuotojai kreipėsi į poną Kartraitą prašydami atvykti pasikalbėti. Norėčiau atkreipti jūsų dėmesį, kad į šį susitikimą mano klientas atvyko savo noru. Jis yra pasirengęs bendradarbiauti su prokuratūra ir viliasi galėsiąs prisidėti prie pono Vileto mirties aplinkybių tyrimo.

Džefrio veido išraiška rodė, kad advokato kalba jam didelio įspūdžio nepadarė. Prokuroras pasuko veidą į Tedą.

– Pone Kartraitai, kiek laiko jūs pažinojote Zaką Viletą?

– Dabar jau būtų sunku tiksliai atsakyti. Gal apie dvidešimt metų, – atsakė Tedas.

– Pone Kartraitai, ar esate tuo tikras? Ar ne daugiau kaip trisdešimt?

– Dvidešimt, trisdešimt... – Tedas Kartraitas gūžtelėjo. – Kad ir kaip būtų, tikrai ilgai. Toks atsakymas tinka?

– Ar savo santykius su Zaku Viletu būtumėte apibūdinęs kaip draugystę?

Kurį laiką Tedas dvejojo. Paskui atsakė:

– Atsakymas priklauso nuo to, kaip jūs suprantate draugystę. Aš pažinojau Zaką. Man jis patiko. Aš myliu žirgus, o Zakas be jų gyventi negalėjo. Aš visada žavėjausi tuo, kaip jis mokėjo apsieiti su tais gyvūnais. Kita vertus, man niekada nebūtų toptelėję pasikviesti jį pas save vakarienės ar kaip kitaip artimiau su juo pabendrauti.

– Vadinasi, susitikimo Semo bare, kai drauge su Zaku Viletu mėgavotės svaigiaisiais gėrimais, jūs artimesniu bendravimu nepavadintumėte?

– Pone Makingsli, netikėtai sutikęs Zaką kokiame bare aš, be abejo, su juo išlenkdavau vieną kitą taurelę.

– Aišku. Kada jūs paskutinį kartą kalbėjotės su ponu Viletu telefonu?

– Vakar po pietų, apie trečią valandą.

– Ir kokiu klausimu jūs jam skambinote?

– Mudu drauge pasijuokėme iš pokšto, kurį Zakas man iškrėtė.

– Koks gi buvo tas pokštas?

– Prieš keletą dienų Zakas užsuko į mano kotedžų korporacijos pardavimo biurą Madisone ir ėmė įtikinėti vieną iš darbuotojų, kad aš ketinu padovanoti jam namą. Mudu buvome susilažinę dėl „New York Yankees" ir „Boston Red Sox" rungtynių rezultato. Zakas juokais man pasakė, kad jei „Boston Red Sox" mano komandą lenks dešimčia bėgimų, aš jam būsiu skolingas kotedžą.

– Bet pardavimo agentei jis teigė visai ką kita, – atsakė Džefris. – Zakas Viletas jai tvirtino, kad yra išgelbėjęs jums gyvybę.

– Jis juokavo.

– Kada jūs paskutinį kartą matėtės su ponu Viletu?

– Vakar apie vidurdienį.

– Kur?

– Šalia Vašingtono slėnio jojimo klubo arklidžių.

– Susivaidijote su juo?

– Na, gal truputį ir pasikarščiavau. Dėl to Zako pokšto mes vos nepraradome pirkėjo. Pardavimo vadybininkė buvo Zaku patikėjusi. Vienai porai, kuri domėjosi tuo pačiu kotedžu, ji pasakė, kad jis jau parduotas. Aš tik norėjau pasakyti Zakui, kad taip juokaudamas jis gerokai persistengė. Bet praėjus porai valandų ta pora pareiškė, kad kotedžu vis dar domisi. Tai sužinojęs, iš karto paskambinau Zakui ir jo atsiprašiau.

– Pone Kartraitai, keista jūsų klausytis, – atsakė Džefris. – Žinote kodėl? Ogi todėl, kad mes turime liudytoją, kuris girdėjo, kaip Zakas jums pasakė, jog pinigai, kuriuos jūs jam siūlėte vietoj kotedžo, jo nedomina, nes jis sulaukė kur kas geresnio pasiūlymo. Ar pamenate, kaip su Zaku apie tai kalbėjotės?

– Ne, apie tai mes tikrai nesikalbėjome, – ramiu balsu atsakė Tedas. – Pone Makingsli, jūs klystate. Klysta ir tas jūsų liudytojas.

– Man taip neatrodo. Pone Kartraitai, ar siūlėte Henriui Paliui šimtą tūkstančių dolerių mainais už tai, kad jis įkalbėtų Žoržetą Grouv parduoti jai ir ponui Paliui priklausantį sklypą 24-ojoje gatvėje?

– Su Henriu Paliu mus siejo verslo reikalai. Tai buvo verslo susitarimas.

– O Žoržeta Grouv jūsų verslo reikalų atžvilgiu nebuvo itin geranoriškai nusiteikusi, tiesa?

– Žoržeta turėjo savo reikalų, aš – savo. Ir kiekvienas iš mūsų savo reikalus tvarkė taip, kaip mokėjo ir norėjo.

– Kur jūs buvote rugsėjo ketvirtą dieną, trečiadienį, apie dešimtą valandą ryto?

– Jodinėjau. Rytais dažnai jodinėju.

– Gal jojote ir tuo taku, kuris mišku veda į Olandų gatvės namo, kuriame buvo nužudyta Žoržeta, vidinį kiemą? Šis jojimo takas yra privatus, tačiau vienoje vietoje jis susikerta su jojimo klubui priklausančiu taku.

– Privačiais takais aš nejodinėju.

– Pone Kartraitai, ar jūs pažinojote Vilą Bartoną?

– Taip, pažinojau. Jis buvo pirmasis mano tragiškai žuvusios žmonos Odrės vyras.

– Tuo metu, kai jūsų žmona, kaip pats sakote, tragiškai žuvo, judu buvote susipykę, ar ne?

– Tą vakarą ji pati man paskambino ir pasiūlė susitikti, susitaikyti. Mes iš tiesų mylėjome vienas kitą. Jos duktė Liza, priešingai, manęs neapkentė, nes nenorėjo, kad kas nors užimtų jos tėvo vietą. Dėl to, kad Odrė mane mylėjo, Liza neapkentė ir jos.

– Pone Kartraitai, kodėl jūs išsiskyrėte su žmona?

– Dėl Lizos priešiškumo mano atžvilgiu Odrė buvo pervargusi. Mudu buvome sutarę, kad atskirai gyvensime tik kurį laiką – kol Odrė suras savo dukrai profesionalią psichologinę pagalbą.

– Vadinasi, judu susivaidijote ir pradėjote atskirai gyventi ne dėl to, kad vieną naktį, būdamas girtas, jūs prisipažinote Odrei Barton nužudęs jos pirmąjį vyrą?

– Tedai, neatsakinėk, – pasigirdo įsakmus Luiso Bačo balsas. Piktai žiūrėdamas į Džefrį, advokatas pareiškė: – Maniau, mes čia buvome pakviesti kalbėtis apie Zaką Viletą. Apie jokias kitas pokalbio temas aš nebuvau informuotas.

– Nieko baisaus, Luisai. Nesijaudink. Aš atsakysiu į jų klausimus.

– Pone Kartraitai, – vėl į Tedą kreipėsi Džefris, – Odrė Barton jūsų bijojo. Nesikreipdama į policiją ji padarė klaidą. Be abejo, ji nerimavo dėl savo duktės, nes negalėjo įsivaizduoti, kaip Liza reaguos sužinojusi, jog jūs nužudėte jos tėvą tam, kad turėtumėte galimybę vesti jos motiną. Tačiau ir jūs bijojote, tiesa? Bijojote, kad vieną dieną Odrė įsidrąsins ir kreipsis į policiją. Vilo Bartono mirtis buvo mįslinga – niekam taip ir nepavyko išsiaiškinti, ar tikrai tuo metu, kai ponas Bartonas nusirito į prarają, netoliese nuaidėjo šūvis.

– Tai jau absurdas, – atkirto Tedas.

– Ne, ne absurdas. Zakas Viletas matė, ką jūs padarėte Vilui Bartonui. Pono Vileto bute mes radome labai įdomių dalykų – laišką, kuriame jis išsamiai aprašė, ką tąkart išvydo, ir nuotraukas, kuriose jis įamžinęs jūsų kulką, įstrigusią medyje šalia jojimo tako. Zakas Viletas ne tik išsamiai atpasakojo, ką jūs padarėte Vilui Bartonui. Jis ištraukė iš medžio kamieno kulką, surado tūtelę ir visus šiuos įkalčius išsaugojo. Leiskite man perskaityti, ką jis parašė.

Džefris išsitraukė Zako Vileto laišką ir ėmė jį skaityti. Ypač pabrėžtinai Džefris perskaitė tą vietą, kurioje Zakas pasakojo, kaip Tedas, sėdėdamas ant savo žirgo, nustūmė Vilo Bartono kumelę link pavojingo jojimo tako.

– Kas čia? Ištrauka iš detektyvo? Teismui tokių prasimanymų jūs tikrai negalėsite pateikti, – ėmė piktintis Luisas Bačas.

– Zako žmogžudystė man nepanaši į prasimanymą, – atkirto Džefris. – Zakas jus šantažavo dvidešimt septynerius metus. Sužinojęs, kad jūs nužudėte ir Žoržetą Grouv, Zakas tapo dar įžūlesnis. Jis ėmė už tylą reikalauti kur kas didesnio atlygio, staiga užsimanė prabangaus gyvenimo.

– Nei Žoržetos Grouv, nei Zako Vileto aš nenužudžiau, – kategoriškai nukirto Tedas.

– Ar jūs vakar lankėtės Zako Vileto bute?

– Ne, nesilankiau.

Žvelgdamas Tedui per petį Džefris paprašė:

– Andželai, ar galėtum pakviesti Repą?

Jiems belaukiant grįžtančio detektyvo Ortiso, Džefris vėl prabilo:

– Pone Kartraitai, jau turbūt supratote, jog aš galiu pateikti įrodymų, kad jūs vakar lankėtės Zako bute. Po jo daiktus jūs vakar knaisiojotės tikėdamasis rasti ne tik kulką ir tūtelę, išskriejusias iš jūsų ginklo tuo metu, kai stengėtės pabaidyti Vilo Bartono kumelę, bet ir nuotraukas, į kurias pažvelgus nesunku atsakyti į klausimą, kur ir kada tai padarėte. Juk šaudydamas iš to pistoleto jūs tą pačią dieną laimėjote kažkokį apdovanojimą, tiesa? Vėliau tą pistoletą padovanojote Vašingtono muziejui, sutikote, kad jis taptų nuolatinės šaunamųjų ginklų parodos eksponatu? Išmesti to ginklo jūs taip ir neprisivertėte, tačiau savo namuose jo laikyti taip pat nenorėjote – juk žinojote, kad Zakas išsaugojo kulką, pražudžiusią Vilą Bartoną. Aš jau kreipiausi į teismą prašydamas suteikti man orderį, kad mes galėtume pasiimti tą pistoletą iš muziejaus ir nustatyti, ar kulka ir tūtelė iš tikrųjų buvo iššautos iš jo. – Džefris žvilgtelėjo į duris. – Ak, štai ir Zako buto šeimininkės sūnus.

Kai Andželas bakstelėjo jam į nugarą, Repas žengė porą žingsnių į priekį ir atsistojo šalia Džefrio darbo stalo.

– Repai, ar kuris nors iš šiame kabinete sėdinčių žmonių tau yra matytas? – pasiteiravo Džefris.

Repas, kuris labiau už viską pasaulyje troško tapti pripažintu muzikantu, svaigo nuo netikėtai jį užgriuvusio dėmesio.

– Man esate matytas jūs, pone Makingsli, – prabilo jis, – ir dar man yra matytas detektyvas Ortisas. Kai aš aptikau vargšą senį Zaką sėdintį savo mašinoje be gyvybės ženklų, jūs abu atskubėjote į mano namus.

– Repai, ar dar ką nors atpažįsti?

– Taip, atpažįstu. Štai šitą vyruką. – Repas bakstelėjo pirštu į Tedą. – Vakar jis buvo atėjęs į mūsų namus su dar vienu vyru. Jie abu buvo apsirengę kaip krovėjai. Aš jiems padaviau raktus nuo Zako buto durų. Zakas buvo mums pasakęs, kad šį savaitgalį persikraustys gyventi į Madisoną, į kažkokį prabangų kotedžą.

– Ar tu esi visiškai tikras, kad būtent šis vyras vakar atėjo į tavo namus ir vėliau užlipo į Zako Vileto butą?

– Aš esu visiškai tikras. Tik jis buvo užsidėjęs kvailą šviesių plaukų peruką. Atrodė kaip tikras idiotas. Tačiau jo veidą aš pažinčiau bet kur ir bet kada, kaip ir to kito vyruko. Beje, apie tą kitą dar kai ką prisiminiau. Ant kaktos jam pūpsojo nedidelis braškę primenantis apgamas ir jis neturėjo pusės dešinio smiliaus.

– Dėkui, Repai.

Džefris luktelėjo, kol Repas, nors ir nenoromis, išėjo iš kabineto. Jis prabilo, kai Andželas uždarė duris.

– Jūs susitikinėjate su Robina Kapenter, – kreipėsi jis į Tedą. – Tai jūs davėte panelei Kapenter tuos pinigus, kuriuos ji vėliau įteikė Čarliui Hačui, Čarlis savo ruožtu pažadėjo padaryti seseriai paslaugą ir nusiaubti tą namą, kuris dabar žinomas kaip Mažosios Lizės namas, beje, taip pat jūsų dėka. Tai jūs nušovėte Žoržetą ir mes tikrai rasime būdą tai įrodyti. O vėliau, kai grėsmę ėmė kelti Čarlis Hačas, jūs – o gal ir Robina Kapenter – pasirūpinote, kad visiems laikams nutiltų ir jis.

– Melas! – pašokęs nuo kėdės suriko Tedas.

Luisas Bačas irgi atsistojo. Jis buvo apstulbęs ir gerokai įširdęs.

Džefris į advokatą nekreipė dėmesio ir toliau akimis varstė Tedą.

– Mes žinome, kad tą naktį į Odrės Barton namus jūs ėjote jos nužudyti. Mes žinome, kad jūs esate kaltas dėl Vilo Bartono mirties. Mes žinome, kad jūs nužudėte Zaką Viletą. Ir žinome, kad su krovėjų verslu jūs neturite nieko bendra. – Džefris atsistojo. – Pone Kartraitai, jūs esate suimamas už Zako Vileto bute įvykdytą vagystę. Pone Bačai, šiuo metu mes vis dar aiškinamės kelias smulkmenas, tačiau jau dabar galiu jums pasakyti, jog yra nemaža tikimybė, kad netrukus ponas Kartraitas taip pat bus apkaltintas įvykdęs visas pastarosiomis dienomis mūsų miestą sukrėtusias žmogžudystes. Kol kas aš įpareigoju detektyvą Volšą nuvykti į pono Kartraito namus ir pasirūpinti, kad kol gausime kratos orderį, į tuos namus niekas nebūtų įleistas. – Kurį laiką patylėjęs, su šypsena veide Džefris pridūrė: – Jei nuojauta manęs neapgauna, atlikdami kratą mes rasime ne ką kita, o kvailą šviesių plaukų peruką ir krovėjo aprangą.

Tada Džefris atsisuko į detektyvą Ortisą ir pasakė:

– Prašau informuoti poną Kartraitą apie jo teises.

77

Praėjus dvidešimčiai minučių nuo tada, kai iš jo kabineto buvo išlydėtas Tedas Kartraitas, Džefris pasikvietė Driu Peri.

– Aš buvau tau pažadėjęs daug svarbių ir įdomių naujienų, – prabilo jis. – Štai pirmoji iš jų – ką tik, pateikę oficialius kaltinimus dėl vagystės iš Zako Vileto buto, mes sulaikėme Tedą Kartraitą.

Driu Peri buvo patyrusi žurnalistė, tačiau išgirdusi šią naujieną pajuto, kaip iš nuostabos jai atvipo žandikaulis.

– Per kelias dienas mes ketiname Tedui Kartraitui pateikti kur kas sunkesnius kaltinimus, – toliau kalbėjo Džefris. – Jie bus susiję su Vilo Bartono ir Zako Vileto žmogžudystėmis. Gali būti, kad Tedui Kartraitui gresia ir daugiau kaltinimų, bet tai paaiškės po išsamesnio tyrimo.

– Vilo Bartono! – šūktelėjo Driu. – Tedas Kartraitas nužudė Lizos Barton tėvą?

– Mes turime įrodymų. Be to, tą vakarą, kai įvyko ta kraupi tragedija, į Senojo Malūno tako namą Tedas Kartraitas atėjo dėl to, kad ketino nužudyti jį palikusią Odrę Barton. Liza, ta niekuo dėta dešimties metų mergytė, tik bandė apginti savo mamą nuo Tedo. Dvidešimt ketverius metus Liza Barton, kuri dabar visiems prisistato Selija Nolan, gyveno kentėdama – visą šį laiką ji ne tik gailėjo savo mamos, bet ir mėgino susigyventi su mintimi, jog visas pasaulis yra įsitikinęs, kad į savo mamą ir Tedą ji tąnakt šaudė tyčia, neva šlykštėdamasi jų santykiais. – Džefris pasitrynė akis. Jis buvo be galo pavargęs. – Nėra abejonių, kad po poros dienų mes žinosime kur kas daugiau, tačiau patikėk manimi, dėl informacijos, kurią aš tau ką tik suteikiau, gali būti visiškai tikra. Ji nesikeis.

– Džefri, aš esu daug ko mačiusi, – prabilo Driu, – tačiau tai, ką tu man papasakojai, yra nesuvokiama. Aš taip džiaugiuosi, kad ta vargšė moteris turi beatodairiškai ją mylintį vyrą ir tikrai šaunų sūnelį. Greičiausiai šeima jai ir suteikė stiprybės visa tai ištverti.

– Taip, – susimąstęs pritarė Džefris. – Jos berniukas yra tikrai šaunus ir jis padės jai tai ištverti.

– Džefri, nejaugi tu bandai man kažką pasakyti? – suskubo Driu. – Juk tu nepaminėjai jos puikaus vyro.

– Ne, nepaminėjau, – tyliai atsakė Džefris. – Kol kas apie tai kalbėti dar ankstoka, tačiau ir tam ateis metas.

78

Mane neša į apačią. Niekaip negaliu atplėšti akių. „Džekai!" Bandau pašaukti savo sūnelį vardu, tačiau pro mano lūpas praslysta tik tylus šnabždesys. Mano lūpos. Jos lyg guminės. Aš privalau sukaupti visas jėgas. *Džekui reikia manęs.*

– Viskas gerai, Liza. Aš nešu tave pas Džeką.

Tai Alekso balsas. Alekso, mano vyro. Jis namie, ne Čikagoje. Aš būtinai turiu jam rytoj pasakyti, kad esu Liza Barton.

Bet juk jis ką tik pavadino mane Liza.

Į tą skystį, kurį man sugirdė, buvo priberta sutrupintų migdomųjų.

Gal aš sapnuoju.

Džekas. Jis verkia. Jis šaukiasi manęs: „Mamyte. Mamyte. Mamyte."

„Džekai. Džekai." Bandau šaukti, tačiau tik išžiopčioju jo vardą.

Mano veidą glosto šaltas vėjas. Aleksas mane neša. Kur? Kur Džekas?

Niekaip negaliu atsimerkti. Girdžiu, kai atsidaro garažo vartai. Aleksas mane paguldo. Žinau, kur esu. Aš savo automobilyje, Aleksas paguldė mane ant užpakalinės sėdynės.

– Džekai...

– Nori jo? Tai imk. – Moters balsas. Šaižus, erzinantis ausį.

– Mamyyyyyyyyyyyyyyyte!

Mano kaklą apsiveja Džeko rankelės. Jis priglaudžia galvą man prie krūtinės, ten, kur vis dar plaka mano širdis.

– Mamyyyyyyyyyyyyte!

– Robina, eikš. Aš netrukus užvesiu variklį.

Alekso balsas.

Girdžiu, kaip palengva užsidaro garažo vartai. Mudu su Džeku liekame vieni.

Aš taip pavargau. Jaučiuosi tokia mieguista. Mano sąmonė ima temti.

79

Pusę vienuolikos vakaro Džefris vis dar sėdėjo savo kabinete ir laukė detektyvo Morto Šelio. Bendradarbiai jau buvo spėję jam pranešti, kad Tedo namo krata buvo sėkminga – jiems pavyko rasti šviesių plaukų peruką, krovėjo uniformą ir kelias dėžes popierių, kurie greičiausiai buvo pavogti iš Zako Vileto buto. O svarbiausias radinys buvo devynių milimetrų pistoletas, kurį Džefrio kolegos rado Tedo miegamajame įrengtame seife.

Nuojauta Džefriui kuždėjo, jog atlikus išsamią Tedo name rasto šaunamojo ginklo analizę paaiškės, kad Zako Vileto smegenis perskrodusi devynių milimetrų kulka buvo paleista būtent iš to pistoleto.

Dėl šios žmogžudystės Tedas Kartraitas jau nebeišsisuks, pagalvojo Džefris. Gali būti, jog, norėdamas gauti švelnesnę bausmę, jis sutiks bendradarbiauti ir pats prisipažins nužudęs ir Vilą Bartoną. Galbūt mums pagaliau pavyks priversti Tedą Kartraitą prisipažinti, kokių ketinimų vedamas jis tą tragedijos naktį lankėsi Odrės Barton namuose.

Susiklosčius kitokiai padėčiai, žinodamas, kad tokia svarbi byla greičiausiai bus išspręsta sėkmingai, Džefris būtų džiūgavęs, tačiau šįkart viskas buvo kitaip. Šįkart Džefrio džiaugsmą buvo aptemdžiusi naujiena, kurią jis privalėjo kuo greičiau pranešti Selijai Nolan. Arba Lizai Barton, mintyse pataisė save prokuroras. Taip, Selijai turėsiu pranešti naujieną apie jos vyrą. Aš turėsiu jai pasakyti, jog jos sutuoktinis darė viską, kad ji būtų apkaltinta dėl Žoržetos Grouv žmogžudystės. Ir dėl ko? Ogi dėl pinigų. Tų pinigų, kuriuos Selija paveldėjo mirus Lorensui Fosteriui, Alekso Nolano pusbroliui.

Pasigirdo tylus beldimas. Netrukus duris pravėrė Mortas Šelis.

– Džefri, aš esu apstulbęs. Nesuprantama, kaip tas Nolanas sugebėjo tiek laiko neužkliūti teisėsaugai.

– Mortai, ką sužinojai?

– Kurią naujieną nori išgirsti pirmą?

– Tai jau tu nuspręsk. – Iki šiol Džefris sėdėjo atsilošęs. Dabar atsisėdo tiesiai.

– Aleksas Nolanas yra sukčius, – tvirtai pasakė Mortas Šelis. – Jis iš tiesų yra teisininkas, vienos kadaise buvusios prestižinės teisininkų kontoros darbuotojas. Dabar toje įmonėje dirba tik du žmonės – ją įkūrusio vyro anūkas ir Nolanas, tačiau kiekvienas yra pats sau šeimininkas. Nolanas skelbiasi, kad jo specializacija yra testamentų ir palikimų klausimai, tačiau jo klientų sąrašas, švelniai tariant, skurdus. Kelis kartus jis buvo pažeidęs advokatų etikos taisykles, porą kartų jo įgaliojimai buvo sustabdyti. Kas kartą atsakomybės Aleksui Nolanui pavykdavo išvengti dievagojantis, kad jis ne vagis, o tik prastas buhalteris. – Kuo ilgiau Mortas skaitė tai, ką buvo pasižymėjęs užrašų knygelėje, retsykiais žvilgtelėdamas į storą segtuvą, tuo buvo akivaizdžiau, kad Aleksui Nolanui jis jaučia nuoširdžią panieką. – Per visą gyvenimą jis nė vieno dolerio nėra užsidirbęs sąžiningai. Visus pinigus, kuriuos turi, Aleksas Nolanas paveldėjo iš savo buvusios klientės, septyniasdešimt septynerių metų našlės, kuri mirė prieš ketverius metus. Pasirodo, Aleksas Nolanas ją mergino. Sužinojusi, kas įvyko, tos moters šeima pašiurpo iš siaubo, tačiau testamento taip ir neužginčijo, nes nenorėjo, kad garbinga, išsilavinusi ledi po mirties taptų aplinkinių pajuokos objektu. Apmulkinęs senolę Aleksas Nolanas į savo kišenę susižėrė tris milijonus dolerių.

– Neblogi pinigai, – atsakė Džefris. – Dauguma žmonių tokia suma pasitenkintų.

– Džefri, tokiam žmogui kaip Aleksas Nolanas šitiek pinigų nieko nereiškia. Jis nori didelių pinigų: privačių lėktuvų, jachtų, pilių...

– Selija... norėjau pasakyti, Liza, tokių pinigų neturi.

– Ji neturi, bet jos sūnus turi. Džefri, suprask mane teisingai. Selija Nolan yra pasiturinti moteris. Lorensas Fosteris ja gerai pasirūpino. Bet sūnui atiteko du trečdaliai jo turto, vadinasi, Džekas tapo įvairių Lorensui Fosteriui priklausiusių patentų dalininku. Fosteris finansavo mokslinius tyrimus. Gana greitai trys įmonės, kurias jis rėmė, paskelbs apie sėkmingus tyrimų rezultatus, o tai reiškia, kad vieną dieną Džekui atiteks dešimtys milijonų dolerių.

– Ir Nolanas apie tai žinojo?

– Kad Lorensas Fosteris investuodavo į pradedančias įmones, buvo vieša paslaptis. Testamentas saugomas ten, kur jis buvo patvirtintas – apygardos teismo rūmuose. Norint susipažinti su jo turiniu, Nolanui verstis per galvą tikrai nereikėjo. – Iš savo segtuvo Mortas ištraukė dar vieną dokumentą. – Kaip buvai prašęs, pasikalbėjome su tomis seselėmis, kurios buvo pasamdytos prižiūrėti Lorensą Fosterį tada, kai jis paskutinį kartą gulėjo ligoninėje. Viena iš jų prisipažino paėmusi nemažą kyšį iš Alekso Nolano ir leidusi pasimatyti jam su pusbroliu tada, kai Fosterio gyvybė jau geso ir į palatą buvo įleidžiami tik patys artimiausi giminaičiai. Greičiausiai Aleksas Nolanas slapta vylėsi sugebėsiąs įtikinti pusbrolį įrašyti į testamentą ir jį. Tuo metu Fosteris jau beveik kliedėjo, tad gali būti, kad jis ir atskleidė Aleksui Nolanui visą tiesą apie Selijos praeitį. Be abejo, mes neturime įrodymų, kad taip ir įvyko, tačiau tokia versija atrodo įtikima.

Besiklausydamas Morto pasakojimo, Džefris vis kiečiau spaudė lūpas.

– Visa Alekso Nolano veikla tėra akių dūmimas, – tęsė Mortas. – Tas butas Soho rajone jam nepriklausė. Nolanas buvo pasirašęs nuomos sutartį ir kiekvieną mėnesį už gyvenimą tame bute mokėjo. Baldai – visi iki vieno – buvo ne jo. Norėdamas įtikinti Lizą, kad yra gerai žinomas advokatas, Nolanas leido tuos tris milijonus dolerių, kuriuos jam buvo palikusi sena – aš turiu omenyje amžių – taigi sena meilė. Aš kalbėjausi ir su Selijos konsultantu finansų klausimais Karlu Vinstonu. Jis man pasakė, kad Selijos ir Alekso Nolano santykiai tapo gerokai artimesni po to praėjusių metų žiemą įvykusio nelaimingo atsitikimo, kai Seliją netikėtai partrenkė limuzinas. Jo teigimu, tada Selija persigando, pradėjusi svarstyti, kad jei būtų žuvusi, joks giminaitis Džeku nebūtų pasirūpinęs. Karlas Vinstonas man išsamiai papasakojo, kokia buvo Lorenso Fosterio valia. Selijai jis paliko trečdalį savo turto, Džekui – du trečdalius. Jei Džekas mirtų nesulaukęs dvidešimt vienų, visi jam palikti pinigai atitektų Selijai. Ištekėjusi už Alekso, Selija savo testamente nurodė, kad po jos mirties visą jai priklausantį turtą – išskyrus sumą, kurią ji skirs labdaros tikslams, ir pinigus įtėviams paremti – per pusę turėtų pasidalyti Aleksas Nolanas ir Džekas. Be to, jei Selija mirtų, Džeko globėju taptų būtent Aleksas Nolanas. Jei Selijai mirus Džekas būtų jaunesnis nei dvidešimt vienų, Aleksas taip pat laikinai taptų ir jam priklausančio turto globėju.

– Vakar, sėdėdamas mano kabinete, Aleksas Nolanas nuotrauką, kurią Liza rado priklijuotą prie gardo baslio, apibūdino kaip tą, kurioje Bartonų šeima nufotografuota paplūdimyje Spring Leike. Tą akimirką aš ir supratau, kad greičiausiai Aleksas Nolanas pats ją priklijavo, – atsakė Džefris. – Liza man tą nuotrauką įdavė praėjusią savaitę, tada, kai mes drauge buvome virtuvėje. Aleksas Nolanas į virtuvę įėjo tuo metu, kai aš jau kišau nuotrauką į plastikinį maišelį. Ir nepaprašė manęs ją parodyti. Vadinasi, Aleksas Nolanas turėjo būti tos nuotraukos nematęs. Bet vakar jis gerai žinojo, kuri iš Bartonų šeimos nuotraukų ten buvo, nors laikraščiuose jų buvo išspausdinta daug ir įvairių.

– Su Robina jis susitikinėja mažiausiai trejus metus, – prabilo Mortas Šelis. – Iš Valstybinės advokatų asociacijos gavęs Alekso Nolano nuotrauką, nuvažiavau į restoraną „Pas Patsę". Vienas iš padavėjų prisiminė juos abu matęs netrukus po to, kai pradėjo tame restorane dirbti, o įsidarbino jis prieš trejus metus. Jo teigimu, Aleksas Nolanas visada mokėdavo tik grynaisiais. Ką gi, nesunku suprasti kodėl.

– Matyt, Robina šiuos santykius sutiko laikyti paslaptyje, nes irgi norėjo, kad jos vaikinas kuo greičiau praturtėtų, – atsakė Džefris. – Vadinasi, dėl vieno dalyko Robina vis dėlto nemelavo – greičiausiai jos ir Tedo Kartraito santykiai nebuvo rimti. Robina įsidarbino Grouv nekilnojamojo turto agentūroje. Ankstesni Senojo Malūno tako namo savininkai nusprendė jį parduoti. Įdomu, ar tada jiems ir kilo mintis įkurdinti Lizą jos senajame name? – susimąstė Džefris. – Nupirkti tą namą kaip dovaną. Įkalbėti ją persikelti į jį gyventi. Tada jį sudarkyti – kad Liza sutriktų, prarastų pusiausvyrą. Paskui ją demaskuoti, paskelbti visiems, kad ji yra Mažoji Lizė. Ir galiausiai, kai dėl psichinės būklės Liza būtų paskelbta nepakaltinama, užvaldyti jai priklausantį turtą. Staiga planas ėmė byrėti. Greičiausiai tą vakarą, kai Žoržeta ilgiau užtruko agentūroje, ji rado kažką, kas atskleidė, kad Robina ir Aleksas pažinojo vienas kitą. Henris mums sakė, kad tą vakarą ji rausėsi ir po jo, ir po Robinos stalčius. Gal Žoržeta rado bendrą Alekso ir Robinos nuotrauką ar kokį raštelį, kurį Aleksas buvo jai parašęs. Antradienį vakare, dešimtą valandą, Žoržeta skambino Robinai. Ko ji norėjo, mes gal ir nebesužinosime, nebent vėliau Robina pati nuspręs papasakoti tiesą.

– Man atrodo, kad tame Olandų gatvės name Žoržetos laukė būtent Robina, – prabilo Mortas. – Greičiausiai vos nusprendę nužudyti Žoržetą Robina ir Aleksas sutarė pabandyti visą kaltę dėl žmogžudystės suversti Selijai. Matyt, tada jiems ir kilo mintis įkišti į Žoržetos rankinę Selijos nuotrauką. Nereikėtų pamiršti vieno labai svarbaus dalyko – jei Selijos nuotrauką į Žoržetos rankinę iš tiesų įkišo Robina, yra nemaža tikimybė, kad, naudodamasi proga, ji iš tos pačios rankinės ištraukė tai, ką Žoržeta buvo pasiskolinusi iš jos darbo stalo. O kai seržantas Erlis konfiskavo Čarlio Hačo džinsus, sportbačius ir drožinius, Čarlis jiems taip pat ėmė kelti grėsmę. Taigi, gviešdamiesi Lizos ir Džeko pinigų, Robina Kapenter ir Aleksas Nolanas nužudė du žmones. O už šias žmogžudystes į kalėjimą turėjo sėsti Selija Nolan. Tikrai neblogas planas.

– Gali būti, kad Aleksas Nolanas ne pirmą kartą prisidėjo prie žmogžudystės, – pasakė Džefris. – Pats žinai, keletas mūsų vyrukų ieškojo informacijos apie tai, ką Aleksas veikė prieš pradėdamas studijuoti teisę universitete. Paaiškėjo, kad dar mokydamasis koledže Aleksas Nolanas buvo įtariamas nužudęs turtingą merginą, su kuria vienu metu susitikinėjo. Jo kaltės įrodyti taip ir nepavyko. Ta mergina buvo palikusi Aleksą Nolaną dėl kito vyro. Kai tai nutiko, jis prarado sveiką protą, ilgiau nei metus ją persekiojo. Ta mergina net buvo gavusi iš teismo draudimą Aleksui Nolanui prie jos artintis. Visa tai sužinojau tik šią popietę. – Džefrio veidas apsiniaukė. – Rytoj iš pat ryto nuvažiuosiu į Mendamą ir papasakosiu Lizai, ką mums pavyko sužinoti. Paskui iš karto jai ir Džekui paskirsiu apsaugą. Jei Aleksas Nolanas nebūtų Čikagoje, apsauga prie jų durų stovėtų jau dabar. Jei neklystu, šiuo metu ir Aleksas Nolanas, ir jo mergina yra labai susinervinę.

Suskambo telefonas. Ragelį Ana pakėlė telefonui spėjus sučirkšti vos vieną kartą. Ji vis dar sėdėjo prie savo stalo šnekučiuodamasi su Driu. Kitame laido gale pasigirdo nervingas balsas. Išklausiusi naujienas, Ana spustelėjo vidinio telefono mygtuką.

– Džefri, jums ką tik skambino detektyvas Rajanas. Jis šiuo metu Čikagoje. Detektyvas prašė jums pranešti, kad jie pametė Aleksą Nolaną. Prieš daugiau nei tris valandas Aleksas Nolanas paspruko iš dalykinės vakarienės. „Ritz-Carlton" viešbutyje jis taip ir nepasirodė.

Abu vyrai pašoko nuo kėdžių.

– Tris valandas! – sušuko Džefris. – Juk per šį laiką jis galėjo suspėti parskristi!

80

Aš girdėjau, kaip užsidarė garažo vartai. Variklis ūžė. Dėl aplinkui pasklidusių dūmų jaučiausi dar labiau apsnūdusi, tačiau žinojau, kad privalau kovoti su nuovargiu. Džekas vėl buvo su manimi ir jau snaudė. Stengiausi jį pajudinti. Aš *privalau* nuropoti į priekinę sėdynę. Privalau išjungti variklį. Jei liksime čia, mes mirsime. Aš privalau pajudėti iš vietos. Tačiau kūnas manęs neklausė. Ko Aleksas man sugirdė?

Negalėjau pajudėti. Aš buvau sudribusi ant užpakalinės sėdynės. Variklio ūžesys mane kurtino. Lyg automobilis ruoštųsi įsibėgėti. Greičiausiai jie kažką padėjo ant akceleratoriaus. Netrukus mes prarasime sąmonę. Netrukus mano mažasis berniukas mirs.

Ne. Ne. Prašau, ne.

– Džekai. Džekai. – Mano šnabždesys buvo toks tylus, vos girdimas, tačiau Džeko ausis buvo čia pat. Jis sujudėjo. – Džekai. Mamytei bloga. Džekai, padėk man.

Jis dar kartą krustelėjo, ėmė sukioti galvelę ir apsivijo rankomis mano kaklą.

– Džekai, Džekai, kelkis. Kelkis.

Mano akys vėl apsunko. Aš privalau nepasiduoti. Įsikandau į lūpą. Taip stipriai, kad netrukus pajutau kraujo skonį. Skausmas man padės neprarasti sąmonės.

– Džekai, padėk mamytei, – ėmiau maldauti.

Jis pakėlė galvą. Jutau jo žvilgsnį.

– Džekai, užlipk... ant priekinės sėdynės. Ištrauk... raktelį.

Jis ėmė judėti. Atsisėdo ir netrukus nuslydo nuo mano kelių.

– Mamyte, čia tamsu, – ištarė.

– Užlipk... ant... priekinės sėdynės, – sušnibždėjau. – Užlipk... – Jutau, kad prarandu sąmonę. Nebegalėjau prisiminti žodžių, kuriuos ketinau ištarti...

Mano veidą užkliudė Džeko pėda. Jis lipo ant priekinės sėdynės.

– Raktelis, Džekai...

Iš tolumos atsklido jo balsas:

– Negaliu jo ištraukti.

– Džekai, pasuk jį. Pasuk jį... tada... ištrauk.

Staiga garaže įsivyravo tyla. Spengianti tyla.

– Mamyte, aš turiu raktelį, – pasigirdo mieguisto, tačiau labai savimi besididžiuojančio Džeko balsas.

Dūmai. Žinojau, kad mes vis dar galime užtrokšti. Mums reikia kuo greičiau iš čia dingti. Džekas sunkių garažo vartų pats niekaip neatidarys.

Jis žiūrėjo į mane persisvėręs per automobilio sėdynę.

– Mamyte, tau bloga?

Garažo durų nuotolinio valdymo pultas, prisiminiau. Juk jis užkištas už atverčiamos dėtuvės vairuotojo pusėje. Aš dažnai leidžiu Džekui spustelėti jo mygtuką ir atidaryti garažo vartus.

– Džekai, atidaryk... garažo... duris, – maldavau. – Juk tu moki.

Manau, minutę buvau praradusi sąmonę. Mane pažadino palengva atsidarančių garažo vartų gaudesys. Mums pavyko. Visu kūnu pajutau palengvėjimą. Pasidaviau. Leidau sau nebekovoti. Netrukus vėl praradau sąmonę.

Pabudau greitosios pagalbos mašinoje. Pirmasis veidas, kurį aš išvydau, buvo Džefrio Makingslio. Pirmieji žodžiai, kuriuos jis ištarė, buvo tie, kuriuos aš norėjau išgirsti.

– Nesijaudinkite. Džekui viskas gerai, – paaiškino jis. O tuomet pasakė žodžius, kurie buvo lyg pažadas: – Liza, juk sakiau, kad viskas bus gerai.

Epilogas

Šiame name mes gyvename jau dvejus metus. Kurį laiką pasvarstę, vis dėlto nusprendėme jame likti. Šis namas man jau nebebuvo namas, kuriame aš nužudžiau savo mamą. Tai buvo namas, kuriame aš bandžiau išgelbėti jai gyvybę. Pasitelkusi visus interjero dekoravimo įgūdžius, aš vis dėlto sugebėjau šiuos namus paversti tokiais, kokius juos norėjo matyti mano tėvas. Jie iš tiesų gražūs. Gražios ir dienos, kurias jame leidžiame, kaip ir tada, kai jame gyvenau būdama dar visai mažytė.

Tedas Kartraitas sutiko bendradarbiauti su teisėsauga. Už Zako Vileto žmogžudystę jam teks kalėti trisdešimt metų, už mano tėčio – penkiolika. Dar dvylika metų jam buvo skirti už tai, kad sukėlė mano mamos mirtį. Visas laisvės atėmimo bausmes jis atliks iš karto. Toks nuosprendis Tedui Kartraitui buvo skirtas mainais už tai, kad jis prisipažino, jog tąnakt į mūsų namus ėjo ketindamas nužudyti mano mamą.

Po vestuvių juodu su mama gyveno mūsų name, tad Tedas žinojo, jog dėl kažkokios nepaaiškinamos priežasties įdiegiant apsaugos sistemą vienas rūsio langas liko prie jos neprijungtas. Pro tą langą jis ir įsigavo vidun.

Tedas prisipažino ketinęs pasmaugti mano mamą miegančią. Dar pasakė, kad jei aš būčiau pabudusi ir jį užtikusi, būtų nužudęs ir mane.

Tedo ir mano mamos santuoka buvo beišyranti. Jis puikiai suprato, kad dėl šio fakto, tiriant mamos žmogžudystės bylą, galėtų tapti pagrindiniu įtariamuoju. Todėl, įsigavęs į rūsį, iš pradžių ten buvusiu telefonu surinko savo namų numerį, valandą palaukė ir tik tada užlipo laiptais įgyvendinti šiurpaus plano. Jis ruošėsi pasakyti policijai, kad tą vakarą mano mama jam pati paskambino ir pasiūlė kitą dieną susitikus aptarti susitaikymo galimybę.

Bet kai, pabudusi nuo riksmų, aš nusileidau žemyn su ginklu rankoje, šią iš anksto paruoštą versiją Tedui teko pakoreguoti. Stovėdamas ant liudytojams skirtos pakylos teisme jis prisiekė, kad mano mama jam skambino ne norėdama susitikti kitą dieną, o kviesdama pasimatyti dar tą patį vakarą, tada, kai aš jau miegosiu.

Įsigavęs į namo vidų, Tedas surado naują apsaugos sistemos kodą mano mamos užrašų knygelėje ir išjungė signalizaciją. Tada jis atrakino virtuvės duris, vildamasis, kad vėliau mamos žmogžudystės tyrėjai padarys išvadą, jog užpuolikas į namą įsibrovė tik dėl mano mamos užmaršumo. Teisme Tedas Kartraitas tvirtino, kad mano mama apsaugos sistemą išjungė ir virtuvės duris atrakino dėl to, kad tikėjosi jo vizito.

Tedas išdavė ir antrąjį „krovėją". Paaiškėjo, kad juo buvo tapęs Sonis Ingersas, vienas iš Tedo kotedžų korporacijoje dirbusių statybininkų. Sonis Ingersas atitiko ir Repo Korigano pateiktą apibūdinimą – jis turėjo ir braškės pavidalo apgamą, ir pusiau nukirstą smilių. Nebuvo įrodymų, kad Sonis Ingersas būtų prisidėjęs prie Zako Vileto žmogžudystės. Sonis prisipažino dalyvavęs apvagiant Zako butą ir už šį nusikaltimą buvo nuteistas trejų metų laisvės atėmimo bausme.

Tedo teismas buvo viešas. Kai jis, vykdydamas bendradarbiavimo su policija sąlygas, prisipažino teisėjui, ką padaręs, didžioji dalis miesto gyventojų, kaip man pasirodė, pasijuto kalti dėl to, kad kadaise juo patikėjo ir taip lengvai pasmerkė mažą mergaitę.

Henriui Paliui bylą tyrę detektyvai jokių kaltinimų nepateikė. Oficiali prokuratūros išvada skelbė, kad Henris niekuo nenusikalto, tik buvo sudaręs sandėrį su Tedu Kartraitu ir pažadėjęs įkalbėti

Žoržetą Grouv parduoti jai priklausantį sklypą 24-ojoje gatvėje. Įrodymų, kad Henris ketino dalyvauti įgyvendinant kokius nors įstatymus pažeidžiančius planus ar apie juos ką nors žinojo, nebuvo.

Robina Kapenter ir Aleksas Nolanas į laisvę išeis tik po daugybės metų, o gal ir išvis neišeis. Už Žoržetos Grouv ir Čarlio Hačo nužudymą bei pasikėsinimą į Džeko ir mano gyvybę jie abu buvo nuteisti kalėti iki gyvos galvos.

Robina prisipažino, kad šovė ir į Žoržetą, ir į savo pusiau brolį Čarlį Hačą. Iš Žoržetos rankinės ji ištraukė savo ir Alekso nuotrauką – nuotrauką, kurią Žoržeta rado rausdamasi po jos stalčius. Mano nuotrauka, kuri buvo įkišta į Žoržetos rankinę, ir mano mamos nuotrauka, kuri buvo rasta Čarlio Hačo liemenės kišenėje, irgi pasirūpino Robina.

Per kelias savaites po tos nakties, kai mudu su Džeku vos nežuvome, į mūsų namus užsuko daugybė žmonių. Pasibeldę į mūsų duris jie siūlydavo skanėstų, gėlių ir draugystę. Įsikalbėję kai kurie pasakydavo, kad mūsų močiutės lankė tą pačią klasę. Man gera gyventi čia, kur mano šaknys. Mendame duris jau atvėrė mano interjero dizaino salonas, tačiau kol kas laiko pagelbėti visiems į mane besikreipiantiems žmonėms aš neturiu. Mano gyvenimas tiesiog verda. Džekas jau pirmokas, šiuo metu jis priklauso visiems sporto būreliams, kuriuos jam pavyko rasti.

Po Alekso suėmimo praėjo savaitės, vėliau mėnesiai. Laikui bėgant, palengvėjimą, kurį pajutau išgirdusi Tedo prisipažinimą, ėmė keisti patirtos išdavystės kartėlis. Man sopėjo širdį pagalvojus apie Aleksą. Į pagalbą man atskubėjo Džefris Makingslis. Jis padėjo man suprasti, kad Aleksas, kurį pažinojau, niekada neegzistavo.

Sunku pasakyti, kada aš supratau, jog jau įsimylėjau Džefrį. Manau, jis gerokai anksčiau už mane suprato, kad esame vienas kitam skirti.

Ir tai yra viena iš priežasčių, dėl kurių pastaruoju metu aš tokia užsiėmusi. Mano vyras, Džefris Makingslis, ketina iškelti savo kandidatūrą artėjančiuose gubernatoriaus rinkimuose.

Clark, Mary Higgins

Cl-21   Nieko geriau už namus : romanas / Mary Higgins Clark ;
iš anglų kalbos vertė Inga Dievulytė. – Vilnius : Alma littera,
2016. – 352 p. – (Skaitytojų pamėgtos, ISSN 2424-3485)

ISBN 978-609-01-2124-5

„Trilerio karaliene" tituluojamos rašytojos knygos centre – moters, vaikystėje
netyčia padariusios skaudų nusikaltimą, akistata su praeitimi ir bandymas iš jos iš-
sivaduoti, atskleidžiant praeityje slypinčias šiurpias paslaptis bei su jomis susijusius
praeities ir dabarties nusikaltimus.

Tai kvapą gniaužiantis detektyvinis trileris, kuris prikausto skaitytojo dėmesį nuo
pirmos iki paskutinės eilutės.

Mary Higgins Clark (Merė Higins Klark, g. 1927 m.) – JAV rašytoja, milžiniško
populiarumo JAV ir Europoje sulaukusių detektyvinių trilerių autorė. Prieš tapdama
rašytoja, Mary Higgins Clark kelerius metus dirbo sekretore, redaktore, stiuardese.
Ištekėjusi visą laiką paskyrė šeimai, o laisvalaikiu rašydavo apsakymus. Anksti mirus
vyrui, rašymas tapo pagrindiniu penkių vaikų motinos pragyvenimo šaltiniu – ji rašė
laidų scenarijus, trumpus pasakojimus radijui, o vėliau agentas pasiūlė imtis romano.
M. Higgins Clark knygos – įtempto siužeto detektyviniai trileriai – sulaukė skaitytojų
ir kritikų pripažinimo visame pasaulyje ir visos pateko į skaitomiausių knygų sąrašus.
M. Higgins Clark knygų vien JAV parduota per 80 milijonų. „Trilerio karaliene" ti-
tuluojama rašytoja yra daugelio prestižinių premijų laureatė, JAV detektyvų rašytojų
asociacijos prezidentė, jos vardu pavadintas vienas svarbiausių apdovanojimų geriau-
siems trilerių rašytojams.

UDK 821.111(73)-31

Mary Higgins Clark
NIEKO GERIAU UŽ NAMUS
Romanas

Iš anglų kalbos vertė *Inga Dievulytė*

Redaktorė *Edita Šatkauskienė*
Korektorės *Ramutė Prapiestienė* ir *Marijona Treigienė*
Serijos ir viršelio dizainerė *Jurga Želvytė*
Maketavo *Jurga Morkūnienė*

Tiražas 1600 egz.
Išleido leidykla „Alma littera", Ulonų g. 2, LT-08245 Vilnius
Interneto svetainė: www.almalittera.lt
Spaudė AB spaustuvė „Spauda", Laisvės pr. 60, LT-05120 Vilnius
Interneto svetainė: www.spauda.com